Os Teatros Bunraku e Kabuki: Uma Visada Barroca

Coleção Estudos
Dirigida por J. Guinsburg

Equipe de realização – Revisão: Afonso Nunes Lopes; Revisão de Provas: Shizuka Kuchiki; Produção: Ricardo W. Neves e Sylvia Chamis.

A publicação deste livro foi possível graças ao patrocínio da Fundação Japão e da Aliança Cultural Brasil-Japão.

Darci Kusano

Os Teatros Bunraku **e** Kabuki**:
Uma Visada Barroca**

EDITORA PERSPECTIVA

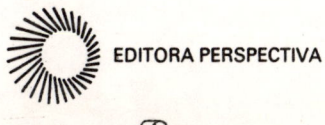
ALIANÇA CULTURAL BRASIL-JAPÃO

Dados Internacionais de Catalogação na Publicação (CIP)
(Câmara Brasileira do Livro, SP, Brasil)

Kusano, Darci
  Os teatros Bunraku e Kabuki : uma visada barroca / Darci Kusano. – São Paulo : Perspectiva : Fundação Japão : Aliança Cultural Brasil-Japão, 1993. – – (Coleção de estudos ; 133)

ISBN 85-273-0057-5

Bibliografia

1. Arte barroca – Japão 2. Bunraku 3. Kabuki 4. Teatro japonês I. Título. II. Série.

93-0334   CDD-792.0952

Índices para catálogo sistemático:

1. Bunraku : Teatro japonês : História e crítica 792.0952
2. Kabuki : Teatro japonês : História e crítica 792.0952

Direitos reservados à
EDITORA PERSPECTIVA S.A.
Avenida Brigadeiro Luís Antonio, 3025
01401-000 - São Paulo - SP - Brasil
Telefone: (011) 885-8388
Fax: (011) 885-6878
1993

Para a edificação da rota Brasil-Japão, nos 390 anos de criação do Teatro Kabuki e 85 anos da Imigração Japonesa no Brasil.

Agradecimentos

Em São Paulo:
- Prof. Jacó Guinsburg, pela orientação e incentivo à perseveração no confronto com o desafio levantado;
- Prof. Haroldo de Campos, pelo apoio e cooperação constantes;
- Em memória do Prof. Kensuke Tamai, ex-diretor do Centro de Estudos Japoneses da Universidade de São Paulo (USP), pela iniciativa e presença do Teatro Kabuki do Japão no Brasil, através do patrocínio da Fundação Japão;
- Profa. Hiroko Yanagui, docente da Aliança Cultural Brasil-Japão, pela colaboração de longa data;
- Olga Shimabukuro, pelas discussões;
- Prof. José Eduardo Vendramini, pelas críticas e sugestões;
- Profa. Dilma de Melo Silva, pela compreensão e apoio;
- Maria de Lourdes Augusto Pedreira, pelas informações administrativas;
- Jô Takahashi, assessor cultural da Fundação Japão, e Luís Hanada, secretário-administrativo da Aliança Cultural Brasil-Japão, pelo incentivo e cooperação;
- Professores que fizeram parte da banca da tese de doutoramento, defendida na Escola de Comunicações e Artes da USP, em junho de 1991: Profs. Drs. Haroldo de Campos, Haquira Osakabe, Armando Sérgio da Silva, Elza Cunha de Vincenzo e Jacó Guinsburg (orientador), cujas críticas relevantes e colaboração contribuíram para a elaboração final do livro;

- Rosa Eiko Higashi, pela leitura de todo o trabalho;
- Minha família, principalmente minha irmã Neide Kusano, pela paciência e compreensão.

Na Universidade Waseda de Tokyo:
- Prof. Yoshio Ozasa, crítico teatral, pelos instigantes cursos sobre teatro japonês;
- Prof. Hiroshi Ito, pela assessoria na área de teatro barroco francês e empréstimo de livros de difícil aquisição;
- Prof. Akira Kikuchi, pela colaboração na área dos Teatros Bunraku e Kabuki, bem como o acesso ao material do Museu do Teatro;
- Kaoru Matsuyama, pelo fornecimento das fotos pertencentes ao Museu do Teatro;
- Senhoras do Refeitório Universitário, pelos *missoshiru* ("sopa japonesa") e picles diariamente acrescentados no bandejão.

Companhias Teatrais Japonesas:
- Seiji Washio, do Teatro Nacional do Japão – Tokyo; Kiyomitsu Torii, 9ª mestra da Escola Torii de *Ukiyoê*, cenógrafa de *kabuki* e pintora dos cartazes do Kabuki-Za; Masayuki Nishiyama, do Departamento de Propaganda do Zenshin-Za, pelo acesso aos ensaios e encenações das peças de *bunraku* e *kabuki*;
- Kyoko Kujo e Yoko Ozawa, respectivamente produtora e administradora do Jinriki Hikôki-Sha; Itsuo Hama, produtor do Bungaku-Za; Kazuya Tominaga (gerente) e Naoko Shimotsuma (produtora) do Haiyû-Za; Hideki Arakawa, produtor do *Subaru*; Norio Deguchi e Ichirô Hisamitsu, respectivamente diretor e produtor do Shakespeare Theatre Co., pelo acesso aos ensaios e encenações das peças de Shakespeare.

- Família de Tachie Oka, pelo amparo durante toda a minha estadia no Japão;
- Hiromi Yamamoto, de Yokohama, pela introdução às formas menos ortodoxas do Teatro Tradicional Japonês;
- Às adversidades diversas.

Bolsas de estudo concedidas pelas entidades:
- Fundação de Amparo à Pesquisa do Estado de São Paulo (FAPESP)
- Conselho Nacional de Pesquisa e Desenvolvimento (CNPq), pela oportunidade de iniciar a pesquisa na Universidade de São

Paulo e desenvolvê-la basicamente na Universidade Waseda de Tokyo;
- Aliança Cultural Brasil-Japão, pelos cursos de Japonês Avançado I e II.

Sumário

DO BARROCO (POR UM VIÉS JAPONÊS) – *Haroldo de Campos* XXI

INTRODUÇÃO XXXI

1. CONSIDERAÇÕES GERAIS 1
   1.1. Etimologia 1
   1.2. Cosmologia no Século XVII 7
   1.3. Os Grandes Fatores Históricos do Século XVII ... 10
      1.3.1. *Barroco e Absolutismo* 11
      1.3.2. *Barroco e Contra-Reforma* 14
      1.3.3. *Burguesia* 20
   1.4. Conceito Histórico ou Categoria Estética? 22
      1.4.1. *Barroco como Conceito Histórico* 22
      1.4.2. *Barroco como Categoria Estética* 25

2. HISTÓRIA: GÊNESE E DESENVOLVIMENTO DOS TEATROS *BUNRAKU* E *KABUKI* 29
   2.1. História do Teatro *Bunraku* 29
      2.1.1. *Arte de Manipulação de Bonecos* 30
      2.1.2. *Arte de Narração* Joruri 35
      2.1.3. *Música de* Shamisen 37
      2.1.4. *Teatro de Bonecos* 39
      2.1.5. *A Idade de Ouro do Teatro de Bonecos* ... 41

2.2. História do Teatro *Kabuki* 60
  2.2.1. *Os Anos de Formação* 60
    2.2.1.1. *Kabuki de mulheres* (onna kabuki) .. 61
    2.2.1.2. *Kabuki de mocinhos* (wakashu kabuki) 66
    2.2.1.3. *Kabuki de homens adultos* (yarô kabuki) 68
  2.2.2. *O Kabuki da Era Guenroku – Período de Desenvolvimento. O Estabelecimento dos Três Estilos Básicos do Kabuki:* Aragoto, Wagoto e Onnagata 70
  2.2.3. Maruhon Kabuki: *Adaptações de Peças do Teatro* Bunraku 71
  2.2.4. *Período de Maturação do Kabuki de Edo* ... 73
  2.2.5. *Da Restauração Meiji aos Dias de Hoje: o Kabuki Moderno* 80
2.3. *Bunraku, Kabuki*, Barroco: Degenerescência ou Renovação de Valores? 86

3. ESPAÇO TEATRAL: ARQUITETURA E CENOGRAFIA 91
  3.1. Tempo/Espaço 91
  3.2. Perspectiva 93
  3.3. Arquitetura Barroca 96
    3.3.1. *O Urbanismo Barroco* 97
    3.3.2. *O Palácio* 98
    3.3.3. *A Igreja* 100
  3.4. Palco de *Kabuki* 107
    3.4.1. Hanamichi *("Passarela")* 119
    3.4.2. Mawaributai *("Palco Giratório")* 132
    3.4.3. *Teto Giratório* 134
    3.4.4. *Assentos* 134
    3.4.5. *Iluminação* 135
    3.4.6. *Espaço Musical* 137
      3.4.6.1. Gueza 137
      3.4.6.2. Yuka 137
  3.5. Palco de *Bunraku* 138

4. ATOR DE *KABUKI* E MANIPULADOR DE BONECOS DO *BUNRAKU* 143
  4.1. Ator de *Kabuki*: de Marginal a "Tesouro Nacional Humano" 143
    4.1.1. Onnagata, *o Travesti mais que Perfeito* 151
    4.1.2. Kôken / Kurogo / Kyôguen-Kata 169

SUMÁRIO

    4.1.3. *O Sistema de Especialização de Papéis* 170
    4.1.4. *Contratos e Salários* 171
  4.2. A Dupla do *Bunraku*: Bonecos e Manipuladores .. 172
    4.2.1. *Bonecos* 172
        4.2.1.1. *Cabeças* 174
    4.2.2. *Manipuladores de Bonecos* 193

5. TEXTO: DRAMATURGIAS DE *BUNRAKU* E *KABUKI* 201
  5.1. Dramaturgia de *Bunraku* 201
    5.1.1. *Classificação das Peças de* Bunraku 202
  5.2. Dramaturgia de *Kabuki* 203
    5.2.1. *Monzaemon Chikamatsu* 208
        5.2.1.1. *Sua arte* 212
    5.2.2. *Shozo Namiki (1730-1773)* 215
    5.2.3. *Gohei Namiki (1747-1808)* 216
    5.2.4. *Jisuke Sakurada I (1734-1806)* 216
    5.2.5. *Namboku Tsuruya IV (1755-1829)* 216
    5.2.6. *Mokuami Kawatake* 217
  5.3. Classificação das Peças de *Kabuki* 221

6. ENCENAÇÃO 231
  6.1. Um Verdadeiro Carnaval Colorido 231
  6.2. Vestuário de *Kabuki* 232
    6.2.1. *Um Vestuário Deslumbrante* 232
    6.2.2. *Vestuário dos* Jidaimono 240
    6.2.3. *Vestuário dos* Sewamono 241
    6.2.4. *Vestuário dos* Zanguiri-mono 242
    6.2.5. *Vestuário dos* Kizewamono 243
    6.2.6. *Vestuário dos* Shosagoto 243
    6.2.7. *Cabeleiras* 243
  6.3. Vestuário de *Bunraku* 247
    6.3.1. *Cabeleiras de* Bunraku 248
    6.3.2. *Vestuário Elisabetano* 248
  6.4. Maquilagem de *Kabuki* 249
  6.5. Música de *Kabuki* 268
    6.5.1. Hyôshigui 270
    6.5.2. Tsuke-Uchi 271
    6.5.3. *Música* Gueza *ou* Kague-Bayashi 272
    6.5.4. *A Música de* Shamisen *no* Kabuki 276
    6.5.5. *Escolas de Música de* Shamisen 277
    6.5.6. *Música Lírica* 278
        6.5.6.1. Nagauta 278
    6.5.7. *Música Narrativa* 279

6.5.7.1. Guidayu-Bushi 279
6.5.8. *Baladas de Estilos* Itchû, Bungo, Tokiwazu, Shinnai, Kiyomoto *e* Tomimoto 280
6.6. Música de *Bunraku* 283
  6.6.1. *Narrador* 283
  6.6.2. *Instrumentistas de* Shamisen 285
  6.6.3. *Outros Instrumentos Musicais do* Bunraku .. 296
  6.6.4. *Música* Gueza *do* Bunraku 296
6.7. Dança de *Kabuki* 297
  6.7.1. *Estrutura das Danças* Kabuki 304
  6.7.2. *Classificação das Danças* Kabuki 308
  6.7.3. *Acessórios de Dança* 315
6.8. Atuação no *Kabuki* 316
  6.8.1. *Os* Kata *como Estilos de Atuação:* Danmari, Aragoto, Wagoto, Maruhon *e* Shosagoto ... 318
    6.8.1.1. Danmari *("pantomima sem palavras")* 321
    6.8.1.2. Aragoto *("rude")* 322
    6.8.1.3. Mie *("pose estática com olhar fixo")* 324
    6.8.1.4. Roppo *("saída espetacular")* 326
    6.8.1.5. Tachimawari *("cenas de luta")* 327
    6.8.1.6. *Heróico* 328
    6.8.1.7. Wagoto *("suave")* 335
    6.8.1.8. Maruhon *("derivado do* bunraku") 337
    6.8.1.9. Shosagoto *("estilo de dança")* 339
    6.8.1.10. *A pose pictórica* 339
6.9. Elocução no *Kabuki* 340

7. COTEJO DA ESTÉTICA TEATRAL DO BARROCO EM SUAS CONCEPÇÕES ORIENTAL E OCIDENTAL 345
7.1. Estrutura 345
7.2. Características do Barroco / Teatro Barroco 347
  7.2.1. *Movimento* 348
  7.2.2. *Culto do Maravilhoso* 352
  7.2.3. *Paradoxo* 354
  7.2.4. *Ostentação* 357
  7.2.5. *Crueldade e Morte* 359
    7.2.5.1. *A estética do feio estilizada* 367
  7.2.6. *O Grande Teatro do Mundo* 368
  7.2.7. *Festa* 370
  7.2.8. *Jogo* 372
  7.2.9. *Obra Aberta* 373

7.3. *Miseba* ("Cenas para Atrair o Público") do *Bunraku* e *Kabuki* 375
    7.3.1. *Estética de Estilização e Formalização* 375
    7.3.2. Miseba *dos* Jidaimono *("Dramas Históricos")* 376
    7.3.3. Miseba *dos* Sewamono *("Peças Domésticas")* 386

8. UMA OPERAÇÃO DE DESCONSTRUÇÃO? 393

BIBLIOGRAFIA 401
  Cultura e Teatro Japonês 401
  Barroco 405
  Teatro Barroco 406

Do Barroco
(Por um Viés Japonês)

Haroldo de Campos

Em 1980, no Programa de Estudos Pós-Graduados em Comunicação e Semiótica da PUC-SP, ministrei o curso "Semiologia da Evolução Literária – O Modelo Barroco"[1]. Foi no âmbito desse seminário que Darci Yasuco Kusano, então dedicada ao estudo do teatro *nô*, encontrou o estímulo e o quadro de referências necessários ao prosseguimento de suas reflexões sobre o legado teatral japonês[2]. Sua hipótese inicial de pesquisa, esboçada em trabalho de aproveitamento apresentado no referido curso, consistia no enfoque contrastivo do teatro *nô* com relação ao *kabuki*, visto o primeiro como um pólo classicizante, dentro da tradição japonesa, e o segundo como fenômeno de características barrocas. Dada a contigüidade entre o *kabuki* e o teatro de bonecos (*bunraku*), a Autora, no desenvolvimento de seu projeto, incluiu também essa modalidade teatral de fantoches manipulados por exímios titereiros[3]. Transferindo-se da PUC-SP para a ECA-USP,

---

1. Este curso deu matéria a meu livro *O Seqüestro do Barroco na Formação da Literatura Brasileira: O Caso Gregório de Matos*, Salvador, Bahia, Fundação Casa de Jorge Amado, 1989.

2. Darci Yasuco Kusano apresentou à PUC-SP, sob a orientação do Prof. Décio Pignatari, a dissertação de mestrado *Uma Leitura Semiótica do Teatro Nô* (1982). O essencial dessa dissertação está no livro *O Que é Teatro Nô*, São Paulo, Editora Brasiliense, 1984.

3. Sobre essa modalidade teatral, temos hoje em nossa bibliografia o competente e documentado livro de Sakae M. Giroux e Tae Suzuki, *Bunraku: Um Teatro de Bonecos*, São Paulo, Perspectiva, 1991.

Darci Kusano pôde contar, a partir de 1984, com a segura orientação do Prof. Jacó Guinsburg, um de nossos mais conceituados especialistas em crítica e estética teatral, bem como teve a oportunidade de aprofundar suas pesquisas em prolongado estágio na Universidade Waseda, em Tokyo. A hipótese inicial de trabalho, que projetava, de modo ao mesmo tempo ousado e tentativo, no espaço artístico do Oriente, uma concepção periodológica extraída dos estudos de história da arte e da literatura do Ocidente, encontrava, assim, campo propício ao seu florescimento. O resultado desse longo período de pesquisas, apontamentos e reflexões é o presente livro, que tomou figura, primeiramente, como tese doutoral, e agora se apresenta sob forma ensaística.

O trabalho se desenvolve em duas dimensões. A primeira delas, de cunho histórico-descritivo, consiste num minucioso estudo da gênese e da evolução dos teatros *bunraku* e *kabuki*, acompanhado por uma exposição detalhada dos elementos constitutivos dessas modalidades teatrais aparentadas, a saber: o *espaço teatral*, compreendendo aspectos de arquitetura e cenografia, questões de perspectiva e palco; o *ator* (no caso do *kabuki*) e o *manipulador* (no caso do *bunraku*), compreendendo questões como a "marginalidade" social do ator (na história do *kabuki*), o desempenho de papéis femininos por atores masculinos especializados (*onnagata*) e a função dos comparsas de cena convencionalmente invisíveis, por simbolicamente vestidos de preto (*kurogo*); quanto ao *bunraku*, várias questões pertinentes são abordadas, da escultura das cabeças à tipologia dos bonecos, assim como aspectos concernentes à técnica de manipulação, seu aprendizado e exercício; a *dramaturgia* de ambas as modalidades de teatro é a seguir enfocada, com a indicação dos mais destacados autores de textos e a classificação das peças respectivas, tratando-se, ainda, do fenômeno da autoria coletiva, característico do *bunraku*, e de sua repercussão no *kabuki*; são também considerados problemas correlacionados à *encenação*, vale dizer: vestuário e cabeleiras no *kabuki* e no *bunraku*, maquilagem no *kabuki*, tópicos esses que envolvem a simbólica das cores e, no caso do *kabuki*, as técnicas de transformismo que permitem ao ator mudar sua aparência em cena. A Autora detém-se ainda sobre a música, tanto do *kabuki* como do *bunraku*, com precisões sobre os instrumentos e técnicas de execução, bem como sobre as modalidades cantada e narrativa de música vocal, esta última fundamental no *bunraku*, um teatro para ser "ouvido" no que se refere à arte da narração; já no *kabuki* o que releva são os diálogos, dotados de qualidades rítmicas de elocução. A dança e os estilos de atuação do *kabuki*, que compreendem aspectos espetaculares e poses estáticas (*mie*), são submetidos a escrutínio. Particularmente interessante é a questão das "poses estáticas com o olhar fixo" (o verbo japonês para "ver", "ser visível", *mieru* ou *miru*, exibe, metonimicamente, o pictograma de "olho" sobre o desenho abreviado de duas pernas...). A Autora as caracteriza como um verdadeiro "ponto de exclamação visual". Aqui, não posso deixar de assinalar a retomada virtual desse efeito cênico – posturas congeladas no instante – por um jovem diretor de vanguarda que vem renovando o teatro brasileiro, Gerald Thomas. Em *M.O.R.T.E.*, todo o elenco, encabeçado pela atriz Bete Coelho, se detém a uma certa altura do espetáculo, compondo, imobilizado, uma estatuária em cena aberta, por alguns (longos) minutos, para pasmo e mesmo revolta de muitos assistentes, que não sabem como se comportar diante dessa pausa inesperada na ação, efeito tradicional no teatro japonês, como este livro o demonstra...[4]

A dimensão histórico-descritiva é, por sua natureza, a mais extensa. Toma, por assim dizer, cinco capítulos, desenvolvendo-se entre os Caps. 2 e 6 deste volume.

A outra dimensão é a crítico-comparativa. À luz das prévias e minuciosas descrições do *kabuki* e do *bunraku*, a Autora procura caracterizá-los como manifestações de tipo barroco, na conformidade da hipótese que levantara inicialmente e que elabora no Cap. 1. Para tanto, passa em revista a etimologia e os aspectos históricos e estéticos do conceito ou da categoria de barroco, procedendo a um cotejo entre as concepções oriental e ocidental do fenômeno (Cap. 7), para, no Cap. 8, esboçar uma "operação desconstrutora", inspirada, pelo menos como atitude, na crítica de Derrida ao "centramento" de tipo monológico. Nessa perspectiva "desconstrutivista", a Autora contrapõe ao classicizante teatro *nô*, despojado, intimista e contenso, uno, a dinâmica vertiginosa do *kabuki* e do *bunraku*, modalidades teatrais que desconstituem aquele modelo de pureza absoluta, tingindo-se, bizarramente, de vistosos traços barroquizantes.

Se, na parte histórico-descritiva, prevalece um estilo expositivo de citações em mosaico, dado o número de informações a selecionar e a transmitir ao leitor interessado em familiarizar-se com o teatro oriental, nem por isso deixa nela de infiltrar-se a visada comparativista, que anima a segunda dimensão do trabalho. Assim, entre outros, relevam tópicos como os referentes à "noite"

---

[4]. Ver meu artigo "A M.O.R.T.E. e o Parangolé", *Folha de S. Paulo*, 14.2.1991.

em sua função de clímax no teatro oriental e ocidental; o paralelo entre o proliferante estilo "churrigueresco" espanhol, já tocado pelo ornamentalismo pré-colombiano da América Hispânica, e o suntuoso gosto *kara-yo* que preside aos santuários de Nikko, de pronunciada influência chinesa, na sua profusão de lavores e na sua policromia; a aproximação entre o *trompe l'oeil*, por um lado, e a multiplicidade de pontos focais na gravura *ukiyoê* e nos teatros *bunraku* e *kabuki*, por outro; a questão da variedade e da complexidade de atos no *kabuki* em analogia com a emancipação do esquema ímpar (de três ou cinco atos) no teatro barroco europeu, onde o número par desses atos corresponderia à repetibilidade virtual dos episódios. Estas inserções, pontilhando e pontuando a parte histórico-descritiva, preparam adequadamente o momento crítico de reivindicação do conceito de barroco para a melhor compreensão das modalidades teatrais japonesas *bunraku* e *kabuki*.

Aqui, gostaria de fazer um excurso sobre esta questão nodal. Embora não seja o caso de subscrever sem mais (e não o faz a Autora) a tese difusa e impressionista (ainda que pioneira) de Eugenio d'Ors, que arrisca desembocar num "panbarroquismo" acrítico, parece-me perfeitamente possível trabalhar, tomadas as devidas cautelas, com dois conceitos de barroco, de conformidade com o horizonte de pesquisa privilegiado. Um histórico, epocal, reservado para o período em que o fenômeno ocorreu, marcadamente, no Ocidente: o Seiscentos, com manifestações tardias no Setecentos (como em nosso Barroco mineiro, por exemplo); outro, abstrato, transtemporal, estilístico, válido sobretudo no plano heurístico de caracterização estética; neste caso (que tem como pano de fundo, para fins de referência e contraste, o marco temporal do Barroco histórico), pode-se falar mais propriamente em "barroquismo" – projeções ou pervivências barroquizantes –, como no exemplo de Baudelaire, em cuja poesia alegórica Walter Benjamin vê o "barroco da banalidade"; como no caso de Sousândrade, poeta "maldito" e excêntrico de nosso Romantismo, excluído, não por acaso, do relato canônico de nossa "formação literária" (Sousândrade, refira-se, é precedido cronologicamente por um outro autor de produtos "monstruosos", o "pai rococó" Odorico Mendes, homeríada "macarrônico", alvo também de interdito pelos cultores da "boa norma" histórico-literária...). Isto, para sequer mencionar a linha "neobarroca" da literatura contemporânea, tão momentosa em nossa América, de Lezama Lima e Carpentier a Severo Sarduy e aos poetas "neobarrocos" transplatinos (e por que não do Guimarães Rosa do *Grande*

Sertão ao Leminski do *Catatau*?). Mesmo retroativamente, essa caracterização, se perde em rigor (por ausência daquele marco histórico de referência epocal), pode ainda manter a sedução heurística (quando se aproximam, por exemplo, observando-se determinados parâmetros estilísticos, a extremada elaboração formal do alexandrino Licofronte, as ousadias luciferinas de Góngora e o requintado "sintaxismo" de Mallarmé, como o faz entre outros, o helenista Robert Brasillach)[5].

Mas teria vigência operativa o conceito de barroco no caso de literaturas orientais tão remotas de nossa tradição greco-latina como a chinesa e a japonesa?

Aqui, nada mais oportuno do que trazer à baila a opinião de um sinólogo, James J. Y. Liu, professor da Universidade de Chicago e especialista reconhecido na "arte da poesia chinesa". De sua lavra é uma obra que se intitula, exatamente, *The Poetry of Li Shang-yin/Ninth-Century Baroque Chinese Poet*, The University of Chicago Press, 1969. Para caracterizar como "barroco" um poeta chinês do século IX, o Prof. Liu — que mostra familiaridade com a obra crítico-literária de René Wellek e está ciente da problematicidade que cerca o conceito — se inclina a levar em conta não apenas traços estilísticos (sutileza, obliqüidade, ambigüidade, conflito, tensão entre sensualidade e espiritualidade, busca do extraordinário e do bizarro, tendência ao ornato e à elaboração), mas entende transponíveis, por analogia contextual, para a China daquele século, certas notas distintivas da atmosfera histórico-cultural do século XVII europeu, *mutatis mutandis*. Segundo Liu, os intelectuais chineses viviam então uma situação mental conflitante, dilacerada, entre o puritanismo confuciano e o ascetismo budista, por um lado, e o hedonismo sibarita, associado com a versão popular da busca taoísta por uma imortalidade física, tudo isso levando, em literatura, a uma fase de sofisticação formal, assinalada pela tendência ao exuberante e ao grotesco. Segundo Liu, aquelas épocas que, na periodologia italiana, corresponderiam ao *quattrocento*, ao *cinquecento* e ao *barocco* (esta última, a idade dos "poetas metafísicos" na literatura inglesa), teriam sua contrapartida nas seguintes três épocas da poesia T'ang: a) fase formativa (*ca*. 618-710); b) fase de maturidade plena (*ca*. 710-770); c) fase de sofisticação (*ca*. 770-900); após o século IX,

---

5. Cf. Robert Brasillach, *Anthologie de la Poésie Grecque*, Paris, Stock, 1954. Ver também meu ensaio "Uma Arquitextura do Barroco", que inclui uma comparação de textos via tradução (em *A Operação do Texto*, São Paulo, Perspectiva, 1976).

sobrevém o "neoclássico" período Sung (960-1279), cujas notas distintivas seriam o "conservantismo", a ênfase "racionalista" e o culto da "imitação"[6].

Uma angulação filosófica do problema pode ter agora cabimento. Gilles Deleuze, debruçado sobre o universo de Leibniz, filósofo por excelência da era barroca (suas "mônadas" são comparáveis a capelas em mármore negro onde a luz só se filtra por invisíveis ranhuras), é levado a afirmar: "O Barroco não remete a uma essência, mas antes a uma função operatória, a um traço". (...) "O traço do Barroco é a dobra que vai ao infinito." No afã de ilustrar essa definição operacional e, no mesmo passo, de projetá-la sobre o conceito de matéria em Leibniz, Deleuze prossegue: "A ciência da matéria tem por modelo o *origami*, diria o filósofo japonês, ou a arte da dobra do papel."[7]

Essa remessa filosófica a uma típica manifestação do modo nipônico de formar, no plano das artes plásticas, pode bem servir de liminar à operação praticada pela Autora, quando, neste seu trabalho, por seu turno, transpõe para o mundo do *kabuki* e do *bunraku* o conceito europeu de barroco, salientando para esse fim o aspecto de "mutação constante", "infinita", característico do *modus operandi* dessas modalidades teatrais, "monstruosas" por seu descentramento, em contraste com a unificadora sobriedade do teatro *nô*.

Mas na própria bibliografia em língua portuguesa o empenho da Autora pode encontrar apoio, ainda que de maneira oblíqua. Em *O Teatro de Gil Vicente e o Teatro Clássico Japonês*, Armando Martins Janeiro, ao longo de páginas cheias de interesse e ricas de sugestão, aproxima o teatro vicentino tardo-medieval – uma arte cênica que "se recusa a submeter-se às regras do teatro clássico" – ao teatro japonês tradicional (Janeiro refere-se tanto ao *nô*, com sua "fina estilização", com sua "estética sutil", com sua "poesia pura", quanto ao *kabuki*, considerado em sua "opulência incomparável", assinalada pela "riqueza e variedade de meios e processos", por uma "linguagem cênica altamente imaginativa e colorida"). Embora não se preocupe em estabelecer a polarização "clássico/barroco", o estudioso português mostra como o teatro vicentino, por um lado, e o teatro japonês tradi-

---

6. Em "Barrocolúdio: Transa Chim" transpus para o português um dos mais belos poemas de Li Shang-yin; cf. *Isso/Despensa Freudiana*, Belo Horizonte, nº 1, 1989.

7. Gilles Deleuze, *Le Pli* (Leibniz et le Baroque), Paris, Les Éditions de Minuit, 1988.

cional, por outro – sobretudo o *kabuki* na sua vocação para um "teatro total" –, fogem dos rigores do padrão clássico ocidental triunitário (em Portugal introduzido por Sá de Miranda, com os bafejos do Renascimento)[8].

Será, no entanto, na obra de um eminente professor de teatro comparado da Universidade Waseda, Toshio Kawatake, que a Autora acabará por encontrar o mais amplo e sólido respaldo à sua hipótese de trabalho. De fato, como é mencionado no Cap. 1 e em outros pontos deste livro, o Prof. Kawatake sustenta a tese geral da alternância das formas artísticas com base em dois princípios fundamentais. É a tese da "dipolaridade", vista como algo pertinente à própria natureza humana. Segundo essa concepção, o pólo "clássico" e o pólo "barroco" ("anticlássico") situam-se nos extremos do espectro de possíveis artísticos. Em seu livro *Das Barocke im Kabuki – das Kabukihafte im Barocktheater*, publicado em alemão em 1981[9], o estudioso japonês que, desde 1961, vinha pesquisando a essência barroca do *kabuki* ("Das Barocke Wesen des Kabuki" é o título de uma conferência sua de 1971), procedendo numa linha que pode ser assimilada à idéia das constantes atemporais (de Curtius e Gustav René Hocke no campo dos estudos literários, por exemplo), estabelece "duas grandes categorias" para o teatro universal, às quais busca subsumir as manifestações teatrais japonesas, por julgar essas categorias congeniais ao próprio ser humano. "O teatro clássico é, na sua expressão cênica, simples, adstringente, centrípeto, tendendo para o interior. A evo'ução lógica do texto torna-se seu ponto fulcral. O teatro barroco, ao invés, é rico em ornamentos, esplêndido e suntuoso, divergente, orientado para o exterior, centrífugo." No caso japonês, o teatro *nô* não é exatamente clássico, no sentido ocidental, por seu caráter não-imitativo (volta-se para a conquista do "charme sutil", *yûgen*, ao invés de reduzir-se à imitação, *monomane*); também pela irrupção do elemento fantasmal, de sobre-realidade (traço quase-barroco, à primeira vista), o que ocorre através do *shite* (protagonista), em correspondência ao elemento de "ilusão, alucinação ou reminiscência", que procede do *waki* (antagonista). No entanto, esse teatro *nô*, reduzido ao essencial, pelo que tem de "centripetalidade, convergência e

---

8. Armando Martins Janeiro, *O Teatro de Gil Vicente e o Teatro Clássico Japonês*, Lisboa, Portugália Editora, 1967.
9. Traduzido do japonês por Thomas Leims, o livro mencionado foi publicado em Viena pela editora da Academia Austríaca de Ciências (seção histórico-filosófica).

coesão", mostra-se, numa análise mais detida, "absolutamente não-barroco". Já a *kabukicidade* – fator lábil "como a Fênix" –, no que tem de inacabado, caótico, desordenado, anti-sistemático, constitui, para Kawatake, "a realização japonesa da orientação barroca enquanto uma das concepções do homem possibilitadas pelo teatro". Isto sem embargo do fato de essa manifestação nipônica de cunho barroquizante possuir, por sua vez, traços que a singularizam quando comparada a formas ocidentais de teatro barroco. (O mesmo se pode dizer do *bunraku*.)

É aqui, na busca dos traços de convergência e divergência entre essas distintas manifestações "anticlássicas" – portanto, no plano "operacional", como quer Deleuze, antes do que no "essencial", habitado pelo *éon* de Eugenio d'Ors –, que reside o especial interesse do estudo comparativo da Autora. Um estudo que tem a seu favor, ademais, o fato significativo de ocorrer uma estrita coincidência de tempo histórico entre a emergência do teatro barroco europeu e a florescência das manifestações nipônicas congêneres, o *bunraku* e o *kabuki*. A esse propósito, parece-me cabível insistir na ponderação de que, ao Absolutismo europeu de tipo monárquico, parece responder, no plano político, o xogunato japonês, que é um feudalismo absoluto. Por outro lado, não é irrelevante recapitular que, no plano artístico, no caso ocidental, com a estética propostamente aristocrática do barroco parece coexistir, por vezes nos mesmos autores, a desabusada sátira barroca, de raiz nas canções medievais de escárnio e maldizer (as mesmas que animam, por mais de um veio, o filão tardo-medievo e pré-barroco do teatro vicentino, com seus desmandos de oralidade popular). No que respeita à prosa, como se sabe, a picaresca é a contrapartida da requintada poesia barroca, tendo sua personagem de eleição no *Buscón* do "desenganado" Quevedo, caricatura literária do aventureiro manhoso, apresentado como "exemplo de vagabundos e espelho de velhacos". Esses aspectos caracterológicos fazem pensar na "marginalidade" social dos atores do *kabuki*, modalidade teatral não por acaso dada ao popularesco e ao espetacular de vistosidade "circense". A "festa" barroca, aliás, – tão bem estudada entre nós por Affonso Ávila em obra marcante, que a Autora traz à baila com propriedade[10] –, é uma outra extroversão lúdica (retraçável, prospectivamente, até o "carnaval") que contribui para dissolver, na esfera afetiva do tato e do contato popular, as pompas do Barroco suntuário e oficia-

---

10. Affonso Ávila, *O Lúdico e as Projeções do Mundo Barroco*, São Paulo, Perspectiva, 1980.

lesco· (esses elementos "festivos" e "carnavalescos", a Autora também os rastreia na atmosfera do *kabuki* e do *bunraku*). Sem esquecer a tese lezamesca da "contraconquista", que vê na variante ibero-americana, mestiça, híbrida, do Barroco, uma forma de reação – de corrosão –, levada a efeito pela imaginação desgarrada do autóctone e do africano com respeito ao padrão europeu, impositivo, do Barroco eclesiástico-preceptístico, infiltrando-o de paganismo e de fetichismo[11]. Severo Sarduy, discípulo de Lezama, fala mesmo numa estética da "transgressão do útil", numa "ética do desperdício"[12].

Por todo o exposto, no remate deste prólogo (ou desta cincunvolução), que serve de liminar ao aliciante ensaio de Darci Yasuco Kusano, não deixa de ser saboroso ressaltar que foram trajes masculinos de estilo português, introduzidos no Japão visitado desde 1549 por missionários lusos, aqueles de que se revestia a dançarina Okuni, reconhecida criadora do teatro *kabuki*, para deslumbrar de "estranheza" sua platéia. Disso nos informa a Autora, salientando que a conotação de "bizarria" do termo japonês *kabuki* derivaria, entre outros fatores, desse travestimento europeizante. Por um acaso etimológico ao qual não se poderia recusar a qualificação de "objetivo", na origem ibérica, hispano-lusa, da controvertida palavra "barroco" (rochedo irregular ou retorcida pérola) insinua-se, por outro viés conotativo, análoga sombra semântica.

---

11. Cf. Lezama Lima, *A Expressão Americana*, São Paulo, Editora Brasiliense, 1988. Consulte-se a esclarecedora introdução de Irlemar Chiampi, organizadora da edição e tradutora do texto ("A história tecida pela imagem"). Gilberto Freyre, quanto à "formação brasileira", assinala que esta não se teria processado "no puro sentido da europeização"; a propósito da "influência animística ou fetichista", registra: "Em vez de dura e seca, rangendo do esforço de adaptar-se a condições inteiramente estranhas, a cultura européia se pôs em contacto com a indígena, amaciada pelo óleo da mediação africana". (Cf. *Casa-Grande & Senzala*, Rio de Janeiro, Livraria José Olympio Editora, 1º tomo, 1964, 11a. ed.).

12. Severo Sarduy, "Por uma Ética do Desperdício", em *Escrito sobre um Corpo*, São Paulo, Perspectiva, 1979. "O Barroco, superabundância, cornucópia transbordante, prodigalidade e desperdício – daí a resistência *moral* que suscitou em certas culturas da economia e da medida, como a francesa..."

Introdução

O embrião desta obra germinou no curso de pós-graduação "Semiologia da Evolução Literária: O Modelo Barroco", ministrado pelo Prof. Dr. Haroldo de Campos, na Pontifícia Universidade Católica de São Paulo, em 1980. Na época, estava entusiasmada com a recente descoberta do *nô*, teatro clássico japonês, e interessou-me averiguar o avesso da moeda, isto é, o equivalente da tendência barroca na arte japonesa.

Após ver o filme *Kabuki*, do Consulado Geral do Japão de São Paulo, pude perceber claramente o seu contraste com o *nô*, tendo aí então a primeira intuição de que o *kabuki* seria a outra face da moeda, isto é, se o *nô* é a expressão do teatro clássico japonês, o *kabuki* seria o seu lado barroco. Apresentei, assim, o ensaio "O Teatro Kabuki e Seus Traços Barroquistas", contrastando o intimismo e a contenção do *nô* com o dinamismo e a atuação arrojada do *kabuki*.

Bunraku e *kabuki* são artes irmãs. Nascem e desenvolvem-se paralelamente por várias décadas, recebendo influências mútuas, tanto no seu repertório quanto na atuação, e havendo mesmo dramaturgos que escreviam quer para o *bunraku* quer para o *kabuki*, como no caso de Monzaemon Chikamatsu. Dessa maneira, concluí que não poderia deixar de incorporar também o teatro *bunraku*, uma vez que todo exame das características históricas, do repertório ou da atuação do *kabuki* obrigava-me a remontar às suas origens no *bunraku*.

O presente trabalho, sobre os teatros *bunraku* e *kabuki* em confronto com o teatro barroco europeu, originalmente uma tese de doutorado desenvolvida, a partir de 1984, no Departamento de Artes Cênicas da Escola de Comunicações e Artes da Universidade de São Paulo, sob a orientação do Prof. Dr. Jacó Guinsburg, visou continuar os estudos sobre o teatro tradicional japonês, adentrando também na área de teatro comparado.

A pesquisa teórica sobre o movimento barroco foi iniciada e realizada basicamente em São Paulo e, posteriormente, complementada com o material existente na Universidade Waseda de Tokyo. Processo inverso ocorreu no caso dos textos referentes aos teatros *bunraku* e *kabuki*, escassos no Brasil. Dessa maneira, a leitura fundamental foi efetuada no Tsubouchi Memorial Theatre Museum da Universidade Waseda, que tem a fachada em estilo de palco shakespeariano, em homenagem a Shoyo Tsubouchi, primeiro tradutor japonês das peças completas de Shakespeare e reformulador do *kabuki*.

Por sua vez, a pesquisa de campo teve início em São Paulo, nos meses de março e abril de 1986, quando da realização de vários eventos em virtude da chegada, pela primeira vez ao Brasil, da Companhia de Teatro Kabuki do Japão, liderada pelo ator Matagoro Nakamura: palestra e exibição de filmes sobre o *bunraku* e *kabuki* no Museu de Arte de São Paulo, *workshops* com os atores de *kabuki* no Teatro Sérgio Cardoso, seguidos de encenações de peças *kabuki* no recinto do mesmo teatro.

Em junho do mesmo ano, já em Tokyo, pude acompanhar as atividades do Museu do Teatro da Universidade Waseda, que organiza anualmente, na primavera e no outono, além de exposições, ciclos de cinco conferências e *workshops*, convidando atores, dramaturgos, cenógrafos e diretores, manipuladores de bonecos, narradores e instrumentistas de *shamisen*.

Mas o realmente frutífero, durante a minha estadia de quatro anos no Japão, foi a freqüência, quase que diária nos últimos anos, aos ensaios e encenações nos teatros de Tokyo que, atualmente, como um dos grandes centros teatrais do mundo, oferece uma extensa e variada gama de espetáculos cênicos. No Kabukiza, em Higashi-Guinza, excetuando-se o mês de julho, férias dos atores de *kabuki*, pode-se assistir mensalmente a duas programações diferentes: o matutino (11:00 às 16:00 h) e o noturno (16:30 às 21:00 h). Cada programa de *kabuki* é composto de três a quatro extratos de peças diferentes, portanto, o espectador pode optar por assistir apenas às de sua preferência, adquirindo os ingressos do *tachimi*, no terceiro andar.

O Teatro Nacional do Japão, em Chiyoda-ku, Estação Hanzômon, além de oferecer filmes de *bunraku* ou *kabuki*, uma vez por mês, aos sábados, proporciona espetáculos da Companhia Bunraku-za de Osaka, no recinto do Pequeno Teatro, nos meses de fevereiro, maio, setembro e dezembro, intercalando-se, assim, com os *tooshikyôguen* ("encenações de dramas completos") de *kabuki*, nos outros meses, no recinto do Grande Teatro. Dentro da política cultural de se difundir o teatro tradicional japonês no seio dos escolares, a Escola vem ao Teatro e os colegiais têm a oportunidade de assistirem a preços módicos, duas vezes por ano, no Teatro Nacional do Japão, em Chiyoda-ku, aos *workshops* com atores de *nô*, *kyôguen*, *kabuki*, manipuladores de bonecos, narradores ou instrumentistas de *shamisen* do *bunraku*, seguidos de projeções de filmes e encenações de dramas curtos. Há ainda apresentações esporádicas de *bunraku* no Laforet-Harajuku, e de *kabuki* no Meiji-za, em Hamacho, e no Shimbashi Embujô, em Higashi-Guinza.

De retorno ao Brasil, em junho de 1990, a discussão crítica que o meu trabalho levantava teve prosseguimento, com o meu Orientador e o Prof. Haroldo de Campos. Em função dela, ultimei as minhas conclusões.

1. Considerações Gerais

1.1. ETIMOLOGIA

As origens da palavra barroco são imprecisas. Até hoje, a acepção mais correntemente aceita é a de que ela tenha derivado inicialmente de um termo empregado no vocabulário especializado da joalheria, desde o século XVI, para designar um tipo de pérola de formato irregular: o espanhol *barrueco*, ou ainda *berrueco* (rochedos graníticos de formato irregular); o português *barroco* (pérola barroca, de forma oval, distorcida), que por sua vez remontaria ao latim *verruca*, significando um leve defeito, uma verruga. E ainda hoje, verifica-se a existência de colares de pérolas barrocas.

Mais tarde, o termo barroco passou a designar formas incomuns na arte. O perfeitamente redondo, a pérola de formato normal, o harmonioso, associado à arte clássico-renascentista, e em comparação, as novas expressões artísticas, como o Barroco, associadas ao irregular, defeituoso, anormal. "Esta origem já permite algumas reflexões: a pérola barroca associa nela o brilho e a impureza. Do mesmo modo, o Barroco cria uma identidade, a partir de defeitos transformados em eloqüentes afirmações da natureza"[1].

Victor-Lucien Tapié faz, em suas obras *Barroco e Classicismo – I* e *O Barroco*, um levantamento minucioso sobre a evo-

---

1. Claude-Gilbert Dubois, *Le Baroque – Profondeurs de l'Apparence*, p. 19.

lução semântica da palavra *barroco*, nos dicionários e enciclopédias franceses, desde o primeiro deles que a registrou até o mais recente. Acompanhando o estudo de Tapié, verificamos que o *Dicionário* de Furetière, de 1690, o primeiro dicionário francês a empregar o termo barroco, define-o no sentido primitivo, claro e preciso, como: "Um termo de joalheria, designativo de pérolas de esfericidade imperfeita"[2]. Definição esta retomada sem alterações pelos dicionários da Academia Francesa, nas edições de 1694 e 1718. Mas já a partir de meados do século XVIII, mais precisamente da edição de 1740 do dicionário da Academia Francesa, admitia-se um sentido figurado, associado a um conceito novo, o bizarro, com uma conotação francamente pejorativa: "Barroco se diz também do figurado por irregular, bizarro, desigual. Um espírito barroco, uma expressão barroca, uma figura barroca". E a Enciclopédia começa a empregar o termo barroco, no campo da música, num suplemento de 1776, redigido por J.-J. Rousseau: "Barroco em música: uma música barroca é aquela de harmonia confusa, sobrecarregada de modulações e dissonâncias, a entonação difícil e o movimento afetado". "Segue uma nota, que deve ser de outro que não Rousseau: 'Aparentemente este termo provém do *BAROCO* dos lógicos'. Indicação para nós preciosa, pois revela como a etimologia erudita era admitida injustamente em meados do século XVIII: ela devia predominar durante quase duzentos anos"[3].

O barroco como algo "irregular, bizarro, desigual" torna-se de uso popular a partir do século XVIII, para expressar o extravagante, o disforme, o anormal, o insólito, o surpreendente, o absurdo. O que serviu, como veremos mais tarde, aos críticos dos séculos XVIII, XIX e XX para designar as produções artísticas dos séculos XVI e XVII como sinônimas de mau gosto, arte degenerada.

O jovem Quatremère de Quincy define o barroco, em sua *Enciclopédia Metódica*, de 1788, como: "Barroco, adjetivo. Em arquitetura, o barroco é uma gradação do bizarro. Ele é, se se quer, o refinamento [sic], ou se fosse possível dizê-lo, o abuso. A austeridade está para a sabedoria do gosto como está para o bizarro, do qual é o superlativo. A idéia de barroco implica a do excesso de ridículo. Borromini proporcionou os maiores modelos de bizarrice. Guarini pode passar como o mestre do bar-

---

2. Victor-Lucien Tapié, *Barroco e Classicismo – I*, p. 19.
3. Idem, *O Barroco*, p. 4.

roco. A Capela do Santo Sudário em Turim, construída por este arquiteto, é o mais notável exemplo desse gosto"[4]. Quatremère de Quincy retoma essa idéia no seu *Dictionnaire Historique d'Architecture*, de 1832, empregando os termos bizarria e bizarro, relacionando-os à arquitetura romana do século XVII e artes aparentadas:

A bizarria é um substantivo feminino, termo que exprime na arquitetura um gosto contrário aos princípios recebidos, uma procura afetada de formas extraordinárias e cujo mérito reside na novidade, que é também o seu vício... Na moral, distingue-se o capricho da bizarria. O primeiro é fruto da imaginação e o segundo resulta do caráter... Esta distinção moral pode aplicar-se à arquitetura e aos diferentes efeitos do capricho e da bizarria nesta arte... Vignola e Miguel Ângelo admitiram por vezes, na sua arquitetura, pormenores caprichosos. Borromini e Guarini foram os mestres do gênero bizarro[5].

Ainda nessa acepção, o barroco para Littré significaria uma "bizarria chocante", enquanto para Dubois, a idéia do barroco como "superlativo do bizarro", veiculada pela Enciclopédia, estaria diretamente relacionada ao seu caráter de ostentação. E

já em 1570, o termo era empregado na farsa e sátira italianas para designar idéias estranhas, bizarras ou ridículas. Então, à medida que a hostilidade política ao feudalismo aumentava, durante a segunda metade do século XVIII, o caráter de depravação moral, atribuído a qualquer coisa que era contra a natureza, veio a ser associado à palavra. Esta interpretação foi familiarizada por Winkelman (1717-1768)[6].

Os joalheiros das épocas maneirista e barroca não consideravam as suas produções artísticas, compostas de quimeras, sereias, centauros, encastados em bases ainda mais intrincadas, montagens francamente bizarras, como obras de mau gosto, mas sim enquanto explorações artísticas deliberadas do singular, do fora das normas.

A palavra *kabuki*, por sua vez, é um neologismo proveniente do verbo *kabuku*, "desviar", "contorcionar-se", empregado na era Tenshô (1573-1592) e derivado etimologicamente de *katamuku*, literalmente "inclinar". *Kabuku* é um verbo obsoleto hoje em dia, mas já no início do século XVII, o adjetivo *kabuki* passa a designar algo excêntrico ou tendência de vanguarda, inclinação acentuada para gostos inusitados, para o *dernier cri* e que, na gíria po-

---

4. Compilado em *O Barroco*, p. 4.
5. Citado em *Barroco e Classicismo — I*, p. 22, de V.-L. Tapié.
6. Eberhard Hempel, *Baroque Art and Architecture in Central Europe*, p. 19.

pular da época, correspondia ao vistoso, berrante, extravagante, lascivo, a moda e o comportamento não convencionais, que divergiam abertamente das normas vigentes.

Apesar das inúmeras tentativas do xogunato para controlar o poder dos mercadores e mesmo o seu comportamento, vestuário e aparência (uma das expressões da divisão de classes), eles desenvolveram rapidamente o seu próprio estilo de luxo e extravagância. O novo modo de vida também era expresso na tendência de apartar-se de qualquer coisa tradicional, e perseguir tudo o que era novo, europeu ou similar. Os mercadores tornaram-se crescentemente devotados às diversões e gastos aparatosos.

Uma nova geração de jovens dândis surgiu, caracterizada pela aparência e comportamento extravagantes e inusitados. Essa rapaziada era denominada *kabukimono* (literalmente "pessoa inclinada")[7].

Como podemos constatar em numerosas gravuras da época, Okuni, a criadora do teatro *kabuki*, apresentava a dança budista *nembutsu odori* ("dança de oração"), vestindo trajes masculinos, no estilo dos missionários portugueses e espanhóis, que a partir de 15 de agosto de 1549 começaram a chegar ao Japão com Francisco Xavier. Numa gravura, Okuni usa calças compridas de estilo ocidental e chapéu estrangeiro; noutra gravura, um enorme e chamativo crucifixo sobre o casaco e um rosário, e há vários espectadores estrangeiros na platéia, provavelmente portugueses. A moda européia despertava enorme curiosidade no povo japonês, visto que seus trajes eram considerados bizarros para os padrões japoneses da época. E Okuni, originalmente sacerdotisa de um santuário xintoísta, a líder dos não-conformistas de Kyoto, não estava representando um fiel cristão, nem mostrando uma tendência pervertida, apenas apresentava a última moda, estava sendo meramente *kabuki*, de vanguarda, uma vez que os japoneses mais progressistas adotavam os trajes e mobiliário portugueses, fumavam tabaco e empregavam palavras portuguesas nas conversações cotidianas, tais como *pan* (pão) e *bidoro* (vidro), usadas ainda hoje. Portanto, tais fatos evidenciam que antes do *sakoku* ("política de segregação nacional", imposta em 1639), o contato Oriente-Ocidente, a influência ocidental já se fazia sentir no Japão.

Numa carta enviada por um missionário, Francisco Pasio, em setembro de 1594, encontramos a seguinte passagem: "Hideyoshi Toyotomi tem uma grande predileção pela indumentária portuguesa, e os membros do seu séquito, por emulação, vestem-se freqüentemente em estilo português. O mesmo é verdade a respeito daqueles *daimyô* ['senhores feudais'], que não são cristãos. Eles usam

---

7. Jacob Raz, *Audience and Actors*, p. 139.

rosários de madeira flutuante nos seus peitos, penduram um crucifixo no ombro ou na cintura e, às vezes, até mesmo seguram um lenço de mão. Alguns, que são especialmente predispostos e gentis, memorizaram o Pai-Nosso e a Ave-Maria, e os recitam, enquanto caminham pelas ruas. Isso não é feito para ridicularizar os cristãos, mas simplesmente para aparentar a sua familiaridade com a última moda, ou porque eles pensam que isso é bom e eficaz para trazer sucesso à vida cotidiana. Isso os levou a gastar muito dinheiro para encomendar brincos ovais, reproduzindo as formas do Nosso Senhor e da Santa Mãe"[8].

As apresentações de Okuni e seu grupo de atraentes dançarinas, com suas canções populares, danças dinâmicas, enfaticamente sensuais e seu estilo de atuação livre, arrojado, anticonvencional, envergando trajes incomuns, deveriam realmente ter impressionado os espectadores e ser comparadas às apresentações de outros grupos teatrais até então existentes, terem parecido *kabuki*, isto é, de vanguarda ao extremo. A partir de então, as danças do grupo de Okuni passam a ser designadas de *kabuki* de Okuni ou simplesmente *kabuki odori* ("danças *kabuki*").

Assim, é exatamente com a acepção do barroco enquanto bizarro, extravagante, insólito, fora das normas, chocante, que vai ser empregado o termo *kabuki*, no século XVII, para designar as danças vivas e sensuais do grupo de Okuni, sendo que só bem mais tarde vão ser aplicados foneticamente os três ideogramas chineses 歌 (*ka* = canto), 舞 (*bu* = dança), 妓 (*ki* = mulher e, por extensão, dançarina, cantora, cortesã ou prostituta, pelo fato de o *kabuki* ter sido criado por uma mulher, *kabuki* de Okuni, e ter sido seguido pelo *kabuki* de mulheres). Na última parte do período Edo, com o *kabuki* sendo constituído apenas por homens adultos, o radical 女 (mulher) do ideograma 妓 (*ki*) é substituído pelo radical 亻 (pessoa), dando formação ao ideograma 伎 (*ki* = técnica). Conserva-se a pronunciação da palavra *kabuki*, mas muda-se o seu significado, com os três ideogramas chineses, com que o teatro *kabuki* é conhecido ainda hoje, passando a significar 歌 (*ka* = canto), 舞 (*bu* = dança), 伎 (*ki* = técnica, arte, habilidade) e que, coincidentemente, acabaram por apreender o sentido mesmo do teatro *kabuki*, uma arte integral, o teatro total, baseado nas artes do canto, da dança e da atuação.

Com o estabelecimento do *sakoku* ("política de segregação nacional") no Japão, e conseqüentemente, a proibição de artigos estrangeiros, em Edo, os *otokodate* ("cidadãos viris") e *yakko* ("criados de samurais"), andando arrojadamente, com as per-

8. Yoshitomo Okamoto, *The Namban Art of Japan*, p. 77.

Okuni, a fundadora do teatro *Kabuki,* no início do século XVII, travestida de homem e com uma chamativo crucifixo sobre o peito. Fragmento da gravura de *Kabuki Sôshi* (*Livro de Kabuki*): Museu de Arte Tokugawa.

Os *Kabukimono* Contemporâneos: *Punks* do Parque Yoyogui de Tokyo, em seus concertos roqueiros aos domingos.
Foto: Autora

nas levantadas e as mãos balançando, vão tornar-se os *kabukimono*, a vanguarda da época, e suas atitudes e vestuário imediatamente incorporados ao teatro. Atualmente, os *kabukimono* corresponderiam aos *beatniks* e *hippies* da década de 60 e aos *punks*, que pululam tanto em Londres como no Parque Yoyogui de Tokyo, com seus concertos roqueiros aos domingos.

1.2. COSMOLOGIA NO SÉCULO XVII

Alexandre Koyré declara, na sua obra *Do Mundo Fechado ao Universo Infinito*[9], que podemos considerar o transcurso do século XVI ao XVII como um período de revolução cultural: primeiro, a passagem do antigo ideal de uma ciência ativa, a passagem de uma atitude puramente teorética face à natureza a uma atitude de intervenção na natureza, através da tentativa de domínio tecnológico; segundo, a passagem de uma explicação qualitativa e finalística dos fenômenos da natureza para uma explicação quantitativa e mecanicista.

A física desenvolvida durante a Idade Média é um comentário à física aristotélica. Para Aristóteles, o universo é definido em termos de lugar: o mundo sublunar, que é constituído de água, ar, terra, fogo, elementos corruptíveis, imperfeitos, uma vez que têm um começo e um fim; e o mundo celeste, um mundo mais perfeito, essa essência que não se corrompe, que não tem princípio nem fim. A primeira das divisões, portanto, é em termos de perfeição e imperfeição.

No mundo sublunar, esses quatro elementos têm seus lugares naturais, baseados nos movimentos de queda e ascensão. A terra é pesada (qualidade e não composição química), portanto seu lugar natural é embaixo; o ar é leve, tendo seu lugar natural em cima; a água é pesada, lugar natural para baixo; o fogo é leve, com lugar natural para cima.

Esta concepção cai por terra com o pensamento moderno, pois, de acordo com Newton, todos os corpos do universo obedecem a uma só lei quantificada: $F = m \times a$. Tal fato leva Koyré a afirmar que a física moderna deixa de pensar a natureza segundo os quadros qualitativos de Aristóteles, para pensar sob os quadros quantitativos.

9. Alexandre Koyré, *Do Mundo Fechado ao Universo Infinito*, trad. de Donaldson M. Garschagen, Rio de Janeiro, Forense-Universitária; São Paulo, Edusp, 1979.

Na Grécia antiga, a causa mais importante para que uma coisa aconteça é o fim para o qual ela acontece. Já, para os modernos, existe uma relação de causa e efeito, e não de fins, governando os fenômenos da natureza. Se a inteligência humana domina o funcionamento de todas essas causas, conhecer as causas significa conhecer as leis da mecânica e não como leis finais. Assim, os modernos vão passar de uma explicação finalista para uma explicação mecanicista.

Com as grandes navegações dos espanhóis e portugueses, as descobertas de novas terras, o trabalho dos missionários e aventureiros, o contato com civilizações até então desconhecidas, vão provocar um abalo na cultura européia, resultando em novas concepções sobre a origem da humanidade e a organização do cosmos – a dúvida sobre o geocentrismo medieval e a crescente influência, nos meios de vanguarda, do heliocentrismo propugnado por Copérnico.

A passagem de uma explicação qualitativa para uma explicação quantitativa e de uma causa finalista para uma causa mecanicista, efetuada pelos modernos, é, segundo Koyré, conseqüência de uma revolução cultural, pois, na realidade, a verdadeira revolução cultural se dá com a destruição do cosmos e a geometrização do espaço. O cosmos, o mundo entendido como uma ordem provida de causas e fins determinados, limites definidos, como, por exemplo, a hipótese geocêntrica da cosmologia pré-barroca, que implica o princípio de inteligibilidade, desaparece. Também para Severo Sarduy:

> A destituição copernicana – ressurreição do programa de Aristarco – destrói a superestrutura ptolomaica, altera energicamente o modelo fixado pela tradição platônica, não o seu fundamento epistêmico: descentraliza, institui, à sua maneira, uma relatividade dos centros, mas respeita a figura que eles comandam; considerando-se que a esfera exterior, a das estrelas fixas, se encontra a uma distância "incomensurável", ela dilata a armação fundamental, mas respeita a sua constituição primária; modifica o sistema, mas não o subverte; não uma revolução, mas uma reforma. O universo permanece centrado, embora a esfera do cosmos se alargue, e se alonguem os seus contornos; resta-lhe fazer-se infinito[10].

Se a terra, e, por extensão, o homem, não é mais o centro do mundo, surge com os italianos a idéia do universo infinito, não havendo, portanto, um centro. No lugar do mundo fechado e estático, aparece o universo infinito, na conceituação de Giordano Bruno, que destrói a concepção de ordem do cosmos. O espaço

---

10. Severo Sarduy, *Barroco*, pp. 30-31.

de Aristóteles, o *topos*, era classificado como direita, esquerda, acima, abaixo, mundo sublunar, mundo celeste; a nova concepção de ordem implica a geometrização do espaço, que passa a ser visto de um ponto de vista estritamente quantitativo. O mundo medieval e aristotélico, mundo qualitativo e hierarquizado, fechado, desaparece e a natureza surge como um domínio neutro, uma vez que o espaço geométrico é mensurável, homogêneo, reversível, onde todos os pontos se equivalem. O espaço geométrico vai expulsar noções como hierarquia, valor e perfeição, surgindo como um espaço sem lugares nem direções privilegiadas. A substituição do universo geometricamente ordenado, fechado e estático do Renascimento pelo universo infinito, descentrado, aberto e dinâmico da topologia barroca.

Mas a cosmologia barroca, o espaço barroco, na realidade, é o de Kepler, que descobre que os astros descrevem movimentos elípticos e não circulares. A elipse, correspondendo à curva kepleriana, torna-se o fundamento do Barroco, uma vez que, na passagem do círculo à elipse, notamos a passagem do sentimento de quietude e estabilidade proporcionado pelo círculo, a forma natural e perfeita do Classicismo, para a sensação de inquietude e instabilidade proporcionada pela elipse; e, por extensão, a transformação do quadrado em oblongo.

Posto que o infinito não tem centro e a elipse é descentramento do círculo, o descentramento do universo irá se constituir no princípio mesmo da topologia barroca. Isso vai refletir-se na obra barroca em geral e no discurso urbano, pois, enquanto a obra de arte e a cidade pré-barrocas são construídas sempre em função de um centro, a obra de arte barroca e a cidade barroca, ao contrário, tornar-se-ão descentralizadas, com múltiplos centros.

E que noção de cosmologia teriam os japoneses do século XVII? Com base na obra de Shigueo Watanabe, *Kinsei Nihon Tenmongakushi (História da Astronomia Japonesa durante o Kinsei)*[11], relativo ao período do fim do século XVI ao início do século XIX, verificamos que, já no fim do século XV, após a descoberta do caminho marítimo para as Índias Orientais, o governo português estabelece uma base comercial em Goa, passando a expandir-se cada vez mais em direção ao Extremo Oriente. Com o pretexto de difundir a religião católica, envia missionários à China e ao Japão, mas, na realidade, abriga a expectativa de de-

---

11. Shigueo Watanabe, *Kinsei Nihon Tenmongakushi*, Tokyo, Koseisha Koseikaku, 1986.

senvolver uma política colonial no Oriente. Certos de que a civilização cristã era a melhor das culturas, os missionários católicos idearam a estratégia psicológica de assombrar os nativos do Extremo Oriente com seus conhecimentos científicos e, dessa maneira, catequizá-los. Portanto, munidos de seus conhecimentos mais recentes de astronomia e instrumentos como globos celestes, globos terrestres e telescópios, partiram para as longínquas terras da China e do Japão.

O jesuíta italiano Matteo Ricci (1552-1610) foi pioneiro na introdução da astronomia ocidental do século XVI na China, logo conquistando a confiança dos chineses, grandemente interessados no assunto. A partir de então, os chineses passaram a convidar vários missionários europeus especialistas em astronomia, ocasionando, assim, a modernização dos conhecimentos de astronomia chineses e, posteriormente, acabando por exercer também grande influência na astronomia japonesa.

Na mesma época, europeus começam a aportar no Japão. Em 1529, os holandeses trazem os óculos e microscópios; em 1541, a vinda dos primeiros portugueses, em Bungo, na província de Oíta, os quais, dois anos mais tarde, introduzem as armas de fogo na ilha de Tanega, na província de Kagoshima. A 15 de agosto de 1549, o missionário jesuíta espanhol Francisco Xavier (1506-1552) chega a Kagoshima e, paralelamente às atividades de propagação da fé católica, realiza o trabalho de difusão da ciência ocidental, especialmente da astronomia, com a mesma intenção psicológica de provocar admiração e conseguir catequizar os nativos. Como na China, devido ao interesse dos japoneses pela astronomia, outros missionários vêm sucessivamente ao Japão.

Portanto, é certo que, no século XVII, a comunidade científica japonesa já estava a par não apenas da astronomia chinesa, mas também da evolução histórica da astronomia ocidental: o geocentrismo ptolomaico, o heliocentrismo propugnado por Copérnico e as idéias mais recentes de Kepler. Mas confucionistas, como o conceituado Razan Hayashi (1583-1657), e budistas japoneses opuseram-se à aceitação irrestrita do conhecimento ocidental.

1.3. OS GRANDES FATORES HISTÓRICOS DO SÉCULO XVII

Os séculos XVI e XVII, na Europa, são marcados pela forma política do Estado Absoluto, pela prática econômica do mercantilismo e pelas lutas ideológicas em guerras de religião: Reforma e Contra-Reforma. Período de controvérsias religiosas, em que o catolicismo via contestadas as suas pretensões de universalidade, e de crise social, com lutas dinásticas dos soberanos e da burguesia para encontrar um lugar ao sol, bem como de grandes contradições, como a perseguição sofrida pelos pensadores: Giordano Bruno, Galileu, Descartes, Spinoza.

> O desenvolvimento das ciências parecia concorrer à ruptura entre a ordem e o espírito, e este, da fé: os conflitos que opõem à Igreja, Giordano Bruno, Vanini e Galileu, revelam a separação entre a investigação racional e o conhecimento teológico. Certos pensadores foram levados a reclamar para o espírito o direito de passar sem os axiomas teológicos: assim, cria-se a "libertinagem" filosófica. Os libertinos enaltecem uma certa forma de humildade intelectual; eles abandonam as idéias de explicação universal, os grandes sistemas, em suma, todos os vestígios das ambições enciclopédicas do Renascimento, para se submeterem à experiência. La Mothe le Vayer escreve obras de ressonância cética. Gassendi conclui sobre a vaidade de toda explicação total do cosmos. Sente-se aí o eco das hipóteses emitidas, no século precedente, sobre a infinidade e a pluralidade dos mundos, e os esboços de relativismo[12].

Durante o século XVI, através do ciclo das grandes navegações, do comércio das Companhias Marítimas e do trabalho dos missionários na Ásia, visando propagar a religião católica entre os nativos, dá-se o encontro da civilização ocidental com o Oriente: Islã, Índia, China e Japão; e com a descoberta de novas terras na América e conquista das colônias, o encontro com a arte dos incas, maias e sua natureza tropical exuberante. Oriente e Ocidente vão sofrer influências mútuas de seus exotismos.

Por sua vez, o contato do Japão com o Ocidente vai dar-se em meados do século XVI, inicialmente através dos portugueses e espanhóis e, mais tarde, dos ingleses e holandeses. Os primeiros navios portugueses aportaram em Kyushu, no sul do Japão, em 1541, iniciando um comércio de prata que se estenderia pelos anos subseqüentes; dois anos mais tarde, as primeiras armas de fogo são introduzidas pelo português Fernão Mendes Pinto.

1.3.1. Barroco e Absolutismo

Na Europa do século XVII, com a formação dos grandes Estados, triunfam as monarquias absolutas: França (Luís XIV: "O

---

12. Claude-Gilbert Dubois, *op. cit.*, p. 79.

Estado sou eu"), Espanha, Portugal, Inglaterra, Rússia, Áustria dos Habsburgos, sul da Alemanha (Guilherme V, da Baviera), bem como o papado na Itália. O Absolutismo monárquico do século XVII está intimamente ligado ao caráter sacral, tanto para os católicos quanto para os protestantes, uma vez que é baseado na idéia de que o poder do rei vem de Deus. O soberano aparece como poderoso e divino. O que é negado no plano do real é reposto no plano do imaginário. Deus tem que reaparecer justificado. Legitima-se o poder do rei e minimiza-se a força do único chefe absoluto que existira até então: o papa. As disputas entre o papa e o soberano, vigentes na Idade Média e no Renascimento, desaparecem, uma vez que, no Absolutismo, os eclesiásticos devem submeter-se ao monarca. A tarefa legitimadora do direito divino visa a anular a imagem maquiavélica do soberano, posto que o príncipe maquiavélico é aquele que divide a sociedade, mantendo-se no poder por astúcia e engodo.

Numerosos pensadores teorizaram acerca do Absolutismo, procurando justificar o seu princípio básico: a crença na transcendência divina do rei, isto é, o poder emanando diretamente de Deus. Segundo Germain Bazin, a crença no direito divino do soberano era própria das civilizações mediterrâneas: "Um provérbio assírio já dizia: 'O homem é a sombra de Deus, o escravo é a sombra do homem, mas o rei é o espelho de Deus' ". "Spinoza, no seu *Tratado Teológico-Político*, não diz que se deve obedecer às vontades do soberano, qualquer que seja o absurdo que ele ordene?"[13] E na França, onde a doutrina do Estado absoluto se forma na primeira parte do século XVII, "Bossuet, o bispo de Meaux, que era o preceptor do Delfim, filho de Luís XIV: 'Como não há poder público sem a vontade de Deus, todo governo, qualquer que seja ele, é sagrado; se revoltar contra ele é cometer um sacrilégio' "[14].

No Japão, após um longo período de lutas, inicialmente, entre Nobunaga Oda e Hideyoshi Toyotomi, cognominado o "Napoleão japonês", e, mais tarde, entre dois grupos rivais, os senhores feudais que apoiavam a família Tokugawa e os que apoiavam a família Toyotomi, Ieyasu Tokugawa sagra-se vencedor, em 1600, na Batalha de Sekigawara, assumindo o controle do governo. Em 1603, Ieyasu é designado xogum, chefe militar supremo, estabelece a sede do seu governo militar em Edo e aí constrói um magnífico castelo, base do atual palácio imperial, inaugurando,

---

13. Germain Bazin, *Destins du Baroque*, p. 31.
14. *Idem, ibidem*.

assim, a dinastia dos Tokugawa, que governaria o Japão durante cerca de 265 anos.

Se na Europa vigorava o Absolutismo, tendo o rei poder divino e, aparentemente, absoluto, no Japão, embora o imperador também fosse considerado o descendente dos deuses, funcionava como um chefe espiritual do Estado, permanecendo recluso em seus palácios de Kyoto, enquanto o poder político efetivo era exercido, em Edo, pelo xogum Ieyasu Tokugawa, uma espécie de déspota, num regime de feudalismo absoluto. Somente após a derrota do Japão na Segunda Guerra Mundial, o imperador japonês vai perder o seu caráter sacral e transformar-se num simples ser humano.

> Mesmo a brilhante era de Luís XIV, cuja influência pessoal era suprema, foi em grande parte atribuível a este estadista [cardeal Richelieu], que preparou a França para o seu Absolutismo. [...] Na Holanda, o soberano estrangeiro era ofuscado pela liderança real do governador geral, o arquiduque Maurício de Nassau; e após a sua morte, em 1625, do seu irmão mais novo, Frederico Henrique. [...] Na Inglaterra, a monarquia era submergida pela usurpação do "protetor" Cromwell; e o rei Carlos I (até ser decapitado) foi forçado a uma posição humilhante de nulidade, enquanto o herdeiro à monarquia e a dinastia Stuart em geral estavam se escondendo na obscuridade e desamparo, para recuperarem os seus direitos somente na Restauração de 1660[15].

Leo Balet identifica Barroco e Absolutismo, apontando-o como a própria essência da arte barroca. Declara que existe uma relação causal entre Absolutismo e Barroco, demonstrando essa tese ao afirmar que a característica essencial do Absolutismo, vigente no século XVII e na primeira metade do século XVIII, é o exibicionismo absolutista, que se expressa através de formas nitidamente barrocas. Apresentando um desenvolvimento extraordinário da arquitetura de caráter faustoso e decoração riquíssima, atende, assim, à necessidade permanente de afirmação do poder ilimitado, tanto do rei, metáfora terrestre de Deus, com seus palácios, jardins e festas, como, na esfera do Absolutismo espiritual, da Contra-Reforma, com as suas igrejas que mais pareciam teatros da corte.

Uma vez que o Absolutismo se baseia na noção de poder ilimitado, Balet parte para a análise do conceito de poder e conclui que, por um lado, na sua essência, todo poder é limitado, visto que, para manifestar-se como poder, necessita sempre um domínio sobre o qual agir, isto é, a existência do outro torna-se im-

---

15. Kenneth P. Kirkwood, *Renaissance in Japan*, pp. 334-335.

prescindível para afirmá-lo enquanto poder, como na dialética do senhor e do servo de Hegel; mas, por outro lado, todo poder absoluto nega toda limitação, uma vez que é por essência absoluto, ilimitado.

> Seria o Absolutismo, baseado na noção de poder absoluto, uma contradição? Ele o seria, diz Balet, quando fosse concebido de um modo estático. Mas concebido de um modo dinâmico, a contradição desaparece: "O Absolutismo é então algo de limitado, que cresce sem cessar em direção ao infinito. O Absolutismo era, pois, antes de tudo, movimento impetuoso"[16],

que por sua vez se manifestava na arte barroca.

1.3.2. Barroco e Contra-Reforma

O Barroco, denominado estilo do Absolutismo, também é conhecido como arte da Contra-Reforma, na expressão dos historiadores de arte provenientes da escola vienense, como Weisbach, uma vez que o Barroco é contemporâneo da reação católica à Reforma protestante.

Durante a segunda metade do século XVI, propaga-se uma corrente de pessimismo, ceticismo e amargura na Europa. Esta foi agitada por uma profunda crise religiosa, que questionava e abalava o legado católico, pedindo uma reforma espiritual no seio da Igreja Católica. Um desejo de retorno às origens doutrinárias do cristianismo, visando restringir os abusos dos poderes eclesiásticos, com a desmoralização de grande parte do clero, onde os papas e bispos entregavam-se à magnificência principesca, grandemente interessados em política, e os sacerdotes levavam uma vida irregular. A Reforma, com a revolta de Lutero contra o papa Leão X, em protesto contra a venda de indulgências, as orações, liturgia e culto dos santos prevalecendo sobre a fé, veio a representar a ruptura decisiva com o legado medieval, dividindo a Igreja em dois grupos irreconciliáveis: os católicos, que reconheciam a autoridade do papa, e os reformados ou protestantes, que se separaram da Igreja de Roma.

A Reforma de Lutero leva a Igreja Católica à reação, estabelecendo a Reforma Católica ou Contra-Reforma, instaurada a partir do Concílio de Trento, convocado pelo papa Paulo III e realizado durante os anos de 1545 a 1563: o fortalecimento da au-

---

16. Hannah Levy, *A Propósito de Três Teorias sobre o Barroco*, p. 18.

toridade papal, da Inquisição e o estabelecimento de novas ordens religiosas.

Prosaica e iconoclasta, a Reforma propagava o protestantismo, que exigia o despojamento na arte, o depuramento dos meios de expressão, eliminando das igrejas o luxo e o exagero nas decorações, os incensos, enfim, o teatral que se dirigia à sensibilidade, baseando-se apenas na força espiritual da meditação interior expressa pelas palavras. Na luta da Contra-Reforma contra o protestantismo, vemos surgir, unida às palavras, uma renovação da iconografia religiosa, a importância da arte a serviço da religião, enfatizando exatamente o que o protestantismo condenava. O uso deliberado da imagem plástica, tanto visual como auditiva, bem como da metáfora literária, como meios de propaganda e doutrinação católica. Um apelo antes a todos os meios de percepção sensorial imaginativa e afetiva mais imediatos, os poderes vitais e obscuros dos fiéis, do que às suas faculdades intelectuais, procurando-se, assim, através da eloqüência das formas, cores, sons e palavras de suas pinturas, esculturas, arquiteturas e livros, que penetravam em todas as casas católicas, envolver e persuadir sensorial e emocionalmente os fiéis, sobretudo as massas populares, acerca da efemeridade do mundo, o sentimento místico, a piedade.

O Concílio de Trento prescreveu em detalhes a nova iconografia da Contra-Reforma, estabelecendo regras para a decoração interna das igrejas, limitando e às vezes proibindo energicamente o nu, bem como os assuntos carnais nas pinturas e esculturas, em vigor nas representações pagãs do Renascimento, recomendando pinturas com temas bíblicos: a paixão, morte e ressurreição de Cristo, e estimulando a piedade, através das cenas brutais e sangrentas dos martírios dos santos e os êxtases dos místicos. As pinturas das igrejas barrocas, com seus cultos aos santos e veneração às imagens, acabaram transformando-se em verdadeiras bíblias plásticas para os europeus do século XVII, assim como as catedrais góticas haviam sido as bíblias plásticas para os analfabetos na Idade Média. A iconografia da Contra-Reforma vai ser atacada e aniquilada somente com o surgimento do espírito do racionalismo filosófico da Ilustração.

Em 1912, ao publicar *De Michel-Ange à Tiepolo*, Marcel Raymond já detecta um barroco da Contra-Reforma, ainda um tanto austero, mas já precursor do Barroco posterior, mais vibrante, livre e exuberante do século XVII. Essa concepção do Barroco como arte oriunda do movimento da Contra-Reforma é também a base essencial, tanto da excelente obra de Weisbach, *El*

Barroco, Arte de la Contrarreforma, de 1921, que coloca sua mais autêntica expressão no jesuitismo espanhol e na política estética do Concílio de Trento, pressupondo-se um ponto de partida italiano, bem como do estudo iconográfico de Émile Mâle em *L'Art Religieux au Temps du Concile de Trente*, de 1932. Weisbach aponta o herói, o místico, o erótico, o ascético e o cruel como os elementos essenciais da arte religiosa nos quais o catolicismo contra-reformista se corporificou, e que por sua vez são também temas recorrentes na estética barroca. Émile Mâle retoma e confirma alguns pontos da tese de Weisbach:

> Émile Mâle, que foi um dos primeiros na França a revisar o julgamento corrente sobre a arte religiosa após o Concílio de Trento (1932), mostrou o papel dos jesuítas na difusão dos temas iconográficos próprios da Contra-Reforma: o martírio, o êxtase e a visão, a morte etc. É por isso que o sábio historiador fala mais de bom grado de arte jesuíta do que de arte barroca. Mas trata-se unicamente de iconografia. Não é o mesmo para a arquitetura. A companhia, por outro lado, está longe de ter tido o monopólio do Barroco[17].

Com a vitória da Contra-Reforma na luta contra a expansão do protestantismo, decorre um período de revitalização dos sentimentos católicos, com um grande florescimento de novas ordens religiosas: capuchinhos, jesuítas, carmelitas, visitandinos, oratórios e teatinos.

A Ordem da Companhia de Jesus, fundada em 1534 pelo espanhol Inácio de Loyola e reconhecida oficialmente em 1540, vai ter, sobretudo devido à personalidade do seu fundador, uma atuação decisiva na luta da Contra-Reforma em prol da difusão católica, para além do território europeu: a implantação do catolicismo de maneira relativa na Ásia, abrangendo Índia, China e Japão (Francisco Xavier), e de modo integral na América Latina (Nóbrega e Anchieta, no Brasil).

Procedente da Índia, Francisco Xavier, um dos fundadores da Companhia de Jesus, desembarca em Kagoshima, em 1549, permanecendo no Japão por mais de dois anos antes de retornar à Índia, ocasionando, assim, a introdução do cristianismo, que está ligado ao comércio com os portugueses, visto que o comércio se encontrava sob a administração do governo português e os missionários, igualmente sob a sua proteção. O cristianismo encontra rápida propagação em Kyushu, a ponto de, em 1580, Nagasaki passar a ser governada pela Igreja (Companhia de Jesus).

---

17. Phillipe Minguet, *Esthétique du Rococo*, p. 51.

Em 1582, quatro jovens emissários católicos japoneses são enviados à Europa, via Macau, Malaca, Índia e contornando a África, numa visita de cerca de dois anos por Espanha, Portugal e Itália, onde recebem uma acolhida entusiástica, acabando por exercerem, assim, um importante papel em termos de política exterior. Entretanto, durante a viagem dos jovens emissários, a situação interna do Japão havia mudado drasticamente. Já em 1587, Hideyoshi Toyotomi lançara um edital proibindo o catolicismo, expulsando os missionários e, no ano seguinte, confiscara a já ocidentalizada Nagasaki dos jesuítas, tomando-a sob seu poder. Portanto, foi somente no verão de 1590, após aguardarem um ano e onze meses em Macau, que os jovens emissários japoneses receberam a permissão de regressarem a Nagasaki. Mas as ordens proibitivas de Hideyoshi não eram rigorosamente seguidas e o apostolado prospera até cerca de 1612-1613, posto que, em 1614, se inicia o período de perseguição aos católicos.

Os missionários portugueses e espanhóis foram os primeiros a introduzir não apenas a religião católica, mas também a cultura européia no Japão: ciência, artes, literatura e teatro religioso. Os japoneses denominavam os europeus, principalmente portugueses e espanhóis, *namban-jin*, literalmente "bárbaros ou estranhos do Sul", isto é, da Europa meridional, e a arte decorrente do intercâmbio Japão x Península Ibérica, de arte *namban*, uma visão oriental do ocidental e que desaparece quando cessam definitivamente as relações comerciais com esses países.

Em 1616, após a morte do xogum Ieyasu Tokugawa, os seus descendentes, os xoguns da linhagem Tokugawa, vão reagir de maneira peculiar ao impacto ocidental. Em 1634, o xogunato ordena a construção da pequena ilha artificial de Deshima, em forma de leque, no porto de Nagasaki, aí isolando os portugueses residentes. E durante a grande revolta dos cristãos em Shimabara, na província de Nagasaki, no ano de 1637, pressentindo no catolicismo um elemento ameaçador, capaz de vir a subverter a lealdade dos nativos para com o regime vigente, Iemitsu, o terceiro xogum Tokugawa, ordena o massacre de cerca de 37 mil cristãos e, a partir de 1638, proíbe terminantemente o catolicismo no Japão. Estabelece um tribunal de Inquisição, que destrói igrejas, expulsa os missionários do país, perseguindo tanto os jesuítas portugueses e espanhóis como os japoneses católicos que continuassem a professar a fé cristã, torturando-os com requintes de crueldade, registrados no romance *Silêncio*, do autor católico contemporâneo Shusaku Endo, e que, mais tarde, viria a ser filmado, contando inclusive com uma projeção no Museu de Arte de São Paulo, há alguns anos.

Em 1639, o xogum Iemitsu impõe o *sakoku*, "política de segregação nacional", isolando quase que hermeticamente o Japão do resto do mundo. Os japoneses são proibidos de viajar ao exterior e os que se encontravam no estrangeiro, impedidos de retornarem à terra natal; os portugueses são expulsos do país; cortam-se as relações comerciais com o exterior, exceto com os chineses não cristãos e um pequeno grupo de protestantes ingleses e holandeses que, em 1641, transferem seu porto comercial de Hirado para Deshima, que permanece, até 1859, quando da abertura dos portos japoneses ao mundo, como a única conexão com o Ocidente; congelam-se as relações internas do país em todos os aspectos: político, econômico e cultural.

Mas as influências estrangeiras jamais cessaram completamente. Pesquisas recentes constatam, nesse período, a existência de relações comerciais com a Coréia, através das Ilhas de Tsushima, com o objetivo de adquirir cenouras coreanas.

Japan Advertiser, Tokyo, 2 de março de 1938 – Numa palestra na Casa Franco-Japonesa, em Tokyo, a 1 de março de 1938, o padre Henri Bernard, de Shangai, referiu às influências culturais ocidentais, que penetraram no Japão, através da China, no século XVII: "A primeira dessas influências foi devida principalmente ao padre Matteo Ricci, antigo missionário católico na China, e seus associados. Depois dos editais de perseguição, em 1614, o comércio português declinou e os juncos comerciais chineses passaram a vir cada vez mais a Nagasaki. Incluídos nos livros chineses que eles traziam, havia muitos volumes ocidentais, traduzidos pelos padres jesuítas na China, principalmente o padre Ricci, em Pekim, e o padre Jules Aleni, em Fukien, que tinham traduzido para o chinês livros sobre cristianismo, filosofia e astronomia. Por volta de 1630, esses livros eram tão numerosos que, em Nagasaki, havia um Comitê Especial da Inquisição para proibi-los. No entanto, eles chegaram ao Japão, até o fim do século XVIII.

A segunda grande influência foi a afluência de intelectuais chineses, no fim da dinastia Ming, quando os manchus estavam entrando na China. Esses homens eram principalmente os seguidores de Wang Yang-Ming, conhecido no Japão como Oyomei, e eram mais ou menos influenciados pela cultura ocidental. Assim, eles transformaram-se num canal para introduzir no Japão mais métodos ocidentais, incluindo a geometria européia, a lógica silogística, a medicina e os métodos militares. Crê-se também que eles ajudaram os japoneses a escreverem a *História do Grande Japão*, considerada, agora, a história-padrão deste país.

A filosofia de Oyomei, o famoso filósofo chinês, que se acredita ter sido introduzida pelos juncos chineses transportadores de livros ou pelos intelectuais chineses expatriados, é a terceira das grandes influências. Tão semelhantes eram as idéias de Oyomei sobre o valor do indivíduo, com as dos cristãos, que foi acusado de ser um seguidor de Cristo. Ele não era. A sua filosofia fora formulada antes da chegada dos cristãos à China. Mas no conflito com o *jushi*, o confucionismo materialista da dinastia Sung, popularizado por Razan Hayashi, a filosofia de Oyomei, fortalecida pelo apoio daqueles que eram favoráveis à supressão do cristianismo, foi capaz de vencer e, agora, é um dos três componentes do *bushido*. Deve-se ser lembrado que esse ensino de Oyomei foi efetuado por homens influenciados pelas doutrinas da filosofia ocidental e que, na sua nova proeminência nas crenças do Japão, agiu também como uma influência ocidentalizadora. [...]

Tão importante foi a influência da cultura ocidental, mesmo durante aqueles anos de segregação, que o calendário japonês foi ajustado para adaptar-se ao calendário chinês, que era ocidental"[18].

O xogunato Tokugawa dá também um novo impulso ao estudo da cultura chinesa, a sua tradição clássica e os estudos confucianos. Durante a controvérsia ocorrida no seu governo, entre os ideais ascéticos do budismo e a escola confucionista, baseada numa doutrina social e prática, o xogum Ieyasu Tokugawa, no início, não toma o partido de nenhuma delas, procurando antes utilizar os ensinamentos de ambas as escolas.

O confucionismo possuía um código de ética formalizado, que podia ser resumido na expressão:

chu   ko   jin   gui   rei   chi   shin
忠　　考　　仁　　義　　礼　　知　　真

(lealdade, piedade filial, benevolência, dever, etiqueta, conhecimento e verdade). Uma doutrina baseada na razão, no intelecto, sem traços de misticismo ou metafísica, adequando-se assim aos ideais do xogunato, pois, tomando-se por base da sociedade a piedade filial e, por extensão, a subordinação ao governo, o confucionismo vinha a contribuir sumamente para o estabelecimento da ordem e disciplina necessárias à preservação e segurança do xogunato Tokugawa, um governo eminentemente secular e feudalista. Conseqüentemente, influenciado pelo famoso especialista confuciano Razan Hayashi e pelas interpretações das doutrinas confucianas realizadas por Chu-Hsi, Ieyasu passa a adotar o neo-confucionismo, tornando-o a filosofia oficial do xogunato Tokugawa, o que vai dar ensejo às discussões, nos meios intelectuais, entre as interpretações de Chu-Hsi e Wang Yang-Ming acerca da filosofia chinesa.

No século XX, nas décadas de 70 e 80, o súbito progresso econômico da Ásia, principalmente Japão, e o surgimento dos

---

18. Kenneth P. Kirkwood, *op. cit.*, p. 350.

"quatro grandes tigres asiáticos" (Coréia do Sul, Singapura, Hong Kong e Taiwan) despertaram a atenção dos estudiosos ocidentais que, através de pesquisas, chegaram à conclusão de que a grande mola propulsora desse desenvolvimento foi o fenômeno do renascimento de um pensamento de mais de dois mil anos, o confucionismo. Basicamente, uma filosofia de subordinação ao país, à firma e à família, com a ênfase na educação, dando margem recentemente a um programa de debates na televisão japonesa, com o título: "Por que o confucionismo agora na Ásia?"

1.3.3. Burguesia

No século XVII, tanto na Europa como no Japão, com o florescimento e grande prosperidade dos centros comerciais, dá-se a ascensão de uma nova classe, a burguesia ou classe média, que vai desempenhar um papel importante na mudança dos valores econômicos e culturais. Mas o Japão, segregado do resto do mundo e até então com uma política e sociedade basicamente feudais, passa a ser sociológica e economicamente marcado pela ascensão da burguesia constituída de mercadores e comerciantes, enriquecidos fundamentalmente graças à economia interna do país.

Enquanto a Europa se beneficiava com o intercâmbio comercial e cultural, com os artistas procurando aprendizagem e inspiração em Roma, que com seus pintores e arquitetos se constituía na grande capital artística da época, com os mecenas requisitando os serviços de artistas de outros países e o desenvolvimento das ciências avançando para o Iluminismo do século XVIII, o Japão, isolado do resto do mundo durante um longo tempo, ficava privado de novas idéias, tecnologia e cultura decorrentes de influências estrangeiras, mas, ao mesmo tempo, passava a ter oportunidades para preservar sua arte antiga e desenvolver uma cultura genuinamente nacional, com fortes características locais. A pintura *ukiyoê*, uma forma de arte popular que captava a vida contemporânea dos plebeus da época, com seus festivais, beldades, cartazes de propaganda e atores de *kabuki*; a poesia imagista *haikai*, que até então era cultivada pelas classes aristocráticas, mas que, a partir dos fins do século XVI e início do XVII, recebe um impulso popular e renovador, com a figura de Bashô, o poeta peregrino; os romances hedonistas de Saikaku Ihara; a música popular, com a introdução do *shamisen*, instrumento que corresponderia à viola e ao violino desenvolvidos na Europa meridional, e que posteriormente teria uma influência decisiva no desenvolvimento dos teatros *bunraku* e *kabuki*.

Os livres-pensadores e artistas de todo o Japão convergiam para Kyoto, a cidade imperial, a mais resplandecente cidade da metade do século XVII no Japão, centro eclesiástico, artístico e intelectual, que pelos seus inúmeros templos e santuários era comparada à Roma da época, e pelos seus palácios, jardins e cortesãos, à Versalhes de Luís XIV, ocasionando aí um movimento de reação popular em todos os domínios da arte, que mais tarde se propagaria para o resto do país. No entanto, a migração dos mercadores e artistas, decorrente da mudança da corte xogunal para Edo, vai ocasionar, gradativamente, o declínio de Kyoto e Osaka, inicialmente, no plano econômico, seguido, mais tarde, do cultural.

Assim, fazendo-se um paralelo entre os contextos das condições socioculturais da Europa e do Japão, pode-se verificar que o Barroco ocidental e os teatros *bunraku* e *kabuki* surgiram coincidentes no tempo histórico, o século XVII, mas em contextos políticos, religiosos, econômicos e culturais que, embora apresentem algumas similaridades, na sua generalidade mostram-se bastante diferentes. Ambos, o Barroco ocidental e os teatros *bunraku* e *kabuki*, são artes de massa, todavia, enquanto o Barroco europeu é expressão do "exibicionismo absolutista", secular e religioso, que procurava impressionar seus súditos e fiéis através da ostentação do luxo de seus palácios e igrejas majestosos, o mesmo ocorrendo com os magníficos castelos de Nobunaga e Hideyoshi, os déspotas do período Azuchi-Momoyama (1573-1603), portanto, um movimento de cima para baixo; por outro lado, os teatros *bunraku* e *kabuki* vão estar relacionados ao movimento de arte popular, do povo e para o povo, de franca reação ao feudalismo absoluto vigente, portanto, um movimento de baixo para cima.

No século XVI, a Europa continuava com suas grandes navegações e descobertas e o Japão iniciava seus primeiros contatos com o Ocidente: a chegada dos primeiros missionários portugueses e espanhóis; o envio, em 1582, de quatro emissários à Europa e, em 1610, de um navio ao México. Contudo, se na Europa, durante todo o século XVII, reinava o Absolutismo e prosseguia-se com um intenso intercâmbio comercial e cultural, no Japão, já a partir de 1639, passa a vigorar a política de segregação nacional, isolando o país quase que hermeticamente do resto do mundo, com o poder sendo exercido pelo xogum Tokugawa, que não deixava de ser uma espécie de déspota do feudalismo absoluto, com o imperador reduzido a mero chefe espiritual.

Ao movimento europeu da Contra-Reforma, que procurava propagar a fé cristã além-mar, o Japão, temendo uma ameaça ao regime vigente, reagia com a proibição do catolicismo, expulsando missionários, perseguindo fiéis e adotando em contrapartida a doutrina filosófica e administrativa do neoconfucionismo, que contribuía para preservar a estabilidade do xogunato Tokugawa. Durante o século XVII, tanto na Europa como no Japão, os sistemas absolutista e feudal sofrem um abalo e dá-se a ascensão da classe comercial, a burguesia, que passa a adquirir maior poder econômico.

Se a Europa dos séculos XVI e XVII é marcada por conflitos e guerras religiosas constantes, Reforma e Contra-Reforma, o período Momoyama do Japão (1573-1603) é igualmente uma época de guerras de facções políticas e caos, mas o subseqüente período, Edo ou Tokugawa (1603-1867), é denominado, na sua generalidade, como a "Época da Paz Tokugawa" e viria a favorecer o florescimento das artes. E é nessa época, de quase que completo isolamento nacional, que nascem e se desenvolvem os teatros *bunraku* e *kabuki*, muito embora o *kabuki* de Okuni já tivesse sofrido algumas influências dos portugueses e suas peças religiosas.

1.4. CONCEITO HISTÓRICO OU CATEGORIA ESTÉTICA?

Seria o Barroco um conceito histórico relacionado a uma determinada época ou uma categoria estética, uma constante intemporal? Esta polêmica tem agitado os meios relacionados à história da arte desde o século XIX.

1.4.1. Barroco como Conceito Histórico

O Barroco enquanto época histórica define-se como um fenômeno histórico posterior à Renascença, alguns apontando aproximadamente da segunda metade do século XVI até o início do século XVIII; outros, como Jean Rousset, restringindo-o de 1580 a 1670; ou ainda, estendendo-se por cerca de dois séculos, abrangendo o século XVII e parte do XVIII (por volta de 1780). Ter-se-ia manifestado inicialmente na arquitetura, depois na escultura, pintura, literatura e demais expressões culturais da época. Mas no Brasil, assim como em outros países da América Latina, prolonga-se até o século XIX.

Heinrich Wölfflin considera o estilo na história da arte, fundamentalmente, como a expressão de uma época e de um povo, como também de um temperamento pessoal. Se em *Renascença e Barroco*, de 1888, obra da juventude, Wölfflin descreve a passagem do estilo renascentista para o estilo barroco, já no início do seu *Conceitos Fundamentais da História da Arte*, de 1915, obra da maturidade, enfatiza como a relação do indivíduo para com o universo se transformara com a passagem do Renascimento para o Barroco: "Abriu-se um novo universo de sentimentos e a alma aspira à redenção na magnitude do incomensurável, do infinito. 'Emoção e movimento a qualquer preço', assim resumia o *Cicerone* a característica desta arte"[19]. Baseado na idéia de que a visão humana tem sua própria história e que é tarefa do historiador de arte revelar as suas leis próprias, Wölfflin vai revelar os cinco pares de categorias visuais antitéticas para as épocas estilísticas do Renascimento e do Barroco, uma vez que, segundo sua teoria, o movimento das formas artísticas apresenta uma alternância entre dois princípios fundamentais, universais e antitéticos: Classicismo e Barroco, por sua vez, relacionáveis ao dualismo nietzschiano: apolíneo e dionisíaco, expresso no *Nascimento da Tragédia*, de 1872.

Visão semelhante à de Wölfflin, quanto ao movimento das formas artísticas baseado na alternância entre dois princípios fundamentais, apresenta Toshio Kawatake, professor de teatro comparado da Universidade Waseda de Tokyo, quanto ao fenômeno teatral, que afirma possuir a complexidade dos seres humanos. A dipolaridade teatral, abarcando os dois extremos do Clássico e do Barroco, como projeção/representação, num processo de isomorfismo, dos dois extremos da dipolaridade humana, marcada pelas oposições:

Clássico	*Barroco*
Intelecto	Emoção
Teoria	Impulso
Centrípeto	Centrífugo
Condensação	Alargamento
Constrição	Dispersão

contém no seu espectro, delimitado por esses dois extremos, todas as variadas gamas dos diversos tipos de manifestações teatrais.

---

19. Heinrich Wölfflin, *Conceitos Fundamentais da História da Arte*, p. 11.

Já em *Du Baroque*, publicado em Paris, no ano de 1935, verdadeiro ensaio lírico sobre o Barroco, Eugenio d'Ors exalta a arte barroca como sendo secretamente animada por uma nostalgia do paraíso perdido, o gosto da inocência e primitivismo do "bom selvagem", uma volta à natureza, ao panteísmo, podendo ser relacionada assim ao estilo de atuação *aragoto* do *kabuki*, que "deve ser interpretado como se fosse um garoto de cinco anos", na expressão de Danjuro Ichikawa I. Nesse sentido, toda arte de reminiscência ou de profecia seria marcada por uma sensibilidade barroca e a oposição entre os dois princípios fundamentais do movimento artístico se manifestaria como:

Classicismo	*Barroco*
Homem civilizado	Selvagem
Ordem e disciplina	Caos
Apolíneo	Dionisíaco
Razão	Emoção/Sentidos
Consciente	Inconsciente

Para Wölfflin, o estilo clássico do Renascimento obedece simultaneamente às cinco categorias de linearidade, superfície plana, forma fechada, unidade múltipla ou divisível e clareza absoluta, enquanto a arte barroca, ao contrário, se caracterizaria como estilo pictórico, visão com perspectiva em profundidade, formas abertas, unidade simples, indivisível e clareza relativa. Esses cinco pares de categorias visuais não têm consistência autônoma, cada qual se define como tensão em relação ao que se segue ou precede, no sentido hegeliano, como momentos de uma mesma idéia. Wölfflin limita sua análise às artes visuais e aperfeiçoa assim sua teoria sobre o Barroco, mas esses princípios fundamentais, na realidade, norteariam o desenvolvimento de toda a história da arte e estruturariam o conjunto do pensamento.

André Chastel e Arnold Hauser fazem gravitar esses cinco pares de categorias em torno de dois pólos: a plenitude do ser e a fluidez do aparecer, ou a necessidade de ordem e a aspiração à liberdade.

Fazendo uma análise comparativa entre a Itália renascentista e a Itália barroca, Wölfflin verifica que essa passagem acarretou uma mudança de estilo, o que o leva a sustentar a idéia de que o Barroco é, antes de mais nada, um estilo de época, posto que o espírito de uma época nova exige uma forma nova, um estilo novo. Enquanto o Renascimento visava a obra de beleza ideal, de proporções perfeitas, equilibrada, uma realidade fechada e limitada em si mesma, portanto uma obra apreensível, o Barroco procura, ao contrário, o movimento constante, a mudança, a transformação, o colossal e o ilimitado.

Como o próprio título da introdução do seu livro, *La Cultura del Barroco*, o diz, "La Cultura del Barroco como un Concepto de Época", percebemos que José Antonio Maravall retoma a posição de Wölfflin quanto ao Barroco como um estilo de época, um conceito de época, observado primeiramente na cultura italiana. Maravall delimita-o aproximadamente aos três primeiros quartos do século XVII, atingindo a plenitude de 1605 a 1650 e depois então entrando progressivamente na fase final de decadência. "É a uma dessas irrepetíveis realidades (tal como se combinaram uma série de fatores no século XVII) a que chamamos Barroco. Por isso dizemos que este é um conceito de época."[20]

1.4.2. Barroco como Categoria Estética

Durante o colóquio sobre arte barroca realizado na França, o escritor espanhol Eugenio d'Ors leva os seus interlocutores a reconhecerem que o Barroco não se restringe a uma época histórica, aquela que sucede ao Renascimento. Apresenta como prova cabal a seus adversários a análise da fotografia da célebre janela do Convento de Tomar, situado perto de Lisboa. Essa obra do período manuelino já apresenta, segundo D'Ors, características nitidamente barrocas: o dinamismo das formas, a tendência ao pitoresco, a ênfase desmesurada no ornamental, que invade parcialmente a parede, a propensão ao teatral, o sentimento de profundidade.

D'Ors vê no Barroco um *éon*, uma categoria intemporal, mas que se desenvolve no tempo, isto é, uma constante estética com valor supra-histórico, que apresenta uma unidade através de épocas cronologicamente dissociadas e não apenas um conceito histórico delimitado a um único período, aproximando-se assim da "concepção de Benjamin de que o drama barroco é uma idéia, cuja atualização se dá na história"[21]. *Éon*, o termo grego emprestado à filosofia gnóstica, o neoplatonismo, e empregado pela escola de Alexandria: "Um *éon*, para os alexandrinos, significava uma categoria que, apesar do seu caráter metafísico, isto é, em-

---

20. José Antonio Maravall, *La Cultura del Barroco*, p. 34.
21. Sérgio P. Rouanet, apresentação a *Origem do Drama Barroco Alemão*, de Walter Benjamin, p. 26.

bora ele fosse estritamente essa categoria – tinha entretanto um desenvolvimento inserido no tempo, tinha de qualquer modo uma *história*"[22].

Caracterizando o Barroco como um *éon*, uma constante, uma categoria estética intemporal e permanente, do espírito e da visão, e atribuindo-lhe um valor positivo, normal e natural, visto que "seu caráter é normal e, se se pode falar aqui de moléstia, é no sentido com que Michelet dizia, que 'a mulher é uma eterna doente' "[23], D'Ors acaba descartando firmemente duas determinações tradicionais do Barroco: a sua delimitação histórica e o seu caráter de estilo patológico, degenerescente do estilo clássico do Renascimento. Portanto, D'Ors comprova que o Barroco manifesta-se como uma constante estética de tendência universal, reaparecendo de época em época, em países e épocas distanciados no tempo e no espaço, como, por exemplo, o alexandrismo é da Contra-Reforma, e esta do fim do século XX; manifestando-se tanto no Oriente como no Ocidente, não estando assim delimitado ao mundo ocidental do século XVII. A existência de um Barroco permanente: latente e escondido num período, manifestando-se em outros, mas sempre existindo.

Opondo-se a Wölfflin e Maravall, que apontam o Barroco como um conceito histórico, Toshio Kawatake aproxima-se do pensamento de Eugenio d'Ors, ao considerar o Barroco como uma categoria estética, uma constante intemporal e permanente.

D'Ors, Benjamin e Kawatake vão procurar estabelecer a genealogia do Barroco. Assim como D'Ors distingue 22 espécies no gênero *Barocchus*, desde a pré-história, depois da pintura paleolítica até o romance proustiano, classificando o Barroco seiscentista como *Barocchus tridentinus*, realizando, portanto, uma verdadeira história natural do Barroco, Toshio Kawatake apresenta as duas genealogias do teatro ocidental e as duas genealogias do teatro japonês:

As genealogias do teatro ocidental compreenderiam Classicismo e Barroco. O Classicismo começaria com a tragédia grega, sendo seguida pelo teatro clássico romano, atravessaria a Idade Média, para renascer e cristalizar-se no século XVII com o teatro clássico francês e, finalmente, encontrando novo desdobramento no teatro clássico moderno de Ibsen. Já o Barroco inicia-se com o *mimos* da Grécia, continuaria com a pantomima romana (*roman mimus pantomimus*), a *commedia dell'arte*, apresentando-se parcialmente em Goethe, Schiller e Wagner, passando pelo melodrama do século XIX, o Expressionismo, o Constru-

22. Eugenio d'Ors, *Du Baroque*, p. 78.
23. *Idem*, p. 83.

tivismo, Brecht, o antiteatro e, atualmente, manifestando-se até mesmo em Peter Weiss. Por sua vez, as genealogias do teatro japonês se classificariam em: teatro *nô*, um teatro refinado, originado na Idade Média, tendo como público e patronos os nobres e militares, e os teatros *bunraku* e *kabuki*, teatros populares do período Edo[24].

Já Benjamin afirma:

Na medida em que essa paixão não se limita ao período barroco, ela se presta a identificação de traços barrocos em períodos posteriores, justificando uma tendência terminológica recente, que alude a traços barrocos na obra tardia de Goethe e Hölderlin[25].

Mas a hipótese da concepção do Barroco como época histórica ainda não está totalmente descartada para os críticos contemporâneos: "Hoje, diz Jean Rousset, a concepção dorsiana de um Barroco permanente é cada vez menos considerada. A tendência dominante é a que localiza, e cada vez mais estreitamente, o Barroco no século XVII, entre Maneirismo e Rococó"[26].

24. Toshio Kawatake, "Barokkuteki Engueki no Keimyaku to Kabuki" ("A Corrente do Teatro Barroco e o Kabuki").
25. Walter Benjamin, *Origem do Drama Barroco Alemão*, p. 252.
26. Cf. *Le Baroque – Profondeurs de l'Apparence*, p. 38, de Claude-Gilbert Dubois.

2. História: Gênese e Desenvolvimento dos Teatros Bunraku e Kabuki

No Japão, durante os períodos Nara e Heian, dos séculos VII ao XII, florescem as danças da corte imperial, *bugaku*, que foram introduzidas no país através da península coreana e são comumente associadas, no Ocidente, às atuações sagradas dos mistérios da Europa medieval. O *nôgaku*, compreendendo o conjunto dos teatros *nô* e *kyôguen*, origina-se e alcança um grande desenvolvimento durante o período Muromachi, que se estende dos séculos XIV ao XVI. Já os teatros *bunraku* e *kabuki*, germinados quase que simultaneamente no final do século XVI, originam-se e atingem o auge de sua maturidade no subseqüente período Edo ou Tokugawa (1603-1867). O *bugaku*, o *nôgaku*, o *bunraku* e o *kabuki* são geralmente considerados as quatro grandes artes cênicas tradicionais do Japão.

2.1. HISTÓRIA DO TEATRO *BUNRAKU*

Os teatros de bonecos europeus tendem, na sua maioria, para um público infanto-juvenil ou para o gênero cômico. E quando se dirigem a um público adulto não chegam a desenvolver dramas que expressam emoções intensas. E o teatro de sombras asiático, embora seja bastante interessante e possua enredo variado, trata-se de apresentações bidimensionais, não apresentando assim, tanto um como o outro, a eficácia dramática do teatro *bunraku*, que apresenta os bonecos na sua tridimensionalidade, manejados com uma grande perícia artística.

Enquanto nas demais formas de teatros de bonecos geralmente o próprio manipulador de bonecos recita a narrativa, no *bunraku* há uma divisão completa das tarefas auditivas e visuais. O teatro *bunraku* é, assim, constituído pela unidade obtida através da associação de três elementos básicos e independentes, derivados de três tradições de atuação diferentes: os bonecos operados por manipuladores silenciosos, as palavras da narração e dos diálogos recitados e cantados pelos narradores do *joruri* e o acompanhamento musical de *shamisen*. Inicialmente, esses três elementos originaram-se e desenvolveram-se separadamente, cada qual tendo sua própria longa história. Mais tarde, com a associação, passaram a ser coletivamente denominados *sangyo*, as "três artes", requerendo muitos anos de treinamento para o seu domínio. O *bunraku*, teatro de bonecos japonês, é destinado a um público adulto, resultando assim num drama sério, de alto nível artístico, freqüentemente reputado como o mais refinado e avançado teatro de bonecos do mundo.

> O prazer de ver estas três formas de arte combinadas é a da "obra de arte universal" (ou *Gesamtkunstwerk*, para empregar o termo de Wagner), uma encenação que satisfaz simultaneamente, pelo interesse literário do texto, o apelo musical do *shamisen* e o esplendor visual dos bonecos. Na ópera, onde esses três elementos tomam formas diferentes, a música é claramente suprema, e o fracasso em se ficar profundamente absorto na estória de *Lohengrin* ou em se ficar impressionado com a aparência em cena do tenor é apenas um desapontamento secundário, se a música for cantada esplendidamente. No *kabuki*, um teatro de atores talentosos, mesmo uma estória tola como *Shibaraku*, que não pode se vangloriar de embelezamento musical notável, mantém a sua popularidade no palco, porque ela fornece ao ator uma oportunidade magnífica para exibir a sua autoridade. No *bunraku*, os três elementos são quase que de igual importância, e a encenação por mestres de cada arte proporciona uma experiência teatral totalmente satisfatória[1].

2.1.1. Arte de Manipulação de Bonecos

Os ideogramas 人形 passam a ser lidos como *ningyô* ("bonecos"), somente no fim do século XV, pois até então eram lidos como *hitokata* ("formas humanas"), visto que estes não estavam relacionados às artes e, como os *haniwa* ("imagens de argila"), tinham a função de substitutos. No caso de doenças, após transfe-

---

1. Donald Keene, *Bunraku – The Art of Japanese Puppet Theatre*, p. 17.

rir-se a moléstia da pessoa para o boneco, este era jogado nas águas; no caso de magia, batia-se um prego no peito do boneco e procurava-se ferir ou mesmo matar a pessoa almejada. Portanto, até o século XV, manipulavam-se os *hitokata* e somente quando começam a ser movimentados frente ao público, adentram no mundo artístico.

A origem da arte de manipulação de bonecos, no Japão, está relacionada ao início da civilização japonesa, quando as *miko* ("sacerdotisas") de determinados santuários xintoístas de Tôhoku, região nordeste, celebravam ofícios religiosos, operando bonecos simples, um em cada mão, representando deuses ou princesas, enquanto recitavam suas orações e encantamentos. Gradativamente, os movimentos dos bonecos vão se aproximando dos movimentos dos seres humanos. Em Chugoku e Kyushu, regiões central e meridional, havia também o *Ebisu-mawashi*, que numa tradição em vigor até hoje, o boneco de Ebisu, deus da boa pesca, era transportado, durante o Ano-Novo, de casa em casa, onde dançava ao som de palavras de bom augúrio, trazendo, assim, boa sorte e bênção a todos da casa; e bonecos do deus ancião Okina e do negro Sambasô eram levados ao mar, na península de Izu, para dar as boas-vindas ao Sol. No Japão rural, ainda existem vários manipuladores que operam os bonecos durante os festivais dos santuários. No folclore primitivo japonês, os bonecos representavam deuses ou mensageiros dos deuses, que desciam à terra para aplacar as calamidades e, como bonecos sagrados, constituíam objetos de adoração religiosa.

Donald Keene apresenta uma visão interessante dos primitivos bonecos japoneses, considerando-os não como bonecos sagrados, representantes dos deuses, mas como objetos temporariamente possuídos pelos deuses, "cujas ações eles recriam, do mesmo modo como se acredita que a médium repete, quando 'possuída', palavras pronunciadas pelo próprio Deus"[2].

Assim, a arte de manipulação de bonecos, no Japão antigo, está relacionada a um desenvolvimento basicamente nativo, ainda não se constituindo numa forma de arte independente, uma vez que se vinculava a propósitos religiosos.

No ano 600, o teatro cômico *gigaku* e as imponentes danças *bugaku*, artes cênicas das dinastias Sui e T'ang da China continental, foram introduzidos no Japão, via Coréia e China.

No período Nara (710-794), um grupo de manipuladores de bonecos da Ásia Central emigra para o Japão, através da penínsu-

2. *Idem*, p. 19.

la coreana. Naturalizam-se, em massa, japoneses e passam a ser denominados *kairaishi* ou *kugutsu-mawashi*, "manipuladores de bonecos", posto que o termo japonês de então para boneco era *kugutsu*.

Não se fixando em parte alguma, os *kugutsu-mawashi* passam a levar uma vida nômade como os ciganos, vivendo em tendas, viajando de uma província a outra, em pequenas trupes ou em famílias, e, assim, percorrendo todo o Japão. Os homens caçando e, ao mesmo tempo, como artistas itinerantes, atuando como saltimbancos, manipulando os bonecos e praticando a magia; as mulheres, maquiadas provocadoramente, executando canções e danças, e freqüentemente vendendo-se como prostitutas. A história do teatro de bonecos japonês está, portanto, relacionada à história da prostituição. Fatores estes que os levam a ser tratados como *hinin* ("marginais"), pelos nativos, os sedentários japoneses.

Os mais antigos relatos sobre a vida desses operadores de bonecos foram registrados por Masafusa Oe (1041-1111), um escritor da corte, no famoso *Kairaishi-ki* ou *Kugutsu-Mawashi no Ki* (*Ensaio sobre os Manipuladores de Bonecos*), por volta de 1100, descrevendo os manipuladores do fim do século XI, quando essa arte se torna bastante popular no Japão.

Perambulando por todo o Japão, chegando a fazer apresentações de porta em porta, nas cidades por onde andavam, com suas estórias simples para divertir as crianças ou realizando entretenimentos de baixo calão nas ruas, de maneira a prover as suas subsistências e, ocasionalmente, participando de alguns festivais, os *kugutsu-mawashi* fatalmente acabaram influenciando os nativos operadores de bonecos sagrados. Estes foram progressivamente assimilando as técnicas dos *kugutsu-mawashi*, passando a secularizar a sua própria arte de representação, ocasionando a transformação de atuações de bonecos enquanto representações sagradas para apresentações como mero entretenimento. Podemos conjeturar que suas atuações tratavam principalmente de lendas folclóricas, religiosas ou maravilhas.

Mais tarde, no século XIII, os *kugutsu-mawashi* acabaram por se estabelecer em algumas regiões do país, especialmente em Nishinomiya, localizada entre as cidades de Osaka e Kobe, e na Vila Sanjo, que fica na Ilha de Awaji, no Mar Interior do Japão. Os homens lavravam a terra, que lhes era isenta dos impostos usuais, caçavam ou ofereciam a sua força de trabalho para as mais variadas atividades, e alguns deles provavelmente continuavam a exercer o ofício de manipuladores de bonecos; as mulheres continuavam a exercer a prostituição, agora nos bordéis locais.

Como preservação da memória desse teatro de bonecos exercido pelos *kugutsu-mawashi* existe, ainda hoje, em Nishinomiya, um pequeno santuário dedicado a Dokumbo Hyakudayu Okami, o deus japonês da arte de manipulação de bonecos.

A lenda diz que havia um eminente sacerdote chamado Dokumbo, no Santuário Ebisu, em Nishinomiya, que era abençoado pela deidade lá venerada. Depois de sua morte, não havia pessoa alguma que pudesse aplacar a deidade e tempestades terríveis ocorreram no mar, causando grandes dificuldades aos habitantes locais, que estavam engajados principalmente na pesca. Portanto, o imperador ordenou a Hyakudayu, um sacerdote, que criasse um boneco representando Dokumbo. Quando o boneco, manipulado por Hyakudayu, interpretou uma dança, a deidade foi apaziguada e o mar tornou-se novamente calmo. Então, Hyakudayu recebeu uma licença imperial e viajou por todo o país, para aplacar as várias deidades com a sua dança do boneco. Ele faleceu na Vila Sanjo, na Ilha de Awaji, durante a sua turnê. Antes de morrer, ensinou a arte dos bonecos a quatro habitantes locais[3].

Com o decorrer dos séculos, a arte de manipulação de bonecos, no Japão, não apresentou um desenvolvimento progressivo, posto que nada consta nos registros documentais da época. Porém, a partir da importação dos *ayatsuri*, marionetes chinesas movimentadas por meio de fios, houve, durante o século XIV, um renascimento do interesse pela arte de manipulação de bonecos japoneses.

Assim, já no século XIV, em conseqüência da mania do xogum Yoshimitsu Ashikaga pelas coisas chinesas, bonecos mecânicos são importados da China, ocasionando a criação de bonecos mecânicos japoneses, desde o estágio de meras imitações a construções bastante complexas e refinadas, movidas por complicados sistemas de rodas dentadas, fios ou propulsionadas pela força da água. Os bonecos mecânicos começaram a ser usados nas jangadas, durante os festivais da época, criando uma tradição mantida até hoje.

A manufatura e a movimentação de tais bonecos mecânicos vieram a ser consideradas a especialidade da classe proscrita (*eta*), que aliás figura de maneira particularmente importante na história do teatro japonês. Diz-se que, em 1461, o xogum Yoshimasa visitou uma vila proscrita, a oeste de Kyoto, especialmente para ver alguns bonecos mecânicos atuarem[4].

Marionetes movimentadas por fios e bonecos mecânicos fo-

3. Shuzaburo Hironaga, *Bunraku – Japan's Unique Puppet Theatre*, pp. 21-22.
4. Donald Keene, *op. cit.*, p. 23.

ram empregados nas encenações de peças como *Ichinotani Kassen* (*Batalha de Ichinotani*).

Em meados do século XVI, com a chegada de missionários cristãos europeus, novas modalidades de brinquedos mecânicos são introduzidas no Japão. Segundo Donald Keene,

> nem os bonecos mecânicos chineses nem os europeus tiveram qualquer influência notável no desenvolvimento subseqüente do teatro de bonecos no Japão, mas, pelo menos quanto a um aspecto, esses bonecos podem ter sido importantes: o uso de cordas no interior do boneco, para manipular os seus olhos, boca e dedos (em oposição às cordas exteriores, usadas nas marionetes), pode ter sido sugerido pelas cordas que movimentavam os bonecos mecânicos[5].

Entre as várias trupes de *kugutsu-mawashi* surgem ainda os *Ebisu-kaki* ("carregadores do deus Ebisu"), manipuladores de bonecos que faziam apresentações sobre as lendas de *Ebisu-gami*, um dos sete deuses da boa fortuna, o deus da boa pesca. Originalmente, deveriam ser serviçais ligados ao Santuário Ebisu, em Nishinomiya, tendo aprendido sua arte dos *hinin* ("marginais"), os *kugutsu-mawashi* que habitavam na região, e que consistia em extratos de danças de *nô*, danças do leão e danças folclóricas, augurando uma boa pesca. Em 1555, ao fazerem apresentações de *nô* usando bonecos, os *Ebisu-kaki* alcançam grande repercussão e, a partir de 1600, com a restauração da paz no Japão, após longos anos de guerras civis, começam a ser solicitados a fazer apresentações em santuários e templos de todo o país. A fama se propaga e, de 1580 a 1600, são convidados a fazer quinze apresentações na corte imperial. Conseqüentemente, os *Ebisu-kaki* desligam-se do Santuário Ebisu e são absorvidos pelo teatro de bonecos japonês, que começaria a ser criado nessa época.

Os *Ebisu-kaki* carregavam uma caixa, sustentada na altura de seus troncos, por meio de uma tira ao redor do pescoço, e que funcionava como uma espécie de palco suspenso. O minipalco de cerca de quarenta centímetros quadrados, não tinha assoalho, posto que os bonecos eram mantidos ao nível do palco, sendo movimentados por baixo pelos operadores, que conservavam as mãos ocultas. Em algumas gravuras da época, notamos a presença de dois manipuladores, lado a lado, separados apenas cerca de meio metro um do outro. Portanto, podemos conjeturar que determinadas peças eram representadas, inusitadamente, em dois palcos separados. Mais tarde, os palcos de *Ebisu-mai* ("danças

---

5. *Idem, ibidem.*

Ebisu") tornam-se menos elaborados e os braços e pernas dos bonecos passam a ser movimentados por fios.

Ainda no final do século XVI, alguns *kairaishi*, que pertenciam à seita Terra Pura do budismo, passam a viver do ofício de uma nova variedade de manipulação de bonecos: o *Hotoke-mawashi* ("manipulando o Buda"), considerado precursor do *sekkyô-bushi* ("narração dos sutras"), teatro especializado em peças de moralidade com um conteúdo budista, apresentado por bonecos e em grande voga no século XVII. Originalmente, o *Hotoke-mawashi* tinha o caráter de ritual sagrado associado a templos budistas, onde os manipuladores movimentavam os bonecos de cerca de meio metro de altura, entoando textos e sermões budistas e, assim, propagavam as doutrinas religiosas budistas. Todavia, os sermões foram gradualmente se transformando em pequenas peças dramáticas.

Na sua origem, o teatro de bonecos japonês empregava bonecos sagrados e, seja ele associado às práticas do xintoísmo ou às do budismo, está fundamentalmente ligado aos rituais religiosos do Japão. Portanto, o teatro de bonecos japonês decorre da fusão desses bonecos sagrados e dos *kugutsu*, os bonecos introduzidos do continente asiático.

2.1.2. Arte de Narração Joruri

A tradição da arte de narração cantada de uma estória com acompanhamento musical, que encontra um extraordinário desenvolvimento no Japão, floresce no século X e torna-se bastante popular no final do período Heian (794-1192), durante os séculos XI e XII. Músicos itinerantes, principalmente monges cegos, percorriam todo o país, semelhantes aos cantores da *Ilíada* e *Odisséia* na Grécia antiga e aos menestréis na Europa medieval, narrando as origens de templos e santuários, lendas budistas, bem como os romances épicos e guerras medievais. O acompanhamento melódico, tocado pelo próprio menestrel, era feito com o *biwa*, instrumento musical importado da China e que, adaptado, se transforma no alaúde japonês, proporcionando uma música melancólica. O ritmo era marcado com o *ogui-byôshi*, isto é, batendo-se levemente as vigas de um leque dobrado na palma da mão. No século XIV, a atividade dos *biwa-hôshi* ("monges narradores com acompanhamento de *biwa*") propaga-se no seio dos cantores seculares.

O estilo de narração *Heike-biwa*, também denominado *Heikyoku*, é baseado no método de recitação das escrituras budistas, e tido como precursor do estilo de recitação *joruri*. O *Heike-biwa* resume-se a narrativas do clássico *Heike Monogatari* (*Contos de Heike*), que contém episódios da guerra entre os dois grandes clãs militares do Japão medieval, Taira e Minamoto, apresentadas com o acompanhamento de *biwa*. Mas com o decorrer dos séculos, as apresentações de *Heikyoku* começaram a deteriorar-se em monótonas repetições, perdendo muito de sua popularidade. No início do século XVI, as narrativas dos *Contos de Heike* são substituídas por um outro tipo de repertório, constituído de outros contos guerreiros ou estórias românticas, com o acompanhamento de *biwa* e *ogui-byôshi*, dando origem a uma nova forma de arte narrativa, o *joruri*.

O termo *joruri* originou-se do nome da fictícia princesa Joruri, heroína do *Joruri Hime Monogatari Junidan Zôshi* (*Conto da Princesa Joruri*, uma composição para *biwa* em doze episódios), narrativa atribuída no período Edo (1603-1867) a Otsu Ono, uma dama de honra do guerreiro Nobunaga Oda e célebre poetisa de *tanka*; mas atualmente é considerada de autor desconhecido, uma vez que, a partir da metade do século XV, já se ouvia a narrativa nas províncias. Como podemos comprovar pelo diário de viagem do poeta Socho, de 1531, nesse ano ele afirma ter encontrado, numa hospedaria, um monge itinerante que cantara *joruri*.

A romântica e lendária estória do breve amor entre o jovem Ushiwakamaru, então com quinze anos de idade e que, mais tarde, se tornaria conhecido como general Yoshitsune Minamoto, famoso herói épico japonês do fim do século XII, e a bela princesa Joruri, de quatorze anos, cujo nome significa lápis-lazúli, a gema semipreciosa. Acompanhado de um vassalo, Ushiwakamaru deixa a capital, em direção às províncias do leste. Viajando por Yahagui, na província de Mikawa, vislumbra uma jovem de beleza mítica e radiante. Um amor à primeira vista. Ao ouvir a jovem tocando música com as companheiras, em sua casa, Ushiwakamaru, como que respondendo aos acordes musicais, acompanha-as, do lado de fora, com a flauta. E o faz com tanta emoção e beleza, que é convidado a entrar. A jovem princesa Joruri, filha de uma rica família de Yahagui, fora concebida graças às fervorosas preces de seu pai, até então sem filhos, à imagem de Yakushi Nyôrai, deus budista da cura, que vivia no *joruri sekai* ("paraíso"). Após passar uma ardente noite de amor com sua amada, Ushiwakamaru segue viagem. Na altura das dunas de Fukiague, na província de Suruga, é acometido por uma misteriosa doença, que o deixa às portas da morte. Quando Shô-Hachiman, o deus protetor de sua família, aparece à sua frente, disfarçado de velho monge, Ushiwakamaru solicita-lhe a presença da princesa Joruri. Informada, Joruri se faz acompanhar por uma criada e prontamente acorre para socorrê-lo. Mas, lamentavelmente, Joruri parece ter chegado tarde demais. Após purificar-se nas águas do mar, a princesa Joruri inclina-se sobre o moribundo, invoca todos os deuses, orando fervorosamente pela sua recuperação. Lágrimas rolam de seus olhos e, ao caírem na boca de Ushiwakamaru, juntamente com as orações de dezesseis *yamabushi* ("monges budistas montanheses"), que se fazem misteriosamente presentes, conseguem fazê-lo reviver. Recuperado, Ushiwakamaru despede-se pesarosamente da princesa Joruri, agradecendo-lhe pela sua cura, e segue viagem, para cumprir a sua missão: destruir o clã dos Heike. Esta estória simples e ingênua, enaltecendo a força da pureza do amor e refletindo a atmosfera romântica da corte Heian, cativou o público japonês durante quase um século.

A partir do fim do século XVI, a palavra *joruri* passou a designar não apenas o nome da heroína do *Joruri Hime Monogatari*, mas tornou-se extensiva a todas as baladas semelhantes, que enfatizavam o recitativo em suas construções, bem como a própria arte de apresentá-las. A arte de recitação *joruri*, inicialmente um tanto rude, vai progressivamente ganhando refinamento e alcança grande popularidade, especialmente em Kyoto, no ano de 1592. O termo *joruri* é usado, ainda hoje, para designar o acompanhamento narrativo-musical do teatro de bonecos japonês.

2.1.3. *Música de* Shamisen

O *shamisen*, instrumento musical de três cordas e um longo pescoço, semelhante a uma guitarra, tido como de origem egípcia e, mais tarde, disseminado pela Arábia e Ásia Central, chega ao sul da China, através do Tibete e Ásia Ocidental. Aí recebeu a denominação *san-hsien*, literalmente "três cordas", sendo, ainda hoje, usado pela orquestra do Teatro de Pekim. O *san-hsien* foi introduzido nas Ilhas Ryukyu, em 1392, quando o imperador chinês envia 36 famílias a Okinawa, para propagar a cultura e civilização chinesas. Os nativos das Ilhas Ryukyu, ou Okinawa, chamam esse instrumento de *jabisen*, visto que o corpo do instrumento, frente e verso, é revestido, como o *san-hsien*, de pele de cobra (*ja*).

Durante a era Eiroku (1558-1570), o *jabisen* é trazido ao Japão, através do porto de Sakai, ao sul de Osaka. Os japoneses, especialmente alguns instrumentistas de *biwa*, adaptaram o *jabi-*

sen, ocasionando mudanças, tanto no instrumento como na produção de sons, transformando-o num instrumento caracteristicamente japonês, que logo deixou de guardar semelhanças com o original chinês. Alargaram o corpo do instrumento e adotaram o *bachi*, um largo plectro de madeira, usado para tocar o *biwa*, confeccionando-o, mais tarde, de casco de tartaruga e, finalmente, de marfim, abolindo-se, assim, o uso de um pequeno *pick* ou a própria unha do instrumentista para se dedilhar as cordas. Devido à inexistência de cobras de tamanho tão grande no Japão e ao fato de suas peles serem muito frágeis para os golpes do plectro, os japoneses passaram, após várias tentativas, a adotar a pele de gato, com um chumbo na parte interna, para os instrumentos de qualidade superior, e pele de cachorro, para os usados na prática de exercícios, por oferecerem não só maior resistência, como também sonoridade mais clara, brilhante e dura. As peles eram colocadas pelos *eta*, que habitavam num gueto, nos arredores de Sakai. As três cordas eram originalmente de seda torcida, existindo, atualmente, também as de náilon, e uma vez que o nome *jabisen* tornara-se inadequado, por não mais ser revestido de pele de cobra, naturalizaram-no japonês, rebatizando-o de *samisen* ("três cordas temperadas"), nome que, no dialeto de Edo, modificou-se para *shamisen*.

Inicialmente o *shamisen* foi tocado principalmente pelas mulheres, alcançando grande popularidade no final do século XVI, de 1560 a 1590. As vibrações, os zunidos e os sons percussivos bem mais altos do *shamisen* tornaram-no mais adequado que o *biwa*, para o acompanhamento das narrativas. Por volta de 1610, ao fazer uma apresentação em Kyoto, Kengyo Sawazumi, um nativo de Sakai, foi considerado o pioneiro na recitação de *joruri* com acompanhamento de *shamisen*. E embora alguns atribuam esse efeito a Koto Takino, é em memória de Sawazumi que todos os músicos de *shamisen*, a partir de então, acrescentaram o ideograma *sawa* ou *zawa* de seu sobrenome a seus nomes profissionais: Toyozawa, Tsuruzawa, Takezawa, Nozawa, Hanazawa. Takino e Sawazumi eram ambos monges cegos, narradores do estilo *Heike-biwa*, que se tornaram, durante a era Keicho (1596-1615), exímios na narração *joruri* com o acompanhamento de *shamisen* e originaram as duas escolas primordiais de *shamisen*: a de Takino, com um estilo mais flexível, e a de Sawazumi, com um estilo mais rijo.

2.1.4. Teatro de Bonecos

Por volta de 1600, manipuladores de bonecos *Ebisu-kaki* são convidados a se apresentarem juntamente com recitadores *joruri*, durante um programa de eventos especiais. Devido ao sucesso da combinação do teatro de bonecos primitivo e a recitação *joruri*, com o acompanhamento musical de *shamisen*, outros eventos semelhantes são realizados.

No fim do século XVI, Chozaburo Menukiya, decorador de espadas, narrador *joruri* e discípulo de Sawazumi, une-se ao manipulador de bonecos Shiguedayu Hikita, de Nishinomiya, para a criação de um novo tipo de atividade teatral, em que bonecos eram usados para representar as ações descritas nas narrativas, cantadas e acompanhadas de *shamisen* pelo próprio Chozaburo. Por volta de 1614, em Kyoto, fazem uma apresentação de teatro de bonecos para o imperador Goyozei. E nas praias do Mar Interior do Japão, o narrador Kenmotsu, discípulo de Koto Takino, une-se ao *Ebisu-kaki* Jirobei, de Nishinomiya, para fazer apresentações de peças de teatro de bonecos.

Nishinomiya e a Ilha de Awaji são consideradas o berço do teatro de bonecos japonês, visto que, procedentes desses locais, os discípulos de Sawazumi e Takino uniram as três artes: o encontro da narrativa *joruri*, que originalmente era *one-man show*, com o acompanhamento da música *shamisen*, e os bonecos, que foram adicionados no período Edo, para tornar a narrativa mais interessante, dando assim origem à criação do *ningyô-joruri*, o teatro de bonecos japonês.

O *bunraku*, como o *kabuki*, é criado pelo povo, os citadinos, no início do período Edo. Origina-se em Kyoto, tornando-se popular, inicialmente, no distrito de Kansai, a área de Kyoto e Osaka. Mais tarde é introduzido em Edo, a atual Tokyo, no início do século XVII, aí alcançando grande desenvolvimento, graças às atividades de dois excelentes artistas: Tangonojo Suguiyama e Joun Satsuma, que estabelecem o primeiro *joruri* no estilo de Edo, embora tivessem adquirido seu aprendizado artístico inicial em Kyoto. Em 1616, o recitador *joruri* Tangonojo Suguiyama, discípulo de Koto Takino, transfere-se de Kyoto para Edo, aí apresentando várias peças, de acordo com o seu estilo brando e um tanto sentimental de recitação que alcança muito sucesso, chegando inclusive a apresentar-se várias vezes frente aos xoguns. Um pouco mais tarde, seu rival e igualmente discípulo de Takino, o narrador *ko-joruri* Joun Satsuma (1595-1672), de Sakai, após aprender o *joruri* de Kengyo Sawazumi, parte igualmente para

Edo, aí aprendendo com Tangonojo as técnicas de recitação para o teatro de bonecos. Mas comparado ao estilo de Tangonojo, o novo estilo de recitação criado por Joun era arrojado, enérgico, bombástico, chegando até a ser violento; um ritmo rijo, vigoroso, que se harmonizava com o espírito marcial e brusco do público de Edo, uma cidade nova, sede militar do xogunato e habitada por muitos samurais. Joun também alcança muito sucesso, chegando a ser patrocinado por nobres e militares, acabando por ofuscar completamente a Tangonojo e sendo cognominado o "pai do *joruri* de Edo". Nessa época, surgem os primeiros bonecos de madeira, que vêm substituir os primitivos bonecos de argila.

Dentre os numerosos e proeminentes discípulos de Joun destaca-se Izumidayu, que alcança enorme popularidade em Edo, pouco antes de 1657, como o criador do estilo *Kimpira-bushi*, narrando as aventuras do legendário herói marcial Kimpira, de natureza forte, rude, arrojada e temperamental, que desempenhava façanhas sobrenaturais, que pediam, correspondentemente, uma narração vigorosa. Para acompanhar a atmosfera da peça, o narrador marcava o ritmo com uma barra de ferro de cerca de sessenta centímetros de comprimento e ficava tão arrebatado que, no clímax das peças, chegava a decapitar a cabeça do boneco mais próximo ou esmagar uma rocha de *papier-mâché*. Posteriormente, o estilo *Kimpira-bushi* do teatro de bonecos vai inspirar ambos, o famoso ator de *kabuki* de Edo, Danjuro Ichikawa I, na criação do estilo *aragoto* para o teatro *kabuki*, figurando um ser de poderes sobrenaturais, e Monzaemon Chikamatsu, na criação da personagem Coxinga em *Kokusenya Kassen* (*As Batalhas de Coxinga*). Surgem também outros estilos de narrativas musicais na arte dramática japonesa: *Bunya, Itchu, Tokiwazu, Shinnai* e *Kiyomoto*.

No início do século XVII, os recitadores *joruri* Kichiji Fujiwara e Namuemon Rokuji, uma mulher, apresentavam peças de teatro de bonecos nas margens áridas do Rio Kamo, em Shijo, Kyoto, competindo com o então florescente *kabuki* de mulheres, criado por Okuni. Para aí acorrem, procedentes de Edo, Kunai Isejima e Guendayu Toraya, discípulos de Joun Satsuma, e Kidayu Toraya, discípulo de Guendayu. Guendayu permanece em Edo, de 1624 a 1703, desenvolvendo um estilo petulante e garrido, reflexo da arte da Edo de então; depois passa uma temporada na região de Kansai, onde surgem dois grandes recitadores *joruri* entre os seus discípulos: Harimanojo Inoue e Kaganojo Uji, que desenvolvem um novo estilo musical, mais adequado ao gosto do sofisticado público de Kansai, cansado das estórias um tanto infantis do *Kimpira-bushi*.

Harimanojo Inoue, além de abrir um teatro de bonecos em Dotombori, Osaka, grande centro comercial da época, e ser conhecido como o primeiro editor de textos de *joruri*, torna-se extremamente popular devido ao seu estilo de recitação vivo e vigoroso, mas com um repertório ainda tradicional. Já Kaganojo Uji (1635-1711), o último narrador do estilo mais antigo denominado *ko-joruri*, estabelece-se em Kyoto, onde alcança grande receptividade, devido ao seu estilo de recitação mais lírico, refinado e de beleza melancólica, mais de acordo com o gosto aristocrático dos cidadãos da antiga capital imperial, com algumas influências do *yôkyoku*, o canto falado do teatro *nô*, atividade a que se dedicara anteriormente. Na realidade, no trabalho de Kaganojo já podemos detectar várias características inovadoras do novo *joruri*: variedade de estilos, unidade dramática, qualidade literária e caracterização realista. Por sua vez, o narrador Tosanojo Yamamoto torna-se popular em Edo.

Em 1657, devido ao grande incêndio ocorrido em Edo, que chegou a dizimar milhares de pessoas e destruiu muitos edifícios, inclusive vários teatros, inúmeros artistas, exceto os do estilo *Kimpira-bushi* e alguns outros, transferem-se para a área de Kansai. E assim, o teatro *kabuki* passa à supremacia em Edo, sendo que o teatro *bunraku* torna-se uma arte dramática que floresce, ainda hoje, especialmente em Osaka, com variantes mais toscas na cidade de Tokushima e na Ilha de Awaji.

2.1.5. A Idade de Ouro do Teatro de Bonecos

A origem do *Guidayu-bushi*, a narrativa recitada do teatro *bunraku*, começa com Gorobei, que mais tarde se tornaria famoso no mundo das artes como Guidayu Takemoto I (1651-1714). Nasce numa humilde família de camponeses, na Vila Tennôji, nos arredores de Osaka, e nada parecia predestiná-lo à celebridade, exceto por sua excelente voz. Enquanto trabalhava no campo, Gorobei começara a prestar atenção nas melodias que provinham dos ensaios que se efetuavam no Restaurante e Casa de Chá Tokuya, que ficava imediatamente acima dos seus arrozais e que era propriedade de Ribei Shimizu, um nativo de Tennôji, homem de gosto refinado e que se consagrara como um talentoso narrador de *joruri*. Discípulo de Harimanojo Inoue I, quando este se retira do palco, Ribei sucede-o, adotando o nome de Harimanojo Inoue II.

De tanto ouvir e se interessar pelas lições e ensaios que se realizavam no Restaurante Tokuya, Gorobei acabou memorizando com perfeição as narrativas. Em 1671, num dia quente de verão, logo após o almoço, Gorobei começou a cantar as melodias que aprendera de ouvido. E a sua voz era tão alta, plena e clara, com tão grande beleza e poderosa ressonância, que imediatamente chamou a atenção de Ribei. Descoberto por Ribei, Gorobei torna-se seu discípulo e estréia em 1674. Recita *joruri* no Teatro de Bonecos de Ribei Shimizu, em Dotombori, Osaka, mas insatisfeito com o estilo duro e rijo do *Harima-bushi*, discute o problema com Ribei, que lhe dá permissão para que ele prossiga seus estudos com Kaganojo Uji, em Kyoto, que tinha um estilo mais suave e elegante.

Dominados os estilos de Harimanojo e de Kaganojo, Guidayu cria o seu próprio estilo de narração, singular e forte, acrescentando influências tanto do *sekkyô-bushi* ("canções e sons das cerimônias e dos sermões religiosos"), dos vários estilos de narração predominantes na época, do canto falado do teatro *nô*, bem como das canções folclóricas e populares, introduzindo sutis gradações de sentimentos.

Após obter sucesso com a peça *A Lenda de Saigyô, o Monge-Poeta*, Guidayu deixa a trupe de Kaganojo, adota o nome de Ridayu Shimizu e passa dificuldades ao tentar abrir o seu próprio caminho, atuando em Shijogawara, Kyoto. Mas logo trava conhecimento com o empresário Shobei Takeyama, ex-gerente da Companhia de Kaganojo, que deixara a trupe após um desentendimento e estava à procura de pessoas para formar uma nova trupe. A seguir, convidam Gon'emon Osaki, um excelente instrumentista de *shamisen*, cego, que fizera o acompanhamento musical para Harimanojo Inoue, e o manipulador de bonecos Saburobei Yoshida, ambos igualmente ex-integrantes da Companhia de Kaganojo.

Inicialmente, a pequena trupe de quatro elementos faz apresentações nas províncias do oeste do Japão. Em 1684, aos 33 anos de idade, Ridayu estabelece-se com a sua trupe em Osaka e funda o Teatro Takemoto-za, no lugar do atual Teatro Naniwa-za, em Dotombori, bairro então próspero em teatros e, até hoje, repleto de bares, restaurantes, *music-halls*, teatros, cabarés, um marco divisor entre o mundo dos negócios e o mundo dos entretenimentos. A partir de então, o teatro *bunraku* é particularmente associado à cidade de Osaka. A estréia em seu novo teatro dá-se com a peça de cinco atos, *Yotsugui Soga* (*Os Sucessores de Soga*), que obtém grande sucesso; no verão seguinte, a peça *Aizomegawa*

(*Rio para Lavagem de Tecidos Tingidos*) e no outono, *Iroha Monogatari* (*A Lenda do Alfabeto*). Escritas no estilo *ko-joruri*, originalmente para Kaganojo Uji, as peças do dramaturgo Monzaemon Chikamatsu dão ao Takemoto-za fama imediata, que logo se espalha por toda a região de Kansai.

Ridayu muda seu nome para Guidayu Takemoto, o seu último nome artístico, assim como Gon'emon Osaki muda seu nome para Gon'emon Takezawa.

Desde o início, o *Guidayu-bushi* não era um mero entretenimento, mas fora criado como uma expressão de ideais e um modo de vida. Toda a estória da fundação da arte do *Guidayu-bushi* está relatada no ideograma pronunciado *gui*, que significa "dignidade e justiça", usado por Guidayu Takemoto no seu próprio nome[6].

Em janeiro de 1685, o ano seguinte à fundação do Takemoto-za, Kaganojo Uji e Guidayu Takemoto fazem uma apresentação competitiva, em Osaka. Uma competição entre ex-mestre e discípulo, onde ambos apresentam peças sobre o calendário, visto que o xogunato Tokugawa mudara o calendário, do lunar para o solar. Kaganojo apresenta a peça *Koyomi* (*Calendário*), do grande romancista do século XVII, Saikaku Ihara, e Guidayu, a peça de Monzaemon Chikamatsu, *Kenjo no Tenarai Narabini Shin-Goyomi* (*A Prática da Escrita das Sábias Mulheres e o Novo Calendário*). O velho estilo de recitação de Kaganojo é derrotado pelo novo estilo de Guidayu, refinado e original, fruto do seu amplo domínio de todos os estilos, os antigos e os populares na época. E torna-se tão famoso, a ponto de seu nome passar a ser associado ao próprio estilo de narração do teatro de bonecos japonês, com o *Guidayu-bushi* passando a ser sinônimo de *joruri*. Na realidade, Kaganojo representa o elo entre o antigo e o novo *joruri*.

Ainda em 1685, Guidayu convida Monzaemon Chikamatsu (1653-1724), que já se tornara famoso escrevendo peças *kabuki* para o ator Tojuro Sakata, a integrar a sua companhia, o que leva Chikamatsu a mudar-se de Kyoto para Osaka, tornando-se o dramaturgo exclusivo do Takemoto-za. Após a morte de Harimanojo Inoue II, em maio de 1684, a vitória sobre Kaganojo, em 1685, e a apresentação da primeira peça de Chikamatsu, escrita especialmente para ele, a seu pedido, *Shusse Kaguekiyo* (*Kaguekiyo Vitorioso*), em fevereiro de 1686, celebrando a popularidade do novo estilo *joruri*, bem como o sucesso pessoal de seu criador,

---

6. Tsuruo Ando, *Bunraku – The Puppet Theater*, p. 92.

Guidayu vai realmente firmar-se como o mestre de todos os narradores *joruri* do seu tempo. Em oposição ao estilo prosaico e o conteúdo factual do *joruri* de até então, *Shusse Kaguekiyo* passa a incorporar elementos líricos e poéticos na linguagem e no enredo, tornando-se um marco, tanto na carreira de Chikamatsu como na própria história do teatro *bunraku*. As peças de Chikamatsu anteriores a *Shusse Kaguekiyo* eram escritas num estilo estritamente narrativo, e as posteriores passam a ser escritas num estilo cada vez mais dramático. Por sua vez, as peças de teatro *bunraku* anteriores a *Shusse Kaguekiyo* passam a ser denominadas *ko-joruri* ("*joruri* antigo") e as posteriores, *Guidayu-joruri* ou *horyu-joruri* ("*joruri* da atualidade").

Em termos de forma e conteúdo, isso marcou a rejeição do estilo de narração medieval para um estilo distintamente do período Tokugawa.

A natureza do antigo *joruri*, abrangendo os noventa anos, desde o *Conto da Princesa Joruri* até o *Kaguekiyo Vitorioso*, pode ser resumido como se segue. Entre os assuntos, épicos militares sobre os heróis das guerras Guempei e estórias relacionadas, de maravilhas budistas e xintoístas, eram comuns. *O Conto da Princesa Joruri* era uma estória de amor, mas o seu pano de fundo, do começo ao fim, era o poder sobre-humano de Yakushi Nyorai. Havia muitas obras, que tratavam de prodígios e milagres, e como era um costume comum dessas peças serem apresentadas por ocasião dos festivais de templos e santuários, muitas delas dramatizavam o evento ou os eventos, que conduziram ao estabelecimento da religião, templo ou santuário.

Havia, é claro, muitos tipos e variedades de peças relacionadas às estórias amorosas, feudos familiares e tráfico humano, mas todas baseavam-se fortemente em elementos místicos, enfatizavam o espetacular e eram cheias de ação. Pode-se dizer que raramente havia alguma que lidava com o caráter ou a psicologia dos seres humanos. Embora elas estivessem num plano humano e fossem quase que dramas humanos, quanto aos seus assuntos e o pensamento que figurava em sua criação, ainda estavam enraizadas na Idade Média. Quanto ao estilo, eram compostas de seis ou doze partes, deficientes no conteúdo dramático, e eram pouco mais do que a apresentação monótona de versos narrativos.

Justamente um pouco antes do surgimento de Chikamatsu, peças novas estavam sendo escritas em cinco atos e, desse modo, ficaram mais propensas a terem uma composição teatral. Chikamatsu levou o desenvolvimento à perfeição, e a forma básica da tragédia do período Tokugawa foi estabelecida com a apresentação de *Kaguekiyo Vitorioso*, peça histórica, constituída de cinco atos. Sua característica mais importante é que, apesar de apresentar um herói das lendas antigas, descreve o sofrimento de um homem um tanto comum, que caiu no dilema de escolher entre a sua noiva e a cortesã chamada Akoya. Não sendo um épico militar, nem um relato sobre um herói do passado, a peça com a sua ênfase na natureza humana universal, marca um ponto decisivo no teatro[7].

---

7. Toshio Kawatake, "Bunraku and Kabuki", pp. 178-179.

No final do século XVII, o teatro de bonecos japonês conhece um grande avanço, graças ao trio do Takemoto-za, composto por três homens de gênio: o narrador Guidayu Takemoto, o dramaturgo Monzaemon Chikamatsu e o operador de bonecos Hachirobei Tatsumatsu, a que poderíamos ainda acrescentar Gon'emon Takezawa, o principal instrumentista de *shamisen*, que uniram seus esforços e talentos para a criação de um teatro verdadeiramente popular.

Pela apresentação de várias peças de Chikamatsu assim como de outros dramaturgos, Guidayu teve o seu mérito artístico reconhecido pelo imperador, em maio de 1701, sendo-lhe concedido o título "Chikugonojo", e seu nome completo passou a ser Chikugonojo Fujiwara Hironori Takemoto. O sufixo *jo* concedido a um narrador *joruri* indica a mais alta posição no mundo do *bunraku*, posto que *tayu*, *kami*, e *jo* são os títulos oficiais, em ordem crescente de valor, dados aos narradores.

Após o estrondoso sucesso da peça *Sonezaki Shinju* (*O Duplo Suicídio em Sonezaki*), de Chikamatsu, encenada em 1703, Guidayu decide, em 1704, deixar de ser o chefe da trupe do Takemoto-za, para dedicar-se inteiramente à recitação *joruri*. Na mesma época, Shobei Takeyama também se aposenta, e a gerência do Takemoto-za passa, em 1705, para as mãos do dramaturgo Izumo Takeda I (?-1747), que modifica talentosamente as técnicas de produção de peças do *bunraku*, visando antes ao grande espetáculo do que ao realismo. O acréscimo de elementos teatrais, como a introdução de uma bela decoração, tornaria mais viva e complexa toda a estrutura do palco que, por sua vez, gradualmente afetaria o repertório do teatro de bonecos. O Takemoto-za conhece um sucesso cada vez maior, com o *bunraku* chegando inclusive a sobrepujar o *kabuki* em popularidade, e fazendo com que a família Takeda se mantivesse nessa posição por três gerações.

Em 1703, logo após a encenação de *Sonezaki Shinju*, Uneme Takemoto, um dos mais antigos discípulos de Guidayu, deixa o Takemoto-za, adota o nome de Wakadayu Toyotake (1681-1764) e, em julho do mesmo ano, abre o Teatro Toyotake-za, no mesmo bairro de Dotombori, em Osaka. No início, como não fizesse muito sucesso, Toyotake faz uma turnê pelas províncias, retorna ao Takemoto-za e, em 1706, contando com a colaboração do dramaturgo Kaion Ki (1663-1742), reabre definitivamente o Toyotake-za.

A acirrada rivalidade entre o Takemoto-za e o Toyotake-za, os dois pilares do *bunraku*, localizados na mesma rua do bairro de Dotombori, resultou numa saudável competição entre os dramaturgos, narradores, instrumentistas e manipuladores de bonecos dos dois teatros, transformando-se num grande estímulo para o progresso e popularização do teatro de bonecos japonês, que atinge um alto grau de desenvolvimento, com muitas inovações nas técnicas de narração e de movimentação dos bonecos, bem como com o surgimento de várias obras-primas, no período de algumas poucas décadas. A Idade de Ouro do teatro de bonecos. O estilo de narração do Takemoto-za, localizado no lado oeste de Dotombori, era rico porém mais sutil, terno e colorido, sendo denominado "estilo oeste"; enquanto o Toyotake-za, localizado no lado leste de Dotombori, tinha um estilo mais arrojado, brilhante, claro e forte, sendo conhecido como "estilo leste". E durante quase oitenta anos ambos os teatros florescem, ofuscando a popularidade do teatro *kabuki*. Em 1731, Toyotake é condecorado pelo imperador, pela sua devoção às atividades artísticas, recebendo o nome de Echizen no Shojo Fujiwara Shigueyasu.

Também na primeira parte do século XVIII, devido à grande elaboração da estrutura dos bonecos, bem como ao grande desenvolvimento das técnicas de operação dos bonecos, estes passam por uma verdadeira revolução na arte de expressão facial e motor, sem precedentes no mundo, aproximando-se, em sua complexidade e vivacidade, das expressões e movimentos humanos. Os bonecos primitivos japoneses eram feitos de argila e não tinham braços nem pernas. Só bem mais tarde é que passam a ser feitos de madeira; os braços surgem em 1674, e as pernas, dois anos depois. Após a advertência de um cidadão de Osaka que se queixara, dizendo que os bonecos pareciam meros brinquedos de crianças, braços móveis são construídos por volta de 1690. E respondendo ao apelo do público por uma produção mais realista, Kosaburo Fujii, famoso manipulador de bonecos femininos, constrói, em 1727, uma boneca que consegue abrir e fechar os olhos e a boca; e, em 1730, Kyuhachi Wada cria um boneco que move os olhos de lado. Ambos eram artesãos do Toyotake-za. A introdução de dedos articulados, invenção que permitiria aos bonecos moverem os dedos e realizarem movimentos complicados, dá-se em 1733.

Originalmente, existiam dois métodos de manipulação de bonecos, empregados conjuntamente. No método *tsukkomi* ("enfiar"), o operador colocava suas mãos nas mangas do boneco e manipulava-o acima de sua cabeça; enquanto no método *katatezukai* ("manipulação com uma mão"), o operador sustentava o boneco com a sua mão esquerda e movimentava o boneco com a mão direita. A partir do método *katatezukai*, Bunzaburo Yoshida I (?-1760), do Takemoto-za, aperfeiçoa, durante a encenação da peça *O Conto de Ashiya Dôman Ouchi*, em 1734, nove anos após a morte de Chikamatsu, o sistema revolucionário de manipulação de um único boneco por três homens, *sannin-zukai*, originado de seu pai. Até então, cada boneco era movimentado somente por um homem, todavia, com a entusiástica acolhida do público pelo sistema de três operadores, este sistema acabou transformando-se no sustentáculo da arte do *bunraku*. Bunzaburo Yoshida I não era apenas o melhor manipulador de bonecos do Takemoto-za, com o domínio de uma excelente técnica de diferenciação entre os papéis de jovem e ancião, homem e mulher, mas também dramaturgo e diretor, que proporcionou melhorias no vestuário e na produção das peças. Dois anos mais tarde, em 1736, os bonecos adquirem sobrancelhas móveis e o tamanho do tronco é alargado.

Até então, todos os manipuladores especializavam-se na movimentação de bonecos ou de bonecas, mas Bunzaburo conseguia operar qualquer tipo de boneco, do sexo masculino ou do sexo feminino, e, em 1739, começa a usar uma vara de apoio para mover o braço do boneco.

Originalmente, os operadores ficavam ocultos por uma cortina, movimentando os bonecos acima de suas cabeças. No entanto, após o estrondoso sucesso da encenação de *Sonezaki Shinju*, em 1703, com uma cortina translúcida, que permitia ao público ver os manipuladores operando os bonecos, ao assumir a gerência do Takemoto-za, em 1705, o dramaturgo Izumo Takeda, que dava enorme importância ao apelo visual do teatro, decide estabelecer o *degatari*, sistema de se colocar os manipuladores de bonecos, o narrador e o instrumentista de *shamisen* totalmente à vista do público, o que acaba causando grande sensação e estabelecendo uma nova tradição no *bunraku*. Em 1715, ocorre a invenção dos cenários móveis, e Izumo transfere as posições do narrador e do instrumentista de *shamisen*, que originalmente ficavam no centro do palco, para o lado direito do palco, a fim de proporcionar maior visibilidade à manipulação dos bonecos. E finalmente, em 1728, o narrador e o instrumentista de *shamisen* ganham o seu próprio palco giratório circular, *yuka*, à direita do palco principal.

A ânsia do público por maior versatilidade e caráter espetacular leva os dramaturgos a unirem seus esforços na criação de novas peças, com uma redução das descrições líricas dos cenários, aumento de diálogos e conteúdo dramático mais realista. Data dessa época a produção de três obras-primas de peças históricas do teatro *bunraku*, também adaptadas para o *kabuki*: *Sugawara Denju Tenarai Kagami* (*O Ensinamento dos Segredos Caligráficos de Sugawara*), 1746; *Yoshitsune Sembonzakura* (*Yoshitsune e as Mil Cerejeiras*), 1747; e *Kanadehon Chûshingura* (*A Vingança dos 47 Vassalos Leais*), 1748; de autoria conjunta de Izumo Takeda, Sosuke Namiki (Senryu) e Shôraku Miyoshi. O auge em relação ao realismo, mas ao mesmo tempo, a quebra do ilusionismo dramático, com a presença dos manipuladores de bonecos, do narrador e do músico, atuando inteiramente à vista do público.

De 1720 a 1750, o *bunraku* alcança grande aperfeiçoamento cênico, tamanho sucesso e supremacia, a ponto de os bonecos ofuscarem os atores humanos do *kabuki*, na atuação e na popularidade. O teatro *kabuki* é relegado à sombra e vê-se obrigado a adaptar textos do *bunraku*.

Ocorre então um incidente no Takemoto-za, durante uma das primeiras apresentações de *Kanadehon Chûshingura*, em 1748. Bunzaburo Yoshida I, o manipulador-chefe de bonecos, pede a Konodayu Takemoto (1700-1768), o então recitador-chefe do teatro, para que narre uma parte do ato IX mais lentamente, de modo que ele possa operar o seu boneco adequadamente. Tomando o pedido de Bunzaburo como um insulto, Konodayu recusa-se categoricamente a atendê-lo, alegando que Bunzaburo deveria tê-lo advertido durante os ensaios e não agora, durante a apresentação. Ambos mantêm-se irredutíveis. O gerente do Takemoto-za, Izumo Takeda, toma o partido de Bunzaburo e acaba substituindo Konodayu durante o ato IX. Konodayu e seus discípulos narradores deixam o Takemoto-za e mudam-se para o Toyotake-za. A partir de então, o considerável intercâmbio entre artistas de ambos os teatros fez com que os dois estilos de narração, "leste" e "oeste", antes perfeitamente distinguíveis, se transformassem num único estilo indistinto, desenvolvendo-se como uma única corrente. O espírito competitivo entre os dois teatros desaparece, e a arte do teatro de bonecos estagna, entrando, na segunda metade do século XVIII, num período de progressivo declínio artístico e financeiro, acrescido pelas mortes de alguns de seus melhores elementos, bem como pela crescente popularidade que o *kabuki* vinha recobrando, através da assimilação das técnicas do teatro de bonecos e das adaptações das obras-primas do *bunraku*.

Após uma brilhante história de sessenta anos, o Toyotake-za fecha as suas portas em 1764; e o Takemoto-za, que, desde a sua fundação, em 1684, era o centro do mundo do teatro de bonecos, após a morte do gerente-dramaturgo Izumo Takeda, em 1756, e a aposentadoria do manipulador de bonecos Bunzaburo Yoshida I, em 1759, também atravessa uma fase de grandes dificuldades, vindo a realizar a sua última apresentação em 1772.

No fim do século XVIII, por volta de 1790, um nativo da Ilha de Awaji, onde a arte de manipulação de bonecos permanecera num estágio rudimentar mas popular, e que se destacaria no mundo do teatro de bonecos como Bunrakuken Uemura (1737-1810), vem a Osaka e estabelece, em 1805, um pequeno teatro de bonecos em Kozu-Shinchi, organizando uma trupe, que faz apresentações nos recintos dos santuários, segundo uma tradição com paralelo na China. Assim, no início do século XIX, o teatro de bonecos japonês ganha nova popularidade. Nos primeiros anos, a trupe não tinha endereço fixo, mas em 1811, um ano após a morte de Bunrakuken, sua filha Teru e seu genro Kahei estabelecem-se no recinto do Santuário Inari, em Bakuromachi, Osaka. Em 1842, o governo japonês proíbe as apresentações nos recintos religiosos, mas essa lei logo é revogada. Em 1872, Bunrakuo, um descendente de Bunrakuken, denominado Bunrakuken III, incitado pela prefeitura de Osaka, que decidira reunir todos os locais de diversão numa só área, transfere o teatro para Matsushima, na extremidade oeste de Osaka, denominando tanto o novo teatro como a sua trupe de Bunraku-za. Foi a primeira vez que o nome *Bunraku* (literalmente "prazeres literários") foi dado a um teatro. Em 1884, para fazer frente à popularidade da trupe rival, o Teatro Hikoroku-za, que ameaçava invadir o seu território, Bunrakuo constrói um novo teatro no recinto do Santuário Goryo, em Hiranomachi, no centro de Osaka, aí permanecendo até 1926. Esse próspero período é conhecido como a "época do *bunraku* de Goryo".

Inicia-se, assim, um período de grande rivalidade entre o Bunraku-za e o Hikoroku-za, semelhante ao que houvera entre o Takemoto-za e o Toyotake-za, na primeira metade do século XVIII, resultando igualmente num grande desenvolvimento para a arte de representação do teatro de bonecos. Portanto, desde a era Meiji (1867-1912), há um segundo renascimento do interesse pelo teatro de bonecos japonês, e Osaka passa a ser denominada a cidade do *ningyô-joruri* ou a cidade do teatro *bunraku*.

Por ter dado um novo impulso a essa arte definhante, o nome de Bunrakuken imortalizou-se, a partir da metade da era Meiji, na designação do teatro de bonecos profissional japonês, *bunraku*, funcionando como sinônimo de *ningyô-joruri*. Atualmente, o teatro de bonecos japonês é conhecido simplesmente como teatro *bunraku*.

Kairaishi, antigo manipulador de bonecos. Ilustração para *Konokorogusa.*
Foto: Museu do Teatro da Universidade Waseda

Um *biwa-hôshi* cego, monge narrador, com acompanhamento de *biwa,* o alaúde japonês
Foto: Museu do Teatro da Universidade Waseda

O célebre narrador Guidayu Takemoto I (1651-1714), um dos fundadores do Teatro de Bonecos Takemoto-za, em Osaka
Foto: Museu do Teatro da Universidade Waseda

Caricatura representando os feitos heróicos de Kimpira, o "Hércules Japonês"

HERÁLDICAS

do Takemoto-za

do Toyotake-za

Bonecos do tipo *sashikomi:* Os operadores "enfiavam" as mãos por debaixo da bainha e moviam os bonecos acima de suas cabeças. O ator de *kabuki* Ichimatsu Sanogawa, como manipulador de boneco. Gravura de Masanobu Okumura (1686-1764), inovador das técnicas de *ukiyoê*.

Bastidores do Teatro de Bonecos de Tosanojo Yamamoto. Originalmente, os bonecos eram movimentados acima da cortina, que separava e ocultava os manipuladores do público, acompanhando a narração dos músicos, no centro do palco.

Estréia de *Sonezaki Shinju* (*O Duplo Suicídio Amoroso em Sonezaki*), no ano de 1703, com uma cortina translúcida, que possibilitava a visão dos manipuladores, e os músicos à direita do palco, já totalmente à vista do público.
Ilustrações: Teatro Nacional Bunraku, em Osaka

O sistema revolucionário de manipulação de um único boneco por três homens (*sannin-zukai*), na peça *Ochô Fujin* (*Madame Butterfly*).
Foto: de Seisuke Miyake para o *Calendário - 1989* da Hitachi/Teatro Nacional Bunraku em Osaka

Teatro Nacional Bunraku-za, de Osaka - Fachada

Interior. Fotos: Seisuke Miyake/Teatro Nacional Bunraku, em Osaka

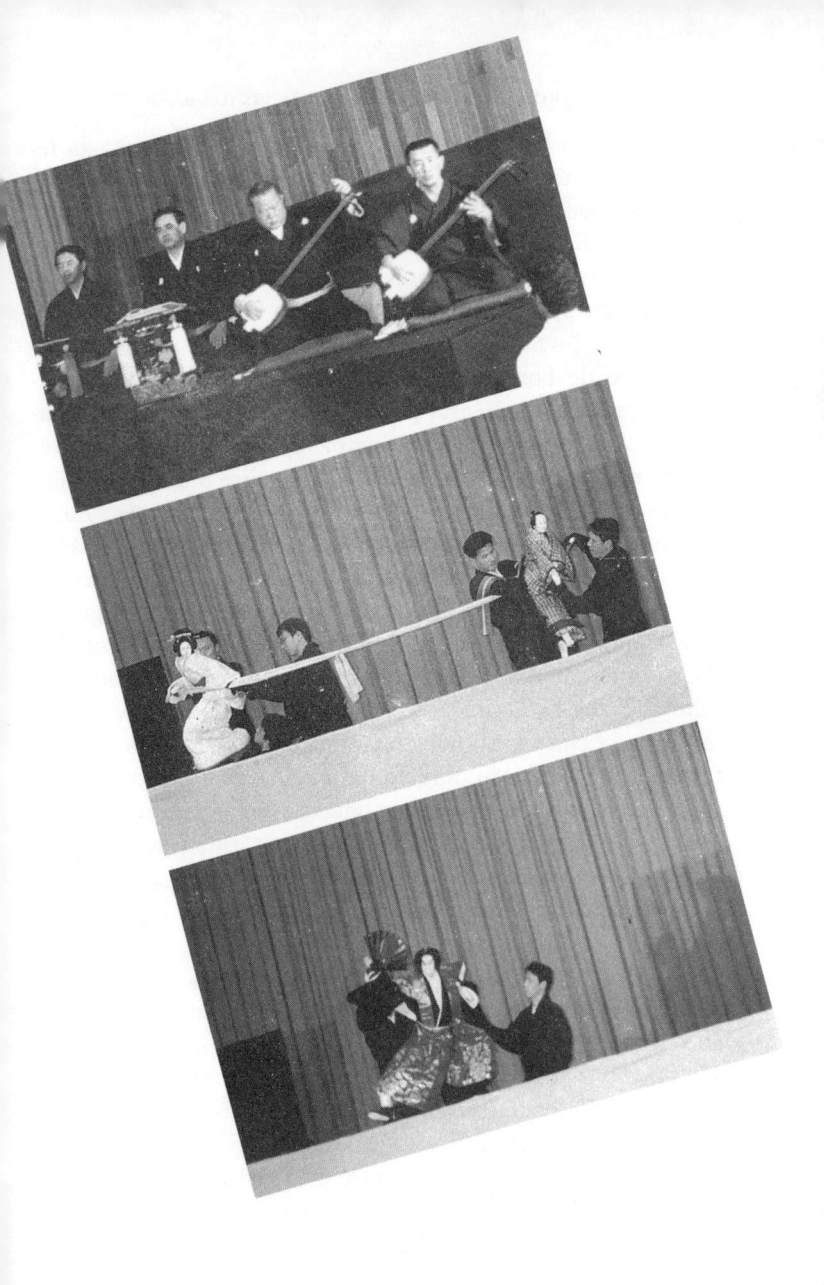

Bunraku: Teatro Tradicional de Bonecos do Japão. Ensaio Geral no Anfiteatro de Convenções e Congressos da Universidade de São Paulo, 2 de março de 1991.

Narradores e instrumentistas de *shamisen*, liderados por Kizaemon Nozawa, o chefe da trupe (segundo, à direita).

Sonezaki Shinju (*O Duplo Suicídio Amoroso em Sonezaki*), com os manipuladores Minotarô Yoshida e Tamajo Yoshida.

Ichinotani Futaba Gunki (*Crônica da Batalha de Ichinotani*)
Fotos: Autora

Pressionado por dificuldades financeiras, o Hikoroku-za fecha as suas portas em 1893, e, em seu lugar, surgem várias companhias sucessoras: Inari-za, Meiraku-za, Horie-za e Chikamatsu-za, nenhuma delas durando mais do que seis anos, mas todas atuando como rivais do Bunraku-za. A última delas, Chikamatsu-za, encerra suas atividades em 1914. O Bunraku-za de Osaka torna-se, assim, o único teatro japonês a dedicar-se exclusivamente ao teatro de bonecos. Em março de 1909, devido à incompetência gerencial da quarta geração da família Uemura, o Bunraku-za passa para as mãos da Companhia Shôchiku, administrada pelos empresários irmãos gêmeos, Matsujiro Shirai e Takejiro Otani, e que, surgindo no mundo artístico logo após a era Meiji, controlava grande parte do mundo teatral e cinematográfico japonês. Mas a 29 de novembro de 1926, um incêndio destrói o teatro e a maioria das mais antigas e valiosas cabeças de bonecos, que a Companhia Shôchiku adquirira da família Uemura. Em 1929, a Companhia Shôchiku constrói um novo Teatro Bunraku-za, em Yotsubashi, Osaka, estreando em janeiro de 1930. Durante a Segunda Guerra Mundial, em março de 1945, o Bunraku-za é totalmente incendiado durante um bombardeio aéreo em Osaka, perdendo todas as cabeças de bonecos e o vestuário remanescente do incêndio de 1926. Porém, após o término da guerra, a Companhia Shôchiku começa rapidamente a reconstruí-lo, reabrindo suas portas para sua primeira apresentação, em fevereiro de 1946.

Em 1949, rebelando-se contra a política feudalista da Companhia Shôchiku, que mantinha um controle monopolista sobre o teatro, a trupe do Bunraku-za divide-se em duas facções: um novo conjunto sob o nome de Mitsuwakai reúne os membros mais novos e, em 1950, libera-se do controle da Shôchiku, estabelecendo-se como uma companhia teatral itinerante; e o grupo do Chinamikai, que permanece sob o controle da Shôchiku.

Em 1955, a Companhia Shôchiku constrói um teatro totalmente novo, em Osaka, de estilo moderno, com três andares e mil lugares, no Benten-za, Dotombori, estreando em janeiro de 1956 com uma apresentação da trupe Chinamikai. Por sua vez, o grupo Mitsuwakai passa por sérias dificuldades financeiras. Temendo que o Bunraku-za viesse a desaparecer, devido à cisão de 1949, o Ministério da Educação consegue, em novembro de 1956, após a guerra do Pacífico, unir as duas facções para uma apresentação no Shimbashi Embujô, em Tokyo. E dois anos mais tarde, em 1958, atuam novamente juntas, no Festival Internacional de Artes, em Osaka.

Para tornar o teatro *bunraku* mais popular entre as gerações mais novas, fizeram-se, nessa época, adaptações de romances populares de autores contemporâneos e inclusive versões de peças estrangeiras, como *Madame Butterfly* de Puccini, em março de 1956; *Hamlet* de Shakespeare, em julho do mesmo ano; e *La Traviata*, de Giuseppe Verdi, em março de 1957. Entretanto, sem trazer grandes alterações ou influências para o teatro *bunraku*. As peças tradicionais do seu repertório continuaram a gozar de maior favoritismo, sendo que a criação de novas peças é quase insignificante.

A 1º de abril de 1963, com a formação da Associação Bunraku, um órgão semigovernamental, dá-se a união oficial de todos os artistas de teatro *bunraku*, que voltam a se reintegrar nessa entidade. A gerência torna-se independente do controle da Shôchiku, que a mantivera de março de 1909 a março de 1962. A Associação Bunraku tem sob seu encargo a gerência do teatro e da trupe, e é subvencionada, conjuntamente, pelo governo japonês, através do Comitê de Assuntos Culturais do Ministério da Educação, Prefeitura de Osaka e Corporação de Rádio e Televisão do Japão (Nippon Hoso Kyôkai – NHK). O Teatro Bunraku-za foi reformado e rebatizado, a 1º de agosto de 1963, com o nome de Asahi-za, permanecendo até 1983 como o centro do teatro de bonecos japonês.

Atualmente, cerca de cem grupos amadores de *ningyô-joruri* atuam no Japão, contudo, apenas o grupo profissional de Osaka é conhecido como trupe Bunraku. Em 1955, os grupos Chinamikai e Mitsuwakai foram designados pelo governo japonês como "importantes e intangíveis propriedades culturais japonesas" e alguns de seus membros tiveram suas habilidades artísticas reconhecidas, sendo condecorados como "Tesouros Nacionais Humanos". Em abril de 1964, a Companhia Bunraku-za, resultante do amálgama do Chinamikai e do Mitsuwakai, foi designada "importante e intangível propriedade cultural japonesa".

Há alguns anos, a sede da trupe Bunraku transferiu-se do antigo Asahi-za para o novo Teatro Nacional Bunraku de Osaka, inaugurado em abril de 1984.

E finalmente, em março de 1991, a Companhia Bunraku-za de Osaka veio ao Brasil, cobrindo São Paulo e Rio de Janeiro. Em São Paulo, numa promoção conjunta da Fundação Japão, Aliança Cultural Brasil-Japão, Pró-Reitoria de Cultura e Extensão da Universidade de São Paulo (USP) e Serviço Social do Comércio (SESC), pudemos assistir, no Anfiteatro de Convenções e Congressos da USP e no Teatro SESC – Vila Nova, o evento *Bunraku: Teatro Tradicional de Bonecos do Japão*, com a exibição de um filme documentário, demonstrações e apresentações de trechos das peças: *Sagui Musume* (*A Moça Garça*), *Ichinotani Fubata Gunki* (*Crônica da Batalha de Ichinotani*) e *Sonezaki Shinju* (*O Duplo Suicídio em Sonezaki*). Sabendo de antemão que a grande maioria da platéia se compunha de espectadores tanto ocidentais quanto imigrantes japoneses, que viam uma encenação de *bunraku* pela primeira vez, a jovem trupe do Teatro Bunraku do Japão se empenhou ao máximo, obtendo, assim, uma clamorosa aclamação do público.

2.2. HISTÓRIA DO TEATRO *KABUKI*

A história do teatro *kabuki*, com seus 390 anos de existência, pode ser dividida em cinco períodos. Inicialmente, os seus anos de formação, do início até a metade do século XVII; em seguida, o *kabuki* da era Guenroku (historicamente, de 1688 a 1735), com a criação dos estilos de atuação *aragoto* e *wagoto*; o terceiro período, o de adaptação de peças do teatro *bunraku*, que abrange da metade até o fim do século XVIII; o quarto período, que cobre os dois primeiros terços do século XIX; e o quinto período, da restauração Meiji, em 1867, até o presente.

2.2.1. Os Anos de Formação

Em 1600, o Japão é sacudido pela eclosão da guerra entre dois poderosos senhores feudais, dos clãs Tokugawa e Toyotomi. Com a subseqüente vitória dos Tokugawa na Batalha de Sekigawara, atual província de Guifu, Ieyasu Tokugawa (1542-1616) é designado, em 1603, no mesmo ano da criação do *kabuki*, o primeiro xogum Tokugawa, estabelecendo a sede de seu governo militar, o *bakufu* ou xogunato Tokugawa, em Edo, atual Tokyo, e assumindo o poder político sobre todo o país. Após um longo período de guerras civis, que assolou o Japão, estendendo-se, com algumas interrupções, por cerca de 260 anos, e após os golpes políticos de Nobunaga e Hideyoshi, Ieyasu Tokugawa toma o Castelo de Osaka, o último reduto dos herdeiros de Hideyoshi Toyotomi, em 1615, e restaura a paz. Cria-se assim uma atmosfera de tranqüilidade, prosperidade e lazer, com o povo japonês, cansado de tantas lutas e destruições, ansiando por novos tipos de divertimentos.

2.2.1.1. Kabuki *de mulheres* (onna kabuki)

A história do *kabuki* começa com uma mulher. A bela Okuni, originalmente uma *miko*, "sacerdotisa" a serviço do Grande Santuário de Izumo, região oeste do Japão central, na atual província de Shimane. Mulher atraente, pitoresca, arrojada e de vanguarda criativa. Em 1603, sob o pretexto de angariar fundos para o Grande Santuário de Izumo, Okuni e seu grupo de atraentes dançarinas chegam a Kyoto, na época a capital e o centro cultural do Japão, para fazer apresentações de canções e danças budistas, os *nembutsu odori*, primitivas e populares "danças de oração", criadas no século X e ainda hoje parte do folclore tradicional japonês. Okuni usava uma saia escarlate e marcava o ritmo batendo um bastão de madeira num prato de latão. Embora atualmente budismo e xintoísmo estejam separados, na época de Okuni estas duas religiões conviviam em paz, não sendo, portanto, paradoxal que uma sacerdotisa de um santuário xintoísta executasse uma dança budista. Freqüentemente, o grupo de Okuni terminava os programas com canções e danças folclóricas grupais, derivadas de várias artes cênicas populares no fim do século XVI, contando com a participação do público e das atrizes. Originalmente, os *nembutsu odori*, danças religiosas, eram executadas pelos fiéis, que andavam em círculos, recitando sutras, dançando e invocando o nome de Amida Buda, o redentor, ao som das batidas nos pequenos gongos de bronze suspensos ao redor de seus pescoços, até chegar-se ao estado de êxtase. Mais tarde, os *nembutsu odori* declinam e vão se tornar uma feição regular do *furyû*, canções e danças folclóricas bastante liberais, apresentadas com trajes vistosos, e populares no fim do século XV. Portanto, os *nembutsu odori* de Okuni não mais apresentavam quaisquer resquícios de religiosidade, funcionando apenas como uma forma de entretenimento totalmente secular, que alcançara grande popularidade no seio do povo.

Até então, segundo os preceitos budistas da época, as mulheres estavam terminantemente proibidas de atuarem nos palcos japoneses e, devido às guerras constantes, estavam relegadas à sombra. Presume-se, portanto, que Okuni e suas dançarinas pertencessem a um desses grupos de mulheres, como o *nô* feminino e as danças de oração, interpretadas pelas dançarinas e cortesãs, que, apesar das restrições religiosas, perambulavam por todas as províncias do Japão, solicitando contribuições para os santuários, mas, na realidade, conciliando um misto de apresentação de danças sensuais e prostituição.

Inicialmente, o grupo de Okuni ia ao encontro dos espectadores para realizar as suas encenações. Porém, a partir de 1603, a situação se inverte, o grupo adquire força interpretativa e o público passa a acorrer aos seus espetáculos. As primeiras apresentações do grupo de Okuni, números de cantos e danças com acompanhamento musical, em Kyoto, deram-se num palco temporário, imitação do palco de *nô*, nos recintos do Santuário Kitano, e mais tarde, atraindo um grande público, foram transferidas para a florescente área de Shijogawara, nas margens áridas do Rio Kamo, onde desde há muito tempo também se apresentavam os malabaristas, lutadores de *sumô* e os manipuladores de bonecos, com o vasto número de espectadores sentados sobre a relva. Já na Idade Média, origina-se a palavra *shibai* (芝居), formada pelos ideogramas 芝 (*shiba* = relva) + 居 (*i* = sentar-se), e traduzida literalmente por "sentar-se na relva", passando, mais tarde, no período Edo, a denominar o "teatro enquanto forma de entretenimento" (*bunraku* e *kabuki*) e *shibai-goya*, o "recinto teatral". Com o decorrer do tempo, e como é empregada ainda hoje, a palavra *shibai* viria, curiosamente, a designar "peças teatrais em geral".

Com o desenvolvimento de uma efervescente atividade no campo da música e dança populares, esse clima propício possibilitaria as turnês dos grupos de atores itinerantes, por todas as províncias do Japão, e do grupo de Okuni, diante das massas da capital, fazendo apresentações de danças que, por sua vez, criavam uma atmosfera de prazer sensual, expressando a nova liberdade do corpo. A 6 de maio de 1603, o grupo de Okuni apresenta-se no Palácio Imperial, em Kyoto.

Grupos de atores de *kyôguen* desempregados juntam-se ao grupo de Okuni, e as danças lascivas, acompanhadas de baladas, passam a ser entremeadas por pequenos interlúdios cômicos denominados *saruwaka*. Portanto, na realidade, o grupo de Okuni não era formado exclusivamente de mulheres, uma vez que o acompanhamento musical, constituído de flautas e tamboris derivados do *nô*, e os cômicos *saruwaka*, derivados do *kyôguen*, eram sempre desempenhados por homens, havendo inclusive registros desaprovadores ao fato de atrizes e atores desempenharem papéis do sexo oposto, dando margem a grande quantidade de pantomimas consideradas indecentes.

Sanzaemon (ou Sanzaburo) Nagoya, um *rônin* ("guerreiro sem amo") e glamouroso companheiro de Okuni, reputado na época como o mais belo homem do Japão e também um ator de *kyôguen*, acrescenta pequenas coreografias dramáticas às danças do grupo, transformando-as em uma espécie de farsas, sátiras primitivas e dramas ligeiros. Okuni surpreendia os espectadores, ora em trajes masculinos, janotamente vestida com um quimono multicolorido, representando um jovem samurai, freqüentando as casas de chá, em moda na época e precursoras das casas de prostituição, e tendo casos amorosos com as cortesãs; ora em trajes dos missionários jesuítas, ou com calças compridas usadas pelos portugueses, com um grande crucifixo no peito, dançando o *nembutsu odori*; ambas as situações registradas em inúmeras gravuras da época; ora em sumários trajes femininos, representando uma *yuna* ("mulher que trabalhava nos banhos públicos"). Todas as novas modas da época, as casas de chá, de banho público e os bairros de diversão licenciados, eram inteligentemente introduzidas no palco por Okuni, que, portanto, acabara transformando a dança religiosa numa espécie de opereta, resultante da fusão do *nembutsu odori*, *furyû* e o humor do *kyôguen*. As cenas e canções amorosas começam a ocorrer com grande profusão nas atuações do grupo de Okuni, arrebatando aplausos entusiásticos.

O *Kabuki Zôshi* [*Livro de Kabuki*], que se acredita datar aproximadamente do fim da era Keichô [1596-1615], descreve uma de suas encenações. Primeiro, ela dançava o *nembutsu odori* ("dança de oração"), em seguida, um certo "Sanza Nagoya" subia ao palco, vindo da platéia. O Sanza Nagoya real era um samurai, reputado como um dos mais extravagantes homens *kabuki* de sua época. Ele tinha sido morto numa disputa, em 1602, entretanto, parece que Okuni estava meramente seguindo o exemplo do teatro *nô*, ao trazer para o palco alguma figura bem conhecida do passado e fazê-la descrever episódios de sua vida – a diferença era que, uma vez que isto era uma diversão popular, os poetas elegantes e os guerreiros heróicos do palco de *nô* foram substituídos por uma figura popular e janota, que havia falecido justamente há pouco. Parece certo que o Sanza Nagoya, que aparece no *Kabuki Zôshi*, não era o homem real, mas um ator representando o papel; dramaticamente falando, o *kabuki* primitivo estava simplesmente emprestando a construção das peças anteriores de *nô*.

Este Sanza Nagoya surgia no palco, acompanhado por um colega do tipo palhaço, conhecido como *saruwaka* e, de mãos dadas com Okuni, interpretava uma dança, rememorando os seus aspectos mais *kabuki* de seus dias na terra[8].

No início do século XVII, paralelamente à rápida ascensão política do xogunato Tokugawa, as apresentações inusitadas e nada convencionais do grupo de Okuni passam a ser denominadas *kabuki odori* ("danças *kabuki*"), alcançando grande sucesso artístico e financeiro. A razão de sua popularidade junto às massas deve-se à apresentação, pela primeira vez, nos palcos japoneses,

8. Masakatsu Gunji, *Kabuki*, p. 19.

das dinâmicas danças *odori*, contrastando com a nobre e solene dança *mai* até então executada. O *kabuki* de Okuni estimula várias imitações, logo dando origem à criação de outros grupos teatrais femininos semelhantes e, assim, o *kabuki* prospera por todo o país. Devido à crescente popularidade dessa nova arte liberal, exótica e erótica, o grupo de Okuni é convidado, a 20 de fevereiro de 1607, a apresentar-se no Castelo de Edo, para o xogum Ieyasu Tokugawa, subseqüentemente às apresentações dos altivos atores de *nô*, e para Hideyasu, filho adotivo de Ieyasu, no Palácio Fushimi, perto de Kyoto. Em 1610, o *kabuki* de mulheres é convidado, por Kiyomasa Kato, a apresentar-se durante a celebração pela construção do Castelo de Nagoya, e Masamune Date convoca uma trupe para apresentar-se em Sendai, no norte do Japão.

Mas a natureza claramente erótica de algumas das peças do *kabuki*, com a ênfase antes na beleza e no charme físicos, do que propriamente nas encenações teatrais, e o comportamento de algumas atrizes, que continuavam a exercer abertamente a prostituição, passam a constituir uma afronta à moral da sociedade da época. Diziam as más línguas que, de dia, as atrizes vendiam entradas para as apresentações teatrais e, de noite, vendiam-se como prostitutas. Este novo *kabuki* recebe a denominação *onna kabuki* ("*kabuki* de mulheres") ou de *yûjyo kabuki* ("*kabuki* de prostitutas"), visto ter-se convencionado que, após os espetáculos, as atrizes ficavam disponíveis aos ricos mercadores e samurais.

Erotismo e artes têm-se inter-relacionado, desde há longo tempo, na história japonesa. A origem dessa conexão está nos ritos xamanísticos primitivos dos deuses, nos quais se acreditava que a sacerdotisa (e, algumas vezes, a moça dos ritos das plantações de arroz) era a amante do Deus visitante ou a sua companheira de cama, na noite de sua visita. Mais tarde, no entanto, a distinção sutil entre a mera prostituição e a devoção religiosa tornou-se vaga, e as *aruki-miko* ["sacerdotisas peregrinas"] posteriores tornaram-se prostitutas itinerantes, intimamente relacionadas às comunidades proscritas. Mesmo depois que o elo entre os ritos religiosos e as atrizes cessou de existir, e mesmo quando elas se transformaram em simples prostitutas, a sua ligação com os entretenimentos e as artes jamais findou. A esta linha de atrizes pertencem as *shirabyôshi* ("dançarinas do século XII"), *kusemai* ["dançarinas de *nô*"], *sarugaku* de mulheres, e então – com a nova voga, e diretamente relacionado às suas ancestrais – o *onna-kabuki* ["*kabuki* de mulheres"][9].

Assim, o fato de o *kabuki* ter sido originalmente exercido por cortesãs vai influir decisivamente no grande erotismo, que carac-

9. Jacob Raz, *op. cit.*, p. 141.

teriza as peças de *kabuki* e que permeia as artes cênicas japonesas em geral. Todavia, durante o período Tokugawa (1603-1867), as peças de *kabuki* tinham uma atmosfera bem mais erótica do que as peças encenadas atualmente. A conexão cada vez maior entre *kabuki* e prostituição, com algumas atrizes vangloriando-se do patronato de grandes *daimyô* ("senhores feudais") e a intimidade com militares de alto escalão, leva o xogunato Tokugawa a licenciar esses dois principais entretenimentos das grandes cidades, que não se conformavam à moral confuciana, confinando-os em distritos segregados, como tentativa de separar a arte de representação teatral do exercício da prostituição, e possibilitando, ao mesmo tempo, um maior controle do governo sobre eles.

Ocorre, então, a criação dos *irozato*:

O elo entre erotismo e entretenimentos encontrou a sua expressão clássica no estabelecimento dos distritos de diversão, no período Edo. Com nomes variados – *irozato, iromachi, karyûkai, yûjyomachi, yûkaku, kuruwa, yûri* e outros –, os bairros de diversão, ou distritos de luzes vermelhas, tornaram-se, em Edo, as partes mais populares da grande cidade, a meca do prazer e entretenimentos, incluindo o teatro.

Quatro instituições caracterizavam os bairros: bordéis, casas de chá, banhos públicos e teatros, todos fortemente inter-relacionados. As casas de chá (*chaya*) tomaram o lugar das reuniões de chá nos tempos antigos. Os banhos públicos eram lugares de relaxamento e prazer, não meramente de banhos.

[...] vez e outra, apesar da licença, os bairros eram alternadamente suprimidos e licenciados novamente pelo xogunato, mas, com o tempo, acumularam crescente poder, como os centros culturais das cidades[10].

Yoshiwara, o famoso bairro dos bordéis de Edo, é formado em 1617 e completado em 1626; em 1640, o distrito de Shimabara, em Kyoto, imortalizado nos *kôshoku-bon* ("romances eróticos"); e em Osaka, o distrito de Shinmachi, com suas cortesãs aparecendo nas peças de Chikamatsu, embora na era Meiji (1867-1912) floresçam os distritos de Shimanouchi e Kita-no-Shinchi (Sonezaki).

Mais tarde, como podemos comprovar em algumas peças de *kabuki*, a íntima relação entre esses dois mundos torna-se transparente no intercâmbio de linguagem, na gíria, na moda dos trajes e estilos de cabelo, bem como nas danças, músicas e canções populares.

A 23 de outubro de 1629, após um incidente público de brigas entre samurais rivais pela disputa dos favores de Yoshino, uma

10. *Idem*, p. 142.

atriz de Kyoto, o xogum Iemitsu (1604-1651) decide proibir definitivamente as danças femininas, as baladas *joruri* interpretadas por mulheres e a participação em geral das mulheres nos palcos de *kabuki*, posto que estas despertavam um interesse não puramente artístico. Alegando-se corrupção de costumes e que as danças lascivas do *kabuki* de mulheres expressavam flagrante imoralidade e um mundo de paixões individuais, desvinculado dos deveres sociais, que ameaçavam a moral pública, a partir de então, após uma existência de três décadas, o *kabuki* de mulheres tem um fim abrupto e as mulheres são completamente banidas dos palcos teatrais japoneses, passando a trabalhar nos restaurantes e casas de chá, populares na época. Uma proibição drástica, que vigorou por mais de dois séculos e meio, com as mulheres japonesas reaparecendo nos palcos somente em 1891, com o surgimento do movimento teatral denominado *shimpa* ("escola nova").

2.2.1.2. Kabuki *de mocinhos (*wakashu kabuki*)*

Mas o *kabuki* já criara raízes como nova forma de entretenimento bastante popular, conquistara seu público, portanto não podia ser facilmente extinto pelo xogunato Tokugawa. Floresce, então, o *wakashu kabuki* ("*kabuki* de mocinhos"), onde o grupo de mulheres é substituído pelo grupo de belos adolescentes de até quinze anos, só do sexo masculino, antes da mudança de voz e que ainda não tinham as suas frontes raspadas, como era o estilo de cabelo adotado pelos homens adultos da época. Aos quinze anos, os jovens submetiam-se ao *guempuku*, ritual çerimonial de corte do *maegami* ("cabelo da fronte"), passando a ser chamados de *yarô* ("homem adulto"). Assim, os que ainda conservavam o *maegami* eram denominados *wakashu* ("homem jovem").

As danças executadas pelos belos mocinhos, que eram especialistas em técnicas acrobáticas e familiarizados com o *kyôguen*, tornaram-se populares no fim do século XVI. Mas nos primórdios do século XVII, ofuscados pelo sucesso do *kabuki* de mulheres, os belos adolescentes, que realizavam suas apresentações nos arredores de Gojo, nas margens áridas do Rio Kamo, em Kyoto, são relegados à sombra, ressurgindo com força total após a proibição do *kabuki* de mulheres. Supõe-se que muitos deles descendiam dos *eta*, a classe proscrita, ou ainda, eram crianças compradas nas turnês pelo país. Os cabelos longos cuidadosamente elaborados, a beleza vocal e facial, aliados à sensualidade, tornam-se essenciais aos integrantes do *kabuki* de mocinhos, assim como haviam sido para o *kabuki* de mulheres, principalmente nas apresentações de danças. E a história tornava a se repetir. O *kabuki* de mocinhos alcança grande popularidade, a ponto de o terceiro xogum Tokugawa, Iemitsu, convidar três vezes a trupe Saruwaka Wakashu Kabuki, a principal companhia da época, a apresentar-se no seu Castelo de Edo. Mas as danças dos belos rapazes, com seus quimonos vistosos, travestidos de atraentes mulheres, acabavam por aprofundar o aspecto lascivo do *kabuki*, exercendo um fascínio irresistível sobre a platéia de admiradores masculinos e constituindo prelúdios para a homossexualidade e a prostituição.

A 27 de julho de 1652, em Edo, após uma série de tumultos públicos provocados nos teatros por dois samurais, que pleiteavam os favores de um jovem ator interpretando um papel feminino, o governo militar não apenas proíbe vigorosamente a participação dos adolescentes no palco, como também ordena o fechamento de todos os teatros *kabuki*. Não devido às objeções morais às práticas homossexuais, largamente evidenciadas nos monastérios budistas e entre os militares, durante as guerras civis dos séculos XV e XVI, mas para preservar a ordem social, impedindo que a homossexualidade se propagasse no seio do povo e, principalmente, visto que a ligação atores-samurais representava uma ruptura da rígida distinção de classes sociais então vigente, que se fazia sentir com mais rigor do que em outros períodos da história japonesa. Logo, a censura tinha um caráter antes político do que sexual.

A ordem de raspar as belas madeixas frontais dos membros do "*kabuki* de mocinhos" foi emitida em 1652, fazendo-os parecerem adultos demasiado prosaicos, para serem objetos de sodomia. Uma das conseqüências mais significativas desta ordem foi que os *iroko* ["garotos de programa"] não eram mais a única fonte para os intérpretes de papéis femininos. Em outras palavras, a habilidade de atuação, tanto quanto a boa aparência, tornou-se importante para os intérpretes de papéis femininos, possibilitando aos mocinhos comuns seguirem essa profissão.

Foi noticiado que, por volta dessa época em Edo, havia cerca de quinhentos *iroko*, dentre os quais tanto os jovens atores quanto os intérpretes de papéis femininos eram recrutados. Kinsaku Yamashita I, Monnosuke Ichikawa III, Rikô Nakamura II, Shoroku Onoe, Kito Nakamura, Kikuyo Nakamura e Kikunojo Segawa foram todos *iroko*, na juventude. Em outras palavras, o costume social anormal de sodomia, que exercia a estranha influência de fazer com que os homens tomassem a aparência de mulheres, tornou-se uma função poderosa para se desenvolver a rara arte cênica do *kabuki* à tal perfeição, jamais conhecida em qualquer outro país, com a possível exceção da nossa vizinha China. Parece, portanto, seguro dizer que as medidas rígidas adotadas para apartar o *kabuki* da influência deste costume trabalharam mais para a sua desvantagem[11].

2.2.1.3. Kabuki *de homens adultos* (yarô kabuki)

A história do teatro *kabuki*, bem como a do teatro elisabetano, foi marcada pela repressão, exatamente devido a sua grande popularidade junto às massas. Paralelamente à interferência do xogunato Tokugawa no teatro *kabuki*, proibindo, em 1629, o *kabuki* de mulheres e, em 1652, o *kabuki* de mocinhos, na Inglaterra, em 1642, com o início da guerra civil e o medo da peste, os puritanos conseguem, através de um decreto do Parlamento britânico, fechar todos os teatros, reabrindo somente dezoito anos mais tarde, após a Restauração de 1660.

Devido à petição do mais antigo empresário teatral de Kyoto, Matabei Murayama, por mais de dez anos, e que chegara a acampar defronte ao cartório do magistrado, expondo-se ao sereno e à chuva, as autoridades oficiais lançam um edital de permissão de reabertura dos teatros *kabuki*. Dessa maneira, os teatros reabrem, mas com algumas severas ressalvas: todos os atores deveriam pertencer ao sexo masculino, ser adultos, usar a fronte raspada, *yarô-atama*, que os tornava menos atraentes e era signo de maturidade, a exclusão de todas as canções e danças licenciosas, com a ênfase, a partir de então, no drama representacional mais realista. Na época, como não existissem perucas, os *onnagata* escondiam a fronte com o *yarô-boshi*, literalmente "chapéu de homem adulto", mas, na realidade, um "tecido de crepe de seda roxo". O termo *yarô*, que na época significava "homem adulto", tem atualmente o sentido de "rude" ou "bruto". Somente em meados do século XVIII, as perucas vão começar a ser usadas pelos atores de *kabuki*.

Temendo nova represália do governo, os empresários teatrais decidem substituir a variedade de revistas, constituída de canções, danças e pequenos dramas independentes, que compunha o *kabuki* até então, por *monomane-kyôguen-zukushi* ("composições de peças imitativas"), peças integralmente atuadas e que se desenvolvem no *kabuki* de homens adultos. Os homens de teatro passam até a abolir o próprio uso da palavra *kabuki*, adotando uma nova nomenclatura para designar o teatro *kabuki*, ao denominá-lo *monomane-kyôguen-zukushi*. Por volta de 1664, baseando-se nu-

---

11. Shoyo Tsubouchi, "The Future of Kabuki and of Female Impersonators", em *History and Characteristics of Kabuki*, p. 188.

ma técnica realista, os *monomane-kyôguen-zukushi* desenvolvem-se como *tsuzuki-kyôguen* ("peças em séries").

O uso da palavra *kyôguen* aqui não deve ser confundido com os interlúdios cômicos do *nô*. Nessa época, a palavra *kyôguen* passou a ser um termo genérico para qualquer cena ou libreto encenado, exceto os do *nô*, que eram designados unicamente por esse nome. Hoje, a palavra ainda é usada no sentido de "qualquer peça"[12].

Origina-se, assim, o termo *yarô kabuki* ("*kabuki* de atores masculinos adultos"), que estabelece as convenções primordiais do teatro *kabuki* apresentado até nossos dias, com as mudanças através dos anos, constituindo-se como refinamentos dos elementos então estabelecidos. A partir desse momento, como no teatro elisabetano, todos os papéis no teatro *kabuki* passam a ser interpretados por homens, dando nascimento à instituição dos *onnagata*, "atores especializados na interpretação de papéis femininos", uma tradição peculiar do *kabuki*, mantida até hoje.

Os deuses xintoístas japoneses são masculinos. Portanto, quem os invoca são as *miko* ("sacerdotisas"), que vão progressivamente se transformando em artistas. Assim, quando é decretada a proibição do *kabuki* de mulheres, passando ao *kabuki* de mocinhos e, posteriormente, ao *kabuki* de homens adultos, o elo com os deuses xintoístas se rarefaz, para finalmente romper-se.

Durante essa época, teatros permanentes são construídos nos três grandes centros do Japão: em Kyoto, a antiga capital imperial; em Osaka, a cidade comercial; e em Edo, a nova capital militar.

A restrição do xogunato contra a exibição da mera atração física, a sensualidade, da qual o *kabuki* de mulheres e o *kabuki* de mocinhos tanto dependiam, na realidade acabou favorecendo o desenvolvimento do *kabuki* enquanto arte dramática mais séria e sofisticada, com a ênfase cada vez maior nos diálogos. No decorrer da segunda metade do século XVII, principalmente nas décadas de 1660 e 1670, e na primeira metade do século XVIII, ocasionou uma concentração maior na estrutura dramática, possibilitando a emergência de um drama genuíno. As peças divididas em vários atos surgem pela primeira vez, em 1664, em Edo e Osaka. Simultaneamente, o alargamento do palco, a invenção do *hikimaku* ("cortina de correr") e a criação do *hanamichi* ("passarela")

---

12. Faubion Bowers, *Japanese Theatre*, p. 49.

vão contribuir para a substituição das revistas musicais, peças em um ato, baseadas em danças essencialmente eróticas, por peças em vários atos, com enredos mais longos e complexos, e a ênfase maior nos diálogos e nas ações. Em suma, os atores foram forçados a aperfeiçoar suas técnicas de atuação enquanto formas artísticas verdadeiras, pois, para prender a atenção do público, sem o apelo da beleza física, passaram a depender mais dos diálogos e de suas capacidades de atuação.

Durante a primeira fase do *kabuki* de homens adultos, desenvolvem-se dois tipos distintos de peças *kabuki*: o *keisei-kai*, relacionado ao "mundo das cortesãs" e que geralmente se desenrolava nos bairros do prazer de Kyoto, Osaka e Edo; e o *tanzenroppô*, que trata de um lado mais arrojado da vida nas cidades, com os *playboys* que freqüentavam as casas de banho público, precursoras dos banhos turcos e saunas das nossas metrópoles contemporâneas.

2.2.2. O Kabuki *da Era Guenroku – Período de Desenvolvimento. O Estabelecimento dos Três Estilos Básicos do* Kabuki: *Aragoto, Wagoto e Onnagata.*

Durante todo o período Edo (1603-1867), o Japão vê-se sob o controle político centralizado pela família Tokugawa, no qual o seu terceiro xogum, Iemitsu, estabelece o *sakoku* ("política de segregação nacional"). Uma política de segregação: em 1630, vedam-se todos os livros estrangeiros; em 1635, sob pena de morte, não mais se permitem viagens ao exterior; em 1637, o cristianismo é proibido; a partir de 1639, o início real do longo período de isolamento nacional, posto que os estrangeiros são proibidos de entrarem no Japão e apenas os chineses não-cristãos e os holandeses não-protestantes têm permissão de comerciar no porto de Nagasaki. O Japão é isolado do resto do mundo e isolado internamente em regiões menores, com as províncias e os feudos, em áreas divididas. A política de isolamento nacional do Japão vai tornar-se um dos fatores primordiais do desenvolvimento do *kabuki* como forma peculiar de teatro. Com o subseqüente desenvolvimento do folclore, dialetos regionais e diferenças culturais, surgem dois estilos fundamentais de atuação no *kabuki*, para papéis masculinos, *aragoto* e *wagoto*, sob as lideranças de dois grandes atores, para atender às necessidades das platéias dos dois principais centros, Edo e Kamigata (Kyoto e Osaka), bem como, para os papéis femininos, o estabelecimento do *onnagata*, devido à proibição das atrizes nos palcos.

A era Guenroku[13] (1688-1735) foi uma época brilhante, conhecida como a Idade de Ouro da história social e cultural japonesa. Devido ao aumento dos empreendimentos comerciais e subseqüente crescimento da economia monetária e prosperidade das cidades, dá-se o desenvolvimento da classe dos mercadores, que ocasiona o surgimento de uma cultura urbana. O primeiro florescer de uma cultura genuinamente plebéia, que mantinha uma relação mais íntima com a vida real dos citadinos. Datam de então os romances hedonistas de Saikaku Ihara (1642-1693), o "Boccaccio da era Guenroku"; a poesia *haiku* de Matsuo Bashô (1644-1694), o poeta peregrino; as pinturas *rimpa* de Korin Ogata (1658-1716); os *haikai renga* ("poemas encadeados") do filósofo e estadista Hakuseki Arai (1657-1725); no teatro *bunraku*, o narrador Guidayu Takemoto e o dramaturgo Kaion Ki. Na arte do *kabuki*, o surgimento de grandes atores, em Edo, Danjuro Ichikawa I (1660-1704) e Shichisaburo Nakamura, e em Osaka, os *onnagata* Ayame Yoshizawa I (1673-1729) e Tatsunosuke Mizuki (1673-1745); o notável dramaturgo Monzaemon Chikamatsu (1653-1724); bem como a publicação, em 1776, do *Yakusha Rongo* (*Analectos dos Atores*), antologia dos ensinamentos dos famosos atores da era Guenroku. Com a criação dos três estilos fundamentais de atuação, *aragoto*, *wagoto* e *onnagata*, estabelecem-se as técnicas básicas de atuação e de produção do *kabuki* da maturidade, forjando a arte hoje existente. O *kabuki* da era Guenroku, com a criação desses novos padrões de realização artística, atinge o seu primeiro estágio de acabamento.

2.2.3. Maruhon Kabuki: *Adaptações de Peças do Teatro* Bunraku

Durante as décadas da metade do século XVIII, do fim da era Kyôhô (1716-1736) ao fim da era Hôreki (1751-1764), o teatro *bunraku* conquista a supremacia de popularidade e a liderança teatral no Japão, mantidas graças à elaboração de novas e sofisticadas técnicas de estruturação e manipulação de bonecos, bem como devido ao virtuosismo de brilhantes narradores, instrumentistas de *shamisen* e dramaturgos, com a encenação de obras-primas, como *Chûshingura* e peças *sewamono* ("domésticas"), particularmente as de duplo suicídio, escritas por Monzaemon

---

13. Era Guenroku – historicamente vai de 1688 a 1704, mas culturalmente abrange de 1688 a 1735, podendo mesmo, numa visão mais ampla, considerar-se toda a primeira metade do século XVIII.

Chikamatsu, que transformara o que até então havia sido uma arte medieval em um drama moderno.

Assim, em contraposição ao *kabuki* da era Guenroku (1688-1735), que fora verdadeiramente garrido, o *kabuki* dos quarenta anos subseqüentes presencia gradativamente, com as restrições impostas à sua arte, a perda do seu público. Num esforço para recuperar a antiga popularidade, a partir de então, o *kabuki* subordina-se ao *bunraku*, passando, já por volta de 1750, a adotar e adaptar a maioria das peças do teatro de bonecos, chegando a contratar músicos e manipuladores de bonecos do Takemoto-za, de Osaka, para assessorá-los nas encenações. As peças de *bunraku*, *Sugawara Denju Tenarai Kagami* (*O Ensinamento dos Segredos Caligráficos de Sugawara*), *Yoshitsune Sembonzakura* (*Yoshitsune e as Mil Cerejeiras*) e *Kanadehon Chûshingura* (*A Vingança dos 47 Vassalos Leais*), foram prontamente adaptadas para o *kabuki*, em menos de um mês após as suas estréias e, atualmente, são consideradas as três obras-primas do *kabuki*.

Portanto, as influências decisivas sofridas pelo *kabuki* não se limitaram a adaptações do repertório de *bunraku*, resultando num aumento considerável do número de personagens, onde os papéis desempenhados pelos bonecos no *bunraku* são substituídos pelos atores humanos no *kabuki*, mas manifestaram-se num sentido mais amplo, através da absorção de técnicas de atuação, como a imitação deliberada dos movimentos titubeantes e convulsivos dos bonecos, que não apresentavam a naturalidade dos movimentos humanos na articulação dos braços e do pescoço. Conseqüentemente, os atores tiveram que desenvolver um perfeito controle dos seus corpos para poder imitá-los, resultando na criação de uma linguagem corporal de grande impacto emocional. Houve também assimilação da musicalidade, composição e produção dos dramas e até mesmo da maquinaria de palco do *bunraku*, que acabaram ocasionando uma mudança drástica e contribuíram para um enriquecimento substancial da arte do *kabuki*, acentuando-se a tendência de estilização e a natureza do *kabuki* como drama musical. Na época de sua introdução, as peças de *kabuki* adaptadas do *bunraku* eram denominadas *Guidayu kyôguen* ou *Takemoto gueki*, visto que a influência mais essencial havia sido a da música de Guidayu Takemoto, mas, atualmente, são conhecidas como *maruhon kabuki* ou *maruhon-mono*.

Mais tarde, com o declínio da popularidade do *bunraku* e a revolução na estrutura espacial do *kabuki*, provocada pela invenção do palco giratório, por Shozo Namiki, introdutor de muitas idéias do teatro *bunraku* no *kabuki*, e o estabelecimento dos dois *hanamichi* ("passarelas"), na década de 1770 desenvolve-se o aspecto espetacular do *kabuki*, que, com sua vontade de mudar para adaptar-se aos novos gostos da época, transfere o centro de suas atividades de Kamigata (Kyoto e Osaka) para Edo e emerge novamente como a mais importante arte dramática japonesa, permanecendo até o fim do século XIX como a forma teatral dominante do Japão.

Data dessa época também o notável progresso do acompanhamento musical de *shamisen*, com as três escolas: *Tokiwazu*, *Tomimoto* e *Kiyomoto*, bem como o *nagauta* e *Bungobushi*. Devido ao desenvolvimento da música de *kabuki*, a dança também atinge um progresso considerável, florescendo os *shosagoto* ("dramas dançantes"), que são levados à perfeição.

Nos cinqüenta anos compreendidos entre o fim da era Hôreki (1751-1763), quando o centro cultural do Japão se transfere de Kamigata para Edo, e o fim da era Kansei (1789-1801), o teatro *kabuki* atinge o seu segundo período de prosperidade. Shoyo Tsubouchi, o estudioso de *kabuki*, declara:

> Provavelmente seja correto dizer que a Idade de Ouro do *kabuki* foram as eras Tenmei (1781-1789) e Kansei (1789-1801), isto é, o *kabuki* descrito por tais artistas de *ukiyoê*, como Shunsho e sua escola, Sharaku, e Toyokuni I na sua juventude. Esses anos representaram o mais alto desenvolvimento do drama histórico japonês. Depois desse período, o *kabuki* fez algum progresso, enquanto drama de ação e fala, mas não em sua antiga forma teatral de semi-ópera pura[14].

2.2.4. Período de Maturação do Kabuki de Edo

Com o longo período de isolamento nacional imposto pelo xogunato Tokugawa e conseqüente paz, a classe dos samurais perde a sua razão de ser; o regime feudal, estagnado por mais de dois séculos, atravessa um impasse; e com a falta de contato com o mundo exterior, tanto a sociedade civil quanto a militar tornam-se espiritualmente cada vez mais decadentes, aumentando a ocorrência de corrupção e crimes, com as massas inquietas ansiando por emoções cada vez mais fortes, sensuais e sensacionais.

---

14. Cf. "The Future of Kabuki and of Female Impersonators", p. 199.

O *kabuki* de mocinhos, composto de belos adolescentes, vigorou de 1629 a 1652.
Gravura: Museu Idemitsu, em Tokyo

Kabuki de Okuni, ainda com palco e orquestra de *nô*.
Kabuki de mulheres ou *kabuki* de prostitutas, proibido em 1652.
Fotos: Museu do Teatro da Universidade Waseda

Grande Santuário de Izumo, na região oeste do Japão central.

Túmulo de Okuni, criadora do teatro *kabuki*.

Dan-Kiku-Sa, o famoso trio de líderes do *kabuki* da era Meiji;
Danjuro Ichikawa IX, Kikugoro Onoe V, Sadanji Ichikawa I.
Fotos: Museu do Teatro da Universidade Waseda

Teatro Nacional do Japão, em Miyakezaka

TEATRO KABUKI EM TOKYO
Foto: Teatro Nacional do Japão - Tokyo

Kabuki-za, em Higashi-Guinza

O quarto período do *kabuki*, que se estende do início do século XIX até o fim do período Edo, em 1867, é marcado por uma dupla criação e desenvolvimento: de um lado, os *kizewamono* de Edo ("dramas domésticos vivos"), gênero que resulta da evolução dos *sewamono* ("dramas domésticos"), populares e realistas, e, de outro, os *hengue-mono*, as ricas formas de "danças transformacionais". Esses dois gêneros alcançam grande popularidade, fazendo com que o *kabuki* atinja, durante as eras Bunka-Bunsei (1804-1830), o seu terceiro período de prosperidade.

O *kizewamono* de Edo, que tem como precursor Gohei Namiki, introdutor na dramaturgia de Edo de um aspecto mais racionalista dos autores de Kansai, origina-se com Namboku Tsuruya IV e é completado por Mokuami Kawatake. Em contraste com o tom romântico do *kabuki* do período precedente, o *kizewamono* de Edo é constituído de peças domésticas contemporâneas, oferecendo um quadro extremamente realista da sociedade decadente de Edo, do final do período Tokugawa. As peças *kizewamono* colhem sua galeria de personagens surpreendentes nas mais baixas camadas da sociedade japonesa, enfocando-a em seus aspectos mais feios e vulgares. Um mundo lúgubre, grotesco, constituído de ladrões, prostitutas, mendigos, bonzos decaídos, jogadores, guerreiros sem amo, empobrecidos e endividados, mulheres das várias classes sociais se prostituindo para pagar as dívidas da família, bem como a aparição de fantasmas. A ênfase em características como a variedade, o espetacular, a caça ao prazer e a decadência, através do uso freqüente do crime brutal, tortura, sobrenatural, erotismo, roubo, incesto, suicídio e prostituição, que, por sua vez, são temáticas marcantemente barrocas. Exemplos desta fase são as peças *Yotsuya Kaidan* (*Conto dos Fantasmas de Yotsuya*), de Namboku Tsuruya IV, e *Sannin Kichisa* (*Os Três Patifes Chamados Kichisa*), de Mokuami Kawatake.

O teatro *kabuki* dessa época, com suas peças sensacionalistas, reflete o espírito de decadência da sociedade de então e, por sua vez, vai influir nos romances populares e vice-versa. Data também de então o grande número de gravuras em que se retratam atores e cenas teatrais.

O *kabuki* de Edo atinge a maturidade durante as eras Bunsei-Tempo (1818-1844). Mas as reformas governamentais da era Tempo, efetuadas pelo xogunato Tokugawa, de 1841 a 1844, com o propósito de superar o impasse moral, econômico e social do país, voltando ao regime mais austero do período feudal inicial, contribuíram, ao mesmo tempo, para sufocar os aspectos grotescos e eróticos do *kabuki*. Em 1841, por ocasião do grande incêndio do Nakamura-za, Mizuno Echizen no Kami, um alto oficial do governo, tenta abolir o teatro *kabuki*, potencialmente a diversão mais influente da época, conseguindo na realidade apenas forçar os três principais teatros de Edo a se mudarem do centro, perto de Nihonbashi, para a distante localidade de Shotencho, que mais tarde veio a ser denominada Saruwakacho, ao nordeste do distrito de bordéis de Yoshiwara, dando assim formação a um distrito teatral. Proíbem-se as gravuras de atores, bem como as apresentações nos recintos de templos e santuários. Devido às suas extravagâncias, o famoso ator de *kabuki* Danjuro Ichikawa VII (1791-1859) é banido do palco e exilado, retornando a Edo somente em 1849, ao ser perdoado.

Peças *kabuki*, que retratavam muito detalhadamente os aspectos da vida contemporânea, passam a incomodar as autoridades governamentais. Em 1866, estas lançam um edital, declarando que as peças *kabuki* deveriam, doravante, evitar ao máximo inflamar os ânimos do público. O *kabuki* torna-se mais diluído, e os atores, que até então se especializavam em um único papel, passam a apresentar a tendência para a diversificação de papéis, fatores que manifestam o início do declínio do *kabuki*. Na última parte do período Edo, o *kabuki* propaga-se por todo o país, conquistando o interesse popular e o entusiasmo das províncias.

2.2.5. *Da Restauração Meiji aos Dias de Hoje: o* Kabuki *Moderno*

O quinto e último período de desenvolvimento do *kabuki* tem início com a restauração Meiji, em 1867, isto é, a volta de um imperador ao governo, pondo fim ao sistema feudal dos xogunatos, onde os militares detinham o poder, e estende-se até o presente. E o Japão emerge do seu isolamento feudal. Até esse momento, o Japão estivera segregado do resto do mundo. Porém, em 1854, ocorre a abertura dos portos do país e, simultaneamente, o cristianismo, que sobrevivera oculto no período Edo, renasce, abarcando não apenas o catolicismo romano, mas também o grego e o protestantismo. O imperador Meiji determina o reatamento das relações com os países estrangeiros; designa Edo, rebatizada de Tokyo em 1868, a capital nacional; coloca a ênfase no respeito pela opinião pública; e na procura de um conhecimento mais amplo, acaba por introduzir, com uma rapidez espantosa, o Japão na era moderna.

Portanto, após a restauração Meiji, com a abertura do Japão ao mundo ocidental, dá-se a introdução de várias culturas estrangeiras. Ocorre o fenômeno de um verdadeiro impacto da civilização ocidental sobre o Japão até então segregado. Impressionados com a arte, o teatro e os costumes ocidentais, bem como com os padrões morais rígidos do vitorianismo europeu contemporâneo e com o seu novo *status* como membros da comunidade humana mundial, os japoneses passam a denegrir tudo o que era antigo e a apresentar uma tendência crescente à ocidentalização, particularmente gritante, de 1868 a 1888, nos primeiros vinte anos da era moderna.

Todos os teatros, sem exceção, são ocidentalizados e, como não poderia deixar de ser, o *kabuki*, que na época era a forma dramática predominante, também sofreu um processo de ocidentalização, passando a absorver gradativamente as influências ocidentais, que ocasionaram reformas na construção dos edifícios teatrais. Um movimento de modernização do *kabuki*, que tentou mudar, para acompanhar o tempo. Os teatros são alargados; em 1872, as espessas esteiras (*tatami*) sobre as quais os espectadores sentavam-se são substituídas por cadeiras ocidentais; mais tarde, as velas e lâmpadas a óleo são substituídas por lâmpadas a gás, que, após 1887, com a instalação da energia elétrica, desapareceram; e os artifícios de palco, que antes eram movimentados manualmente, tornam-se mecanizados.

Em 1887, o imperador Meiji assiste, pela primeira vez, no jardim do conde Inoue, ministro das Relações Exteriores, a uma atuação da trupe de Danjuro Ichikawa IX. Percebendo as potencialidades dessa arte, ao contrário do xogunato Tokugawa que fora repressor, o governo Meiji adota uma nova política. A partir daí, os preconceitos até então vigentes em relação aos atores de *kabuki* caem por terra, os atores adquirem novo *status* social como artistas plenos, cidadãos comuns, membros da sociedade, e o teatro *kabuki* passa a ser reconhecido, pela primeira vez, como uma arte dramática.

Na era Meiji, verificamos o surgimento de três novos gêneros de *kabuki*, que não existiam no fim do período Tokugawa: *matsubame-mono*, *katsureki-gueki* e *zanguiri-kyôguen*.

Os *matsubame-mono*, literalmente "peças de pinheiro", por conservarem o cenário do palco de *nô*, com o pinheiro estilizado, eram peças de *kabuki* adaptadas do *nô* e *kyôguen*. Embora criticadas por alguns pelo "processo de vulgarização do *nô*", decorrente da simplificação excessiva dos textos, a atuação e música demasiadamente elaboradas em relação à sutileza do *nô*, tornam-se muito populares junto ao grande público, posto que representavam a primeira oportunidade das massas assistirem a tais peças e as compreenderem, antes restritas à sofisticada cultura das classes civis e militares mais elevadas.

O mais famoso trio de líderes do *kabuki* da era Meiji, conhecido como *Dan-Kiku-Sa*, era formado por Danjuro Ichikawa IX, Kikugoro Onoe V e Sadanji Ichikawa I, três atores de talento excepcional que, ao desenvolverem trabalhos experimentais, revitalizaram o *kabuki*.

Uma vez que com a restauração Meiji desaparece a necessidade de tornar a história uma ficção ou romantizá-la, Danjuro Ichikawa IX (1838-1903), o principal ator da era Meiji, de grande poder oratório e de delineação psicológica das personagens, insatisfeito com o absurdo fantasioso das peças históricas de *kabuki*, planejou a racionalização destas, após estabelecer-se no Shintomi-za. E em colaboração com o dramaturgo Mokuami Kawatake, que escreveu peças especiais para ele, Danjuro IX foi o pioneiro na produção e interpretação dos *katsureki-gueki* (abreviação de *katsu-rekishi*, "peças de história viva"), pesquisadas e baseadas diretamente nos fatos históricos. Ele procurou assegurar ao máximo a veracidade dos acontecimentos históricos, bem como a precisão histórica no cenário e realismo no vestuário, ao invés de usar trajes modernos tanto nas peças antigas quanto nas contemporâneas, como era o costume até então. Danjuro IX tornou a fala mais coloquial e a atração mais próxima do moderno, tentando refinar e espiritualizar o *kabuki*. Tudo quase sem utilizar os recursos da música e da dança. Além disso, batalhou muito para elevar o *status* social dos atores. Logo, o *kabuki*, que era basicamente um entretenimento das massas, passou a se relacionar também com as classes superiores.

Por sua vez, seu grande amigo e rival na popularidade, Kikugoro Onoe V (1844-1904), um excelente dançarino, procurou emancipar os *sewamono* ("dramas domésticos"), dando grande apoio aos *zanguiri-mono*, literalmente "peças de cabelos aparados rente", corte de cabelo no estilo ocidental, símbolo da era Meiji, testemunhando o fato de que os japoneses estavam se ocidentalizando e abandonando o tradicional estilo de corte de cabelos, com a fronte raspada e um chinó no alto, que, a partir de 1872, passa a ser proibido por lei.

Os *zanguiri-mono*, "novas peças domésticas", na sua maioria de Mokuami e seus discípulos, retratavam os novos costumes japoneses da pós-restauração, a era da civilização e ilustração. Um reflexo da vida da época, empregando-se novos temas e novos termos do cotidiano, bem como inspirando-se em reportagens de jornais: policiais, soldados e advogados de cabelos aparados, os homens de *rikisha*, as agências bancárias, a imprensa, a Casa da Justiça, o uso de ternos, chapéus e sapatos ocidentais, sombrinhas, relógios, luzes a gás e os salões dos fotógrafos. Assim, em vez de se empregar o tradicional *hyôshigui* ("par de matracas"), o uso das batidas do relógio para se abrir a cortina. Freqüentemente atuando nos *zanguiri-mono*, Kikugoro V tentou efetuar interpretações contemporâneas.

Já Sadanji Ichikawa I (1842-1904), ator de papéis de aliado, ora auxiliava Danjuro IX nos *katsureki-gueki*, ora Kikugoro V, nos *zanguiri-mono*.

Portanto, influenciados pelo realismo das peças ocidentais, os atores de *kabuki* passaram a apresentar uma tendência ao realismo. Procuraram tornar o teatro *kabuki* mais real e racional; conseqüentemente, menos espetacular, menos erótico e menos grotesco, encenando as suas peças clássicas com vestuário e maquilagem autênticos e abolindo todo o exagero. Por sua vez, os dramaturgos e produtores passaram a realizar experimentações com estilos de atuação mais realistas, com propostas de eliminação dos *onnagata*, substituindo-os por atrizes e produzindo novas peças baseadas em verdades históricas, assim como peças com elementos ocidentais.

Essas novas peças da segunda metade do século XIX, sem o uso dos estilos *aragoto* e *wagoto* de atuação, nem do canto e movimentos de dança das peças clássicas, com os *katsureki-gueki* ("peças de história viva") persistindo demasiadamente na veracidade histórica, concentravam-se apenas no *ki* ("técnica, habilidade") da palavra *ka-bu-ki*, negando frontalmente tudo o que constituía a singularidade do teatro *kabuki*: o seu dinamismo e vitalidade, o seu colorido, a sua ostentação e extravagância. Privado de sua voluptuosidade, o *kabuki* perde muito de sua excelência, as peças começam a tornar-se insípidas, logo perdendo a sua popularidade.

Dessa maneira, as peças *zanguiri* e *katsureki*, ideadas para a sobrevivência do *kabuki* na nova era moderna, embora procurassem ser fiéis aos fatos, tendiam para o prosaico e, ainda que atraíssem alguns intelectuais, acabaram tornando-se inúteis, pois o público em geral estava ávido pelas coisas modernas e ocidentais, e como os fiéis fãs do *kabuki* não aprovavam as inovações, a arte do *onnagata* continuou a vigorar durante toda a era Meiji. Se algumas peças de *kabuki* chegaram a apresentar mudanças relativas, por outro lado, não se processaram mudanças radicais e importantes do ponto de vista dramático. Portanto, o *kabuki* que atingira a maturidade na primeira metade do século XIX, durante o período Edo, passa intato para a era Showa, que começara em 1926, não sendo praticamente afetado pelo acontecimento político da restauração Meiji, podendo-se dizer que, durante toda a era Meiji (1867-1912) e até o fim da era Taisho (1912-1926), o *kabuki* foi o drama contemporâneo dominante no Japão e, mesmo, o único.

O Japão da era moderna continuou a importar grande dose das culturas e civilizações ocidentais, mas a relação não foi unilateral, posto que a gravura *ukiyoê* vai influenciar a pintura impressionista européia e o teatro *kabuki*, através de suas técnicas de atuação, palco giratório e *hanamichi* ("passarela"), repercutirá nos teatros de Meyerhold, Reinhardt e na montagem cinematográfica de Eisenstein.

Logo após a restauração Meiji, havia três principais teatros *kabuki* em Edo, situados no distrito teatral de Saruwakacho, perto de Asakusa: o Morita-za, o Nakamura-za e o Ichimura-za. Mas em 1872, o Morita-za transfere-se para Shintomicho e é rebatizado como Shintomi-za (1875). Logo depois, os teatros Meiji-za (1875) e Kabuki-za (21 de novembro de 1889) são edificados igualmente fora de Saruwakacho. Portanto, a conexão dos teatros com o bairro licenciado desaparece gradativamente, ocasionando a extinção do distrito teatral.

O novo Kabuki-za, localizado em Higashi-Guinza, no centro de Tokyo, é reformado em 1912. Incendiado em 1923, é reconstruído em 1925; destruído em 1945, durante a Segunda Guerra Mundial, é reedificado em 1951, construção em estilo ocidental, com a fachada em estilo do período Momoyama (1573-1603) e três galerias.

Após as guerras sino-japonesa e russo-japonesa, a criação do *shimpa* ("escola nova"), em 1888, faz o Japão conhecer uma forma de teatro contemporâneo totalmente nova, inspirada em ideais políticos e descrevendo a moderna sociedade japonesa da era Meiji, mais realisticamente do que o *kabuki*, mas ainda empregando as técnicas tradicionais de atuação do *kabuki*, e trazendo de volta as atrizes aos palcos japoneses, porém, não ainda nas trupes de *kabuki*. O *shimpa* leva posteriormente, em 1909, ao movimento dramático denominado *shingueki* ("drama moderno").

Baseado nos estilos e conceitos do teatro contemporâneo ocidental, privilegia a encenação de peças ocidentais e dramas japoneses contemporâneos, correspondendo às aspirações dos intelectuais à procura de um drama que retratasse a sua época.

Face a esse novo contexto teatral, o *kabuki* deixa de ser teatro popular e contemporâneo, transformando-se em teatro tradicional japonês, com um público que, através do gosto e da educação, se faz adepto do *kabuki*.

Num balanço geral, o *kabuki* durante a era Meiji atinge o seu quarto período de prosperidade. Todavia, com o surgimento do cinema, diversão mais barata, o *kabuki* perde muitos dos seus espectadores, principalmente os da plebe. Emergindo das cinzas e escombros do grande terremoto de Tokyo de 1924, em janeiro de 1925, o Kabuki-za, totalmente reconstruído, reabre as suas portas, com capacidade para abrigar quatro mil espectadores. Durante a Segunda Guerra Mundial, o *kabuki* sobrevive como teatro tradicional.

A 1º de novembro de 1966 é inaugurado o Teatro Nacional do Japão, imponente edifício em estilo tradicional *azekura* ("casa de troncos"), construído em Hanzômon, no centro de Tokyo, frontalmente ao longo do fosso posterior do Palácio Imperial. Um projeto longamente almejado, visando reviver, preservar e desenvolver, através de programas educacionais patrocinados pelo Teatro Nacional, as artes dramáticas tradicionais japonesas, ameaçadas de sério declínio no século XX, com "profetas" anunciando as suas mortes iminentes. O Teatro Nacional contém dois teatros soberbamente equipados: o maior, Daiguekijô ("Teatro Grande"), usado principalmente para as encenações de *kabuki*, e o menor, Shoguekijô ("Teatro Pequeno"), para as apresentações de músicas e danças nativas, e peças de *bunraku*. A grande eficácia do Teatro Nacional reside nas freqüentes encenações de peças integrais, ao invés de cenas isoladas, bem como obras longamente negligenciadas.

Assim, graças aos esforços conjuntos do Teatro Nacional do Japão em Tokyo, designado "tesouro cultural intangível" pelo governo japonês, e do Kabuki-za, uma entidade privada, atualmente há um interesse renovado pelo *kabuki*, tanto no Japão como no exterior, através de apresentações das trupes de *kabuki* em países da Europa, América e Ásia. Inicialmente, na Rússia, no verão de 1928, quando uma trupe de *kabuki* composta de atores de primeira categoria, liderada por Sadanji Ichikawa II (1880-1940), foi convidada pelo governo soviético a apresentar-se em Moscou e

Leningrado, recebendo elogios calorosos de Meyerhold e Eisenstein, e constituindo-se num evento marcante na história do *kabuki*. E após o término da Segunda Guerra Mundial, na China (1957-1960); Estados Unidos (verão de 1960); Rússia (Moscou e Leningrado, 1961); Alemanha Ocidental (Berlim), França (Paris), Portugal (Lisboa), em 1965; Inglaterra (Londres) e Alemanha Ocidental (Munique), em 1972; Austrália (Sydney, Melbourne e Adelaide), em 1978. A companhia liderada por Ennosuke Ichikawa V exibe-se na Alemanha Ocidental (Berlim), França (Paris), Itália (Reggio Nell'Emilia) e Inglaterra (Londres), em 1981; Estados Unidos, em 1982. E finalmente, em abril de 1986, a companhia liderada por Matagoro Nakamura introduz o teatro *kabuki* em dois países da América Latina, cobrindo Argentina e Brasil.

2.3. *BUNRAKU*, *KABUKI*, BARROCO: DEGENERESCÊNCIA OU RENOVAÇÃO DE VALORES?

Cada época cria suas próprias formas de manifestação artística para atender às necessidades de expressão do espírito de seu tempo. Na Europa, em oposição às obras clássicas do Renascimento, caracterizadas como harmoniosas, perfeitas, acabadas, com o auge do equilíbrio sendo alcançado pelo Renascimento italiano, as obras barrocas, identificadas como uma valorização do "superlativo do bizarro", imperfeitas, fluidas, inacabadas, surgem rompendo a pretensa luminosidade, equilíbrio e estabilidade greco-romanos alcançados pelo estilo clássico, e acabam assim por serem consideradas, inicialmente, como uma decomposição, uma decadência do estilo clássico renascentista, exatamente por surgirem como um fator de inquietação.

Na expressão do historiador de arte suíço Jacob Burckhardt, contida no *Cicerone* (1855), o Renascimento atingira a arte ideal ao expressar a beleza ideal, inspirando-se na natureza, na imitação dos antigos e no neoplatonismo, materializando a verdade eterna contida nas coisas. Por sua vez, a arquitetura barroca falaria a mesma língua que o Renascimento, mas "à maneira de um dialeto selvagem".

Comparando-se ao Renascimento, o Barroco é visto, no século XIX, com a conotação de estilo inferior, decadente, pervertido, monstruoso. Ainda recentemente, Benedetto Croce fazia um julgamento severo quanto ao Barroco literário, considerando por extensão a época barroca ou a arte barroca em geral negativamente como "uma das variações do feio", "uma série de macaquices e contorções, como manifestações de impotência de uma época a se situar em relação a um ideal". Identifica, portanto, o Barroco a um estilo de mau gosto, em suma, um estilo patológico. Entretanto, mais tarde, Croce vai admitir a corrente barroca e como sendo caracteristicamente italiana.

Por outro lado, no Japão, durante o período Edo, (1603-1867), o xogunato Tokugawa adota a política de segregação, isolando o país do resto do mundo, durante quase dois séculos e meio, e influenciado pelas idéias neoconfucianas das funções e produtividade das ocupações, estabelece uma rígida hierarquia de quatro classes sociais. No topo da pirâmide social, os samurais, em seguida, os camponeses, depois os artesãos e, na base, os mercadores. Abaixo de todos vinham a classe proscrita dos *eta* e os *hinin* ("marginais"), que realizavam os trabalhos mais inferiores, entre eles os entretenimentos. Portanto, os atores de *kabuki*, considerados párias da sociedade, não eram incluídos na classificação oficial. Com o longo período de paz assegurado pelo xogunato Tokugawa, vemos a ocorrência de várias mudanças sociais e culturais. O declínio da classe dos samurais, cujos serviços se tornaram quase desnecessários nos anos de paz, e a ascensão de uma nova classe que, com a prosperidade das manufaturas e do comércio, ocasiona a mudança de uma economia rural para uma economia urbana e monetária, adquirindo riqueza, influência e um certo poder. Enquanto os camponeses sofriam as maiores provações, visto que precisavam pagar altos impostos e não tinham permissão de deixar suas terras, a burguesia, constituída de mercadores e comerciantes, embora na base da pirâmide social, detinha um considerável poder econômico e, com a estabilidade proporcionada pelo longo período de paz, começa a produzir a sua própria cultura.

Por terem se originado aproximadamente na mesma época, desenvolvendo-se lado a lado durante três séculos, exercendo influências mútuas no seu repertório e nas técnicas de atuação, por serem teatros nitidamente populares, derivando o seu repertório de fatos da vida contemporânea ou da história popular, contando inclusive com vários dramaturgos, como Monzaemon Chikamatsu, que escreviam tanto para o *bunraku* como para o *kabuki*, e por atenderem a um mesmo público, o povo japonês, mais especificamente, a burguesia ascendente do período Edo, com a sua vontade de expressão de sua visão de mundo e seu modo de vida, completamente diferentes da visão hierática e lírica expressa no teatro *nô*, manifestação cultural da classe militar da Idade Média (período Muromachi), os teatros *bunraku* e *kabuki* são considerados artes irmãs e rivais na atração do público. E assim como as gravuras *ukiyoê* de Utamaro, Hiroshigue e Sharaku, os romances de Saikaku Ihara, o *haiku* de Bashô, os teatros *bunraku* e *kabuki* são considerados as novas manifestações artísticas da cultura popular e urbana japonesa e, especificamente, uma cultura mercantil centrada em Edo, Osaka e Kyoto. O primeiro florescimento de uma cultura genuinamente plebéia no Japão. E, até hoje, os teatros *bunraku* e *kabuki* permanecem estreitamente ligados, compartilhando várias características.

Do mesmo modo como o Barroco, nos seus primórdios, vai ser considerado uma degenerescência, os teatros *bunraku* e *kabuki*, no início, também vão ser criticados como a "estética do vulgar". Mas, enquanto as expressões teatrais japonesas do período Edo vão surgir decididamente, desde as suas origens, como os novos valores da classe plebéia, a reabilitação do Barroco só vai dar-se no século XIX, através dos historiadores e estetas germânicos. Primeiro, por intermédio do historiador de arquitetura, Cornelius Gurlitt, que, através do estudo das igrejas italianas, principalmente das romanas, observou, já em 1887, que as obras que se seguiam ao Renascimento classicista eram baseadas nas formas clássicas renascentistas, mas apresentando algumas expressões desordenadas, ostentosas, influências da Companhia de Jesus, e que já se manifestavam como as primeiras observações sobre as características diferenciadoras do Barroco em relação ao Renascimento.

No ano seguinte, em 1888, com a publicação de *Renascença e Barroco*, o mérito do esteta suíço Heinrich Wölfflin se faz evidente ao contestar os preconceitos correntes sobre o conceito de Barroco e ao definir, pela primeira vez, mais precisamente o Barroco, essa explosão de energia irreprimível, não mais como uma simples decadência do Renascimento, mas uma arte com seu estilo próprio, uma categoria independente, com um valor positivo. E em 1935, com o surgimento da obra de Eugenio d'Ors, *Du Baroque*, que considera o Barroco uma constante estética intemporal e universal, temos o ápice da revalorização do Barroco.

Se, por um lado, os teatros *bunraku* e *kabuki* aparecem como as novas expressões da cultura popular e urbana do Japão, por outro lado, na visão de Tapié, a Europa da época do Barroco apresentava-se constituída de países monárquicos e católicos, de sociedades senhoriais, com uma economia de base aldeã e rural.

Contudo, o crítico contemporâneo José Antonio Maravall nega terminantemente a tese de Tapié, uma vez que, durante o século XVII, com o êxodo rural em direção às grandes cidades, surgidas no século XVI, e com o comércio intenso, o crescimento urbano vai se dar paralelamente à expansão cultural. Portanto, para Maravall, o Barroco nasce em decorrência de uma cultura urbana, de grandes e populosas cidades, que detinham grande força econômica e cultural nos destinos do país. Maravall apresenta, ainda, uma visão curiosa sobre a manifestação do Barroco, ao identificá-lo com o *kitsch*.

> Era simplesmente isto: que com o Barroco, por uma série de razões sociais, surge o *kitsch*, e então, até a obra de qualidade superior tem de fazer-se em harmonia e competência com as obras desses outros níveis, em suma, de cultura para o povo[15].

---

15. Cf. *La Cultura del Barroco*, p. 186.

3. Espaço Teatral: Arquitetura e Cenografia

3.1. TEMPO / ESPAÇO

Na cosmovisão barroca, verificamos a explosão dos dogmas preestabelecidos dos conceitos lógicos de tempo e espaço. Enquanto o artista clássico concebe o tempo como algo dado de antemão, um tempo linear, que escoa calma e inexoravelmente em direção à velhice e à morte, tendendo, portanto, a eliminar o tempo de suas obras, o artista barroco, em contraposição, vai afirmar o valor mesmo da vida, como movimento, agitação, inquietação. Ou seja, o tempo tornado sensível, o tempo enquanto duração, a impressão do instante, a fugacidade da vida, que se baseia no princípio dinâmico das transformações. Daí a relevância que adquire, no Barroco, o tema das ruínas, simultaneamente, enquanto testemunhas da força destruidora, da ação implacável do tempo sobre a obra humana, e enquanto testemunhas históricas de uma época.

> Pretende encontrar nelas o testemunho de um tempo, respondendo à incipiente consciência histórica, que trata de abrir passagem. Nesse sentido, o escritor barroco cultiva a arqueologia, à maneira de um Rodrigo Caro. Mas as ruínas, além disso, são um material muito adequado para se estudar a estrutura da obra humana e, portanto, a condição de vida do homem que a criou, sem poder livrá-la de sua própria fugacidade. São um testemunho patente da luta, entre a natureza perene, embora mutante, e o homem perecível e dotado da capacidade de fazer mudar as coisas, por exemplo, de fazer da pedra palácio[1].

1. José Antonio Maravall, *op. cit.*, p. 384.

O clímax das peças, tanto de *bunraku* e *kabuki* como do drama barroco europeu, transcorre à noite.

> A noite desempenha um papel importante, como se verifica pelas aparições e pelos efeitos fantasmagóricos. Daqui só há um passo para o drama de destino, que atribui importância dominante à hora dos espíritos. Há boas razões para vincular a ação dramática à noite, e particularmente à meia-noite. Segundo uma opinião generalizada, nessa hora o tempo pára, como o ponteiro de uma balança. Como o destino, a verdadeira ordem do eterno retorno, só pode ser concebido temporalmente num sentido figurado, isto é, parasitário, suas manifestações procuram o tempo-espaço. Elas se imobilizam no meio da noite, janela do tempo em cuja moldura reaparece continuamente o mesmo vulto espectral. O abismo existente entre a tragédia e o drama barroco se torna claramente visível se lermos num sentido terminologicamente rigoroso a extraordinária observação de Bossu, autor de um *Traité sur la Poésie Epique*, citada em Jean Paul. Segundo ela, "nenhuma tragédia pode transcorrer à noite". A ação trágica exige o tempo diurno, em contraste com o tempo noturno do drama barroco[2].

No Barroco, a aversão à definição, à estabilidade e à delimitação, leva à procura do ilimitado, do infinito. O espaço fechado e definido do Renascimento dá lugar ao espaço informe, incomensurável e ilimitado do Barroco. A idéia de universo infinito vai refletir no pensamento do homem barroco: na política, com a noção de poder divino e ilimitado dos monarcas absolutistas; na religião, com a construção de igrejas com cúpulas pintadas com o efeito de *trompe l'oeil*; na pintura paisagística holandesa do início do século XVII; no jogo de espelhos, bastante utilizado nas decorações interiores, como na célebre Galeria dos Espelhos, em Versalhes; no paisagismo francês, com a exploração do infinito da natureza; na criação de imensas e larguíssimas avenidas; nas grandes estradas que ligam Versalhes a Paris.

Não mais o espaço teórico, estático e imutável, mas a interconexão espaço-tempo, posto que, no Barroco, o espaço vai estar a serviço dos movimentos engendrados pela duração. As formas são submetidas ao princípio das metamorfoses. Nas artes plásticas, a rejeição das formas estáticas como o círculo e o triângulo, a favor das formas que sugerem o movimento, como as espirais, ovais, colunas torsas, traduzindo o *élan* vital da alma em direção aos céus, o seu desejo de êxtase divino.

> René Huyghen salientou que o espaço cessou de ser concebido independentemente do tempo, no dia em que Descartes lançou a trajetória das curvas de função [...] Lembremo-nos igualmente do sucesso que conheceram, no século

---

2. Walter Benjamin, *op. cit.*, p. 157.

XVI e no começo do século XVII, o "desenho interno" de Zuccari, as anamorfoses, os *trompes l'oeil*, os *concetti*, as transposições, as fantasias do Maneirismo, as composições de duplo sentido de Arcimboldo, os "goticismos" de Monsù Desiderio, os espaços múltiplos etc.[3]

O espaço entendido como *horror vacui*, o horror à parede nua e lisa, daí a propensão, no Barroco, de ondular as paredes e enchê-las profusamente de ornamentos e esculturas rebuscadas, às vezes sem um único espaço vazio, como numa intrincada tapeçaria.

Espaço barroco: o da superabundância e do desperdício. A linguagem de comunicação é econômica, austera, reduzida à funcionalidade – servir de veículo a uma informação –; a linguagem barroca se compraz no suplemento, na desmesura e na perda parcial do seu objeto. Ou melhor: na busca, frustrada por definição, do objeto parcial[4].

3.2. PERSPECTIVA

No Ocidente, temos as noções de perspectiva plana, linear e *trompe l'oeil*, enquanto expressões de suas épocas (respectivamente Idade Média, Renascimento e Barroco), e que vão refletir na construção de seus edifícios teatrais.

Concepção medieval de espaço: uma perspectiva plana. Durante a Idade Média, na Europa, os espetáculos teatrais eram apresentados em diversos lugares: nas praças e mercados públicos, em palcos temporários de madeira, simples plataformas elevadas, que eram encostadas a um edifício, com o público nos três lados do palco; bem como nos recintos das igrejas ou dos palácios.

No início do século XV, ocorre uma revolução na concepção de espaço: a invenção da perspectiva linear, com ponto de fuga, que pressupõe a observação a partir de um único ponto de vista do espectador, estando assim diretamente relacionada à noção de individualismo moderno. Já no começo do Renascimento, temos o uso de pano de fundo pintado em perspectiva. E no fim do Renascimento, verificamos o ressurgir dos edifícios teatrais, com a construção do Teatro Olímpico de Vicenza, para a apresentação

3. Georges Cattaui, *Baroque & Rococo*, p. 232.
4. Severo Sarduy, *op. cit.*, p. 110.

de peças da Antiguidade. Projetado por Andrea Palladio, em 1580, foi completado por Vincenzo Scamozzi em 1584 e inaugurado em 1585, com a adaptação de *Oedipus*. Encontramos aí a monumental fachada arquitetural permanente, em pedra, imitando um Odéon, teatro grego antigo, e área de atuação longa e estreita, com a parede compacta de fundo de cena abrindo-se em três ruas, com alas angulares, criando-se a ilusão de profundidade devido à perspectiva. O Teatro Olímpico, um teatro estático, como modelo inspirador dos teatros da Inglaterra e França, mas no Hôtel de Bourgogne já se passara a empregar os cenários simultâneos.

O ilusionismo, a impressão de um distanciamento no espaço, descoberto no primeiro Renascimento, alcança o ápice de seu desenvolvimento no Barroco, um mundo em perspectiva.

> Mas quando o Barroco adotou essa descoberta, ao mesmo tempo que toda a herança científica do Renascimento, ele lhe conferiu um sentido diferente. Ele a utilizou não para assegurar, mas para abalar o mundo real; não para dar realidade à aparência, mas para transformar em aparência mesma a realidade[5].

Assim, o Barroco vai explorar profusamente a arte da perspectiva. Seja nas obras dos pintores do século XVII, com grande número de figuras e imagens superpostas, que obrigam o espectador à visão do conjunto e não do particular; seja na pintura aliada à arquitetura e escultura, como nas imensas cúpulas pintadas em *trompe l'oeil*, em oposição ao teto plano do Renascimento, e que dão a impressão não mais de um espaço delimitado, que pode ser apreendido de uma só vez, mas do infinito, o inapreensível. Portanto, o fingimento de uma perspectiva aérea ilimitada, aspirando ao infinito, uma vez que os tetos dos palácios e das igrejas, sob os efeitos da pinturas ilusionistas, com anjos e santos, soberanos, heróis ou personagens mitológicas, flutuando entre as nuvens e raios de luz, parecem estourar o teto, criando um falso infinito e dando-nos a sensação de estarmos imersos num espaço ilimitado. A pintura em *trompe l'oeil* à maneira do padre jesuíta Pozzo (1642-1709) vai servir como fonte de inspiração a vários artistas, sendo profusamente imitada em toda a Europa, encontrando a sua máxima expressão na pintura de Tiepolo, em Würzburg, Alemanha. Mas enquanto o teto de Santo Ignácio é pintado por Pozzo, de acordo com a perspectiva geométrica centrada, com o

---

5. Richard Alewyn, *L'Univers du Baroque*, p. 84.

espectador fixo, no meio da nave, os alemães vão projetar pinturas com vários eixos, de acordo com a visão de um espectador em movimento. No século XVIII, a gravitação se distende em elipse, e com os venezianos a profundidade/altitude passa a ser sugerida por gradações de luz.

As encenações barrocas exigiam teatros que comportassem bastidores laterais, munidos de recursos mecânicos, construídos inicialmente oblíquos e, mais tarde, paralelos ao palco; planos deslizando sobre encaixes, que permitiam rápidas mudanças de cenário; amplos porões e sótãos no alto. Essa arquitetura dos palcos barrocos vai vigorar nos teatros europeus por mais de um século, com o predomínio do estilo de Bibiena na cenografia: cenários grandiosos e espaçosos, colunas majestosas, rica e pesada ornamentação, uso de perspectiva arrojada e jogos de luz e sombra, criando no conjunto uma ilusão cênica faustosa. Iniciado por Giovanni Maria Galli (1619-1665), natural de Bibiena, e continuado por seus descendentes, especialmente os célebres Ferdinando Galli da Bibiena (1657-1743) e Giuseppe Bibiena (1696-1756), respectivamente seus filho e neto, o estilo de Bibiena torna-se a fonte de inspiração para vários cenógrafos europeus da época. E a exploração da perspectiva, com jogos de luz e sombra, colunas majestosas, continua na monumental cenografia barroca de Piranese (1720-1778), com suas decorações elaboradas e abundante uso de arcos.

Durante o Barroco, se nos cenários dos palcos europeus reinam a exploração dos mais refinados artifícios de perspectiva e jogos de luz e sombra, por sua vez, no Japão, embora, por volta de 1800, já se constate o emprego de perspectiva fugada nas gravuras *ukiê*, retratando os recintos teatrais de *kabuki*, é somente com o advento da era Meiji (1867-1912), que a perspectiva fugada vai ser introduzida mais precisamente. Portanto, durante todo o período Edo (1603-1867), vai predominar a perspectiva axionométrica, com a preponderância de retas e planos, que se reflete tanto na arquitetura tradicional japonesa em geral quanto na arquitetura dos edifícios teatrais de *bunraku* e *kabuki*, como podemos verificar, por exemplo, no antigo Teatro Kompira, o Kanamaru-za, construído em 1853, na cidade de Kotohira, província de Kagawa, na Ilha de Shikoku; bem como na disposição dos atores de *kabuki* no palco, posto que, mesmo em grande número, movimentam-se sobretudo em linhas retas e paralelas, que destroem a noção de volume.

Nas gravuras *ukiyoê*, populares na época, não se constata o emprego de perspectiva fugada ou jogos de luz e sombra, apenas o ponto de vista isométrico, traços e cores. Em oposição à pintura renascentista, emoldurada, o *ukiyoê* assemelha-se à pintura em *trompe l'oeil* do Barroco, que igualmente não possui moldura e integra-se à arquitetura.

> O Barroco quer que o menos crédulo dos espectadores seja incapaz de pronunciar, com toda certeza, sobre o ponto onde pára a realidade arquitetônica e concreta e onde começa o reino da aparência pintada.
> Nenhuma época teve mais forte consciência do abismo, que separa o mundo material do mundo irreal, do que o Barroco; conseqüentemente, o Barroco não se interessa por induzir em erro a diferença entre o mundo das aparências e o da realidade. Ele se atém sobretudo em dissimular o instante da passagem da fronteira. Ele quer que não se saiba jamais muito exatamente se a gente se encontra ainda no espaço tridimensional, ou já na aparência bidimensional[6].

Nos teatros *bunraku* e *kabuki*, o recurso da técnica do *toomi* ("olhar ao longe"), para a sugestão do efeito de perspectiva, foi provavelmente introduzido já no fim do período Edo e mais precisamente na era Meiji, com o emprego de crianças no fundo do palco, como na peça *Kumagai Jinya (O Acampamento de Kumagai)*; ou como em *Shunkan* (nome do herói), com o surgimento inicialmente de um grande barco, à direita, na parte dianteira do palco, ao aproximar-se da ilha e, mais tarde, o uso de um pequeno barco deslizando ao fundo do palco, da direita para a esquerda, com Shunkan restando só no alto do rochedo, observando o barco afastar-se cada vez mais da ilha. Portanto, o *toomi* do *bunraku* e *kabuki* antecede as encenações das óperas de Wagner, que também utilizavam crianças no fundo do palco para se criar a ilusão de profundidade.

3.3. ARQUITETURA BARROCA

A arquitetura foi a primeira das artes a manifestar tendências barrocas, baseando-se na massividade de composição, no princípio do dinamismo, com a movimentação contínua das formas, e expressando-se no teatral, no gosto pelo fausto e grandiosidade, arrojo nos detalhes e sugestão do infinito nas abóbadas, que vão repercutir na pintura e na escultura, que passam a complementá-la.

---

6. *Idem*, pp. 85-86.

Enquanto a arquitetura renascentista vai refletir a concepção de espaço tradicional, o cosmos ordenado entendido como um mundo fechado, estático e hierarquizado, traduzindo-se em uma arquitetura serena, ordenada e formalizada, com a destruição do cosmos e a geometrização do espaço, a arquitetura barroca vai passar a refletir esse mundo em ruptura, não hierarquizado, um estado informal, de procura deliberada da dissonância e de formas fluidas em mutação contínua, sem ponto fixo de perspectiva, como nas igrejas compostas de uma série de elipses. A tendência à ilusão, riqueza de decoração, uso abundante de volutas e da coluna torsa ou salomônica, usada primeiramente por Bernini, em 1624, no baldaquino da Basílica de São Pedro, arquétipo de toda forma barroca, bem como a infusão de movimento ao tornar a pedra flexível, como nas paredes onduladas criadas por Borromini para San Carlo alle Quattro Fontana (1662-1667), ambas em Roma, virão a ser características marcantes da arquitetura barroca.

A Contra-Reforma e o Absolutismo, dois dos grandes fatores históricos do século XVII, vão refletir na arquitetura da época seiscentista: a primeira, na edificação das igrejas e mosteiros; o segundo, na construção dos palácios; e, em conjunto, no planejamento urbano em geral. Podemos detectar, assim, os grandes temas da arquitetura barroca: a cidade, o palácio e a igreja.

3.3.1. O Urbanismo Barroco

O problema do planejamento urbano, a organização das cidades segundo esquemas preestabelecidos, foi encarado e resolvido de maneira objetiva, não apenas na teoria, mas na prática, pela primeira vez, pelos arquitetos barrocos.

Na Itália, criaram-se as amplas praças circulares, dominadas por um monumento (uma igreja, um palácio e, em Roma, por uma fonte ou um obelisco; ou, na França, por uma estátua real) e, a partir delas, rasgavam-se vias radiais, formadas de ruas ou avenidas compridas, em linha reta, que as ligavam como uma rede, ressaltando as praças como pontos focais, ao mesmo tempo centralizadoras e irradiadoras.

Portanto, no urbanismo barroco ocorre a descentralização da cidade, que perde a sua estrutura ortogonal, a cidade em formato de estrela, baseada na perspectiva do Renascimento, com um campo de visão mensurável, visto que, com o Barroco, não há mais um ponto focal único, centralizador absoluto, autoritário, porém, múltiplos pontos focais, constituídos de várias praças espalhadas por toda a cidade, que acabam quebrando a monotonia e criando um campo de visão ilimitado. O que encontra reflexo nas gravuras *ukiyoê*, nas cúpulas em *trompe l'oeil*, no teatro barroco e no *bunraku* e *kabuki*, que apresentam igualmente múltiplos focos de atração.

A cultura européia da primeira metade do século XVII é dominada pela Itália, tendo a Roma dos pontificados de Sisto V (1585-1590) e Paulo V (1605-1621) como a sua capital artística e marco da monarquia eclesiástica, com suas inúmeras igrejas, monastérios, conventos, palácios e praças. As obras finais de Bramante, Rafael e Peruzzi, bem como Sangallo, Michelangelo, Vignola, Giacomo Della Porta, Carlo Maderno, preparam o caminho para o Barroco, com a arquitetura e escultura de Bernini, as fachadas de Borromini e as decorações de Pietro da Cortona.

3.3.2. O Palácio

> *O palácio real, concebido pela Antiguidade à escala dos impérios, renasce no Ocidente apenas com a monarquia absoluta*[7].
>
> GERMAIN BAZIN

O palácio barroco, com sua monumentalidade e magnificência, aliadas ao fausto da corte, representa o símbolo supremo do Absolutismo secular enquanto expressão arquitetônica, caracterizando-se pela grandiosidade e estilo maciço, bem como pela não correspondência entre arquitetura exterior e arquitetura interior. O contraste entre a fachada fria, formal, pouco envolvente, e a exuberância interior das amplas salas barrocas, com suas imponentes escadarias, suntuosas ornamentações, e a construção das galerias ricamente adornadas, como a Galeria dos Espelhos em Versalhes, que vão dar origem às galerias de arte atuais.

A França do século XVII apresenta uma dupla fisionomia: clássica e barroca. O temperamento nacional francês, com seu gosto pela lógica e clareza, manifesta uma tendência ao racionalismo clássico; uma cultura de economia e da medida, aliada à austeridade do jansenismo. E embora a França seja um país católico, havendo, portanto, na arte religiosa do século XVII, en-

---

7. Cf. *Destins du Baroque*, p. 296.

quanto arte da Contra-Reforma, um desenvolvimento da arte barroca, especialmente nas igrejas jesuítas ultramontanas, há também o galicanismo ("a igreja independente da França"), bem como a arte oficial francesa e parte da burguesia urbana, que são hostis e resistem à desmesura e ostentação do Barroco, apoiando o Classicismo.

Se a Espanha reinava soberana no século XVI europeu, a França do século XVII passa a ser política e socialmente o mais poderoso país da Europa, centrando-se na figura do rei Luís XIV, que encarnava o ápice da monarquia absoluta e iria desenvolver uma arte principesca barroca. As províncias parlamentares, no seu afã de escapar tanto à centralização da arte regida pela monarquia, como à tendência clássica vigente em Paris, vão desenvolver uma arte independente, com uma propensão anticlássica ou barroca.

Durante o reinado de Luís XIII, já começara a manifestar-se uma arte da corte na França. O Palácio de Versalhes, que nos assombra ainda hoje pelo seu porte e sua magnificência, expressando o esplendor da corte de Luís XIV, era originalmente um abrigo de caça. Luís XIV, decidido a não mais dar continuidade às obras do Louvre como residência real, toma o simples refúgio de caça de Versalhes e, com a colaboração dos arquitetos Le Vau, Jules-Hardouin Mansart e do paisagista Le Nôtre, projeta e edifica o suntuoso conjunto do Palácio de Versalhes, num estilo barroco mais contido que o dos italianos, com plantas menos complicadas, fachadas mais simples, num equilíbrio entre as tendências barrocas e as tradições clássicas, transformando-o na expressão máxima do Absolutismo secular da época. Motivo de emulação por parte dos monarcas absolutos de toda a Europa, que tentam imitar o inimitável Palácio de Versalhes, no conjunto ou em suas partes, mas sem jamais superá-lo e acabam, mesmo assim, cobrindo todos os cantos da Europa de magníficos palácios. E a influência, não mais do palácio à italiana, mas do imponente Palácio de Versalhes continua vigorando por toda a Europa até o século XVIII.

No Japão, o Castelo Azuchi, de Nobunaga Oda (1524-1582), que iniciou a campanha para a unificação do país, mas acabou sendo assassinado, e o Castelo Momoyama, de Hideyoshi Toyotomi (1536-1598), que o sucedeu e realizou a unificação, dão nome ao período Azuchi-Momoyama (1573-1603). Ambos os castelos, com seus imensos salões dourados, amplas pinturas de colorido ofuscante nas paredes, esculturas de madeira, elaboradas e coloridas, expressões do poder econômico dos novos líderes do despotismo, que encorajaram o comércio e a manufatura, ocasionando o início do florescimento das cidades, portos e comércio exterior, constituem os correspondentes japoneses das construções em estilo barroco dos monarcas absolutistas da Europa. O esplendor do enorme Castelo Azuchi, na atual prefeitura de Shiga, e de Momoyama, ao sul de Kyoto, contrastam com as construções mais simples do Palácio Ashikaga, no período Muromachi (1333-1573), época que deu origem ao aristocrático *nô*. Em 1598, com a morte de Hideyoshi Toyotomi, o seu subordinado Ieyasu Tokugawa começa a ascender rapidamente e, após vencer a família Toyotomi na Batalha de Sekigawara, adquire domínio político sobre todo o país.

3.3.3. A Igreja

Em *Renascença e Barroco*, Wölfflin mostra as diferenças dos estilos renascentista e barroco, no tocante à arquitetura religiosa.

O Renascimento baseava-se no ideal do princípio da construção com eixo central, polígono ou círculo, com cúpula sobre a planta nitidamente geométrica, em cruz grega, tendo braços com as mesmas dimensões, expressando, assim, através da simetria e do equilíbrio, a perfeição divina. A correspondência entre exterior e interior vai determinar a perfeita unidade e homogeneidade, bem como o equilíbrio e o caráter de estabilidade e repouso da arquitetura religiosa renascentista.

No Barroco, com a passagem da construção central para a construção longitudinal, ocorre a quebra do centro único para os múltiplos eixos; a substituição das plantas geométricas em cruz grega pelas plantas dinâmicas em cruz latina, com um dos braços alongados, expressando assimetria; e, nas decorações, a supressão do círculo pela oval, do quadrado pelo oblongo e do reto pelo sinuoso. Wölfflin afirma que, no Barroco, vemos a ruptura com a forma de perfeição absoluta, acabada, apaziguada do estilo renascentista, para um estado de inquietude, insatisfação e tensão, expresso pelos movimentos constantes, que chegam ao seu auge com a cúpula. Os espaços imensos e volumosos das igrejas barrocas, acentuados pelas pinturas ilusionistas criadas nas cúpulas, vão explorar os jogos de luz e sombra e, em conjunto com os efeitos arquiteturais, dão-nos a sensação de um arrebatamento que parece transportar ao infinito, fazendo-nos experienciar a sensação do sublime.

Cenários do Teatro Barroco (exploração dos artifícios de perspectiva e jogos de luz e sombra). Cenografia de Giuseppe Bibiena.

Recinto teatral de *kabuki*: Os atores Kikunojô Segawa e Hiroji Ôtani como sacerdotes. Gravura *ukiê* (com emprego de perspectiva fugada) de Masanobu Okumura, o primeiro artista a introduzir a técnica da perspectiva fugada no *ukiyoê*.

Antigo Teatro Kompira, o "Kanamaru-za", localizado na cidade de Kotohira, província de Kagawa, na Ilha de Shikoku.
Fotos: Autora

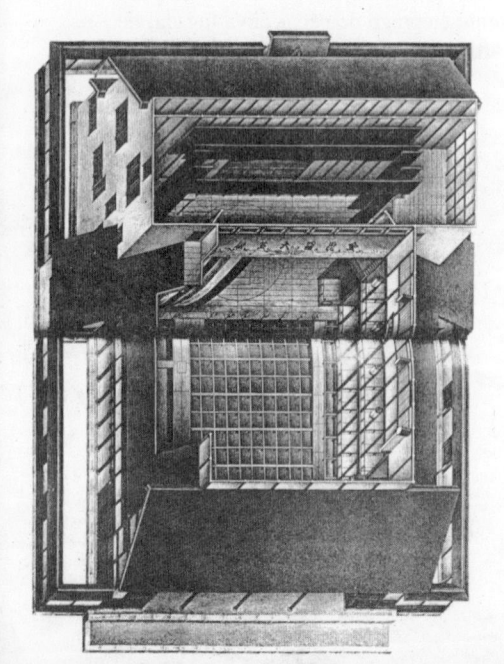

Perspectiva Axionométrica Antigo Teatro Kompira, o "Kanamaru-za", situado na cidade de Kotohira. Ilustração para *História e Expressão dos Estilos Arquitetônicos.*

Construção em Estilo Barroco Japonês.
Castelo Momoyama, ao sul de Kyoto, erigido por Hideyoshi Toyotomi, um dos novos líderes do despotismo.
Foto: Autora

Arquitetura Barroca Japonesa.
Portal Yomei do Santuário Toshogu, em Nikko.

A Igreja de Jesus (*Il Gesù*), construída por Giacomo de Vignola e Giacomo Della Porta, de 1568 a 1576, como sede da Companhia de Jesus, em Roma, embora seu fundador, Inácio de Loyola, e seus propagadores fossem espanhóis, cria um novo tipo de arquitetura religiosa: fachada que acentua a verticalidade e a área central, o uso de frontão triangular, ordens colossais e volutas, a nave longa, única, com capelas laterais entre os pilares; características que vão levá-la a ser considerada a primeira construção de espírito barroco, uma vez que as construções anteriores pareciam rígidas e estreitas em comparação a ela. Razão pela qual o Gesù é tomado como modelo inspirador para os edifícios religiosos a serem construídos pelos jesuítas, em todos os países por onde propagaram a fé católica. Se bem que eles jamais tivessem adotado um estilo único e uniforme, sendo portanto contestável a existência de um estilo jesuíta.

Por sua vez, Luís XIV, cognominado o Rei-Sol da França e que na sua juventude chegou mesmo a interpretar o papel de Rei-Sol, encontra o seu correspondente japonês em Ieyasu Tokugawa (1542-1616), o primeiro dos xoguns do período Edo, postumamente aclamado *Tosho Dai Gonguen* ("Buda Encarnado, Deus Solar do Oriente"), conforme a placa do Portal Yomei, em Nikko. Se Luís XIV procurou perpetuar-se através do magnífico Palácio de Versalhes, por outro lado, Ieyasu Tokugawa, pretendendo ser reverenciado pela nação como um deus, mandou construir um impressivo mausoléu, o Santuário Toshogu, nas montanhas de Nikko, ao norte de Tokyo, tendo no salão principal a sagração do Yakushi Nyôrai, "deus da cura", de quem acreditava ser uma reencarnação. Tanto Versalhes, arquitetura civil ocidental, como o Toshogu, arquitetura religiosa oriental, enquanto reflexos das personalidades e expressões políticas dos poderes e glórias de Luís XIV e Ieyasu Tokugawa, restam até hoje como marcos arquitetônicos do século XVII.

No Japão do século XVII, notamos a existência de dois estilos artísticos: *wa-yo*, "estilo tradicional japonês", e *kara-yo*, "estilo chinês", com a concepção mais ampla de "estrangeiro" ou "singular", mas, na realidade, um novo estilo importado da China durante o período Kamakura (1192-1333). O *kara-yo* é conhecido também como estilo zen, por ter sido amplamente utilizado nos monastérios zen.

Transportando-nos à Europa, mais especificamente à Espanha, verificamos a existência de uma arte espanhola na Idade

Média e segue-se, então, a época das grandes influências estrangeiras. Nos séculos XV e XVI, a dos italianos e flamengos; mas o Renascimento não encontra aí grande penetração, devido à resistência do espírito nacional, pouco propenso às normas clássicas. O longo período de dominação muçulmana vai-se fazer marcar com o estilo mudéjar, estendendo-se até o século XVI. Com o florescimento do Barroco, temos um período de arte puramente nacional, caracterizada por uma ornamentação exuberante, influências da tradição mourisca e das artes pré-colombianas da América.

A importância do papel da Espanha no Barroco europeu deve-se ao fato de que é o país em que dois dos elementos motores do movimento Barroco, Absolutismo e Contra-Reforma, se fizeram sentir com mais força. Estado e Igreja vão estar indissoluvelmente ligados, posto que, no fim do século XVI, Filipe II implanta a monarquia absoluta, com o clero sendo nomeado pelo rei e, com a Espanha reunificada pela Reconquista, exercendo a hegemonia política e espiritual sobre a Europa. Os reinados dos três soberanos do século XVII na Espanha: Filipe III, Filipe IV e Carlos II, comparados ao de Filipe II, vão ser marcados pela decadência política, mas paradoxalmente vão coexistir com um exuberante período artístico, com o surgimento da escola de pintura espanhola, com a popularidade, na primeira parte do século XVII, dos *bodegones*, "naturezas-mortas com flores e frutos", inicialmente produzidas para as *bodegas* ("tavernas"), no fim do século XVI; encontrando uma brilhante expressão nas letras, com os doutores de Salamanca propagando o pensamento de Erasmo; com os grandes místicos Santa Teresa e São João da Cruz; e com o jesuitismo de Inácio de Loyola, exercendo uma grande influência na Contra-Reforma. Conseqüentemente, o período que cobre do fim do século XVI e o século XVII é justificadamente denominado "Século de Ouro Espanhol". "O Barroco parece o fruto natural dessa terra de contrastes, mística e sensual, luminosa e trágica, orgulhosa e desnuda."[8]

A arquitetura espanhola de 1680 a 1770 recebe a denominação de Barroco florido, devido ao seu desenvolvimento impetuoso e quase vegetal, marcado principalmente pelo estilo churrigueresco de decoração arquitetural, inventado pelo arquiteto José Churriguera (1665-1725), natural de Salamanca. Por volta de 1689, vem a Madri, onde tem a oportunidade de fazer desabro-

8. Georges Cattaui, *op. cit.*, p. 183.

char seu estilo individual, a sua imaginação e fantasia decorativa surpreendentes, ao ganhar a competição para o catafalco da rainha Maria Luísa, primeira esposa de Carlos II. Uma atmosfera teatral, com uma profusão de colunas e pilares floridos, guirlandas, drapeado talhado, medalhões, obeliscos, candelabros, bandeiras, vasos, estátuas religiosas e mitológicas. Esses motivos de pompas fúnebres, bem como das mais diversas cenografias aparentadas ao mundo vegetal, vão reaparecer em suas obras posteriores, nos retábulos gigantes, nas obras monumentais, nos altares das igrejas, numa riqueza e multiplicação de pormenores, com formas suntuosas e de uma liberdade desenfreada, dando a impressão de uma rica tapeçaria, numa verdadeira orgia das formas barrocas.

Pode-se traçar um paralelo entre o estilo churrigueresco e o estilo *kara-yo* de Nikko, visto que nos Portais Yomei e Kara, com empenas em estilo chinês no teto, procura-se igualmente alcançar um impacto surpreendente, através da exagerada profusão de ornamentações, intrincadas, pesadas, multicoloridas e expressivas. Esculturas de leões, dragões, fênix, pássaros auspiciosos e descrição de pessoas lendárias da China, com o predomínio do branco, preto e dourado, tetos azuis e que, em conjunto, acabam por criar antes uma imagem exótica do que propriamente a realidade chinesa. A beleza rica e vigorosa do Santuário Toshogu manifesta abundante energia física. Uma força estranha. A expressão estética do *bushi* ("guerreiro") do início do período Tokugawa, envolto pelo clima áspero da região de Kanto. Portanto, contrasta com a arquitetura tradicional japonesa em geral, que nos transmite a sensação de calma. O impacto visual inicial da suntuosa arquitetura de Nikko, especialmente o Portal Yomei e o Salão Principal do Santuário Toshogu, sobre os inúmeros turistas que a visitam diariamente, é unânime: "It's gorgeous!"

Os santuários de Nikko, concebidos na década de 1610 e completados em quarenta anos, têm suas estruturas imersas numa abundância de ornamentos, esculturas e pinturas. Principalmente de *ryû* ("dragões"), *karajishi* ("leões") e *ryûba* ("animais com cabeça de dragão e pernas de cavalo"), com laqueados de cores brilhantes, em vermelho, azul, verde e folheados dourados, que camuflam a estrutura básica dos edifícios, exatamente como no Barroco, onde, nos dizeres de Rousset, a estrutura transforma-se em mero suporte para a profusão de ornamentos.

3.4. PALCO DE *KABUKI*

Os primeiros teatros públicos de Londres, ao ar livre, originalmente estalagens reformadas, foram construídos fora da cidade, por serem considerados fontes de relaxamento, imoralidade e de propagação de infecção nas epidemias de peste. O primeiro deles, o Teatro, foi edificado em 1576, por James Burbage, nas cercanias de Shoreditch, centro de jogos e divertimentos. Mais tarde, os teatros são transferidos para Southwark, distrito de Surrey, na margem sul do Rio Tâmisa, próximos aos bordéis. Phillip Henslowe aí constrói dois teatros. À extrema esquerda, o Fortuna (1600) e, mais ao centro, o Esperança (1612), para competirem com o Globo, que ficava à direita e fora erigido no ano de 1598, um grande teatro de forma exterior octogonal e domicílio da Companhia de Shakespeare. Por sua vez, no Japão, as primeiras apresentações de *kabuki* foram realizadas em palcos de *nô*, originalmente em Kyoto, num palco temporário nos recintos do Santuário Kitano e, no verão de 1604, transferidas para um palco semipermanente, ao ar livre, nas margens áridas do Rio Kamo, consideradas, como no caso dos teatros públicos londrinos, área de concentração de marginais e artistas. Na realidade, o único lugar, naquela cidade imperial, onde o xogunato permitia apresentações públicas.

A arquitetura teatral do *kabuki* permanece, durante todo o período do *kabuki* de mulheres, a mesma do palco de *nô*, projetando-se no meio do público, que o circundava pelos seus três lados. Apresenta, assim, grandes semelhanças com o teatro shakespeariano dos séculos XVI e XVII, que entretanto não possuía o *hashigakari* ("passarela do *nô*"). O palco do Teatro Cisne, por exemplo, de acordo com o esboço feito de memória pelo holandês Johannes de Witt, em 1596, após sua viagem à Inglaterra, consistia em três planos: uma plataforma aberta, projetando-se no meio do auditório, com o público disposto nos três lados e com parte do tablado coberto por um teto, suportado por dois pilares, tendo ao fundo uma parede com duas portas; o palco interior, sob a galeria, destinado à encenação de cenas interiores; e a galeria, usada para representar uma colina, uma muralha ou as cenas de balcão. Três galerias rodeavam o auditório circular, herança do ringue de luta dos touros, ou das estalagens, ou mesmo inspiradas nos teatros romanos.

Assim, o primeiro palco permanente de *kabuki*, em Edo, o Saruwaka-za, foi construído em 1624, entre Nihonbashi e Kyobashi, ainda segundo os moldes dos palcos de *nô* então existentes: o palco propriamente dito, com as pinturas estilizadas de um pinheiro e bambus, e o *hashigakari* ("passarela"), ambos cobertos por um teto, no estilo dos santuários xintoístas; com o vestiário e os *sajiki* ("galerias") igualmente cobertos, enquanto o resto do auditório permanecia ao ar livre. Nessa época, a área do teatro era delimitada por uma simples paliçada de bambu, coberta de esteiras de palha, para impedir a visão aos bisbilhoteiros. Durante o xogunato Tokugawa, o sinal de que o teatro era oficialmente licenciado, tendo recebido autorização especial do governo para realizar apresentações públicas, era dado por três lanças colocadas no alto do *yagura*, "torre de observação" colocada acima do portão de entrada principal, adornada com pedaços de papel branco como nos santuários xintoístas, e com os seus três lados cobertos por uma cortina ornamentada com a heráldica da trupe em apresentação. As batidas no tambor grande anunciavam o início do espetáculo. Porém, originalmente, o *yagura* significava um lugar especial, onde os deuses podiam descer à terra e estar presentes durante todo o espetáculo. O *yagura* é conservado até hoje nos edifícios tradicionais de teatro *kabuki*, como o Kabuki-za de Tokyo e o Naka-za de Osaka. E o palco de *kabuki, a priori*, era construído encarando o lado sul.

Enquanto o palco de *nô* se estabelece como uma estrutura fixa, padronizada, que permanece no interior de sua forma tradicional, inalterada até hoje, o palco de *kabuki*, por sua vez, logo começa a apresentar uma série de modificações. Na mesma época da introdução do palco giratório, dá-se a criação do *seriague* e do *serisague* ("elevação e abaixamento dos ascensores"), bem como o desenvolvimento de outras maquinarias de palco.

Agora, ao contrário, o formato e proporção das maquinarias/recursos de palco e *sajiki* é que vão estabelecer a estrutura da arquitetura, num processo onde a forma tradicional é invadida do exterior pelas inovações, que acabam enchendo o espaço interior, culminando, assim, no seu desmembramento[9].

Na Europa, em 1618-1619, G. B. Aleotti completa o Teatro Farnese, em Parma, como o centro do palácio. Como no Teatro Olímpico, o palco consiste em uma longa plataforma e possui o primeiro proscênio permanente em arco, com artifícios para mudanças de cenários.

9. Takeshi Nakagawa, *Kenchiku Yôshiki no Rekishi to Hyôguen* (História e Expressão dos Estilos Arquitetônicos), pp. 196-197.

O anfiteatro é bastante importante para comportar doze degraus; suporta dois andares de arcadas, simples arcaduras no lado direito, mas que reservam camarotes sobre a parte curvilínea. A mais importante transformação é sem dúvida a do palco; a parede do palco desaparece, para dar lugar a uma arquitetura suntuosa ao redor, sobre as paredes da sala, que isola o palco propriamente dito, ainda estreito e pouco profundo, mas que se prolonga para trás, através de seus anexos, bastidores e sala das máquinas; o assoalho ainda é inclinado, para acentuar o efeito de perspectiva. A decoração, entretanto, não era senão uma tela de fundo [...] Bolonha possuía três teatros públicos e sessenta palcos particulares. O prefeito de Roma, Taddeo Barberini, fez construir em Quattro Fontana, uma sala para três mil espectadores, provida de uma maquinaria complicada: Bernini aí trabalhou, e ela foi inaugurada em fevereiro de 1632; os bastidores e os praticáveis eram móveis. Veneza, que era entusiástica por todos os espetáculos, teve um papel importante no desenvolvimento do teatro, que se representava particularmente na época do carnaval, o músico Cavalli aí desenvolveu a ópera de grande espetáculo. Os patrícios fizeram construir teatros, que se tornaram pagos; os particulares alugavam camarotes; o público era admitido na platéia e no "paraíso" (a antiga galeria alta). O desenvolvimento dos camarotes foi realizado em Veneza, cobrindo até mesmo as partes à direita, de onde a visão em perspectiva é falseada (Teatro Grimani, 1639; Teatro San Samuel, 1639)[10].

Giacomo Torelli (1608-1678) foi um dos grandes arautos no desenvolvimento dos mecanismos de palco, como a mudança simultânea das alas horizontais e a criação de ilusões cênicas para tempestades, nuvens e fogo.

No Japão, esperava-se que os samurais não se dignassem a comparecer a divertimento tão vulgar como o *kabuki*, mas dado o crescente interesse por parte dos nobres e samurais, que não tinham permissão de se misturarem publicamente ao poviléu, em 1647, começam a ser instalados os *sajiki*, "as galerias de madeira em ambos os lados do palco", correspondentes aos camarotes ocidentais.

A partir de 1680, um público feminino, composto principalmente de mulheres de mercadores e damas de companhia dos samurais, começa a afluir aos teatros *kabuki*, dando vazão aos seus anseios por romances com os atores, o que gerou vários casos amorosos, atendendo, assim, ao mesmo princípio do *kabuki* de mulheres e do *kabuki* de mocinhos em relação ao seu público masculino. No fim do século XVII, são instalados os *sajiki* de dois andares, que passam a ser ocupados principalmente pelos privilegiados samurais e ricos citadinos. Os ingressos aos *sajiki* eram bem mais caros, e os espectadores entravam no teatro através das casas de chá ao redor do edifício, onde costumavam descansar e se refrescar, enquanto os freqüentadores do *doma* ("platéia")

10. Germain Bazin, *op. cit.*, p. 303.

adquiriam os seus ingressos no portão e entravam diretamente no auditório. Em 1714, devido ao escândalo do caso Ejima-Ikushima, envolvendo um ator de *kabuki* e uma dama de companhia de um nobre, o xogunato ordena o fechamento do Yamamura-za. Mais tarde, os três outros teatros *kabuki*, Nakamura-za, Ichimura-za e Morita-za, tornam-se os três teatros permanentes de Edo. Mesmo na única apresentação especial na primavera, a que os samurais podiam comparecer, deviam ocultar as faces e deixar as espadas fora, rebaixando-se e nivelando-se ao povo, quando entravam no teatro.

Embora já existisse o palco de *nô* com *sajiki* não muito extenso, o recinto teatral só vai ser adequadamente coberto com o advento da era Meiji (1867-1912). Mas o teatro *kabuki*, ainda à semelhança do teatro shakespeariano, passa a ser coberto já no fim do século XVII. Até então, somente o palco, a passarela e os *sajiki* eram cobertos, enquanto o resto do auditório, denominado *doma*, consistia em terra batida, com o grande público, os espectadores mais humildes, como os criados e assistentes de lojas, dispostos totalmente a céu aberto, sentados sobre grossas esteiras de palha, para protegê-los da umidade. Portanto, as apresentações eram impraticáveis nos dias de chuva. Na era Shotoku (1711-1716), são proibidos os tetos sobre os *sajiki*, agora de dois andares, e o *doma*. Mais tarde, os teatros recebem tetos temporários, cobrindo apenas parte do auditório. Por volta de 1723, devido à compulsão para se evitar incêndios, dá-se a construção de teatros com paredes rebocadas e tetos de telhas, culminando finalmente na edificação de recintos teatrais totalmente cobertos e fechados, abrigando, pela primeira vez, palco e platéia sob um mesmo teto e permitindo apresentações mesmo nas intempéries. "A estrutura do recinto teatral separa-se claramente do palco e outros mecanismos de palco, exatamente como no estilo internacional da arquitetura modernista de Mies van Der Rohe (Bauhaus)."[11]

O *doma*, que em 1730 passara a ser dividido em *masu* e que no período Edo (1603-1867) era considerado lugar vulgar, é, ironicamente, nos dias de hoje, o lugar mais caro, por oferecer melhor visão do espetáculo. Na Inglaterra, durante o período do drama elisabetano (1576-1642), além dos teatros públicos com cerca de dois mil lugares que, embora fossem patrocinados tanto pelos cidadãos como pelos aristocratas, eram de tendência mais popular, existiam os teatros particulares, no centro de Londres: Blackfriars, Whitefriars, Salisbury e The Cockpit em Drury Lane.

---

11. Takeshi Nakagawa, *op. cit.*, p. 196.

Consistiam em construções retangulares cobertas, com o uso de luz artificial, ingressos cinco vezes mais caros, por comportarem apenas de trezentos a quatrocentos lugares e, conseqüentemente, um público mais refinado, crítico e ligado à nobreza. Por outro lado, nas esplendorosas máscaras, simples argumentos cênicos, encenadas nas cortes de Jaime I e Carlos I, começa-se a empregar vários sistemas de maquinaria, já existentes em Florença, como: nuvens móveis, mudança de cenários à vista do público e sistema de cenários móveis sobre chassis deslizantes, abrindo-se para descobrir um novo cenário.

Desde o início, um fator decisivo vai diferenciar o teatro *nô* e o teatro *kabuki*: o público. O teatro *nô*, patrocinado pelas aristocracias civil e militar, que garantiam a subsistência de seus atores, teve durante longo tempo um público basicamente aristocrático. Só após perder o patronato dos xoguns é que o povo vai ter acesso ao *nô*. O *kabuki*, ao contrário, começa basicamente como um divertimento de massas, entretenimento do povo, sem distinções de sexo ou ocupações profissionais, uma vez que o *kabuki* de Okuni surge quando a rígida distinção de classes sociais do período Edo ainda não se impunha, com a maioria do público consistindo em artesãos e, mais tarde, especialmente como propriedade particular da nova classe urbana ascendente do ponto de vista econômico: os ricos mercadores das cidades de Kyoto, Osaka e Edo.

A cultura dos xoguns e aristocratas, constituída principalmente da pintura monocromática *sumiê*, dos jardins de pedra e areia, da cerimônia do chá, do culto do zen e do teatro *nô*, era considerada demasiado refinada para os gostos e o estilo de vida dos mercadores e citadinos. Em contrapartida, durante o período Edo, estes vão encontrar na gravura *ukiyoê*, nos bairros do prazer, nos festivais citadinos, nos teatros *bunraku* e *kabuki*, artes do povo e para o povo, um meio de expressão artística de uma realidade mais colorida, viva e, por vezes, extremamente vulgar, mas que vinha a corresponder ao verdadeiro caráter do povo japonês, e a refleti-lo exatamente, com o seu modo de vida mais realista e os seus anseios, marcados pelas contradições do cotidiano e tendo como pano de fundo as controvérsias do opressivo sistema feudal vigente.

O *kabuki* foi o primeiro entretenimento teatral japonês a financiar sua encenação através do lucro arrecadado nas entradas. A partir do fim do século XVIII, com a demanda dos atores por melhores salários, seguida, no início do século XIX, pela acirrada competição das companhias teatrais para contratar atores talentosos, o preço dos ingressos começa a se elevar consideravelmente. No período Edo, *a priori*, os preços dos ingressos eram fixos, mas, na prática, oscilavam de acordo com a popularidade da peça. Se obtinha sucesso, os preços aumentavam, caindo drasticamente quando fracassava. Atualmente, os preços módicos das galerias, no segundo e terceiro andares, fazem com que o *kabuki* retome novamente o seu caráter de arte do povo.

Nos primórdios do *kabuki*, enquanto o público de Kyoto era mais reservado e desacostumado a aplaudir, limitando-se a enviar apreciações escritas aos camarins dos atores, os aficionados e impulsivos espectadores plebeus de Osaka e Edo consideravam o *kabuki* como uma extensão de suas próprias casas. Sentavam-se no chão e, em paralelo com o teatro grego do século V e o teatro shakespeariano, um verdadeiro espírito de férias, de quermesse, animado pela comida e bebida os dominava. "O *kabuki* é um teatro de festa do qual nenhuma parte do espectador precisa ir embora esfaimada. Há com que nutrir o pensamento e as emoções, bem como alimento que satisfaça a todos os sentidos. Não é por acaso que a platéia de *kabuki*, em geral, come dentro do teatro."[12]

O Teatro Elisabetano – Se a gente se referir às crônicas e à história do tempo, a evocação da atmosfera das representações, que intentou Gaston Baty, no seu *Visage de Shakespeare*, parece de fato verossímil: a cortina levantada anuncia que a hora se aproxima. Nas fendas das empenas, as trombetas conclamam. O programa é afixado na porta "para a comodidade dos que sabem ler". O público aflui, nas galerias, elegantes, damas e burgueses ricos, sentados em escabelos de tripés, dominam a multidão da platéia, onde fervilham os "fedorentos". Os criados do teatro anunciam o vinho e a cerveja, que os bêbados irão evacuar na selha perto da porta, e as maçãs e as nozes, que logo servirão de projéteis. Raparigas se oferecem nos cantos escuros e se fazem arregaçar sob cada escada, sem mais vergonha; libertinos ousam exibir longos cachimbos de barro e fumar a erva nova, que vem das Índias [...] Quando a peça termina, com fanfarras alegres, uma solene marcha fúnebre ou salvas de artilharia, os tablados pertencem aos palhaços e aos dançarinos. A representação findou [...] E o público se espalha, em sua maioria, nas tavernas e nos lugares suspeitos, que freqüentam, com os autores, os malandros de toda espécie, os marujos, os jogadores de dados, as prostitutas, os pequerruchos tabelados, e os cortadores de bolsas, que assaltam uma boa parte dos quase doze mil mendigos com que conta Londres. Tudo isso permite compreender melhor sobre o que se baseava a oposição puritana ao teatro[13].

Já no início da era Guenroku (1688-1735), os espectadores de *kabuki* gritavam com autoridade os comentários à peça e, no auge

12. Leonard C. Pronko, *Teatro: Leste e Oeste*, p. 143.
13. Léon Moussinac, *Le Théâtre des Origines à nos Jours*, pp. 129-130.

das apresentações, batiam palmas e proferiam os *homekotoba* ("palavras de elogio"), bradando o nome profissional do ator ou seu número na linhagem familiar, encorajando-o, ou ainda, berravam: "Era o que estávamos esperando!", "O melhor do Japão!", "O melhor do mundo!" Mas quando desaprovavam um mau desempenho, jogavam as almofadas em que estavam sentados, ou outros objetos, no caminho dos atores, berrando os *akutai* ("palavras abusivas"): "Pare com isso!", "Retire-se!", "*Daikon!*" ("Rabanete"), a denominação mais humilhante no *kabuki*. Os *homekotoba* e os *akutai* tiveram sua origem no folclore popular japonês, tendo-se desenvolvido principalmente no *kabuki* de Edo.

No seu *Kabuki – Yôshiki to Denshô* [*Kabuki – Estilo e Transmissão*], Masakatsu Gunji examina e analisa a tradição do *akutai* no povo de Edo, e também o processo através do qual ele passou dos espectadores para o palco, e se tornou parte de peças, tais como *Shibaraku* [*Espere um Momento!*] e *Sukeroku* [nome da personagem principal], onde cenas inteiras são baseadas no *akutai*. Ele argumenta que *Shibaraku* deve ter sido escrita especialmente com o propósito de se apresentar uma "peça *akutai*" no teatro. Opina que a peça *akutai* servia onde não havia comédia ou sátira reais no Japão do período Edo, por causa da supressão rígida, pelo governo, de qualquer sátira[14].

Em 1656, devido a uma altercação ocorrida em Kyoto, na qual um ator de *kabuki* se enfurece e fere um espectador com a espada, o governo decide fechar todos os teatros de Kyoto, durante treze anos. Os *akutai* desaparecem dos teatros já antes da era Meiji (1867-1912) e, atualmente, os espectadores raramente expressam suas desaprovações.

Mas os gritos entusiásticos dos *tsuu* ("especialistas") continuam a vigorar e, quando proferidos oportunamente, concorrem para aumentar a excitação de todo o público. Os *tsuu* são freqüentadores assíduos, os verdadeiros fãs do *kabuki*, que geralmente se sentam nas galerias superiores e chegam, por vezes, como verdadeiros e fiéis amantes do *kabuki*, a conhecer mais sobre o *kabuki* do que os próprios atores, embora seja um conhecimento do ponto de vista do público.

Por volta de 1714, após o grande escândalo do caso Ejima-Ikushima, os samurais abstêm-se de ir aos teatros *kabuki*, que passam a ser monopolizados pelos cidadãos comuns, atingindo o ápice de sua popularidade. E assim, na sua origem, o *kabuki* era uma festa, onde o público estabelecia um contato com os seus

14. Jacob Raz, *op. cit.*, p. 186.

atores favoritos. E até hoje, devido à arquitetura do palco e do auditório, o público de *kabuki* faz parte do espetáculo, vai ao teatro para ver seus atores preferidos e continua barulhento, dando apenas uma atenção esporádica ao início de cada peça, para só mais tarde chegar a uma relativa concentração.

No teatro *nô*, a personalidade do ator desaparece atrás da máscara que usa. Mesmo se o papel não requer uma máscara, a sua face é pouco mais expressiva do que se tivesse sido esculpida de madeira. Por sua abnegação, ele permite que algum fantasma antigo viva novamente. Porém, o público no teatro *kabuki* é sempre mantido consciente de que um ator particular está representando um papel, que se torna um veículo para a exibição do seu rosto e corpo. Se um ator, no decurso do programa de uma só noite, aparece em dois papéis totalmente diferentes, a platéia, ao reconhecê-lo, aplaude o seu virtuosismo. Para tanto, o ator, sem fazer caso do papel, não hesita em chamar a atenção para a sua identidade. Se, como acontece ocasionalmente, pedem-lhe, no transcorrer de uma peça, que indique o seu ator favorito, sem hesitar ele se nomeia a si mesmo, para o divertimento dos espectadores. Às vezes, acontece também do ator de repente sair de sua personagem, no meio de uma cena, para introduzir um protegido, que acabou de entrar, e solicitar os favores do público para este ator. Ninguém parece perturbado, porque a platéia está sempre consciente de que está no teatro para observar os atores interpretarem e não esperam, como a platéia ocidental espera, ser persuadida de que está realmente observando eventos do passado distante[15].

O público de *kabuki* acorre ao teatro não para ver a encenação de uma peça em sua totalidade, um comentário sobre a vida, mas para apreciar determinados momentos da encenação, espacialmente isolados, porém, vívidos e marcados pelo intenso virtuosismo interpretativo dos músicos e atores. E aplaude ou grita espontaneamente os nomes dos atores, exatamente nos momentos que mais lhe agradam e muito pouco no final do espetáculo. Por isso, o público aficionado freqüentemente dá um pulo até o Kabuki-za de Tokyo, especialmente para ver uma cena ou um ato famoso de uma peça *kabuki*. E até hoje, participa dinamicamente da apresentação de uma peça, criando a atmosfera de uma festa informal, comendo e bebendo durante o espetáculo, indo e vindo, gritando os *kakegoe* ("gritos de encorajamento") e tagarelando. Portanto, contrasta vivamente com o público de *nô*, que assiste a toda a encenação numa atitude solene, como se estivesse num culto religioso.

15. Yasuji Toita, *op. cit.*, pp. 65-66.

Para adequar às evoluções formais e dramáticas das peças, o palco de *kabuki* logo começa a apresentar algumas diferenciações do palco de *nô*: o *hashigakari* ("passarela do *nô*") é encurtado, passando gradativamente a ser construído num ângulo reto com o palco, em lugar do ângulo obtuso; o vestiário, ao invés de ficar localizado ao fim da longa passarela, é transferido para a posição diretamente atrás do palco; as paredes de madeira ao fundo do palco e ao longo da passarela são abolidas e substituídas por cortinas, com listas verticais alternadas de vermelho e branco, mas as entradas dos atores jamais se dão por aí; o palco é elevado ainda mais que o palco de *nô*, para melhorar a visibilidade dos espectadores, mas, mesmo assim, permanece mais baixo que os palcos dos teatros ocidentais. Os três pinheirinhos, que se encontravam na frente da passarela no teatro *nô*, passam a ser plantados na frente do palco e, por volta de 1650, desaparecem.

Se no Renascimento europeu, o palco se estende bastante largo e pouco profundo, já durante o Barroco, passa a adquirir maior profundidade.

Se bem que as proporções sejam finalmente invertidas. Ao palco convexo da Idade Média, sucede o palco côncavo do Barroco, vasto funil que aspira o público nas suas profundezas. Os espectadores não estão mais dispostos ao redor do palco, eles não estão mais em estado de medir a sua realidade concreta; todo o controle se tornou impossível, pois o senso crítico não tem mais o meio de se exercer[16].

Por sua vez, o palco propriamente dito do *kabuki* torna-se desproporcionalmente largo, pouco profundo, adquirindo a partir de então um formato retangular, projetando-se sobre o auditório. Todavia, os espectadores sentados nas últimas fileiras ficavam excessivamente afastados do palco, ameaçando a própria intimidade palco *x* platéia, uma das características essenciais do *kabuki*, uma forma de teatro popular e dependente, em certo grau, da proximidade física. A seguir, ocorre a diminuição da profundidade do auditório retangular. Em 1666, é ideado o *fumiita* ("prancha de caminhar"), que avança no meio dos espectadores e é precursor do *hanamichi* ("passarela do *kabuki*"). No início do século XVIII, o *hashigakari* ("passarela do *nô*") torna-se tão largo quanto o palco principal. Entre 1724 e 1735, como o *hashigakari* perdera a sua força original, ocorre a introdução do *hanamichi*. Este, numa tentativa de recuperar a intimidade original palco *x* platéia, expan-

16. Richard Alewyn, *op. cit.*, p. 83.

de-se gradualmente em direção à platéia, que pode chegar quase a tocar os atores.

Através de gravuras da época, podemos aferir que, por volta de 1724, o teto e os pilares do palco de *nô* ainda eram conservados, mas palco e platéia já se encontravam sob um mesmo teto.

Com o surgimento do *hanamichi*, a parte posterior do *hashigakari* é cercada, passando a ter outra função, o *rakandai*, onde o público assistia de pé e cujos ingressos eram mais acessíveis, pois, localizado muito próximo ao palco, constituía área de má visibilidade. "*Rakan* – plataforma. *Rakan* são os discípulos de Buda, comumente representados na pintura japonesa, agrupados intimamente ao redor do Buda. O aspecto dos espectadores, nesse canto do palco, era um paralelo óbvio."[17] No fim do século XVIII, acrescenta-se um segundo andar ao *rakandai*, criando-se, assim, o *yoshino* (alusão às montanhas ao sul de Nara, famosas pelas florações naturais das cerejeiras), local de preços ainda mais populares, por ser de pior visibilidade, com os espectadores no alto da plataforma, no lado esquerdo do palco, tendo seu campo visual limitado, na maior parte do tempo, às costas dos atores e às flores de cerejeiras, que ornamentavam o teto herdado do *nô*. O *rakandai* e o *yoshino* são utilizados até o primeiro quarto do século XIX. Mas os espectadores mais humildes, denominados *aburamushi* ("baratas"), ou *dempô*, por envergarem trajes do Templo Dempôin, de Edo, tinham entrada grátis. Atualmente, os lugares mais acessíveis são os do segundo balcão, como no Ocidente. Portanto, os *sajiki* corresponderiam aos camarotes dos teatros ocidentais, o *doma* à platéia e o *yoshino* ao "paraíso", isto é, às galerias altas.

Em 1638, com a publicação da *Prática de Fabricar Scene e Machine Ne'Teatri* de Nicola Sabbattini, repleto de ilustrações, verifica-se, na Europa, o início do período onde a mudança de cenários com paisagens em perspectiva torna-se um fator essencial da encenação teatral, principalmente nos espetaculares festivais das cortes. Originalmente, o teatro *kabuki* adota o palco de *nô* e as peças aí representadas eram todas em um só ato. Mas paralelamente ao uso da cortina no palco italiano, com a invenção da cortina de *kabuki*, por volta de 1664, surge a possibilidade de se realizar peças com mais de um ato, estimulando-se, assim, o desenvolvimento da composição dramática das peças de *kabuki*.

A partir da segunda metade do século XVIII, o palco de *kabuki* começa a libertar-se das influências do palco de *nô*, através

---

17. Earle Ernst, *The Kabuki Theatre*, p. 56.

da reforma revolucionária na estrutura teatral efetuada por um grupo de dramaturgos novos, liderado por Shozo Namiki (1730-1773), um autor de peças de *bunraku* e, posteriormente, de *kabuki*.

Subseqüentemente às introduções do *hanamichi* e do *maku* ("cortina corrediça"), resguardando o palco da platéia e inexistente no teatro *nô*, verifica-se, graças ao grande desenvolvimento da maquinaria de palco, as instalações do *mawaributai* ("palco giratório"), do *suppon* ("pequeno ascensor localizado no *hanamichi*") e de vários ascensores, pequenos e grandes, construídos no palco propriamente dito.

Ao ouvir o som da campainha, o público acorre a seus assentos e ouve um zunzum vindo dos bastidores, uma verdadeira colméia de atividades. Simultaneamente, marcando compasso com os sons metálicos e de aceleração crescente, produzidos pelo *hyôshigui* ("par de matracas"), manejado pelo *kyôguen-sakusha* ou *kyôguen-kata* ("diretor de cena"), vestido inteiramente de negro e que dá as últimas ordens, a cortina tricolor do *kabuki*, denominada *jôshikimaku*, com listas verticais alternadas de preto, ferrugem e verde, três cores representativas do universo do *kabuki*, é puxada para o lado por um assistente de palco, que se oculta atrás dela, revelando apenas parte do seu corpo: metade humano e metade mistério.

Nas peças adaptadas do teatro *bunraku*, a cortina é puxada horizontalmente, da direita para a esquerda, uma vez que os músicos permanecem sentados no lado direito do palco. Já nas peças propriamente do *kabuki*, durante o período Edo, a cortina era aberta da direita para a esquerda, mas atualmente, da esquerda para a direita. No Kabuki-za de Tokyo, a cortina é deslizada acompanhando o movimento do Sol, do leste para o oeste.

Jôshikimaku, a cortina tricolor do *kabuki*, tem um ar informal e funciona, não enquanto separação palco/platéia como no teatro moderno, mas para procurar tornar uno o mundo misterioso do *kabuki* e os seus espectadores, ou simplesmente para evitar o embaraço de saídas, após um quadro impressivo, ou nos intervalos entre os atos. Feita de tecido de algodão leve, facilmente se enfuna com qualquer brisa, deixando entrever vislumbres dos preparativos no palco, concorrendo, assim, para aumentar ainda mais o clima de ávida curiosidade do público presente. Diz-se que o uso dessa cortina se originara em 1632, do toldo do barco, ofertado a Kanzaburo Nakamura I, como recompensa por haver participado do transporte do barco do xogum, *Ataka-maru*, para a Ilha Reigan. Cortina e matracas anunciam o início e o fim, ou os intervalos de um espetáculo de *kabuki*. As cores do *jôshikimaku* adornam as paredes da estação de metrô Hanzômon, próxima ao Teatro Nacional de Tokyo.

O preto é ainda utilizado numa cortina de correr, introduzida em Edo, no ano de 1664, durante a apresentação da peça *Visita Secreta a Imagawa*, permanecendo em uso durante quase um século; e no *keshimaku* ("cortina de ocultamento"), com a sua variante vermelha, que o assistente de palco coloca diante de uma personagem que vem a falecer no palco, facilitando-lhe a saída.

Atualmente, nas peças de dança e peças novas de *kabuki*, que não são de origem clássica, alternando com o *jôshikimaku*, utiliza-se o *donchô*, uma luxuosa cortina pendente que, durante as apresentações, é suspensa como no Ocidente. Todavia, originalmente, as cortinas *donchô*, introduzidas após 1868, eram usadas apenas nos *donchô-shibai* ("teatros de cortinas pendentes"), pequenos teatros freqüentemente não licenciados, mas que desempenharam um papel importante na divulgação do *kabuki* entre as classes menos favorecidas. As cortinas de correr, ao contrário das cortinas suspensas, eram signos de teatros oficialmente autorizados pelo governo e eram usadas nos grandes teatros. Sendo assim, os termos "teatro *donchô*" e "*donchô yakusha*", respectivamente "teatro de baixa categoria" e "atores de *kabuki* inexperientes" ou "atores que se inclinavam para os estilos ocidentais", carregavam uma nuança pejorativa. Tanto no teatro *nô* como no *kabuki*, o clímax das peças geralmente ocorre à noite, portanto, no *kabuki*, a cortina negra pendente indica a escuridão da noite e quando ela é suspensa, o sol se levanta. Em oposição à cortina negra, a cortina azul-clara sugere o dia. Em outras ocasiões, para efeitos de rápidas mudanças de cena, uma leve cortina azul-clara é suspensa e subitamente solta, caindo inteiramente no solo, desvendando um cenário deslumbrante e arrebatando o fôlego dos espectadores. Cortina branca com listas horizontais em azul sugere bruma.

Procurando oferecer maior espaço de atuação aos atores, emprego de cenários maiores e disposição mais adequada dos acessórios de palco, o palco de *kabuki*, que começara como imitação do palco de *nô*, remove, em 1796, o teto e os pilares do *nô*, que haviam se transformado em meras estruturas convencionais, e finalmente atinge, por volta de 1830, a sua própria forma. Com a restauração Meiji, em 1867, o teatro *kabuki* também sofre o impacto da civilização ocidental, abandona o palco que se projetava em direção ao público e passa a adotar, a partir de 1878, o palco em estilo de moldura de quadro.

Originalmente, a principal área de atuação do *kabuki* era a localizada no fundo do palco, porém, atualmente, a área do palco situada mais próxima ao público é a considerada de maior força de atuação do palco propriamente dito, sendo mais fortemente iluminada. E em todo o teatro tradicional japonês, qualquer que seja a orientação real do edifício teatral, tomando-se como referência a posição do público, a parte do palco localizada à sua direita é denominada *higashi* ("leste") ou *kamite* ("fundo do palco") e a parte a sua esquerda, *nishi* ("oeste") ou *shimote* ("frente do palco"), por onde se dão as entradas e saídas dos atores principais.

3.4.1. Hanamichi *("Passarela")*

À primeira vista, o *hanamichi* (*hana* = flores – *michi* = caminho), literalmente "caminho florido" ou "rampa do passo florido", parece ter sido assim denominado devido à existência, no século XVII, de uma forma primitiva de *hanamichi*, o *ayumimichi*, "caminho a pé", usado principalmente pelos admiradores para ofertarem presentes, inclusive monetários, atados a um ramo florido, a seus atores preferidos. Mais tarde, o *ayumimichi* passa a ser usado para as entradas e saídas dos atores do palco. O *hanamichi* foi introduzido no palco de *kabuki* entre os anos 1724-1735. No começo do século XVIII, iniciou-se em Osaka e propagou-se posteriormente em Edo o costume de se expor os presentes dos atores na frente dos teatros. Atualmente, os presentes são exibidos em grandes armários de vidro, dispostos no interior do recinto teatral.

O *hanamichi*, a passarela do *kabuki* de aspecto semelhante às passarelas de desfiles de moda com manequins no Ocidente, é uma plataforma de madeira, de cerca de 1,80 metro de largura e dezoito metros de comprimento, elevada ao mesmo nível do palco, à altura das cabeças dos espectadores sentados. Com a mudança de suas funções, gradualmente vai transferindo-se do centro para o lado esquerdo da platéia e estende-se do palco até o fundo do auditório, passando no meio dos espectadores, como se fosse um corredor, tornando-se, portanto, uma extensão do palco a adentrar no auditório. Originalmente, o *hanamichi* formava um ângulo de 110 graus com o palco principal. Mas, a partir da divisão do *doma* ("auditório") em quadrados denominados *masu*, o ângulo reto mostrou-se arquitetural e economicamente mais apropriado à nova disposição da platéia. Portanto, o *hanamichi* passa a ser padronizado na posição de ângulo reto com o palco, ficando paralelo ao *kari-hanamichi* ("passarela temporária"), que foi introduzido entre 1772-1780.

Com a inovação do *hanamichi* realiza-se, não apenas a sua função primária de entradas e saídas dramáticas das personagens principais, freqüentemente acompanhadas de gritos de encorajamento dos espectadores, mas o impulso básico de movimento dos atores em direção ao público. Não por uma mudança significativa nas técnicas de expressão dos atores, mas pela função excepcional do *hanamichi* enquanto importante área de atuação, de grande força estética, que avança no meio da platéia e que permite um relacionamento mais íntimo entre atores e espectadores. Especialmente nas poses *mie*, nos monólogos ou diálogos de personagens marcantes e nos dramas dançantes, o *hanamichi* transforma-se numa relevante área do palco, visto que o ator interpreta encarando diretamente o público, que participa do espetáculo, lançando palavras de elogio e gritando os nomes artísticos dos atores. Esse método de o ator proferir suas falas diretamente ao público também é empregado nos solilóquios de Shakespeare. O espaço da platéia acaba transformando-se em importante área de atuação, e cria-se uma atmosfera, onde palco e platéia, atores e espectadores, tornam-se uno. Uma característica primordial do teatro popular.

O *hanamichi* normalmente é despido de decoração e a cortina ao fim do *hanamichi* é denominada *aguemaku*, sendo ornamentada com o *zamon* ("heráldica do teatro"). Quando as personagens entram ou saem através do *hanamichi*, as duas fileiras de luzes, ao longo da passarela, subitamente acendem, chamando a atenção do público. A entrada dos atores através do *hanamichi* é denominada *de* ("avanço"), e a saída, *hikkomi* ("retirada").

Para Earle Ernst[18], o *hanamichi* é transmutável em três áreas. Primeiramente, enquanto extensão do palco, o *hanamichi* é, algumas vezes, coberto com tecido da mesma cor usada no palco: o branco indica neve; o azul pintado com ondas brancas, as ondas do mar; o cinza, a terra batida; e, quando recoberto com *tatami*, a "espessa esteira de palha" empregada no interior das casas japonesas, significa o corredor de uma casa. Outras vezes, o *hanamichi* funciona como área espacialmente diferente do palco,

---

18. *Idem*, p. 92.

mas relacionada a ele, como, por exemplo, o *hanamichi* enquanto caminho de acesso a uma casa localizada no palco. Finalmente na maioria dos casos, o *hanamichi* constitui uma área completamente independente do palco, uma espécie de palco particular da personagem principal para demonstrar, em pouco mais de cinco minutos, a sua virtuosidade, no início ou fim de um ato ou peça, seja para introduzir-se através de canto e dança, como em *Sukeroku*, seja para narrar um resumo do seu papel, funcionando como prólogo em *Shibaraku*, ou ainda, ao retirar-se com uma saída espetacular. Opõe-se, dessa maneira, ao palco propriamente dito, onde a personagem principal mistura-se às outras personagens e torna-se parte de um complexo teatral mais amplo. Quando a personagem principal está atuando no *hanamichi*, consegue, através do magnetismo de sua atuação, tornar o palco principal em espaço vazio. E poderíamos acrescentar vice-versa, pois, por outro lado, quando o *hanamichi* não está sendo usado, deixa de existir teatralmente e o palco principal transforma-se na única área de atuação.

A apresentação no *hanamichi* varia de acordo com os diferentes estilos de caminhar, correr ou dançar, apropriados a cada peça. Às vezes, o ator faz algumas observações ao público, chegando até mesmo a lançar um lenço com a marca de seus lábios impressa, para delícia da platéia delirante. Contudo, há casos em que o ator simplesmente corre ao longo de todo o *hanamichi*, até alcançar o palco. Cerrada a cortina, *roppo* é a técnica de saída dos atores de papéis masculinos através do *hanamichi*, que consiste em movimentos de dança altamente estilizados, com passos e saltos peculiares.

Ao entrar ou sair através do *hanamichi*, que teoricamente é dividido em dez partes iguais quanto ao seu comprimento, no caso de entrada ou saída dramática, o ator, num papel importante, nunca se dirige bruscamente ao seu itinerário. Inevitavelmente pára no *shichi-san* ("sete-três"), o local do *hanamichi* a sete décimo de distância do fundo do auditório e a três décimo do palco principal e, atualmente, localizado bem mais próximo ao palco para possibilitar a visão aos espectadores das galerias. O *shichi-san* é considerado área de grande força de atuação, uma vez que, quando o ator surge no *hanamichi*, o público consegue captar apenas uma primeira impressão fugitiva da personagem, porém, à medida que o ator caminha pela passarela, vai construindo o seu caráter, que atinge a sua mais forte expressão ao chegar na posição do *shichi-san*. O ator volta a sua face para a platéia interna e introduz-se enfaticamente, através de alguns solilóquios, pantomimas e poses clássicas, ajustando-se à situação que terá quando estiver no palco principal, contracenando com as outras personagens.

A personagem Kumagai, num ato da Batalha de Ichinotani, decapitou seu filho para poder substituir a cabeça dele pela de um jovem guerreiro, Atsumori, e assim salvar-lhe a vida. Quando Kumagai entra no *hanamichi* e move-se lentamente em direção ao *shichi-san*, a sua angústia torna-se cada vez mais aparente. No *shichi-san* ele pára. No palco, a sua mulher, que não sabe de nada sobre o sacrifício que ele fizera, está ajoelhada dentro da entrada para a casa, esperando o seu retorno. Ele controla a sua angústia, pensa sobre o que a sua esposa ainda terá que suportar, e mostra a sua determinação em levar a cabo a sua desilusão, de modo que Atsumori possa ser salvo. Quando ele move-se em direção ao palco, guarda no bolso o rosário budista, que estava segurando. Este movimento sugere sutilmente o que se tornará claro, no fim do ato: que Kumagai já se determinara a desistir da vida guerreira e se tornar um monge budista[19].

A entrada mais longa e bonita do *kabuki*, que dura cerca de quinze minutos, é sem dúvida a de Sukeroku, na peça em um ato, que leva como título o seu nome, e foi, em 1832, a primeira a ser incluída no *Jûhachiban*, as dezoito peças favoritas da família Ichikawa. Sukeroku, ídolo das cortesãs de Yoshiwara, entra no *hanamichi* com um quimono de seda negra e o rosto oculto por uma sombrinha de papel, decorada com círculos azul e branco. O ator pára no *shichi-san*, abre abruptamente a sombrinha, não para protegê-lo das intempéries, mas enquanto acessório para aumentar ainda mais o efeito total de seu charme físico. Mostra a cabeça adornada por um turbante roxo e o rosto pintado com a maquilagem *mukimi*, de jovem galã, formoso e valente, que freqüenta os bairros do prazer à procura da sua espada *tomokirimaru*, que fora roubada. Sukeroku introduz-se através de um solilóquio arrojado e garboso, realizando ao mesmo tempo uma série de movimentos de dança e poses impressivas, demonstrando a sua bravura, orgulho e inteligência. Um típico representante dos direitos do povo. A platéia não mais resiste e explode em calorosos aplausos, gritando o nome do ator e dizendo-lhe: "Você é o máximo!", "O melhor do Japão!" Após todas essas evoluções, quando Sukeroku chega ao palco/bordel Miura-ya, em Yoshiwara, para encontrar-se com a célebre cortesã de alta classe Aguemaki e confrontar-se com o velho samurai Ikkyû, seu rival endinheirado e dissoluto, no fundo, a representação do governo opressor, não resta dúvida alguma para a platéia extasiada: Sukeroku, a respos-

19. Idem, pp. 95-96.

ta da classe dos mercadores aos samurais, sairá vencedor de qualquer conflito e, por extensão, o povo revoltado triunfará sobre o regime feudal opressor.

Subseqüentemente, para enfatizar a grande força de atuação concentrada na posição do *shichi-san*, foi construída uma pequena abertura, por onde sobe e desce um pequeno ascensor, um artifício *deus ex-machina*, usado unicamente para as entradas ou saídas de personagens sobrenaturais: samurais de habilidades sobre-humanas, *ninjas* ("praticantes da arte marcial da invisibilidade"), mágicos, espiões, espíritos em forma de animais, fantasmas, duendes e demônios, que aparecem ou desaparecem enigmaticamente, às vezes envoltos numa nuvem de fumaça, que intensifica ainda mais o clima de mistério reinante, sendo, portanto, uma técnica de grande alcance na expressão do inesperado, através de magníficos efeitos visuais. Em *Meiboku Sendai Hagui* (*A Disputada Sucessão na Família Date*), Danjo Nikki, o mágico disfarçado de rato, após ser subjugado e cortado em dois pelo herói, desaparece através do *suppon*, reaparecendo, mais tarde, através do mesmo *suppon*, sob a forma humana de mágico, trajando um vestuário cinza, cor de rato; ou a raposa transformando-se no samurai Tadanobu Sato, em *Yoshitsune Sembonzakura* (*Yoshitsune e as Mil Cerejeiras*).

Esse pequeno elevador localizado no *shichi-san*, na região de Kanto (Edo) é denominado *suppon*, literalmente "tartaruga adormecida", numa alusão à cabeça do ator, que aparecia e desaparecia ao ser elevado ou abaixado e que se assemelhava ao pescoço da tartaruga, ou ainda, ao barulho *suppon*, que se fazia ao abrir ou fechar a abertura; enquanto na região de Kansai (Kyoto e Osaka) é denominado *kiriana*. Posto que a maioria das peças de dança se situam no mundo da fantasia, as personagens fazem grande uso do *suppon* para suas aparições e desaparecimentos, do nada e para o nada. *Seridashi* é o nome dado a essa técnica de aparição súbita de um ator através do *suppon*; *serisague*, o desaparecimento.

Em 1730, adota-se o uso do *nanori-dai* ("plataforma de apresentação"), uma pequena plataforma ligada ao *hanamichi* principal e que adentrava no espaço ocupado pelos espectadores, tornando ainda mais íntima a atmosfera da relação palco x platéia. No *nanori-dai*, o ator principal apresentava-se e declarava o propósito da peça. Já no palco principal, localizam-se o *ôzeri* ("grande ascensor"), fazendo emergir ou submergir lentamente os enormes edifícios ou imensas peças de cenário, e alguns *kozeri* ("pequenos ascensores").

De 1772 a 1780, com a introdução do *kari-hanamichi* ("passarela temporária"), verifica-se o estabelecimento do duplo *hanamichi* no palco de *kabuki*, tornando a atuação mais variada e complexa. O *kari-hanamichi* é uma passarela provisória, de um metro de largura, que se estende paralelamente, no lado oposto da passarela principal. Na peça *Imoseyama Onna Teikin* (*A Educação Adequada de uma Jovem nos Montes Imo e Se*), uma espécie de *Romeu e Julieta* japonês, as duas passarelas funcionam como as margens do Rio Yoshino, que é representado pelo público entre as duas passarelas. As personagens principais avançam em direção ao palco principal e entabulam uma conversação. O espetáculo extrapola a cena, as duas passarelas e, nos termos de Artaud, envolve os espectadores, que são obrigados a fazer uma série de ajustamentos visuais e corporais, num ponto de vista móvel, participando fisicamente na atuação da peça, ao se transformarem no ícone das águas moventes do Rio Yoshino. O centro focal de atuação da peça passa a ser o centro da platéia. Já na peça *Gosho no Gorozo*, um grupo de homens virtuosos aparece na passarela principal, defrontando um grupo de homens maus, que surge na passarela secundária, e iniciam uma discussão por sobre as cabeças dos espectadores. Na cena final de *Nozaki Mura* (*A Aldeia Nozaki*), estória dos famosos amantes Osome e Hisamatsu, a passarela principal funciona como o rio e a passarela temporária, como as margens do rio.

Mais tarde, o uso do *naka-no-ayumi*, a estreita passarela paralela ao palco, ligando os dois *hanamichi* ao fundo do auditório, concorre para aumentar ainda mais a intimidade ator *x* espectador, uma vez que toda a platéia passa a ser envolta por áreas de atuação.

Por volta de 1920, o *hanamichi* chama a atenção dos diretores teatrais russos, que passam a utilizá-lo em suas produções. Atualmente, decorrente do uso da cortina no teatro moderno, ocasionando a separação palco *x* platéia, vários países do Ocidente também começaram a adotá-lo, para tentar recuperar a antiga intimidade ator *x* espectador.

Até 1923, o *kari-hanamichi* ("passarela temporária") era um elemento-padrão do teatro *kabuki*, mas após o terremoto ocorrido em setembro desse ano, que reduz a cinzas vinte teatros de Edo, os edifícios teatrais de *kabuki* passam, devido a razões econômicas, a ser reconstruídos apenas com o *hon-hanamichi* ("passarela principal"), que se torna um elemento fixo do teatro *kabuki*, sendo que, atualmente, a passarela temporária é raramente empregada.

Nos dramas dançantes de *kabuki*, palco e passarela são cobertos com o *oki-butai* ou *shosa-butai*, um assoalho de madeira de suavidade especial, que oferece grande ressonância para as batidas de pés dos atores.

Se até então, na Europa, os cenários eram de madeira ou de pedra, portanto, imutáveis no decorrer de uma apresentação, durante a época barroca, dá-se a invenção de leves cenários deslizantes, um atrás do outro, feitos de ripas cobertas com telas pintadas e usando-se o efeito de perspectiva, que cria a ilusão de profundidade. Verifica-se, assim, a substituição da parede compacta por um cenário com pintura em perspectiva. A Itália torna-se a líder nas experimentações quanto à estrutura teatral, tanto no palco como no auditório. A partir de 1650, a constante mudança de cenários, proporcionada por um grande desenvolvimento dos recursos de maquinaria de palco, tornando a encenação mais magnífica e espetacular, vinha a corresponder, no seio de um mundo em constante mutação, ao espírito mesmo do Barroco: o gosto pelo movimento, mudança, transformação e novidade. Com o decorrer do tempo, os cenários vão se fazendo cada vez mais elaborados e luxuosos, arrancando gritos de admiração do público. Nos teatros de Veneza, empregam-se aparelhos com engrenagens precisas e complicadas, fabricadas por hábeis engenheiros, que aumentavam os efeitos de surpresa cênica, já que as mudanças eram efetuadas à vista do público.

No Japão, ao contrário dos teatros *nô* e *kyôguen*, que apresentam um mesmo cenário imutável para todas as peças, com as pinturas estilizadas de um enorme pinheiro e alguns bambus, o teatro *kabuki* oferece uma variedade de cenários pintados e rápidas mudanças de cenário, graças aos recursos do *mawaributai* ("palco giratório"), *aorigaeshi* ("teto giratório") e *ôzeri* ("grande ascensor"). O surpreendente é que tudo ocorre sem se fechar a cortina ou apagar as luzes, inteiramente à vista do público, que assiste maravilhado a todo o mecanismo real de mudança de cenas, aplaudindo entusiasticamente a cada desvelamento de um novo e arrebatador cenário. Daí o encanto desses espetáculos, até hoje. Através do *aka-ten*, esse processo de transformação do cenário de *kabuki*, totalmente à vista da platéia, exatamente como no teatro barroco, tudo resulta mais impressivo e teatral, em oposição ao clima de ilusionismo criado no teatro ocidental tradicional, onde ocorre a ocultação de todo o processo de mudança de cenários.

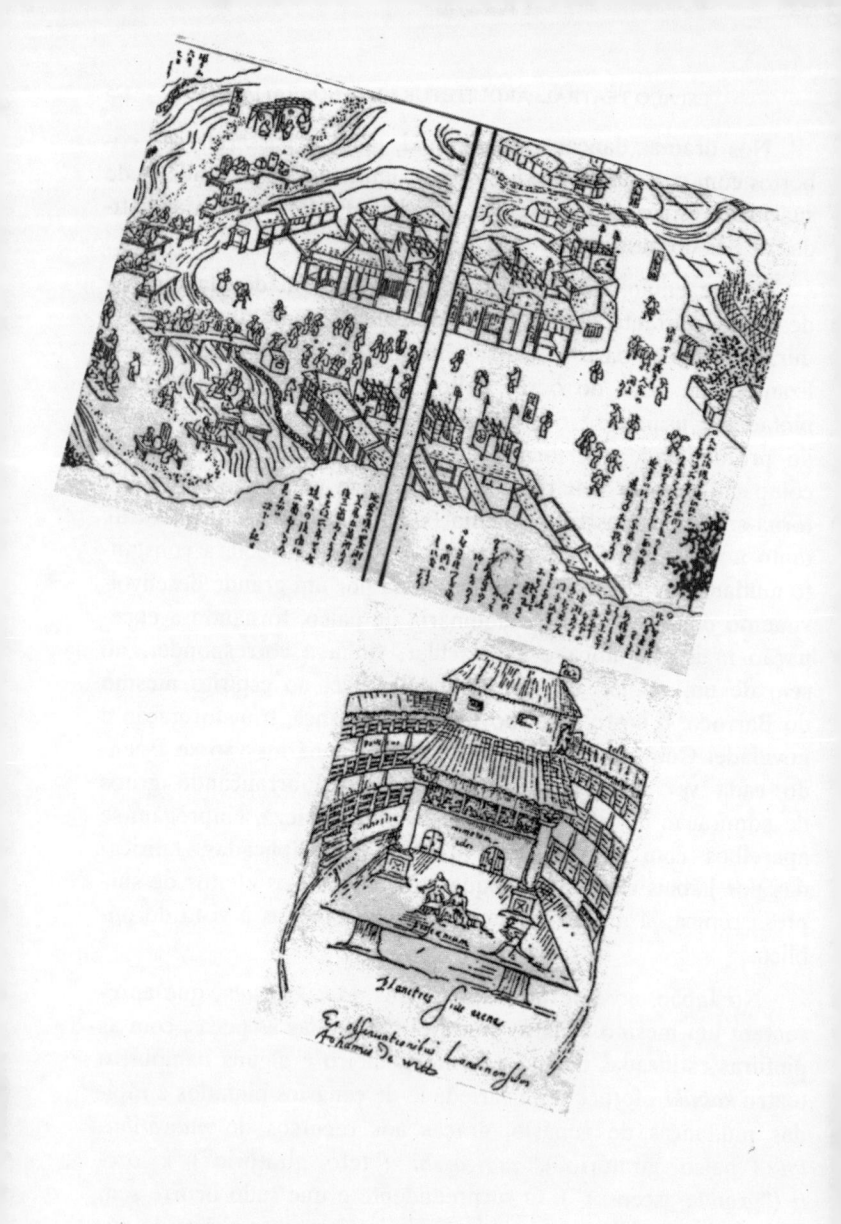

Teatros localizados em Shijo, às margens do Rio Kamo, em Kyoto
Interior do Teatro Cisne, em Londres, num esboço do estudante
holandês Johannes de Witt, em 1596.

Palco e platéia de *kabuki*, durante a encenação da peça *Musume Dojoji* (*A Moça no Templo Dojo*). No centro, o palco principal retangular, com a orquestra no fundo. À esquerda o *rakandai* e o *yoshino,* locais de má visibilidade e preços mais acessíveis. As passarelas principal (à esquerda, com a princesa Kiyo) e secundária (à direita), interligadas pelo *naka-no-ayumi,* adentram no auditório (*doma*), dividido em compartimentos quadrados (*masu*). O público come, bebe, fuma e tagarela. Os camarotes laterais (*sajiki*) são encimados por algumas janelas (*shôji*) entreabertas.

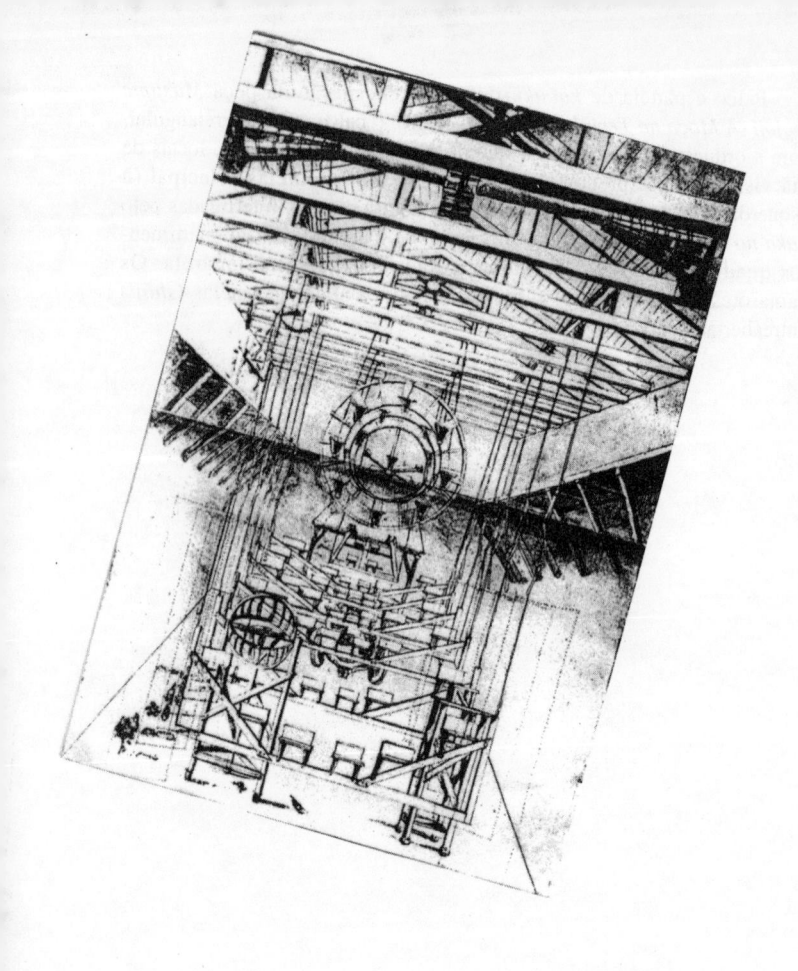

Maquinarias de palco do teatro barroco europeu.

PALCO ATUAL DE KABUKI

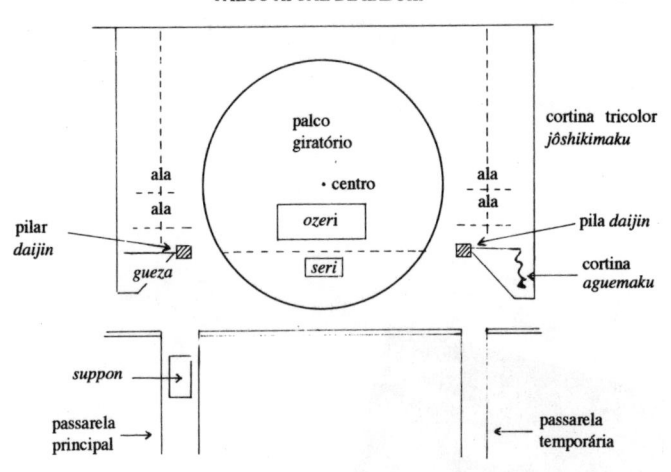

- cortina tricolor *jôshikimaku*
- pilar *daijin*
- *gueza*
- ala
- palco giratório
- centro
- *ozeri*
- *seri*
- ala
- pila *daijin*
- cortina *aguemaku*
- *suppon*
- passarela principal
- passarela temporária

GRÁFICO AO NÍVEL DA SUPERFÍCIE

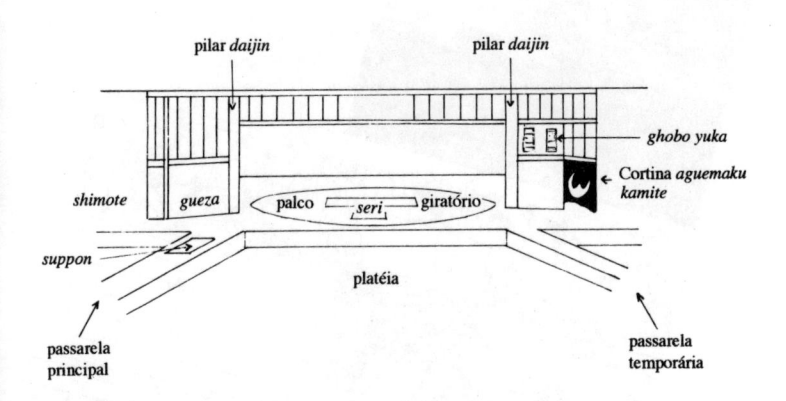

- pilar *daijin*
- pilar *daijin*
- *ghobo yuka*
- Cortina *aguemaku kamite*
- *shimote*
- *gueza*
- palco *seri* giratório
- *suppon*
- platéia
- passarela principal
- passarela temporária

Sukeroku na posição do *shichi-san*, área de grande força de atuação no *hanamichi* (passarela).

Suppon, pequeno elevador localizado no *shichi-san* e que, nas suas origens, era movido manualmente.

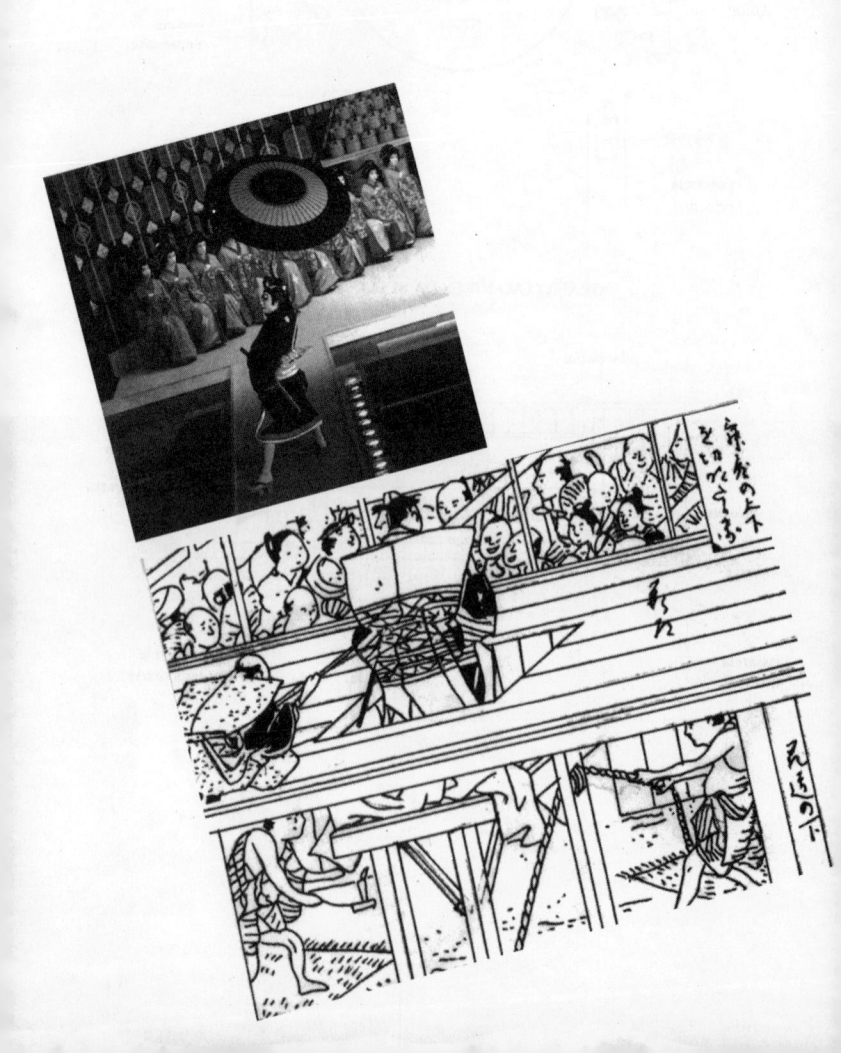

Tsura-akari (Iluminação do rosto), artifício de palco do *kabuki*, com efeito de luz *spot*. Fotos: Museu do Teatro da Universidade Waseda

Artifício de *dôgugaeshi* (mudanças de cenário) do Teatro de Bonecos da Ilha de Awaji, em Shikoku.
Foto: Autora

3.4.2. Mawaributai *("Palco Giratório")*

O *mawaributai* resultava do corte de um disco circular no meio do palco retangular, sendo suportado e revolvido por baixo através de um pólo central, e foi introduzido pela primeira vez no *kabuki* para a encenação da peça *Sanjukkoku Yobune no Hajimari*, a 22 de dezembro de 1758, em Osaka.

A peça, que era uma adaptação de *Chûshingura*, foi escrita por Shozo Namiki, um notável dramaturgo de Osaka, e tinha como enredo um tema popular de vingança. Na última cena da peça, arranjava-se de tal modo que vários homens bons e justos deveriam matar dois vilões, sendo que um dos vilões deveria morrer após lutar dentro de uma casa, enquanto o outro escapava para o rio, unicamente para ser descoberto e morto por aqueles que o esperavam.

Shozo Namiki, que era produtor e dramaturgo, devotou os seus melhores esforços para a descoberta de algum meio adequado, através do qual as duas cenas de vingança pudessem ser representadas simultaneamente no mesmo palco; pois tal artifício, se possível, seria capaz, ele esperava, de permitir ao público apreciar ao máximo a excitação da vingança e, ao mesmo tempo, aumentar consideravelmente o efeito dramático da peça. Como resultado de seu estudo minucioso, conseguiu melhorar o artifício do palco giratório que, embora em uso por algum tempo, estava bem longe da perfeição, uma vez que tinha sido operado numa escala muito pequena. Escavando sob o palco, ele fez instalar ali o trabalho mecânico e, em acréscimo, teve o espaço do seu palco giratório consideravelmente expandido.

Como ele esperara, a peça alcançou sucesso e popularidade inesperados, graças à introdução deste novo artifício de palco[20].

O palco giratório constitui um artifício que ocasiona rápidas mudanças de cenários, do exterior para o interior, ou do anterior para o posterior e vice-versa, sendo um fator de economia de tempo nos entreatos das até então demoradas mudanças de cenários e de grande efeito teatral, contribuindo com seus *flashbacks* para dar ao público a visão da mudança de atmosfera, ou de claro-escuro entre as cenas. Em 1762, o palco giratório é usado, pela primeira vez, em Edo.

O primitivo palco giratório japonês, inventado por volta de 1708 e usado ainda hoje nos palcos de *kabuki* das vilas campestres japonesas, era construído em estilo *okabon*, que consistia em um disco circular, que girava por meio de roldanas, acima do nível do palco principal. Somente a partir de 1793, com a instalação do primeiro palco giratório permanente, no Nakamura-za de Edo, passou a funcionar na forma atual, inserido no próprio palco,

---

20. Shiguetoshi Kawatake, *Kabuki – Japanese Drama*, pp. 54-55.

sendo rapidamente adotado nos outros teatros de Edo, Osaka e Kyoto. Diferentemente do deslizar suave de hoje, ocasionado pelo uso de energia elétrica, o *suppon* ("pequeno ascensor localizado na passarela") e o *ôzeri* ("grande ascensor localizado no palco principal") eram operados manualmente com o auxílio de cordas e roldanas. Assim também, nos seus primórdios, o palco giratório era rodado manualmente, apresentando movimentos titubeantes e convulsivos, mais de acordo com a natureza ingênua do *kabuki*.

As áreas escuras sob o palco principal e o *hanamichi* eram denominadas *naraku* ("poço sem fundo", "lugar onde não penetra a luz solar"), palavra budista que designa o inferno. Da mesma maneira, no teatro elisabetano, a área correspondente sob o palco era designada de inferno.

Na peça *Yotsuya Kaidan* (*Conto dos Fantasmas de Yotsuya*), de Namboku Tsuruya IV, assistimos ao contraste entre uma cena trágica e uma cena alegre. Na cena anterior, num casebre desolado, presenciamos a agonia da outrora bela Oiwa e seu criado, ao serem assassinados por seu marido, o samurai Iemon, convertido em fabricante de sombrinhas e que a rejeitara ao vê-la totalmente desfigurada, após tê-la feito ingerir um remédio, na realidade, um veneno dado maldosamente por seus vizinhos Ito, como sendo fortalecedor das dores de seu parto recente. Na cena posterior, na luxuosa mansão dos vizinhos, Iemon festeja alegremente o seu noivado com a jovem filha dos Ito, que se apaixonara por ele. O palco giratório move-se várias vezes, ora para a cena escura e trágica, ora para a cena luminosa e festiva, mostrando-se especialmente eficaz, não apenas pela rápida mudança de cenas, mas por transcorrer tudo à vista do público, enfatizando a mudança de atmosfera e marcando o profundo ressentimento de Oiwa e do criado, que, mais tarde, reaparecem como fantasmas para atormentar o algoz, perseguindo-o até a morte. O curioso é que o autor faz algumas anotações no texto, indicando quando o palco deve ser girado "pomposamente" ou de "maneira digna", o que de fato serve para salientar o contraste entre as cenas.

Em 1827, após a invenção do *janome-mawashi*, literalmente "girando o olho da serpente", por Kambei Hasegawa, dá-se a introdução de um segundo palco giratório, inserido no círculo do primeiro. Os palcos de *kabuki* passam a ter, assim, dois palcos giratórios, revolvendo simultaneamente em direções opostas, com o interno girando em direção contrária ao externo e produzindo um efeito inusitado. Atualmente, o *janome-mawashi* pode ser visto nos teatros Koma e Parco I, situados respectivamente nos bairros de Shinjuku e Shibuya, em Tokyo.

3.4.3. Teto Giratório

Na última cena da peça *Benten Kozô*, de Mokuami Kawatake, o notório ladrão Kikunosuke Benten Kozô, acuado pelos policiais para cima do teto do grande templo budista Gokuraku, em Kamakura, trava aí uma luta espetacular com a polícia. Após arrepender-se de sua vida passada, repleta de roubos e crimes, Benten Kozô comete o *seppuku*, popularmente conhecido no Ocidente como *harakiri*, o suicídio em que se corta o abdômen com uma espada. Logo em seguida, a estrutura superior do teto do templo vira-se, através do *aorigaeshi* ("teto giratório"), técnica empregada quando uma grande luta ocorre no teto de um templo. Enquanto a luta prossegue, o teto usado na cena anterior é girado cerca de noventa graus na cena seguinte, para revelar o edifício sob ele: uma ala lateral do templo, com um corredor cercado por uma grade vermelha, onde notamos a presença de Daemon Nippon, o chefe dos bandidos.

Outras técnicas incluem o *yataikuzushi*, que consiste em fazer desabar rapidamente todo um edifício, e o uso de cordas de arame para o ator efetuar saltos e vôos no palco.

3.4.4. Assentos

Originalmente, nas apresentações ao ar livre, às margens do Rio Kamo, em Kyoto, os espectadores de *kabuki* sentavam-se sobre a relva. Mais tarde, com a construção dos recintos teatrais, o *doma* ("auditório") é dividido em quadrados denominados *masu*, e cada qual comporta de quatro a seis pessoas sentadas, no estilo japonês, sobre almofadas colocadas sobre os *tatami*. E o espírito de piquenique, muito mais do que de observação solene, continuava. Muniam-se de cinzeiros, pediam carvão para o braseiro, bebiam, encomendavam lanches nas casas de chá que prosperavam ao redor dos teatros, ou para lá se dirigiam durante os intervalos.

Durante a era Meiji (1867-1912), dentro do processo de ocidentalização por que passava o Japão, a maior transformação nos teatros *kabuki* foi a introdução, em 1872, de cadeiras ocidentais. Inicialmente, no Shintomi-za, com a substituição de uma parte do espaço da platéia recoberto de *tatami* por cadeiras, para atender aos espectadores do Ocidente. E gradativamente os *masu* desaparecem dos teatros *kabuki*. Pouco após o grande terremoto de 1923, que destruiu a maioria das casas teatrais de Tokyo, os teatros *kabuki* passam a ser reconstruídos no estilo ocidental, com o auditório totalmente ocupado por cadeiras ocidentais. Se, até então, os teatros eram recobertos de *tatami*, permitindo livres movimentos aos espectadores, a introdução de cadeiras ocidentais veio a apresentar o inconveniente de cercear os movimentos corporais necessários aos espectadores de *kabuki*, que devem olhar em ambas as direções: para o palco e para o *hanamichi*.

Atualmente, existem poucos teatros, como o Kabuki-za e o Shimbashi Embujô, em Tokyo, e o Minami-za, em Kyoto, que conservam os *sajiki*, os camarotes laterais recobertos de *tatami*, à direita e à esquerda do auditório. Os *sajiki* são as únicas evidências de como eram construídos os espaços da platéia dos teatros *kabuki*, até o início do século XX. Mas a maioria dos espectadores atuais senta-se em cadeiras, posto que a regra em vigor é a de auditórios em estilo ocidental.

3.4.5. Iluminação

Devido aos regulamentos de 1714 e 1724, que proíbem o uso de lâmpadas e fogo nos teatros japoneses, durante a maior parte da história do *kabuki*, as suas peças eram encenadas das seis da manhã às cinco horas da tarde, à luz natural do dia, que penetrava nos recintos teatrais quando os assistentes de palco abriam os *shôji* ("estruturas de madeira recobertas de fino papel branco e que funcionam como janelas das casas japonesas"), localizados atrás dos *sajiki* ("camarotes") do segundo andar. Alguns teatros possuíam inclusive aberturas acortinadas no teto, para a iluminação da platéia. Para sugerir cenas noturnas ou dias chuvosos, simplesmente fechavam-se os *shôji*.

Outros meios de iluminação nos teatros eram os *andon*, velas colocadas em altos candelabros de madeira ao longo do palco e que, nos dias sombrios ou tempestuosos, não sendo suficientes para iluminar os rostos e trajes dos atores, eram colocadas nas extremidades de longas varas, e manejadas com grande destreza pelos assistentes de cena. Esse artifício do *kabuki* da era pré-Meiji, com efeito de luz *spot*, recebeu o nome de *tsura-akari* ("iluminação do rosto") ou *sashidashi* e, embora com o surgimento da eletricidade tenha se tornado desnecessário, continua a ser usado ainda hoje em certas peças, devido ao seu efeito surpreendente, criando seja uma aura sobrenatural, seja um efeito de período histórico, ou ainda, um contraponto com os movimentos dos atores. Em 1780, pequenas lâmpadas a óleo denominadas *kantera* foram liberadas para eventuais apresentações noturnas, mas com o alargamento dos edifícios teatrais, mostraram-se insuficientes para iluminar adequadamente o palco em geral. Portanto, o número de janelas acima dos camarotes foi aumentado e, no fim do século XIX, elas se estendiam do palco até o fundo do auditório. Somente a partir de 1878, com a instalação de dois candelabros a gás no Shintomi-za de Tokyo, que iluminavam tanto o palco como a platéia, é que começam a ser apresentados os primeiros espetáculos noturnos de *kabuki*, de maneira mais constante. O Shintomi-za foi ainda o primeiro teatro a construir palco com proscênio no Japão, sendo seguido pelo Kabuki-za, em 1889. A energia elétrica foi introduzida anteriormente em Yokohama e, no ano de 1887, em Tokyo. Em agosto do mesmo ano, o Shintomi-za de Tokyo torna-se o primeiro teatro japonês a utilizar a eletricidade, seguido do Kabuki-za, em 1889. E o seu uso propaga-se rapidamente nos demais teatros japoneses. Mesmo nas encenações contemporâneas, atendendo a uma das convenções do *kabuki*, a platéia não permanece na obscuridade como nas encenações ocidentais tradicionais, mas apenas um pouco menos brilhantemente iluminada que o palco, justamente por obedecer ao princípio da não separação palco x platéia e, mesmo se a ação transcorre à noite, palco e platéia permanecem iluminados. Demasiadamente iluminados, segundo os próprios atores.

Uma vela numa caixa circular, colocada atrás de uma cortina transparente de fundo de cenário, para dar o efeito de uma lua, apareceu no *kabuki* aproximadamente na época dos primeiros cenários em perspectiva, e é utilizada atualmente, em certas peças, com uma lâmpada elétrica substituindo a vela. Essas práticas convencionais dão as indicações introdutórias da noite, a qualidade de escuridão é definitivamente estabelecida pela mímica do ator que, como o ator inglês no teatro público renascentista, move-se lentamente, como se ele fosse incapaz de ver os outros ao seu redor, ou aproxima a lâmpada para ler uma carta. Em cenas de luta, à noite, tais como em *A Floresta de Suzu* e *Umekichi, o Bombeiro*, as danças de conflito são tornadas mais lentas, de modo que o movimento se assemelhe ao do filme em câmera lenta. Esta técnica é usada mesmo naquelas cenas em que um cenário pintado é utilizado, ao invés do tecido preto. O *kabuki* superou o problema, que o teatro representacional não superou, de tornar claramente visível a ação que transcorre à noite[21].

21. Earle Ernst, *op. cit.*, pp. 162-163.

3.4.6. Espaço Musical

Uma outra peculiaridade do *kabuki* é o espaço musical, que compreende *gueza* e *yuka*.

3.4.6.1. Gueza

Sendo um drama musical, o *kabuki* apresenta ainda uma estrutura genuína, não existente nos palcos ocidentais, isto é, o que Earle Ernst denomina "proscênio interior", situado diretamente atrás do proscênio, e que consiste em uma sala de efeitos musicais, à esquerda e à direita do palco, feita de madeira e pintada de preto.

À esquerda do palco fica o *kuromisu*, literalmente "cortina negra", estreita janela retangular, protegida por persianas de bambu pintadas de preto, atrás da qual existe uma sala de efeitos musicais especiais e orquestra, de cerca de quatro metros quadrados, chamada *gueza* e, às vezes, *ohayashibeya* ("sala da orquestra"). Nessa sala encontram-se os músicos e os instrumentistas de efeitos sonoros que, embora invisíveis ao público, observam atentamente através das janelas as evoluções dos atores no palco e, simultaneamente, criam a atmosfera apropriada a cada cena, oferecendo uma perfeita sincronização entre sons e atos. Originalmente, o *gueza* localizava-se à direita do palco, mas logo após 1867, passa para a posição atual, à esquerda do palco, provavelmente por oferecer aos músicos melhor visão do *hanamichi*.

3.4.6.2. Yuka

No *maruhon kabuki* ("peças adaptadas do *bunraku*"), da primeira metade do século XVIII, o elemento narrativo-musical passa a ser denominado *chobo* e, em suas encenações, coloca-se à direita do palco um estrado ligeiramente elevado chamado *chobo yuka* ("solo do elemento narrativo-musical") ou simplesmente *yuka*, onde se sentam o narrador e o instrumentista de *shamisen*. O texto é colocado na frente do narrador-cantor. No estrado há um pequeno palco giratório, que permite que, nas peças longas, um novo par de acompanhantes musicais apareça no palco sem qualquer demora. Nos dramas dançantes, devido ao grande número de narradores e instrumentistas de *shamisen*, coloca-se o *hinadan* ou *yamadai*, um longo "estrado temporário", no fundo do palco.

Portanto, o palco de *kabuki*, que começara originalmente como imitação do palco de *nô*, culmina, posteriormente, na construção ocidentalizada, com o esplendor do colorido e ornamentação dos seus variados cenários, em contraste pungente com a austera simplicidade do imutável palco de *nô*.

Mecanismos de palco, como o *hikinuki* ("arrancar o traje à vista do público"), *maku* ("cortina deslizante") e *aguemaku* ("cortina suspensa"), bem como o freqüente emprego dos recursos de maquinaria de palco (grandes e pequenos ascensores, palco giratório), em coordenação com os movimentos, poses *mie* dos atores e a adesão do público ao desenvolvimento da peça, identificam-se com a natureza barroca de mutação constante, infinita.

3.5. PALCO DE *BUNRAKU*

O palco de *bunraku* é pintado de preto opaco, absorvendo a luz que, durante os espetáculos, é diminuída um pouco mais do que nas peças de *kabuki*, criando um efeito crepuscular.

Como o palco de *kabuki*, o palco de *bunraku* caracteriza-se por ser bastante longo proporcionalmente a sua largura, mas diferencia-se do de *kabuki* na medida em que geralmente não possui *hanamichi* nem palco giratório. Entretanto, o antigo Asahi-za de Osaka, ex-sede da trupe Bunraku, era equipado com um *hanamichi*, com o solo construído abaixo do nível de suas bordas, de modo a oferecer uma visão apropriada dos bonecos e acomodar melhor os manipuladores. Os bonecos, como os atores, os seus correspondentes humanos no *kabuki*, dançavam, faziam poses *mie* e proferiam solilóquios no *hanamichi*, alcançando grande sucesso. No entanto, como os três manipuladores eram repentinamente expostos, totalmente à vista do público, chamando muito a atenção, o *hanamichi* era um recurso utilizado apenas ocasionalmente.

Originalmente, os teatros *bunraku*, de uso exclusivo para encenações de peças do teatro de bonecos, eram construídos de maneira que os espectadores assistissem às peças somente do nível térreo, criando o efeito visual que fazia com que os bonecos se movimentassem no nível dos olhares dos espectadores, parecendo moverem-se no solo do palco. Um ponto de vista essencial, que se perde nos novos teatros, construídos para uma grande variedade de atividades, com camarotes e galerias, o que faz com que muitos espectadores, sentados bem acima do nível do palco, tenham a sensação de que os bonecos flutuam.

Palco de *Bunraku*

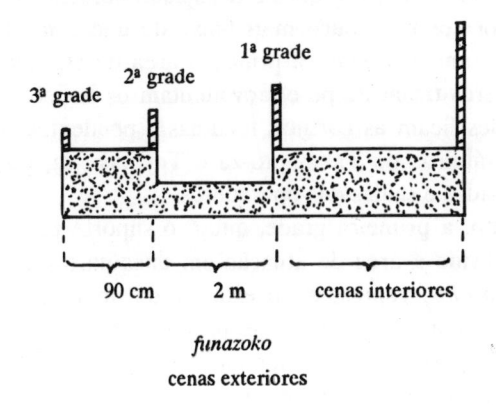

90 cm   2 m   cenas interiores

funazoko
cenas exteriores

Ideado para facilitar os movimentos dos manipuladores e seus bonecos, o palco de *bunraku* é dividido, em relação a sua profundidade, em três seções através de três grades: palco dianteiro, palco central e palco posterior. As grades são contadas do fundo para a frente.

Quando adentramos num teatro *bunraku*, temos diante de nós, como no teatro *kabuki*, o *jôshikimaku*, uma cortina com largas listas verticais alternadas de verde, ferrugem e preto. E frente ao *jôshikimaku*, na parte do palco mais próxima ao público, uma grade baixa, o *san-no-tesuri* ("terceira grade"), decorada com simples padrões geométricos, que representa um corrimão de treliças e cobre toda a extensão do palco, formando, assim, a base do proscênio e ocultando os membros inferiores dos manipuladores. Quando a cortina é deslizada de um lado para o outro e não suspensa, como nos teatros ocidentais, podemos ver as outras duas grades: o *ni-no-tesuri* e o *ichi-no-tesuri*, que são dobráveis para facilitar os movimentos dos operadores.

O *ni-no-tesuri* ("segunda grade") fica diretamente atrás do *san-no-tesuri*, a cerca de noventa centímetros de distância, cobrindo igualmente toda a extensão através do palco e, com cerca de noventa centímetros de altura, é um pouco mais alta que a terceira grade. A segunda grade é de madeira não pintada, ou colorida de acordo com o cenário, servindo para ocultar os membros inferiores dos manipuladores. A ação dos bonecos geralmente dá-se atrás dessa segunda grade, no palco central.

A dois metros da segunda grade, bem no fundo do palco, fica o *ichi-no-tesuri* ("primeira grade"), também denominado *hon-*

te ("nível principal"), que sustenta o último plano. O espaço entre a segunda e a primeira grades é designado *funazoko* ("fundo do barco"), por ser um pouco mais baixo do que o nível do palco posterior e funciona como a principal área de atuação, onde os manipuladores ficam de pé e movimentam os bonecos. Em suas extremidades ficam as cortinas fendidas e pendentes, adornadas com as heráldicas do Takemoto-za e Toyotake-za, por onde se dão as entradas e saídas dos operadores.

Portanto, a primeira grade, que é o suporte para o cenário principal, divide a área de atuação em duas partes. A parte anterior (*funazoko*) representa o exterior de uma casa, uma rua, uma estrada, um jardim; e a parte posterior, a plataforma da primeira grade, geralmente é empregada para representar cenas interiores, freqüentemente o interior de uma casa, a sala de um palácio ou simplesmente um cenário pintado, representando uma paisagem.

Durante a primeira metade do século XVIII, paralelamente ao grande desenvolvimento do processo de elaboração da estrutura e manipulação dos bonecos, ocorrem mudanças no palco de *bunraku*, com a introdução, em 1715, de cenários e fundos móveis, seguida de várias outras inovações, com o objetivo de atrair ainda mais o público, chegando a atingir, em meados do século XVIII, a posição invejável de entretenimento supremo dos japoneses.

Assim como os cenários do teatro barroco e do *kabuki*, os cenários de *bunraku* são móveis, dispostos em camadas montadas sobre corrediças e ligados a cordas, que possibilitam aos assistentes de palco, nos bastidores, arrastarem suas partes, ora para a direita, ora para a esquerda, por ocasião de mudanças de cena. Todavia, a maioria dos cenários de *bunraku* são suspensos, de modo que as mudanças se processam mais facilmente do que no *kabuki*. No Oonarutobashi Kinenkan ("Edifício Comemorativo da Grande Ponte de Naruto"), situado na Ilha de Awaji, em Shikoku, após a apresentação de uma peça, a trupe do Teatro de Bonecos da Ilha de Awaji sempre regala os seus espectadores com uma surpreendente e hábil demonstração de rápidas mudanças de cenário, chegando mesmo a trinta e de arrebatar o fôlego, graças ao emprego do mecanismo de palco especial da trupe, denominado *dôgugaeshi* ("mudanças de cenários").

Um exemplo do uso dessa espécie de cenário ocorre numa peça, onde o boneco é representado correndo ao longo de montes de feno e pinheiros. Os manipuladores permanecem na mesma posição, durante todo o tempo, movimentando os braços e as pernas, e a ilusão da figura correndo é criada ao se puxar lentamente o cenário pintado através do palco[22].

Nas peças de dança não há a divisão do palco em três seções, portanto, ela não é essencial a todas as peças de *bunraku*.

Uma convenção, tanto das peças de *kabuki* quanto de *bunraku*, é apresentar os edifícios com as suas fachadas removidas, permitindo ao público observar tanto o que se passa no interior como ao redor e fora dos edifícios. E igualmente como no palco de *kabuki*, à esquerda do palco de *bunraku* há uma pequena abertura, desta vez quadrada, atrás da qual se localiza o *gueza*, pequena sala de efeitos sonoros, uma verdadeira orquestra, que não é um componente original do *bunraku*, mas adaptado do *kabuki*. Sentado, o músico, que deve conhecer de cor todas as peças a serem apresentadas, observa atentamente as ações dos bonecos através da abertura e cria, em perfeita sincronia com a seqüência dramática, os ruídos, efeitos sonoros e acompanhamentos musicais adequados, utilizando sinos, gongos, flautas e vários tambores.

À direita do palco propriamente dito existe o *yuka*, um estrado levemente elevado e com um pequeno palco giratório, pintado de preto opaco e ornado com os mesmos padrões geométricos do *san-no-tesuri* ("terceira grade"). Na maioria dos casos, dois homens sentam-se lado a lado no *yuka*. À esquerda, o narrador principal *tayu*, que tem à sua frente o *kendai*, um baixo e pesado suporte de madeira laqueada, para o apoio do *maruhon*, o texto completo da narrativa, que contém as palavras e a entonação adequada; à direita, o instrumentista de *shamisen*. No caso de peças com vários narradores e instrumentistas, um outro estrado é posto à esquerda do palco principal e, nas peças de dança, um estrado particularmente amplo é colocado no fundo do palco, para abrigar a orquestra composta de cerca de vinte elementos.

Metade do palco giratório é oculto do público, por meio de uma tela que se eleva no seu centro, sendo coberta de papel dourado na frente e prateado no verso, com as bordas recobertas de uma moldura negra. Nas peças longas, as constantes e necessárias mudanças dos narradores e instrumentistas de *shamisen* são efetuadas rapidamente por dois assistentes de palco, que fazem uma

---

22. Adolphe Clarence Scott, *The Puppet Theatre of Japan*, p. 46.

aguda meia-revolução no palco giratório, passando a apresentar a outra metade com os novos substitutos.

Originalmente, as peças de *bunraku* eram apresentadas ao ar livre, à luz do dia. Mas com a instalação de energia elétrica, surgiram novos recursos de iluminação para a criação de efeitos dramáticos.

4. Ator de Kabuki e Manipulador de Bonecos do Bunraku

4.1. ATOR DE *KABUKI*: DE MARGINAL A "TESOURO NACIONAL HUMANO"

O *kabuki* é o teatro da supremacia do ator, o centro do espetáculo. Ao contrário do *bunraku*, onde o texto é primordial, uma vez que, afora o uso de bonecos, o *bunraku* é basicamente uma arte narrativa, onde o cantor e a sua narração são os elementos supremos, no *kabuki* o ator é o elemento mais importante, nunca se subordinando ao texto, que funciona apenas como um simples veículo para a demonstração de suas habilidades e talento na atuação.

O nome tradicional para um ator de *kabuki* era *yakusha*, uma palavra derivada do *nô*. A palavra em si mesma originalmente significava "alguém que oficiava cerimônias ou serviços religiosos", e o *yakusha* de *nô* era um homem, cujo serviço aos deuses adquiria a forma de entretenimento dramático. Quando a palavra foi apossada pelo *kabuki*, ela perdeu essas conotações religiosas. A palavra moderna *haiyû*, freqüentemente usada para atores de teatro e sempre para atores de cinema, não foi empregada senão após a restauração Meiji[1].

Os atores do teatro *nô* tiveram, desde cedo, o patronato de aristocratas civis e militares, chegando a compartilhar de suas vidas e culturas palacianas. Um patronato xogunal e, com ele, a

---

1. Masakatsu Gunji, *op. cit.*, p. 31.

sua segurança, que durou cerca de quinhentos anos, chegando mesmo, durante o período Edo, a serem promovidos ao mesmo nível que os samurais. Em contraposição, os atores de *kabuki*, que tinham como seu grande público o povo, precisaram trabalhar arduamente para se fazerem respeitar artística e socialmente.

De origem variada, visto que algumas atrizes do *kabuki* de Okuni eram prostitutas, com aprendizado de canto e danças populares, ou atores que se apresentavam em peças de *nô* ou *kyôguen*, nos seus primórdios, os atores de *kabuki*, assim como os manipuladores de bonecos do *bunraku*, foram marginalizados e estigmatizados como párias pela sociedade feudal. Esta não lhes permitia viver fora do distrito teatral e os obrigava a usar *amigasa* ("chapéu trançado") quando saíam, como estigma de sua profissão; e constantemente aludia às suas origens humildes, apelidando-os de *kawara-mono* ou *kawara-kojiki*, respectivamente "criaturas das margens do rio" e "mendigos das margens do rio", numa alusão às primeiras apresentações de *kabuki*, às margens áridas do Rio Kamo, nas vizinhanças da Ponte Shijo, em Kyoto, durante séculos morada de pessoas que exerciam profissões consideradas marginais e não respeitáveis pelos japoneses, como: jardineiros, coveiros, coureiros (sapateiros e açougueiros) e inclusive quase todos os artistas. Outras vezes, eram chamados de *kabuki-mono* ou *shibai-mono*, termos igualmente irônicos, pois sua implicação era que as atrizes do *kabuki* de mulheres e os adolescentes do *kabuki* de mocinhos exerciam a prostituição, quando não estavam representando no palco.

Durante longo tempo, os atores de *kabuki* foram associados, embora a um grau distante, aos *eta* (literalmente "cheios de imundícies"), membros da classe proscrita, o nível social mais inferior do Japão, e cujas vidas injustiçadas foram magistralmente retratadas no comovente romance de Toson Shimazaki, *O Mandamento Quebrado*. Por serem considerados geneticamente impuros, os *eta* eram proibidos de misturarem-se ao resto da população e de exercerem mesmo as profissões mais comuns. Tinham acesso apenas a atividades como as de açougueiro e sapateiro, tidas como ritualmente poluídas, indignas do ser humano, e provavelmente desempenharam um grande papel no desenvolvimento dos teatros *bunraku* e *kabuki*. Mesmo nas listas de recenseamento, os atores de *kabuki* eram excluídos da categoria de seres humanos e catalogados por numerais usados para contar o gado.

Embora durante o período Edo (1603-1867) os atores estivessem na base da estratificação social, segregados do resto da sociedade e obrigados a viverem em guetos como as prostitutas e os *eta*, os atores de *kabuki*, artistas superlativos, exerciam um fascínio irresistível pela atração física e esplendor do seu vestuário, sendo, portanto, adorados pelo grande público, que os colocava numa posição social mais elevada do que a atribuída pelo governo militar. E como os artistas de cinema e televisão de hoje, eram considerados ídolos públicos, vivendo, às vezes, em grande estilo, como o ator Danjuro Ichikawa VII, que acabou sendo exilado de Edo devido ao seu modo de vida luxuoso. Detalhes de suas vidas particulares eram acompanhados avidamente pelos fãs, seus comportamentos e maneiras de vestir eram imitados e adotados como fontes de moda, linguagem e costumes populares da época. Os perfumes, cosméticos, tecidos, óleos para cabelo, vendidos com os nomes dos atores mais populares de *kabuki*, eram largamente consumidos pelo público aficionado. Entretanto, essa intimidade ator *x* espectador, uma das características essenciais do teatro *kabuki*, incomodava fortemente o governo militar.

Durante todo o xogunato Tokugawa, que corresponde ao período Edo, o governo militar decreta a concentração da produção de uma determinada mercadoria em uma única associação. Inibe-se, assim, a livre concorrência, possibilitando um maior controle do governo sobre as associações. Sob o peso desse decreto, que visava a manutenção da estrutura feudal vigente, conseqüentemente, as profissões passam a apresentar uma forte tendência à hereditariedade. O mesmo fenômeno verifica-se no mundo do *kabuki*: a tendência à tradição de transmissão vertical da arte, um rígido sistema hierárquico que permanece um tanto feudal, uma arte hereditária estabelecida mais precisamente na era Guenroku. Assim sendo, a maioria dos atores de *kabuki* procedia de famílias de atores de *kabuki*. Portanto, os papéis principais eram sempre interpretados por atores dessas famílias, enquanto os procedentes de outras famílias eram condenados a papéis secundários. A transmissão de um nome artístico profissional, uma tradição talvez peculiar ao Japão, verifica-se nos teatros *nô*, *bunraku* e *kabuki*, nas escolas de arranjos florais, na cerimônia do chá, na dança etc. Embora o uso de sobrenome fosse um privilégio restrito à classe dos samurais, as famílias Ichikawa, Nakamura e Onoe, ligadas ao mundo do *kabuki*, com ascendência de samurais, já possuíam um sobrenome que continuavam a usar, embora tivessem perdido esse direito ao iniciarem as atividades teatrais. Com o decorrer do tempo, vêm a salientar-se as famílias Ichikawa, Matsumoto, Nakamura, Onoe e Bando, que amiúde possuem as suas próprias tradições específicas, transmitindo seus nomes artísticos, técnicas e estilos de atuação, como herança familiar, de geração a geração.

O famoso ator de estilo *aragoto* Danjuro Ichikawa I (1660-1704) adotou quatro nomes e acabou criando uma tradição no *kabuki*. A partir de então, todos os atores de *kabuki* passaram a seguir o seu exemplo, adotando, além do nome legal enquanto cidadão e que é do conhecimento de sua família, mais quatro nomes: um apelido profissional, *yago*, literalmente "nome da loja", derivado do nome de um clã, ou por estar ligado a uma associação local; um sobrenome de família teatral, *go*, à qual o ator pertence e a quem geralmente deve seu treinamento e estréia profissional; um prenome teatral, *gueimei*, que indica sua posição enquanto ator e que, sob um sistema de sucessão, é herdado após a morte do antecessor, sendo que o numeral romano indica a geração a que pertence o ator, após o título ter tido origem; e um pseudônimo artístico, *haigo*, para suas expressões picturais e literárias, como poeta ou pintor.

Durante os espetáculos, os fãs aficionados de *kabuki* costumam gritar os *yago*, saudando as entradas, saídas ou atuações impressivas dos seus atores favoritos. Tais demonstrações de entusiasmo desconcertam a princípio, causando um efeito de estranhamento aos espectadores leigos, que costumam olhar para trás à procura de tais fanáticos, geralmente sentados nas galerias do segundo ou terceiro andares.

Quando discípulos de atores famosos progridem em suas habilidades artísticas, herdando um novo nome, ou quando são adotados por outra família, bem como por ocasião de estréias, nas primeiras aparições dos atores infantis no palco, e em serviços memoriais, grande importância ainda é dada às cerimônias introdutórias públicas, bastante formais e elaboradas, denominadas *kojo*. Elas são realizadas nos teatros, por agradarem ao público, que tem a oportunidade de ver como são realmente os atores apenas com uma simples maquilagem e, em parte, também motivadas por interesses comerciais. As cerimônias *kojo* ("anunciação") contam com a participação de todos os atores da trupe, vestidos de trajes formais *kamishimo*, com as cores e heráldicas da família, alinhados em uma ou duas filas, diante de biombos dourados e sentados sobre um longo tapete vermelho, prostrando-se numa atitude reverenciosa e humilde frente ao público. Os principais atores fazem discursos saudando os espectadores, anunciando a mudança de nome, a estréia ou o serviço memorial, seguidos pelo agradecimento do ator introduzido, estabelecendo, assim, um clima de intimidade palco x platéia. Quando anúncios de nomes de atores menos importantes são feitos no decorrer de uma peça, através da digressão *kyôguen nakaba no kojo* ("*kojo* inserido na peça"), eles continuam a usar o mesmo vestuário da peça, apenas mudando o estilo do diálogo em um tom de conversa, para, logo em seguida, finda a cerimônia, retomar o diálogo teatral, quase não interrompendo a continuidade da ação da peça.

A carreira de um ator de *kabuki* é demarcada pelos nomes artísticos sucessivos, que herda ao longo de sua vida artística. Quando criança, ao estrear, recebe um nome artístico menor e, à medida que adquire maiores habilidades, vai gradativamente sendo promovido a nomes artísticos cada vez mais prestigiosos, acrescidos dos números ordinais das gerações de atores da linhagem que adotou o mesmo nome artístico no passado. Alguns atores são adotados de uma trupe a outra, tendo genealogias bastante complicadas. Na tradição da sucessão do nome, às vezes, há casos em que um nome valoroso não é atribuído a pessoa alguma durante várias décadas, ou chega mesmo a ser dado postumamente. No *kabuki*, como no teatro *nô*, o que conta é a tradição da arte, o mérito, o talento, e não a tradição do sangue.

> Um nome não é dado automaticamente a algum outro ator da mesma família, por ocasião da morte do seu portador; pode transcorrer um longo intervalo de tempo, antes que alguém digno de um nome maior seja julgado apto a herdá-lo. Um grande nome deve ser dado antes a um discípulo talentoso, do que a um filho menos dotado. A tradição da arte é mais importante do que a tradição do sangue, embora o sangue conte bastante[2].

No mundo hierárquico do teatro japonês, a tradição da transmissão vertical da arte do *kabuki*, um mundo altamente exclusivista, faz com que a exigência em relação ao ator se torne tão excessiva, que raramente um ator sem um nome tradicional, que não seja filho legítimo, ou adotivo, ou discípulo de uma proeminente família de *kabuki*, mesmo sendo talentoso e popular entre o público, tem oportunidade de tornar-se um grande profissional, ficando limitado a papéis menores. Mas atualmente nota-se uma

---

2. Aubrey e Giovanna Halford, *The Kabuki Handbook*, p. 395.

crescente propensão, da parte dos atores, a não aceitar a tradição da transmissão vertical da arte.

Os atores profissionais de *kabuki* obedecem, da infância à velhice, a um sistema de treinamento rigoroso, principalmente em música, dança e canto japoneses. Quando crianças, além da educação normal, têm aulas de dança clássica japonesa, que é praticada ao longo de toda a sua vida, bem como a aquisição de uma voz clara e ressoante, adequada aos diálogos de *kabuki*, que requerem uma entonação especial. Vão familiarizando-se gradativamente com os desempenhos dos atores mais velhos, acabando por absorver, quase que inconscientemente, inúmeros segredos da arte de seus ancestrais. Completamente absortos pelo trabalho, com uma disciplina mental rígida e enorme esforço físico, os atores de *kabuki* permanecem no teatro de seis a oito horas diárias, praticamente todos os dias da semana, com os severos regulamentos, formalidades e autoridade estendendo-se, virtualmente, até mesmo às suas vidas fora do palco. Atualmente, o Teatro Nacional do Japão, em Osaka e Tokyo, oferece aos jovens do sexo masculino, com o segundo grau completo, um curso de treinamento técnico de *bunraku* e *kabuki*, para músicos, percussionistas, manipuladores de bonecos e atores de *kabuki*.

Durante o período do *kabuki* de Okuni, existia três papéis primordiais, base do sistema de especialização de papéis posterior: o herói (*tachiyaku*), que visitava os bairros do prazer, a cortesã (*waka-oyama*) e o dono do estabelecimento, interpretado pelo cômico (*doke-yaku*). Contudo, em 1643, os atores foram obrigados a se especializar em papéis masculinos ou femininos, datando de então o início da tradição do *onnagata*. E já durante a primeira parte da era Guenroku (1688-1735), devido à imposição do xogunato de um relatório especificando quais atores desempenhavam os papéis femininos e quais os papéis masculinos, surge a necessidade de estabelecer a sistematização das personagens de *kabuki* em oito categorias principais: *tachiyaku* ou *tachikata*, literalmente "ator que permanece de pé", em oposição aos músicos que permanecem sentados, como no teatro *nô*, e que, com o surgimento do *onnagata*, passou a designar os papéis masculinos em geral e, mais tarde, restringiu-se apenas a papéis de homem sério e virtuoso; este defronta-se com o *akunin-gata* ("homem mau") ou *katakiyaku* ("vilão"), arrojado, causador de problemas, originando estórias baseadas nas oposições bem x mal; *kashagata* ou *fuke-oyama* ("anciã"); *waka-onnagata* ("mulher jovem"); *waka-shugata* ("homem jovem"); *oyajigata* ("ancião"); *dokegata* ("cômico"); e *kokata* ou *koyaku* ("papéis infantis"), que aparecem principalmente para suscitar efeitos emocionais, através de sacrifícios e assassinatos. O ator Heikuro Yamanaka (1632-1724), que tinha rosto assustador, corpo grande e gênio forte, foi o representante pioneiro do *katakiyaku* ("vilão"), especialmente nos papéis de *kugue-aku* ("nobre mau"), dando margem a várias estórias, com os próprios atores, às vezes, impressionados e assustados com a sua aparência diabólica no palco. Ele ideou também o vestuário e uma eficiente maquilagem para os papéis de vilões, que são conservados até hoje. Cada qual desses papéis possuía atributos particulares de maquilagem, vestuário, cabeleira, gestos, elocução, postura, que permitiam ao espectador experimentado, uma vez decifrado o código, identificar as personagens e saber de antemão que papéis desempenhariam nas peças.

Semelhante aos atores da *commedia dell'arte*, que se especializavam cada qual num tipo, os atores de *kabuki* concentravam-se no treinamento de um único papel. Originalmente, os pais e os mais velhos decidiam, desde a mais tenra idade, em qual das categorias gerais de papéis, masculinos ou femininos, o seu filho se especializaria; prática que predominou até a era Guenroku. As crianças estreavam no palco, geralmente aos cinco ou seis anos de idade, como *koyaku* ("papéis infantis"). Hoje em dia, as crianças atuam tanto em papéis masculinos como femininos. Quando se tornam adultos, com os corpos e vozes desenvolvidos, definem-se, de acordo com a sua opção, mas também de acordo com o potencial que os mais velhos vislumbram neles, pelos seus papéis específicos.

No caso de optarem pelos papéis masculinos (*tachiyaku*), os atores começam pelo de *wakashu* ("homem jovem") e de *iro-wakashu* ("homem jovem, formoso e sensual"), reminiscente dos adolescentes do *kabuki* de mocinhos e do estilo suave de atuação *wagoto*. Em oposição ao tipo afeminado do *iro-wakashu* está o *ara-wakashu* ("homem jovem, rude e arrojado"), herói de grande valor, papel que se desenvolveu paralelamente ao estilo *aragoto* ("rude"), durante a era Guenroku. Mais tarde, desempenham os papéis de *sabakiyaku* e *shimboyaku*. *Sabakiyaku* ("homem de julgamento") é o homem formoso que, além de erudito e poeta, é versado nas artes marciais e se encontra dividido entre a lealdade ao seu senhor ou à sua família. Por sua vez, o *shimboyaku* ("mártir"), o que dá a vida pela causa que abraça, é uma variedade do "homem de julgamento"; ele reprime a sua raiva e as emoções intensas, suportando em silêncio o seu tormento interior até o limite de suas provações. *Sabakiyaku* e *shimboyaku* fazem parte de um grupo de papéis denominado *jitsugoto*, personagens de grande porte varonil, maduras em idade e habilidades, os pivôs ao redor dos quais se movem os dramas heróicos, visto que carregam um *pathos*. Todavia, eles são cheios de compreensão humana: Naozane Kumagai de *Kumagai Jinya* (*O Acampamento de Kumagai*), Matsuô de *Terakoya* (*Escola Privada*), Yuranosuke de *Chûshingura* (*A Vingança dos 47 Vassalos Leais*) e Moritsuna de *Moritsuna Jinya* (*O Acampamento de Moritsuna*). Já o *otokodate* ("cavaleiro civil arrojado") sempre está pronto a desembainhar sua espada para proteger os menos favorecidos.

Com o decorrer do tempo, devido à progressiva complexidade de enredo das peças de *kabuki*, surgiram novos tipos de personagens, que ocasionaram subdivisões dentro de cada papel, respeitadas até hoje, e que deram origem a um novo tipo de peças, explorando-se a nova gama de personagens. Na categoria dos *katakiyaku* ("vilões"), foram criados o *kugue-aku* ("nobre arquivilão"), que tenciona usurpar o poder estatal; o *iroaku* ("vilão formoso e sensual"), uma espécie de Don Juan malicioso; *jitsuaku* ("vilão completo"), um patife inveterado, principalmente da classe dos samurais; *irogataki* ("vilão mau-caráter, rival amoroso de um bom caráter"); *hagataki* ("vilão secundário"), que funciona como mero instrumento do vilão verdadeiro; *handogataki* ("vilão cômico"); e, como não poderia deixar de ser, o correspondente feminino do *jitsuaku* ("vilão completo"), a *akuba* ("vilã"), geralmente interpretado por atores especializados em papéis masculinos, como a personagem Yashio em *Meiboku Sendai Hagui* (*A Disputada Sucessão na Família Date*).

Alguns vilões, entretanto, tinham a permissão de se redimirem no último instante. Esta redenção é tecnicamente denominada *modori* e ocorre somente após o vilão ter sido mortalmente ferido. Durante o *modori*, que é acompanhado de um lamento solitário, produzido por um tom bastante elevado da flauta, fora do palco, o vilão explica ao seu assassino que ele se arrependera há pouco e que acabara de realizar alguma ação heróica[3].

Nos *sewamono* ("peças domésticas"), os papéis de homens jovens, formosos e gentis, são denominados *nimaime*, literalmente "papéis secundários", e os cômicos, *sanmaime*, "papéis terciários". Não no sentido de serem papéis inferiores, mas por virem tradicionalmente listados, respectivamente, em segundo e terceiro

---

3. Faubion Bowers, *op. cit.*, p. 134.

lugares, no programa de *kabuki* que contém o elenco da peça. Papéis de pessoas más são chamados *akattsura*.

4.1.1. Onnagata, o Travesti mais que Perfeito

> – Por que as mulheres não trabalham no kabuki?
> – Mas isto seria muito real!
>
> KICHIEMON NAKAMURA I, ator de *kabuki*

– Não é possível!

É a exclamação de surpresa e admiração, unânime, que inevitavelmente escapa das bocas dos espectadores ocidentais, ao assistirem pela primeira vez a uma peça de *kabuki* e ao tomarem conhecimento de que todos os papéis femininos do *kabuki*, alguns deles simplesmente arrebatadores, são interpretados por homens.

Até o fim da Idade Média, tanto no Oriente como no Ocidente, nos teatros *bugaku*, *nô*, *kyôguen*, teatro chinês, bem como na Grécia clássica, no teatro elisabetano e no drama shakespeariano, devido a razões religiosas, os papéis femininos eram desempenhados por atores. Mas a peculiaridade do teatro *kabuki* é que se origina como *kabuki* de mulheres e, em 1629, com o estabelecimento do decreto xogunal proibindo vigorosamente o trabalho das atrizes nos palcos japoneses, o mesmo ocorrendo no teatro chinês, passa a desenvolver-se com um elenco constituído exclusivamente por homens – inicialmente, o *kabuki* de mocinhos e, mais tarde, o *kabuki* de homens adultos. Conseqüentemente, os atores de *kabuki* viram-se virtualmente forçados a suprir as necessidades dos papéis femininos, desenvolvendo técnicas para superar a limitação imposta, procurando apresentar uma atuação convincente de mulheres de todas as idades e condições sociais, das princesas às cortesãs e criadas.

Na mesma época do estilo de atuação *aragoto* ("rude"), em Edo, a arte do *onnagata* foi promovida e aperfeiçoada, como o estilo *wagoto* ("suave"), especialmente pelos atores da área de Kansai (Kyoto e Osaka), que desenvolveram habilidades interpretativas notáveis e levaram à perfeição, graças aos esforços de Ayame Yoshizawa I (1673-1729) e Tatsunosuke Mizuki (1673-1745), as artes de vestir, maquilar e comportar-se, de maneira acentuadamente feminina, da mulher tradicional japonesa, fortemente influenciada pela doutrina neoconfuciana do período Tokugawa. *Oyama* era sinônimo de *onnagata*, numa alusão às prostitutas que eram chamadas de *oyama* e constituíam a maior parte do elenco do *kabuki* de mulheres, ou ainda, em associação a Jirosaburo Oyama, na época, um verdadeiro gênio na arte de manipulação de bonecos femininos.

No início, os espectadores, ex-admiradores do *kabuki* de mulheres e do *kabuki* de mocinhos, desapontados com a presença de homens maduros em papéis femininos, exigiam desses atores a criação de uma realidade feminina, como se as mulheres saíssem da vida para o palco. Desse modo, os atores passaram a utilizar artifícios como as perucas grandes, que tornavam os seus rostos menores. E o princípio de criação da imagem da mulher real vigoraria durante os séculos XVII e XVIII.

Enquanto as peças de *bugaku* e *nô* consistem principalmente em danças e os papéis femininos são interpretados com máscaras, somente uma parte das peças de *kabuki* consistem em danças e os atores atuam com a face descoberta, apenas maquilada. Portanto, desde a mais tenra idade, os *onnagata* são treinados nas maneiras do sexo frágil. Sua perfeição enquanto *onnagata* só é alcançada através da observação estrita do princípio fundamental da arte do *onnagata*, proferida por Ayame, de que o ator especializado em papéis femininos deveria levar uma vida de mulher, mesmo quando fora do palco, em sua vida cotidiana, com vestuário feminino, os cabelos longos, gestos e movimentos de uma dama. Jamais fazendo menção publicamente a mulher e filhos, caso os tivesse, pois só dessa maneira poderia apresentar aos espectadores, através dos hábitos diários, quase inconscientemente, uma imitação convincente de uma mulher, posto que extensão natural de sua vida cotidiana real, tornando-se mestre na expressão de todas as nuanças femininas.

Como declara ainda Ayame Yoshizawa I, no seu célebre tratado, que contém os princípios fundamentais da arte do *onnagata*, *Ayame-gusa* (*Os Ditos de Ayame*), mais tarde considerado a bíblia dos *onnagata* e incluído no *Yakusha Rongo* (*Analectos dos Atores*), publicado em 1776:

> Se um *onnagata* estiver escondendo o fato de que é casado e encontrar pessoas falando a respeito de sua esposa, deve sentir-se como se estivesse corando. Caso contrário, ele não deveria estar interpretando papéis de *onnagata* e não terá sucesso na sua profissão.
>
> [...] O *onnagata* deve continuar tendo sentimentos de *onnagata*, mesmo quando no vestiário. Quando estiver fazendo uma refeição leve, também, o *onnagata* deve ficar de costas, de modo que as pessoas não possam vê-lo. Estar ao lado de um *tachiyaku* ["intérprete de heróis masculinos"], no papel de amante, e mastigar a comida sem nenhum charme, e depois ir diretamente ao palco e atuar numa cena amorosa, com o mesmo homem, levará ao fracasso de ambas as

partes, pois o coração do *tachiyaku*, na realidade, não estará pronto para se apaixonar.

[...] Para se apreender o porte de uma mulher, a cortesã é o tipo fundamental, mas para se captar o íntimo de uma mulher, a esposa fiel é o fundamental.

Ayame-gusa, de Ayame Yoshizawa I, e *Ume no Shita Kaze* (*Os Ventos sob a Ameixeira*), do famoso *onnagata* Baiko Onoe VI (1870-1934), são os dois textos mais importantes sobre a arte do *onnagata*.

No mundo do *kabuki*, diferentemente de hoje, onde se nota a marcante divisão ator x personagem, até a restauração Meiji, em 1867, vigorava o princípio de identificação ator x personagem. Os *onnagata* do período Edo obedeciam a um treinamento rigoroso, dedicando-se de corpo e alma a seus papéis, levavam uma vida completamente feminina, adotando movimentos graciosos, comportamento e sentimentos basicamente femininos, trajando quimonos de mangas longas e de colorido vivo, inclusive nas suas vidas cotidianas, fora do palco. Identificavam-se tão completamente com suas criações artísticas, acabando por assumir integralmente os seus lados femininos, a ponto de criarem incidentes curiosos, como, no início do século XIX, quando um *onnagata* foi preso ao tentar tomar banho no setor feminino de uma casa de banhos públicos. Mas foi somente durante a era Meiji que os *onnagata* começaram a atuar com voz feminina.

Na palestra *Seres Humanos, Bonecos e Máscaras*, por ocasião do Festival Internacional de Teatro, em Tokyo, durante o mês de agosto de 1988, realizado para promover o distrito de Ikebukuro como área teatral, assim como Shinjuku já é consagrada área cinematográfica, o ator de *kabuki* Jyakuemon Nakamura, em suas declarações acerca da interpretação de papéis femininos, afirmou que a maquilagem do *onnagata* é relativamente simples, com o emprego de três cores básicas: branco, preto e vermelho. Após untar a face com óleo espesso, passa-se uma camada branca, pintando e borrando levemente os cantos dos olhos e os lábios de vermelho. Nas mulheres de classe, ao invés do vermelho, adota-se carvão para os olhos. Uma vez vestido e maquilado como mulher, ele transforma-se no *onnagata* Jyakuemon e todo o seu relacionamento com o pessoal do teatro se faz em termos do *onnagata* Jyakuemon, abstendo-se até mesmo de ir ao banheiro, pois a visão da posição masculina ao urinar, arregaçando o quimono, destruiria abominavelmente toda a convenção laboriosamente criada.

A era Guenroku (1688-1735) foi uma época de grande popularidade do *wagoto*, o estilo suave de representação do *kabuki*, tendo as cortesãs, interpretadas por homens, como heroínas. Numa passagem de *Ayame-gusa*, Ayame Yoshizawa I, o mais famoso *onnagata* desse tempo, cognominado o "talento misterioso de todas as épocas", é categórico na afirmação de que uma atriz, num papel feminino, tornaria a atuação muito real, abolindo a distinção ator x personagem e, portanto, destruiria a estilização: "Se uma atriz aparecesse no palco de *kabuki*, ela não poderia expressar a beleza feminina ideal, pois contaria apenas com a exploração do seu charme físico e, conseqüentemente, não expressaria o ideal total. A mulher ideal só pode ser representada por um ator".

Atualmente, vigora a criação não da imagem da mulher real e sim a da mulher ideal, visto que o ideal do *onnagata* é uma abstração da feminilidade.

Somente um *onnagata* inferior tentaria convencer o público de que ele é realmente uma mulher, movendo-se ou falando de maneira literalmente feminina. O *onnagata* difere, assim, dos intérpretes de papéis femininos do Ocidente ou da Ópera Chinesa, que podem ser virtualmente indistinguíveis das mulheres reais numa encenação[4].

A magnificação dos traços de graciosidade, inteligência, beleza e sensualidade, na criação de um ideal, o que os *onnagata* enquanto homens considerariam a mulher ideal, e que resulta altamente estilizada, uma vez que vista através dos olhos dos homens que as interpretam. Os quais, por vezes, dizem conhecer as mulheres melhor do que as próprias mulheres a si mesmas. Uma abstração da feminilidade, que acaba captando e criando a quintessência da feminilidade, melhor do que qualquer mulher real poderia expressar, porque os *onnagata* penetram no universo feminino, enxergando seus pontos fortes e fracos, captando assim a beleza feminina e polindo-a até a perfeição. Enquanto as mulheres se sentem tranqüilas nos papéis femininos, não se enxergam a si mesmas e, dessa maneira, não conseguem expressar integralmente a sua feminilidade.

O mais célebre *onnagata* da atualidade continua sendo Utaemon Nakamura VI, condecorado como "Tesouro Nacional Humano". Contudo, o mais belo e popular *onnagata* junto ao público mais jovem é, sem dúvida, Tamasaburo Bando, 42 anos, um verdadeiro mestre na arte do *onnagata*, que interpretou a jovem

---

4. Donald Keene, Introdução a *Kabuki – The Popular Theatre*, p. 15, de Yasuji Toita.

louca na peça de *nô* moderno, *Hanjo*, de Yukio Mishima; a mãe que fica temporariamente insana, na ópera *Curlew River*, de Benjamin Britten, numa adaptação do *nô O Rio Sumida*; atuou em peças de Shakespeare, nos papéis de Lady Macbeth (1976) e Desdêmona (1977); e também como Medéia e a Dama das Camélias, introduzindo, assim, novos elementos no *kabuki*. Segundo o parecer de Tamasaburo, que os próprios americanos dizem "colocar no chinelo" o Dustin Hoffman de *Tootsie*, e que ultimamente vem se dedicando também à direção teatral:

> O que cheguei a compreender sobre as mulheres é que não se pode entendê-las. Não se pode expressá-las através de palavras, nem elas o conseguem, nem as ações podem representá-las ou contê-las. As mulheres, você pode perseguir até as profundezas de sua alma; os homens, você pode apenas se compadecer. [...] As mulheres estão para além da racionalidade, pensamento e linguagem. Elas são como a própria terra[5].

Mais recentemente, um jovem *onnagata*, que vem recebendo aclamação clamorosa do público, é Kotaro Nakamura, filho de Shikan Nakamura, igualmente um *onnagata*.

Alguns *onnagata*, autênticas "mulheres fatais", possuem grande beleza, maneiras refinadas e vozes bastante femininas. No entanto, por paradoxal que pareça, em papéis de mulheres jovens, mesmo que, às vezes, a voz do *onnagata* seja um tanto rouca, ou um tanto forçada, e seus traços faciais, cobertos por uma espessa maquilagem, não sejam tão belos nem tão juvenis, porém marcantemente masculinos e já adentrando na faixa dos cinqüenta ou sessenta, a rejeição da realidade a favor de uma beleza feminina estilizada resulta numa beleza e charme femininos muito mais refinados e sedutores do que os das mulheres reais, e num modo de atuação muito mais feminino do que seria o das próprias atrizes no palco.

No interessante ensaio " 'A Kind of Woman': The Elizabethan Boy-Actor and the Kabuki *Onnagata*", Peter Hyland[6] traça um paralelo entre o *onnagata* do *kabuki* e o intérprete de papéis femininos do teatro elisabetano. Através da observação da prática real dos *onnagata*, cujos papéis femininos não são interpretados por garotos, mas por homens maduros, até as suas velhices, com os seus físicos cuidadosamente ocultos sob o quimono, maquila-

---

5. Alan Booth, *Tamasaburo Bando – Kabuki Femme Fatale*, p. 48.
6. Peter Hyland, " 'A Kind of Woman': The Elizabethan Boy-Actor and the Kabuki *Onnagata*", em *Theatre Research International*, vol. 12, nº 1.

gem e cabeleira, Hyland chega à conjectura de que, por sua vez, no teatro elisabetano, os papéis de moças teriam sido desempenhados, quase que naturalisticamente, por garotos de pequena estatura, de dez a treze anos de idade, com a voz ainda inalterada, havendo casos porém de atores em papéis femininos até os seus 28 anos. Os papéis de mulheres mais maduras, como Gertrude, Cleópatra, Volumnia, e um pouco mais jovens, mas não de raparigas, como Regan, Goneril e Desdêmona, bem como nas comédias satíricas, teriam sido encarnados por atores maduros, na faixa dos quarenta e cinqüenta, conforme citado nos versos que prefixam uma versão de *Otelo*:

> Pois (para falar a verdade), homens, que estão entre
> Quarenta e cinqüenta, interpretam moças de quinze;
> Com ossos tão largos, e nervos tão incomplacentes,
> Que quando você chama Desdêmona, entra uma gigante.

Se, por um lado, os *onnagata* emitiam uma voz em timbre bastante alto e não natural, tendendo antes a representar a voz de uma mulher, e movimentavam-se de maneira estilizada, exagerando a elegância e a feminilidade, por outro lado, a atuação dos intérpretes de papéis femininos elisabetanos assemelhava-se, até certo ponto, à dos *onnagata*, uma vez que era igualmente formalizada, mas em menor grau de artificialização e a voz tendia ao *falsetto*, que pode ser confundido com a voz de uma mulher real.

No início, os papéis interpretados pelos *onnagata* eram classificados em duas grandes categorias: *waka-onnagata* e *kasha-gata*. O *waka-onnagata* ("*onnagata* jovem"), interpretado por atores jovens, compreendia as *hime* ("princesas"), papéis de jovens princesas, moças de classe social elevada ou muito ricas; *keisei*, as cortesãs de alta classe; *musume*, as jovens da classe mercantil em geral. Já o *kasha-gata* ("mulher de meia-idade") abrangia as *sewa-nyobo*, as leais, trágicas e resolutas esposas dos mercadores, um dos principais papéis femininos dos *sewamono* ("peças domésticas"), encarnações de todas as virtudes domésticas, exercendo considerável influência sobre seus maridos e filhos; *katahazushi no yaku* ("nome derivado do estilo de cabelo"), mulheres de caráter, esposas ou mães da alta classe dos samurais, forçadas aos mais extremos sacrifícios, vítimas de circunstâncias cruéis, sendo os correspondentes femininos dos *sabakiyaku* ("homens de julgamento"); e, menos freqüentemente, *onnabudo*, esposas da casta militar, mulheres enérgicas, dotadas de temperamento guerreiro, sendo, por vezes, mais importantes do que os heróis das peças.

Akahime, literalmente "princesas vermelhas", são as personagens de origem nobre, filhas de xoguns, senhores feudais ou aristocratas, assim denominadas porque se vestem invariavelmente de magnífico quimono de brocado com o predomínio da cor vermelha; com uma tiara de quatro fileiras prateadas, com flores de ameixeira e borboletas, a ornamentar-lhes os cabelos. Geralmente mantêm a manga direita do quimono frente a seus colos e a manga esquerda estendida afastada do corpo. São fisicamente frágeis, a maior parte de seus diálogos consiste em tímidos protestos, mas são passionais, capazes de grandes sacrifícios e ativamente agressivas quanto à obtenção do amor almejado, sendo freqüentemente heroínas de estórias de amor. Os papéis das princesas Yaegaki, Toki e Yuki, coletivamente conhecidos como "papéis das três princesas", estão entre os mais difíceis de serem interpretados pelos *onnagata*. Na cena "Jishukô" ("Queima de Incenso") da peça *Honcho Nijûshikô* (*As 24 Expressões de Amor Filial*), que retrata a luta entre os clãs Uesugui e Takeda, no século XVI, a princesa Yaegaki, agora com um quimono de fundo branco, que indica estar possuída por um espírito, retira das mãos do pai um valioso capacete e devolve-o ao amado, seu verdadeiro proprietário. A princesa Toki, em *Kamakura Sandaiki* (*Trilogia de Kamakura*), tragédia relativa ao cerco de Osaka, após tentar assassinar o pai, abandona-o pelo marido. E na cena "Kinkakuji" ("Templo do Pavilhão Dourado") da peça *Guion Sairei Shinkôki* (*Viagem ao Festival de Guion*), acerca dos distúrbios numa família do século XVI, a princesa Yuki deixa-se capturar pelo inimigo a fim de salvar o amado e, ao ser presa a uma cerejeira, clama pela ajuda dos ratos, que roem a corda e a libertam.

Enquanto nos teatros *nô* e *kyôguen*, os papéis mais difíceis são exclusividades dos atores maduros e experientes, no *kabuki*, ao contrário, quando os atores atingem as idades equivalentes de suas personagens, são treinados a desempenhá-las.

Mas o papel feminino mais popular e mais difícil de ser encarnado no *kabuki* é, sem dúvida, o da *keisei*, a cortesã de alta classe. Admirada, não só como objeto de beleza, pela sua sensualidade e charme femininos, enfatizados pelo uso de rico vestuário e pesadas cabeleiras, mas também pela adoção de rígida etiqueta baseada na corte antiga, pelo treinamento artístico e educação em geral. Altamente habilitada em dança, música e canto tradicionais japoneses, poesia, cerimônia do chá, arranjo de flores, com uma conversação inteligente e espirituosa, a cortesã de grande luxo acabou por tornar-se o símbolo estético do período Edo.

Ayame Yoshizawa I (1673-1729), o mais famoso *onnagata* da era Guenroku, cognominado "o talento misterioso de todas as épocas".
Macbeth, de Shakespeare, interpretado por atores de *kabuki:* Tamasaburo Bando (Lady Macbeth) e Shôroku Onoe (Macbeth).
Foto: Museu do Teatro da Universidade Waseda

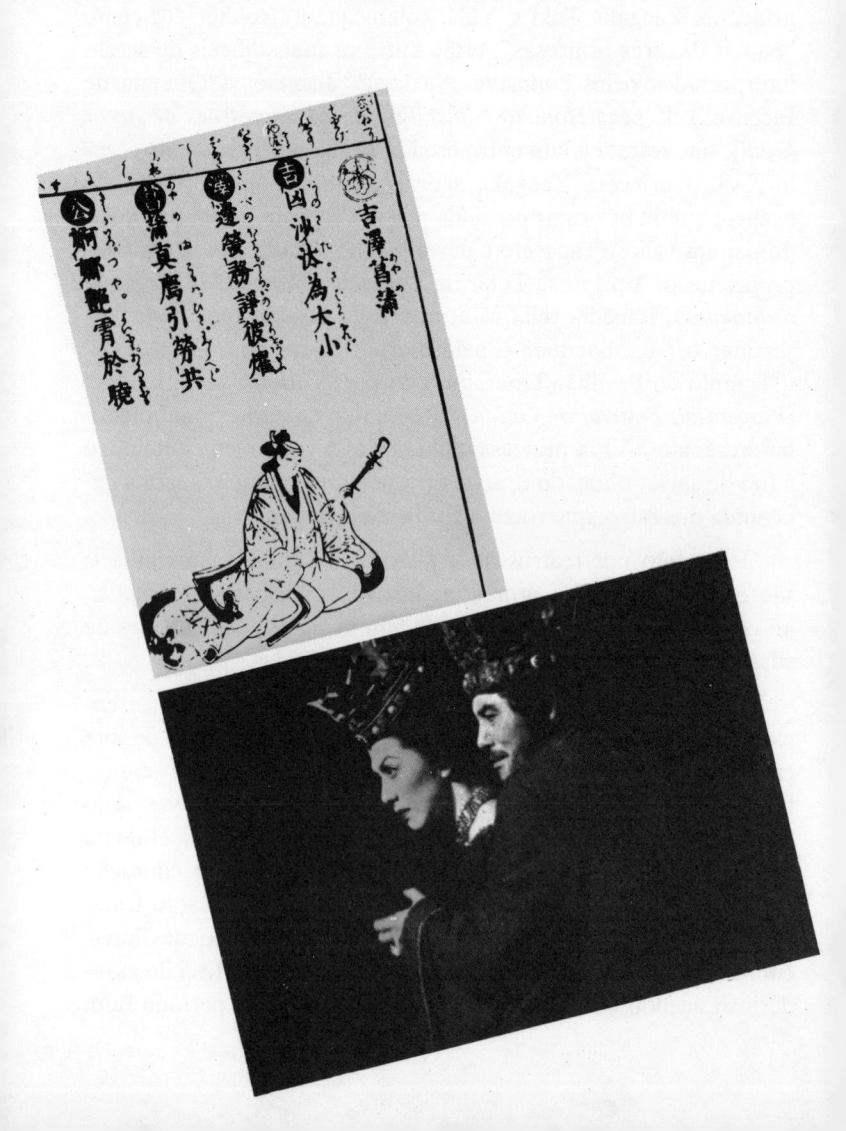

Os *onnagata* (atores intérpretes de papéis femininos) da atualidade: Utaemon Nakamura VI, "Tesouro Nacional Humano", em *Yoshinoyama* (*As Montanhas Yoshino*).

Jyakuemon Nakamura IV em *Kasuga no Tsubone* (*Lady Kasuga*).

Tamasaburo Bando, o mais belo e refinado *onnagata*.

Fotos: Panfletos do Kabuki-za e Teatro Nacional do Japão, em Tokyo.

PAPÉIS DAS TRÊS PRINCESAS VERMELHAS

Princesa Toki em *Kamakura Sandaiki* (*Trilogia de Kamakura*)

Princesa Yuki em *Guion Sairei Shinkôki (Viagem ao Festival de Guion)*
Princesa Yaegaki em *Honcho Nijûshikô (As 24 Expressões de Amor Filial)*
Fotos: Museu Do Teatro da Universidade Waseda

CONSTRUÇÃO DA CABEÇA FEITA DA MADEIRA DE *KISO* (CIPRESTE JAPONÊS)

Esboço

Escultura

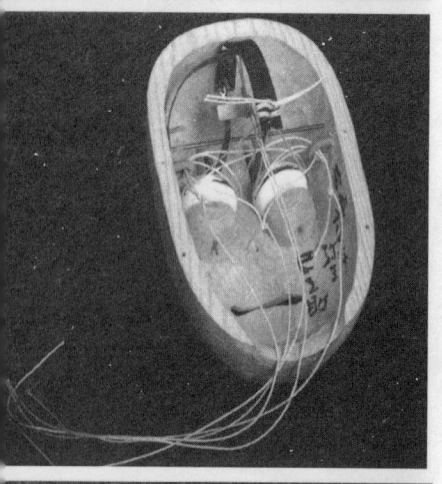

Parte-se em dois, na frente dos ouvidos, cava-se e coloca-se os artifícios para mover sobrancelhas e olhos.

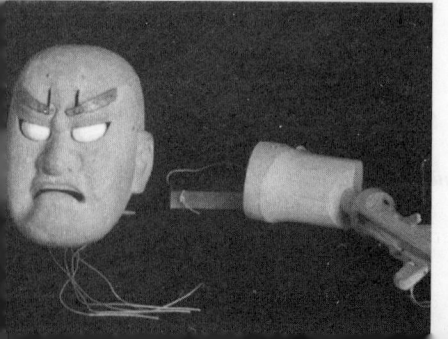

Cabeça e espeto do tronco são ligados através do pescoço.

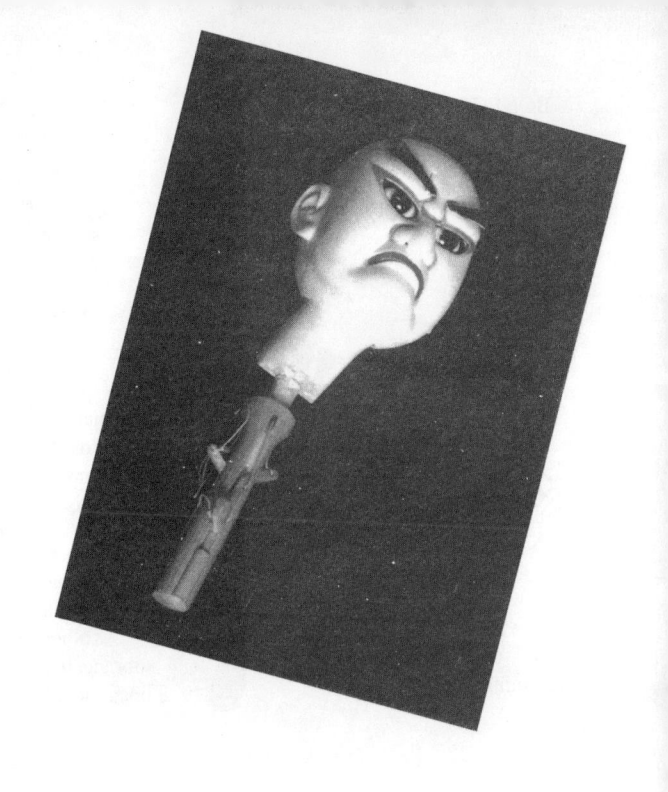

Pintura de acabamento
Fotos: Seisuke Miyake/Teatro Nacional Bunraku, em Osaka

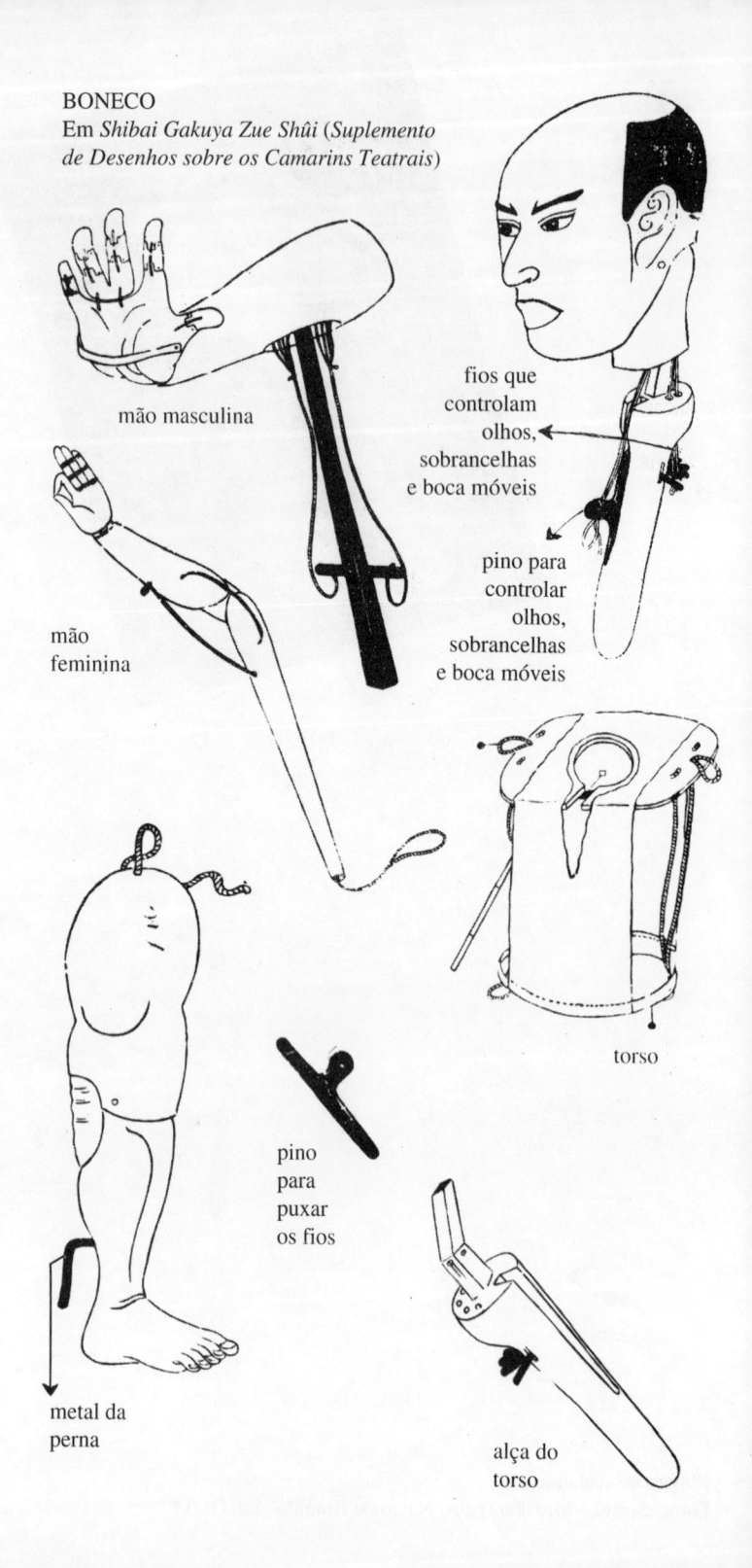

BONECO
Em *Shibai Gakuya Zue Shûi* (*Suplemento de Desenhos sobre os Camarins Teatrais*)

mão masculina

mão feminina

fios que controlam olhos, sobrancelhas e boca móveis

pino para controlar olhos, sobrancelhas e boca móveis

torso

pino para puxar os fios

metal da perna

alça do torso

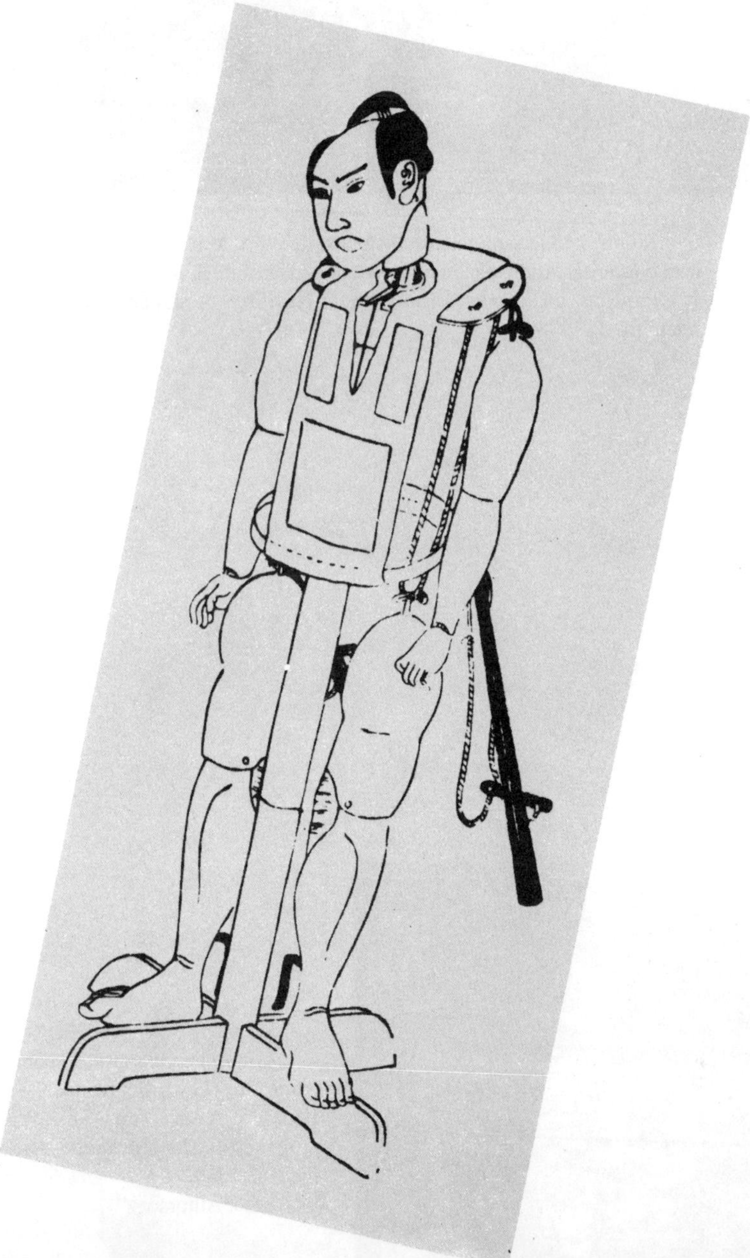

Minosuke Oe, atualmente o melhor artesão de cabeças de bonecos para o *bunraku,* trabalhando em seu ateliê (Tokushima, Shikoku).

Panfleto da Exposição no Teatro Nacional do Japão-Tokyo em setembro de 1988.

Minosuke Oe e esposa com a trupe do Teatro de Bonecos da Ilha de Awaji, em Shikoku. Oonarutobashi Kinenkan, 4 de maio de 1989.

Foto: Autora

Aparentemente tímida, mas, na realidade, espirituosa, possuía rija fibra interna e grande força de decisão, capaz, às vezes, de enormes sacrifícios e de render-se incondicionalmente à força de uma grande paixão, pronta antes a morrer do que a trair o seu amante. Fonte de numerosas estórias de duplo suicídio, intrigas amorosas, vinganças, conflito entre honra e paixão. Nas peças de *kabuki* verificamos uma idealização das prostitutas e uma descrição romântica dos bordéis. As princesas e as cortesãs criam uma atmosfera de romance no palco.

No passado, os *onnagata* ocupavam uma posição privilegiada, vindo logo abaixo da de proprietário e de chefe da companhia teatral. Por volta de 1794, os *onnagata* recebiam salários mais elevados do que os atores principais; já em 1828, os salários dos *onnagata* e dos *tachiyaku* passaram a se equivaler, o que vigoraria até 1867.

Todavia, o Japão, como uma sociedade que permanece fortemente patriarcal, até hoje, relega a mulher a um plano secundário. Conseqüentemente, também no mundo do *kabuki*, os *tachiyaku* ("intérpretes de heróis masculinos") recebem nomes mais prestigiosos do que os *onnagata*, relegados a uma categoria inferior. Embora reinando supremos nas cenas de dança, os *onnagata* sempre mantêm-se na posição de retaguarda, guardando uma certa distância das personagens masculinas, expressando deste modo o devido respeito aos homens, que era imposto às mulheres do período Tokugawa.

E foi dessa maneira que, pouco a pouco, os *onnagata* fizeram um avanço considerável na arte de representar mulheres, conseguindo captar de maneira exata e perspicaz a psicologia e os sentimentos femininos, que passavam despercebidos às próprias mulheres, expressando-os de maneira levemente exagerada ao embelezá-los enfaticamente. Assim, os *onnagata* acabaram por conquistar a admiração e o respeito do público e estabeleceram, através da magia de sua presença no palco, padrões de beleza, vestuário e etiqueta, para a população feminina da época. No mundo contemporâneo, onde verificamos, a cada dia, a crescente ocidentalização dos países orientais, os *onnagata*, pelo retrato idealizado que dão, até os nossos dias, do modelo de feminilidade tradicional japonesa, atraem as atrizes e as gueixas, que afluem aos teatros para aprender, junto a eles, o charme feminino, o porte elegante e os modos de vestir, maquilar e comportar-se da mulher tradicional japonesa. "Desse modo, o *kabuki* criou uma mulher ideal, ambos para o palco e para a sociedade em geral."[7]

Na Europa continental, as primeiras atrizes começam a aparecer nos palcos já no fim do século XVI e, na Inglaterra, por volta de 1661, ocasionando o desaparecimento dos atores-adolescentes. Recentemente, no Japão, algumas atrizes fizeram tentativas no sentido de substituir os *onnagata*, imitando suas técnicas quanto aos modos de falar, andar e comportar-se. No entanto, foram rejeitadas, tanto pelo público como pelos próprios atores de *kabuki*, que continuam a considerar o *onnagata* a estilização central, vital e absolutamente indispensável para a preservação do genuíno teatro *kabuki*.

É claro que a personificação de mulheres por homens tem um fascínio estranhamente decadente [observa Tamasaburo]. Ela convida a um interesse um tanto clandestino, de modo que há uma sensação de que o *onnagata* simplesmente satisfaz a curiosidade superficial, representando uma exibição. Contudo, o *onnagata* possui também grande beleza, a essência da qual reside na interpretação do ideal feminino, conforme eu o percebo. É provável que, se os papéis que representamos fossem encarnados por mulheres reais, sua realidade em carne e osso se intrometeria. Há também um significado espiritual, creio, no fato de que a profissão de ator une tradicionalmente os homens a um outro mundo. O ator é como um médium, um xamã ou um sacerdote, celebrando uma missa. Nos tempos antigos, homens e mulheres cooperavam como médiuns – a mulher caía em transe, que o homem interpretava. Num sentido, então, nós, que podemos combinar os dois sexos numa só pessoa, somos eminentemente apropriados para o papel de ligar o mundo dos homens ao mundo dos espíritos. No teatro de todas as culturas antigas, da Grécia, Índia, China, na ópera também – os papéis femininos eram desempenhados por homens; e talvez isso fosse uma forma de inspiração. Há, afinal de contas, algo no teatro, que traz paz à alma humana. Não suponho que deva falar deste modo – é apenas uma opinião pessoal, você sabe; Deus nunca me deu o seu aval de aprovação. O *onnagata* pode ter-se desenvolvido historicamente como uma reação à repressão do governo, mas sinto que certamente deve haver algo mais em nós do que isso. Se isso fosse tudo, por que nós sobrevivemos? Por que, nestes tempos mais liberais, o *kabuki* não se reverteu às atrizes?[8]

Investigando as emoções, as atitudes e a natureza em geral da alma feminina, a arte do *onnagata* permanece até hoje como uma das características invulgares, de singular beleza e uma das atrações primordiais da tradição do *kabuki*, sem paralelo em outras expressões dramáticas no mundo. Enquanto no ator ocidental interpretando papéis femininos, sempre permanece um quê do

---

7. Yasuji Toita, *op. cit.*, p. 75.
8. Alan Booth, *op. cit.*, pp. 44-45.

gay-boy, no *kabuki* a arte do *onnagata* é soberba, ao conseguir transmutar os rudes e pesados corpos masculinos em convincentes e atraentes mulheres de todas as idades. Logo, a estética de estilização do *kabuki* é grandemente intensificada na arte do *onnagata*, devido ao processo da transexualidade levado à perfeição.

4.1.2. Kôken / Kurogo / Kyôguen-Kata

Durante a encenação de uma peça de *kabuki*, figuras completamente vestidas de negro aparecem no palco, movendo-se de lado, o mais silenciosa e obscuramente possível, seguindo os atores como se fossem as suas sombras. Impressionam bizarramente quem vê um espetáculo de *kabuki* pela primeira vez, produzindo um efeito de estranhamento. Trata-se dos *kôken* ou *kurogo*, assim denominados por envergarem o *kurogo*, vestuário composto de um traje negro e mesmo um capuz negro, com o preto, no *kabuki*, expressando a inexistência. Geralmente são discípulos de um ator principal e têm a função de assistentes de palco, auxiliando no desenvolvimento da peça: estendem e recebem de volta, quando não mais necessários, pequenos acessórios como leque, espada, papéis, banquetas; removem amplos cenários; abrem e fecham a cortina. No estilo dos *ninja* ("agentes secretos"), os *kurogo* são invisíveis e nas suas mãos os objetos desaparecem. Obedecendo ao princípio de adequação visual ao cenário da peça, nas cenas de neve vestem-se inteiramente de branco, sendo denominados *yukigo* ("mantos de neve"); nas cenas marítimas são chamados *namiko* ("mantos de ondas"), usando trajes azul-claros ou azuis com listas brancas. Embora às vezes desempenhem papéis extremamente complexos, como os pés e pernas de um cavalo, que requerem a sincronização do grupo como um todo, não têm o reconhecimento oficial nos programas de *kabuki*, sendo apenas mencionados como "um grande grupo".

Nos dramas dançantes, os *kôken*, literalmente "olhar para trás", por manterem-se atrás dos atores, vestem *kamishimo* ("traje formal do período Edo") e usam cabeleira, ou aparecem simplesmente com as cabeças descobertas. Embora pareçam estar apenas ajeitando as linhas do vestuário do ator, ou auxiliando-o nas mudanças de trajes efetuadas no palco, na realidade, como no teatro *nô*, devem estar prontos, a qualquer momento, para substituírem o ator em qualquer eventualidade ou acidente no palco. Portanto, exercem uma função difícil, devendo ser tão hábeis quanto os atores. Quando não estão auxiliando os atores, ajoelham-se no fundo do palco, com as costas voltadas para o público, o que, na convenção estética do *kabuki*, os torna inexistentes. Uma tradição herdada do teatro *nô* que existe também no teatro de bonecos da Indonésia e na Ópera Chinesa.

Durante os ensaios, o *kyôguen-kata*, vestindo igualmente o *kurogo*, age como diretor de palco e, especialmente nos primeiros dias de encenação de uma nova peça, atua como ponto, tendo ainda a função de bater o *hyôshigui* ("par de matracas"), nas mudanças dos acessórios e ao abrir/fechar a cortina.

4.1.3. *O Sistema de Especialização de Papéis*

Yakugara, o sistema de especialização de papéis, comum tanto ao Oriente como ao Ocidente, existente nos teatros *nô*, *kyôguen*, *kabuki*, na Ópera Chinesa e na *commedia dell'arte*, fazia com que, não importasse a produção de novas peças, cada ator, restrito a um único papel, desempenhasse sempre o mesmo tipo-padrão, aperfeiçoando, assim, as suas técnicas para a interpretação desse papel específico.

No teatro *kabuki*, o início da desintegração do sistema de especialização de papéis data do fim do período Edo (1603-1867). No final do século XIX, devido ao surgimento do fenômeno da proficiência de papéis, com os atores vangloriando-se da versatilidade de suas técnicas para a interpretação de várias personagens, tanto masculinas como femininas, jovens ou anciãs, sérias ou cômicas, verifica-se gradativamente a ruptura da tradição de especialização em um único papel, por toda a vida. Mesmo assim, ainda hoje, os atores da família Danjuro Ichikawa tendem a especializar-se como heróis masculinos, em atuações de estilo *aragoto* ("rude"), enquanto os da família Utaemon Nakamura são famosos intérpretes de papéis femininos.

No presente, devido em parte ao menor número de atores, e também como uma espécie de atração especial, um ator desempenha, numa mesma peça, um papel masculino violento e, a seguir, um importante papel feminino, chegando mesmo ao caso de cada ator representar dois ou mais papéis em um único ato. O *tachiyaku* ("herói adulto"), que eventualmente interpreta uma mulher, é chamado *kayaku*, e o ator proficiente em diversas personagens é denominado *kaneru yakusha* ("ator capaz de desempenhar vários papéis"), a mais ilustre denominação concedida a um ator de *kabuki*. Exemplos recordes de atuação num grande número de papéis, numa mesma peça, foram registrados por Danjuro IX, Kikugoro VI e, atualmente, Ennosuke Ichikawa V, que, com o seu dinâmico e exuberante "super*kabuki*", chega a interpretar dez papéis em *Date no Jûyaku*, transformando-se de uma personagem em outra em questão de segundos, como num passe de mágica. No *tooshi-kyôguen*, encenação completa de uma peça longa, composta de vários atos, o que é muito raro hoje em dia, uma mesma personagem chega comumente a ser representada por vários atores.

Mais recentemente, observa-se a tendência de os atores de *kabuki* participarem também de peças de *shimpa* ("escola nova"), *shingueki* ("drama moderno"), musicais e mesmo de programas televisivos.

4.1.4. Contratos e Salários

A partir de 1714, após o grande escândalo do caso Ejima-Ikushima, envolvendo a dama de companhia de alta classe Ejima e o ator Shingoro Ikushima, que resultou no fechamento do Teatro Yamamura-za, e até o fim do período Tokugawa, em 1867, os Teatros Nakamura, Ichimura e Morita, embora mudando ocasionalmente as suas localizações, passam a constituir os três mais célebres e únicos teatros oficiais *kabuki* de Edo. Nesses teatros, o sistema de contratos e salários funcionava da seguinte forma: os fundos levantados para uma temporada teatral ficavam a cargo do dono ou agente teatral e os atores assinavam contrato pelo período de um ano. No início do século XIX, os salários dos atores de *kabuki* elevam-se de tal maneira que o governo estipula uma lei, impondo um limite. Os *senryô-yakusha*, atores com salário de mil *ryô* por ano, eram muito talentosos e embora permanecessem num estrato social inferior, podiam levar uma vida de abundância como a dos maiores ricaços da Edo de então.

Dedicando suas vidas à arte do *kabuki*, devotando um profundo respeito por suas tradições e seus ancestrais, fazendo do teatro e de sua trupe praticamente a sua casa e a sua família, só a partir do fim do século XIX, com a restauração Meiji, os atores de *kabuki* começaram a ser respeitados, artística e socialmente, com o comparecimento do ex-presidente Grant dos Estados Unidos às encenações de *kabuki*, no Shintomi-za, em 1880, e do imperador Meiji, em 1887, no jardim do ministro das Relações Exteriores, conde Inoue.

Atualmente, não mais segregados do resto da sociedade, alguns atores de *kabuki* de talento excepcional tiveram o reconhecimento de seus esforços em prol da preservação dessa singular tradição teatral japonesa. Foram condecorados pelo imperador Hiroíto, como "Tesouros Nacionais Humanos", como Kanzaburo Nakamura XVII, e mesmo com o *bunka kunshô* (Ordem do Mérito da Cultura), a mais alta honraria cultural concedida no Japão, atribuída a Shôroku Onoe, que atuou também em *Cyrano de Bergerac* e *Otelo*.

Que ironia e que destino singular o desses bravos atores de *kabuki*. De antigos párias e marginais, associados aos *eta* ("não humanos"), às prostitutas, aos pervertidos sexuais e aos mendigos das margens do rio, chegam ao sucesso e à consagração máxima, como "Tesouros Nacionais Humanos" e sendo agraciados com a Ordem do Mérito da Cultura. Mas nessa empreitada levaram mais de três séculos e meio, e tiveram que pagar um preço muito alto. Das calúnias e blasfêmias continuamente recebidas, aprenderam uma dura lição: a necessidade de rejeição de todos os preconceitos sociais para o florescimento pleno de qualquer arte. E o teatro *kabuki* chega até nós, com toda a sua pujança, magnificência e esplendor, através dos esforços desses homens de teatro, que vêm transmitindo, de geração a geração, a sua única e imutável certeza: um amor irrestrito pela arte de representação popular.

4.2. A DUPLA DO *BUNRAKU*: BONECOS E MANIPULADORES

O *bunraku* caracteriza-se por ser um teatro de bonecos singular, sem paralelo no mundo, por constituir-se da dupla bonecos e manipuladores, sendo três manipuladores para cada boneco principal. Nele, os manipuladores conseguem, através de suas mãos sensíveis, fazer com que os bonecos, meras peças de madeira pintada, deixem de ser inanimados e saltem para a vida, manifestando as alegrias, as invejas, os amores, as vinganças, os ódios e as paixões, os sentimentos próprios das criaturas humanas e, embora bonecos, por vezes, com expressões mais humanas do que os próprios seres humanos.

4.2.1. Bonecos

Originalmente, os bonecos do teatro *bunraku* eram bem menores do que os atuais e, quando ainda não tinham pernas nem pés, os manipuladores atuavam ocultos do público, atrás de um pequeno palco elevado, onde os bonecos eram apresentados. Mas a partir de 1734, os titereiros começaram a aparecer no palco, permanecendo totalmente visíveis ao público, e os bonecos, necessitando parecer maiores, começaram a ser padronizados, embora variassem de acordo com a personagem, no tamanho aproximado da metade da altura de um ser humano, com o seu peso variando de cinco a vinte e cinco quilos, os mais pesados chegando a atingir o peso de uma criança. Um ato de uma peça de *bunraku* pode ter a duração de até uma hora e, durante toda a apresentação, a mão esquerda do manipulador-chefe é que sustenta a maior parte do peso do boneco, que tem em média de dez a quinze quilos.

Um boneco de *bunraku* tem uma estrutura básica relativamente simples, composta de partes destacáveis: cabeça, armação do ombro, tronco, braços e pernas. O tronco é feito de uma espessa massa de *papier-mâché*, ou tecido acolchoado, que ganha forma ao ser recoberto com o vestuário. A cabeça, braços e pernas são destacáveis e intercambiáveis. Os quadris são delineados por um aro de bambu, sendo que quadris, braços e pernas, no caso de bonecos masculinos e de jovens garotos, são suspensos por cordas presas aos quatro cantos da armação de madeira do ombro. Os bonecos masculinos, com cerca de um metro de altura, são bem maiores e mais pesados do que os bonecos femininos. Camadas superpostas de esponjas vegetais macias são colocadas na armação do ombro de uma boneca, de modo a sugerir o arredondado dos belos ombros de uma jovem cortesã; nos de uma anciã, esponjas menos espessas e mais estreitas; nos guerreiros, ombros largos e altos; num ancião, ombros caídos. Como as mulheres japonesas tradicionalmente usavam quimonos longos, arrastando-se pelo solo, as bonecas femininas do *bunraku* trajavam igualmente quimonos compridos e eram construídas sem pernas e pés, exceto em papéis de viajantes e na peça *O Duplo Suicídio em Sonezaki*.

Enquanto na maioria dos teatros de bonecos ocidentais os bonecos geralmente têm o formato do corpo estabelecido, é exatamente o vazio da parte interna dos bonecos de *bunraku* que vai possibilitar aos manipuladores criarem o arredondado do corpo e a flexibilidade de movimentos, próprios dos seres humanos. Ao contrário da estética ocidental, a concepção tradicional japonesa de beleza feminina reside no ocultamento do corpo. No verão de 1986, quando de minha visita aos bastidores do Teatro Nacional Bunraku de Osaka, ao tentar operar, pela primeira vez, uma boneca feminina, uma "princesa vermelha", o manipulador me admoestou inúmeras vezes sobre a necessidade de cobrir ao máximo os braços da boneca, deixando entrever apenas as pontas dos dedos, posto que a visão dos braços desnudos destruiria toda a graça e feminilidade da princesa. Obedecendo ao mesmo princípio, as bonecas femininas são construídas sem pés, uma vez que estes destruiriam a graça das linhas criadas pelo longo quimono.

Necessitando de reparação contínua para a preservação tanto da superfície externa das cabeças, braços, pernas, mãos e pés, como também do funcionamento de seu mecanismo interno, os bonecos recebem esse atendimento de técnicos especializados.

Por considerarem os bonecos como personalidades reais, os manipuladores os tratam com deferência e respeito, conservando inclusive alguns em seus próprios camarins. Por exemplo, a boneca Oiwa, a famosa fantasma de *Yotsuya Kaidan* (*Conto dos Fantasmas de Yotsuya*), é colocada no camarim do manipulador-chefe, para evitar infortúnios ao teatro.

4.2.1.1. Cabeças

Kashira, as cabeças dos bonecos de *bunraku*, são, como as máscaras de *nô*, verdadeiras obras de arte em escultura de madeira, exceto a cabeça do guerreiro cego Kaguekiyo, que é recoberta de tecido. Geralmente são de *hinoki*, o cipreste japonês, mas as mais simples são feitas de *kiri*, madeira leve da árvore *paulownia*. Embora variando de tamanho, de acordo com a personagem, o poder do laqueado branco, rosa ou bege, pintado nos rostos, reflete fortemente a luz e faz com que as cabeças pareçam maiores. Contudo, na realidade, elas são menores proporcionalmente ao corpo da maioria dos japoneses. Provavelmente, para parecerem bonecos adultos, uma vez que o *bunraku* é teatro de bonecos para adultos.

A arte de esculpir cabeças para o teatro *bunraku* permaneceu, durante longo tempo, como as demais artes tradicionais do Japão, uma tradição secreta, reservada a um círculo restrito de algumas poucas famílias de Tokushima, em Shikoku. A magnífica coleção de cabeças da Companhia Bunraku foi destruída, em parte, no incêndio de Osaka, em 1926, e o restante, durante o bombardeio da Segunda Guerra Mundial, em 1945. Portanto, as cabeças atuais são cópias reproduzidas de originais pertencentes a algumas famílias.

O artesão esculpe toscamente a cabeça e a face do boneco num bloco de madeira, serra-a em duas partes, no sentido longitudinal, e esvazia as duas metades, aí colocando os variados artifícios mecânicos necessários para movimentar sobrancelhas, olhos e boca. Volta a reunir as duas metades com cola e laqueia cuidadosamente a superfície, de tal modo que a cabeça parece antes ser feita de porcelana do que de madeira. A cor é índice de personalidade. Branco opaco para a bondade e virtude: sacerdotes, mulheres jovens e crianças; vermelho para os guerreiros; rubro para os altos oficiais; rosa-escuro para as personalidades fortes e poderosas.

Assim, contrastando com a simplicidade da construção corporal, a cabeça do boneco de *bunraku* é meticulosa, delicada e precisamente construída, com um sofisticado mecanismo, que permite rolar, abrir e fechar os olhos, revirá-los à direita e à esquerda, olhando de esguelha; erguer ou abaixar as sobrancelhas, demonstrando surpresa ou pesar; abrir e fechar a boca; mostrar os dentes; e, nas cabeças cômicas, até mesmo mover o nariz. As bonecas de mulheres casadas não têm sobrancelhas, pois, no período Edo, as mulheres costumavam raspar as sobrancelhas, em sinal de lealdade a seus maridos.

Nem todos os bonecos são minuciosamente elaborados, com mecanismos tão complexos. Há alguns bonecos, especialmente os de jovens formosos e os femininos, sobretudo de moças, normalmente com faces imóveis, porquanto artifícios como sobrancelhas, olhos e boca móveis destruiriam a beleza sutil de seus semblantes, tornando-os severos, embora haja algumas exceções para as mulheres vilãs de meia-idade. Assim como há bonecos com dedos articulados e outros não, existem, ainda, vários tipos de braços e mãos, feitos de *hinoki* e usados de acordo com cada papel. Por exemplo, nas cenas em que o boneco tem que tocar um instrumento musical, mãos adequadas são colocadas. O braço, a mão e os dedos articulados permitem ao boneco movimentar-se realística e graciosamente. Para os braços e as mãos, a cor da pele é de uso geral, enquanto as outras cores, harmonizando-se com a da face, indicam a categoria ou a personalidade da personagem.

O pescoço do boneco é fixado na cabeça, que, por sua vez, é inserida no torso do boneco, ficando perfeitamente fixa e ereta, no caso das personalidades masculinas, e um pouco mais solta e levemente inclinada para a frente, nas personagens femininas.

As cabeças dão vida e individualidade aos bonecos. Muito embora a diferenciação não dependa unicamente do seu formato, uma vez que, combinada a cabeleira, maquilagem e vestuário diversos, uma cabeça pode servir a vários papéis de caráter semelhante. Ao contrário, há também várias cabeças que podem ser usadas para representar uma única personagem, expressando a mudança de sua personalidade ou situação, no transcorrer dos diferentes atos de uma peça. Enquanto as cabeças dos bonecos de papéis cômicos e de vilões apresentam a maior variedade de expressão, no seu pólo oposto encontram-se as cabeças dos bonecos de papéis de mulheres boas, com o menor índice de variação.

Atualmente, há cerca de cinqüenta tipos de cabeças de uso corrente no *bunraku*, conhecidas pelos nomes das personagens para as quais essas cabeças foram usadas em peças famosas do passado, classificando-se nas categorias gerais de: homem ou mulher; jovem, de meia-idade ou ancião; bom ou mau; guerreiro ou citadino; cômico; e, mais recentemente, com a produção de um novo repertório para o teatro *bunraku*, a criação de novas cabeças, como a do imperador Meiji, do general Nogui, de Hamlet e Ofélia.

Nas cenas de *seppuku*, o popular *harakiri*, a cabeça é substituída por outra, mostrando a transformação que se processa num moribundo ou morto. Quase todas as bonecas femininas têm a tez branca e, embora seja bem mais fácil expressar alegria em papéis femininos, as faces das mulheres geralmente são talhadas com feições tristes, pois a maioria das situações em que se vêem envolvidas as heroínas do *bunraku* é de pesar, sentimento que é bem mais difícil aos manipuladores fazerem os bonecos expressarem.

Para a encenação de uma peça, o encarregado da distribuição de cabeças, que conhece cada uma como se fosse um velho amigo, observa atentamente as cabeças estocadas numa caixa, a linha do queixo de um, os olhos brilhantes de outro, a testa enrugada desse, a altura do nariz daquele, e que expressam o humor de um, a crueldade do outro, a beleza de um terceiro. A seleção das cabeças é um processo muito importante numa peça de *bunraku*, pois vai determinar a escolha do vestuário, o tom e estilo da narração, o caráter do acompanhamento musical feito pelo instrumentista de *shamisen*, enfim, toda a composição da peça. Nas peças antigas, há registros sobre as cabeças a serem usadas.

Os bonecos mais simples do *bunraku* são denominados *tsume*. Além de serem um pouco menores, os *tsume* são operados por um único manipulador encapuzado, que realiza movimentos igualmente simplificados para não distrair a atenção do público, que deve se concentrar nos bonecos principais. O titereiro move apenas a cabeça e o braço direito do boneco, pois a manga esquerda, que representa o braço esquerdo, é costurada ao quimono, de modo que o braço esquerdo permanece imóvel durante todo o espetáculo.

Contrastando com as brilhantes e polidas cabeças dos bonecos em papéis principais, as cabeças *tsume* são mais cruas, simples e ingênuas, com faces imóveis e, freqüentemente, com toques de comicidade e honestidade, que as tornam bem mais humanas. São usadas em papéis secundários, como os de mensageiros, lavradores, soldados, damas de companhia, empregados de lojas, criados, passantes ou crianças. No processo do *nashi-wari* ("corte da pêra"), a cabeça *tsume* é atingida por um súbito golpe de espada, fendendo-se em dois, com as partes internas avermelhadas e com dois olhos espantados pintados numa delas. O impossível do *bunraku*.

As mesmas cabeças *koyaku* ("papéis infantis") são usadas para vários papéis de crianças.

Ato *Keyamura* ("A Aldeia Keya") do drama histórico *Hikosan Gongeuen Chikai no Sukedachi (Votos não Deus Hikosan para Auxiliar na Vingança)*. À esquerda, o manipulador Tamao Yoshida, "Tesouro Nacional Humano".

Foto: de Seisuke Mirake para o "Calendário - 1989" da Hitachi/Teatro Nacional Bunraku em Osaka.

CABEÇAS DE HOMENS JOVENS

Wakaotoko ("homem jovem") - O colorido e os traços faciais são um pouco afeminados. Cabeça usada em papéis de homens jovens e formosos, pertencentes a ricas famílias de mercadores ou heróis das peças de duplo suicídio: Atsumori em *Ichinotani Futaba Gunki* (*Crônica da Batalha de Ichinotani*); Katsuyori em *Honchô Nijûshikô* (*As 24 Expressões de Amor Filial*); Hanshichi em *Hade Sugata Onna Maiguinu* (*A Mulher num Vistoso Traje de Dança*); e Jihei em *Shinju Ten no Amijima* (*O Duplo Suicídio em Amijima*).

Yokambei - O Fanfarrão. Criado em 1734, foi um dos primeiros bonecos a serem manipulados por três homens. Cabeça de um jovem inculto e mau, com olhos anormalmente grandes, que podem piscar e olhar de lado. Usada em papéis de servos ou vilões cômicos: Yokambei em *O Conto de Ashiya Dôman Ouchi* e Iwanaga em *Dannoura Kabuto Gunki*.

Guenta - Nome derivado de um jovem guerreiro numa peça histórica. A cabeça possui sobrancelhas móveis, lábios trágicos e é usada em papéis de homens jovens, formosos e em conflito: Kampei em *Kanadehon* Chûshingura (*A Vingança dos 47 Vassalos Leais*) e Jujiro em *Ehon Taikôki* (*Os Feitos do Grande General*).

Kembishi - A cabeça possui sobrancelhas móveis e é usada em papéis de homens jovens, de grande força de vontade. Geralmente, um samurai, rônin ("guerreiro sem amo") ou cidadão varonil, como: Hangan Enya, Kimpei e Guenzô.

Darasuke - Os lábios caídos, contrastando com as sobrancelhas e olhos levantados, traduzem uma expressão amarga e má. Um jovem um pouco rude, inconsiderado, às vezes vil, mas não chega a ser um vilão consumado.

Matahei - Possui boca móvel e um pino na língua para segurar os objetos. Cabeça usada por personagens cômicas ou um homem simples, honesto e leal, mas um pouco sem cerimônia: o pintor Matahei, aflito com a sua gagueira, em *Meihitsu Domo no Matahei* (*Matahei, o Gago*); Yojiro, o treinador de macacos, em *Chikagoro Kawara no Tatehiki* (*As Transações Recentes às Margens do Rio*); Zenroku em *Somemoyo Imose no Kadomatsu*.

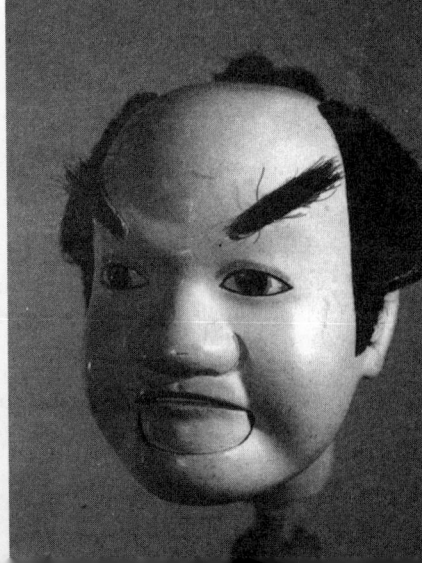

CABEÇAS DE HOMENS DE MEIA-IDADE

Bunshichi ("homem maduro") - A mais importante e majestosa cabeça de boneco do *bunraku*, foi criada em 1718, para papéis de heróis de meia-idade em peças históricas. Suas feições faciais mostram a influência da maquilagem *kumadori* do *kabuki*. A cabeça *bunshichi* apresenta sete variantes e, dependendo do papel, tem bocas móveis ou imóveis, mas todas elas com o rosto largo, branco, as grossas sobrancelhas móveis, levantadas, contrastando com os cabelos negros, fartos, ora cuidadosamente penteados, ora despenteados, expressando masculinidade, determinação e força de caráter. Mas quando as sobrancelhas se abaixam, podemos ler, por trás dessa máscara de ferro e bravura, sentimentos de um ser atormentado por um pesar secreto, emoções trágicas e até mesmo o pressentimento de morte prematura. A cabeça *bunshichi* é a representação de um rude mas piedoso guerreiro, no apogeu de sua vida, sendo usada por Matsuômaru, em *Sugawara Denju Tenarai Kagami* (*O Ensinamento dos Segredos Caligráficos de Sugawara*); Mitsuhide, em *Ehon Taikôki* (*Os Feitos do Grande General*); Kumagai, no ato "O Acampamento de Kumagai" de *Ichinotani Futaba Gunki* (*Crônica da Batalha de Ichinotani*); e Bênkei em *Kanjincho* (*A Lista de Donativos*).

Komei - São as cabeças de mais alta classe do *bunraku*. Pintadas com a cor da pele, refletem homens maduros, refinados e inteligentes, mas com um leve toque de pesar, enquanto as pintadas de branco expressam desgosto profundo e nostalgia. Usada por Yuranosuke, em *Kanadehon Chûshingura (A Vingança dos 47 Vassalos Leais)*; e Michizane, em *Sugawara Denju Tenarai Kagami (O Ensinamento dos Segredos Caligráficos de Sugawara)*.

Oodanshichi ("grande Danshichi") - Cabeça com enormes olhos levantados, que se movem lateralmente; espessas sobrancelhas e boca móveis; farta cabeleira solta, totalmente desalinhada. Expressão do semblante de um guerreiro de temperamento violento. Usada originalmente por Watônai, na peça *Kokusenya Kassen (As Batalhas de Coxinga)*, de 1715.

CABEÇAS DE ANCIÃOS

Kiichi - Cabeça com a fronte e os cantos da boca enrugados, sobrancelhas e cabelos levemente grisalhos. Olhos e sobrancelhas pronunciadamente levantados, expressando um semblante severo, contrastam com uma aparência de grande compreensão interior. Foi inicialmente usada em 1731 para o papel do ancião Kiichi e, atualmente, é extensiva a anciãos em peças históricas: Midaroku, no ato "O Acampamento de Kumagai"; Honzô Kakogawa, em *Kanadehon Chûshingura;* Iganokami Saizaki, em *Shin Usuyuki Monogatari* (*O Novo Conto de Usuyuki*).

Shiratayu

Masamune

Ôjuto ("sogro velho") - Cabeça de ancião mau, com espessas sobrancelhas fortemente levantadas, cabelos totalmente grisalhos, fronte contraída, e olhos e boca móveis. Usada por Morono, em *Kanadehon Chûshingura*.

CABEÇAS DE MULHERES JOVENS

Musume ("moça") - Cabeça usada em papéis de mulheres jovens. Há muitas va-riedades de cabeças *musume,* mas todas são belas e joviais, com tez branca, olhos ora grandes ora pequenos e brilhantes, faces roliças ou mais de-licadas, lábios ternos ou menos juvenis, queixos redondos ou afilados, e que no geral traduzem candura e inocência. O estilo de cabelo é modificado de acordo com cada papel. Usada por Koharu, em O Duplo *Suicídio em Amijima.*

Keisei - Literalmente "demolidoras de castelos", numa alusão às cortesãs, por quem muitos senhores feudais se arruinavam, vendendo ou hipotecando seus castelos, numa competição com seus rivais, os ricos mercadores. Cabeça de uma bela cortesã de luxo, com o porte e o físico das prostitutas de alta classe do período Edo: os olhos oblíquos, a face branca, carnuda e voluptuosa, enfatizada por uma cabeleira ricamente ornamentada. Destinada aos papéis de amantes e usada por Yûguiri, em *Kuruwa Bunshô* (*Contos do Bairro Licenciado*).

Gabu - Cabeça criada em 1802, para o papel de um demônio feminino disfarçado de uma bela e jovem mulher. O rosto claro, carnudo e sedutor, com olhos e boca sorridentes faz contraste com os abundantes cabelos negros, longos e soltos. No clímax das peças, através de um único gesto do manipulador, os olhos doces e meigos transmutam-se em brilhantes órbitas douradas, saltadas, que expressam um olhar perturbado; enquanto a parte inferior da boca cai, arreganhando-se numa boca enorme, fendida de orelha a orelha, cheia de assustadores dentes pontiagudos; e chifres dourados aparecem na testa, dentre a sua vasta cabeleira. A revelação de uma mulher possuída pelo demônio dos ciúmes: uma besta rosnante com a sua enorme juba solta. A cabeça *gabu* usada na peça *A Ponte Modori* é derivada da máscara de *nô hanya*, usada nas peças de *nô Dôjoji* e *Aoi-no-Ue*.

Ofuku - Cabeça com feições cômicas: olhos finos, bochechas saltadas, enfatizadas por um *blush* vermelho e nariz levemente achatado. Usada em papéis de criadas afáveis e cômicas donas de casa da zona rural. Criaturas despreocupadas, imprevidentes e, por vezes, desleixadas: Oshika, em *Ise Ondo Koi no Netaba (A Dança da Morte em Ise)*. A cabeça ofuku é, ainda, freqüentemente utilizada como máscara em danças japonesas, simbolizando o arauto da boa sorte.

CABEÇAS DE MULHERES DE MEIA-IDADE

Fuke-oyama ("mulher madura") - Heroína de meia-idade, forte, madura, inteligente e passional, imbuída das noções de lealdade ao marido e cheia de ternura para com os filhos. A expressão do ideal de beleza do período feudal. Possui olhos móveis e *kuchi-bari* ("pino da boca") no lábio inferior, que tem a função de segurar uma toalha de mão, um lenço ou a manga do quimono, que são levados à boca para expressar, estilizadamente, um grande pesar ou frustração, o choro ou a repressão dos soluços. Uma prática comum também nas peças de *kabuki*. O *kuchi-bari* é colocado em algumas cabeças musume e na maioria das cabeças *fuke-oyama*. A cabeça *fuke-oyama* é usada por Tonase, em *Kanadehon Chûshingura*, e Masaoka, em *Meiboku Sendai Hagui* (*A Disputada Sucessão na Família Date*).

CABEÇAS DE ANCIÃS

As anciãs boas têm as feições compreensivas de amáveis vovós, contrastando com as anciãs más, em papéis de sogras malvadas, que têm os olhos maldosos, lábios franzinos, testas enrugadas e queixos afilados. As idosas damas da corte e esposas de estadistas possuem uma qualidade aristocrática, que não existe, por exemplo, nas mães de lojistas.

Fotos: de Shinji Aoki

Bakuya ("anciã má")   *Babá* ("anciã boa")

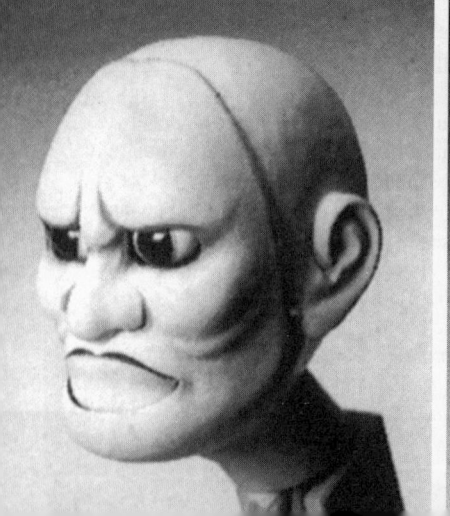

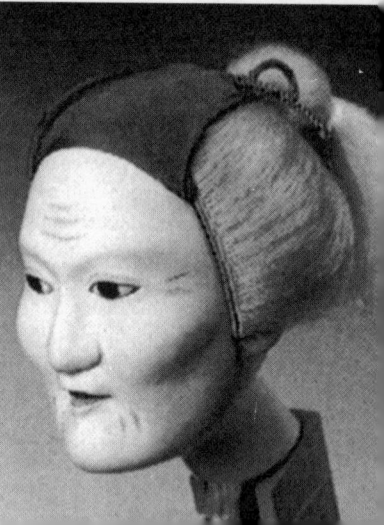

Uma jovem e aristocrática mãe tem seu bebê raptado por uma águia e gasta os trinta anos seguintes à procura dele. Até que, já transformada em mendiga (mas com cabeça de anciã aristocrática), eventualmente o encontra como o Bispo Rôben (com cabeça de santo sacerdote), sob o grande cedro, nos recintos do Templo Tôdai em Nara. Ato *Nigatsudô* do drama histórico *Rôben Sugui no Yurai* (*Roben e o Cedro*).

Foto: de Seisuke Miyake para o "Calendário - 1989" da Hitachi/Teatro Nacional Buranku e, Osaka.

General Nogui 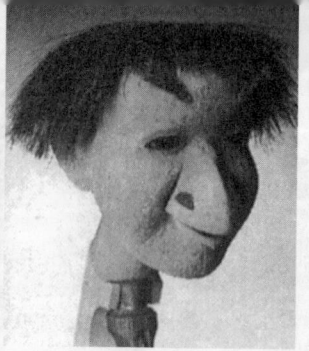   *Sagojô*    *Songokû*

CABEÇAS ESPECIAIS

Há cerca de seis cabeças de uso exclusivo para papéis especiais.

Kaguekiyo é um exemplo de cabeça especial, recoberta de tecido e uso exclusivo de uma única personagem: Kaguekiyo, um velho guerreiro do clã Heike, que, ao ser derrotado, não querendo ver o triunfo dos Guenji, cega-se furando os olhos e parte para o exílio no sul do país.
Fotos: de Shinji Aoki para o programa do Teatro Nacional do Japão, em Tokyo.

Kaguekiyo   *Chohakkai*    *Shôjô*

4.2.2. Manipuladores de Bonecos

Pelas ilustrações e práticas, ainda hoje remanescentes na Ilha de Sado e nas montanhas de Chichibu, podemos inferir que, originalmente, os bonecos não possuíam pés e eram do tipo *sashikomi* ("enfiar"), com uma espécie de luvas, onde as mãos dos manipuladores eram inseridas por baixo. Na época de Chikamatsu, cada boneco era operado por um único homem, que, oculto por um anteparo, movimentava o boneco acima de sua cabeça. Portanto, durante o espetáculo, somente os bonecos eram visíveis ao público. Com o decorrer do tempo, o desenvolvimento de um mecanismo complexo na estrutura dos bonecos fez com que uma pessoa apenas não bastasse para movimentar um boneco tão minuciosamente perfeito. Assim, o célebre manipulador Bunzaburo Yoshida inicia o *sannin-zukai*, a técnica de manejar cada boneco através da operação sincrônica de três homens, estreando-o na peça *O Conto de Ashiya Dôman Ouchi*, em 1734, no Takemotoza; exceto os bonecos em papéis de figurantes, que continuaram a ser manipulados por um só homem. Desde então, os titereiros passaram a carregar os bonecos para o palco e, diferentemente de outras manifestações de teatro de bonecos, no Japão e no exterior, empregam o processo *dezukai*, isto é, são visíveis durante todo o espetáculo, movendo-se totalmente à vista do público. Uma singularidade própria da beleza do *bunraku*.

Descendendo dos estrangeiros *kugutsu-mawashi*, sendo, portanto, freqüentemente associados aos *eta*, a classe proscrita, os manipuladores de bonecos sempre foram considerados socialmente inferiores aos narradores e instrumentistas de *shamisen*, pois, enquanto estes eram considerados seres humanos e artistas, os manipuladores, assim como os atores de *kabuki*, eram contados como animais: *ippiki*, *nihiki* e não como pessoas: *hitori*, *futari*. E ainda hoje, embora gozando de grande popularidade, os mestres no manejo de bonecos são vistos como socialmente inferiores.

Tradicionalmente, o severo e disciplinado treinamento dos manipuladores de bonecos começava na infância, aos sete ou oito anos de idade. Nos primeiros anos, os aprendizes limitavam-se a auxiliar seus mestres em pequenos afazeres domésticos, fazendo chá, ajudando na cozinha, limpando a casa, ou levando e trazendo mensagens para o pessoal do teatro, removendo cenários e estendendo acessórios de palco aos titereiros. E finalmente iniciavam-se na arte de operação dos bonecos, estreando como *ashizukai* ("manipulador de pernas"), em um pequeno papel, como o de um mensageiro ou de uma criança, sempre auxiliado por mais dois manipuladores. Disciplina, treinamento, prática. Após o pleno domínio das técnicas de seu campo específico, que leva de três a dez anos, conforme a sua habilidade, progride para o posto de *hidarizukai* ("operador do braço esquerdo"), e, enfim, após vários anos de experiência, atinge a posição de *omozukai* ("manipulador-chefe"), movimentando a cabeça e o braço direito do boneco, e passando a especializar-se, como o ator de *kabuki*, em papéis masculinos ou femininos. O parecer de Tamao Yoshida, "Tesouro Nacional Humano" e manipulador-chefe da trupe Bunraku, de Osaka:

> Quando um jovem finalmente sobe no palco, é onde ele realmente aprende. Se obtiver uma parte menor, que não requeira muito movimento, ele pode aprender muito, simplesmente observando através do capuz preto. [...] Um dia, concentra-se em como o operador de pernas, mais velho, faz as pernas do boneco se moverem como as de um ancião cansado. Noutro dia, observa a postura do manipulador-chefe: como ele inclina os quadris para fazer o boneco parecer jovem e vivaz, ou forte e digno? Quão próximo do manipulador-chefe está aquele operador do braço esquerdo? Um titereiro observa e também absorve essas habilidades, através da pele: a suavidade natural do manipulador-chefe; o modo como o operador do braço esquerdo coordena o braço esquerdo com o direito, manejado pelo seu superior; os movimentos espirituosos de um titereiro de pernas experiente. A sincronização, como trabalhar em uníssono, você aprende isso com os seus ossos, não pode ser ensinado por palavras[9].

Bonecos usados em papéis principais são sempre manejados por três manipuladores, requerendo grande habilidade. De acordo com a tradição do *bunraku*, cada operador necessita de dez anos de treinamento básico para dominar as técnicas de seu campo específico: dez anos como manipulador das pernas, dez anos como operador do braço esquerdo e mais dez anos como manipulador-chefe, totalizando assim cerca de trinta anos para atingir a maturidade como um verdadeiro mestre na arte de movimentação dos bonecos. Porém, na realidade, o que determina a progressão de um nível a outro é o desenvolvimento das habilidades do operador, cada estágio varia de três a dez anos, de acordo com o talento e mérito. No mundo contemporâneo, os manipuladores não mais suportam um aprendizado tão prolongado, considerando-o repressivo, por ser demasiado longo. Atualmente, antes de ingressarem numa trupe de *bunraku*, os narradores, instrumentistas de *shamisen* e manipuladores de bonecos, quando

---

9. Barbara Adachi, *The Voices and Hands of Bunraku*, p. 33.

atingem a idade de quinze anos, atendem a um programa de treinamento formal intensivo, de dois anos, estabelecido, desde 1972, pela Associação Bunraku e o Teatro Nacional de Tokyo.

Enquanto no *kabuki* os papéis principais são reservados aos descendentes ou discípulos das famílias tradicionais de atores de *kabuki*, no *bunraku*, ao contrário, esse privilégio depende unicamente da capacidade individual dos manipuladores, que iniciam seu aprendizado e treinamento na infância ou na juventude. Se o *kabuki* é o mundo do *iê*, a força da tradição da *casa*, a família que continua, o *bunraku*, por sua vez, é o mundo da força artística. Quando se tornam discípulos de um mestre famoso, recebem, como no *kabuki*, um nome artístico, sendo que seu nome civil fica reservado ao conhecimento de um número restrito de amigos.

Originalmente, o trio de manipuladores aparecia no palco totalmente de negro, com os corpos e os rostos cobertos por trajes e capuzes pretos, uma vez que, tanto no *bunraku* quanto no *kabuki*, o preto era escolhido por ser uma cor que representava a "ausência" ou "inexistência" no palco. Mas a partir do momento em que os manipuladores-chefes começaram a destacar-se por suas habilidades, tornando-se rivais dos atores de *kabuki*, o público pediu que aparecessem com suas faces expostas, sem o capuz. Portanto, desde o início do século XX, numa atitude de respeito aos mestres e sua arte, adotou-se o estilo *dezukai*, isto é, os manipuladores-chefes passaram a aparecer no palco com as cabeças e rostos expostos, para que o público os reconhecessem, trajando *kamishimo* ("traje formal"). Entretanto, deviam permanecer impassíveis, mesmo nas cenas mais emocionais, de modo a não atrair a atenção dos espectadores, tornando-se quase que invisíveis atrás dos bonecos. O operador mantém a boca imóvel, exceto nos momentos de concentração tensa e quando emite grunhidos para coordenar as mudanças simultâneas do seu vestuário e do boneco. Quanto melhor o titereiro, mais ele se torna uma extensão do boneco e se apaga, fazendo com que o mesmo pareça mover-se por força própria, adquirindo vida.

Por outro lado, Charles J. Dunn declara que os lampejos de emoção, que inevitavelmente transparecem no rosto do manipulador, e a mobilidade de suas expressões faciais ajudam-no, enquanto ocidental, na apreciação de uma peça de *bunraku*.

> Embora os bonecos possuam todas as espécies de habilidades, há uma restrição quanto ao fato de que suas faces possam mostrar emoção. O manipulador-chefe luta para expressar as emoções que estão sendo sentidas pelo boneco,

através dos movimentos do seu corpo e, para isso, usa a técnica profissional de provocar uma expressão no seu rosto, que corresponde à emoção que está sendo sentida pelo seu boneco. Se ele estiver usando um capuz, a sua expressão facial é oculta do público, todavia, quando ele aparece em estilo *dezukai*, torna-se completamente visível. Algumas pessoas, especialmente os japoneses puristas, podem considerar isso uma espécie de obstáculo para a sua apreciação plena, mas para alguém como eu, que não alcançou poderes totais de compreensão em japonês, este método é muito útil. O que quero dizer é que eu tento obter de todas as fontes possíveis sugestões sobre como apreciar o espetáculo e posso obter muita ajuda da face do manipulador-chefe[10].

O manipulador-chefe enverga comumente quimono preto comum, trocado por um branco nos meses de verão, e saia-calça bastante ampla denominada *hakama*. Em ocasiões especiais, veste o *kamishimo*, composto de quimono formal e saia-calça, mais um colete com ombros salientes, de modo a enfatizar sua presença no palco. Por ter de movimentar-se livremente num nível levemente mais elevado do que os seus companheiros, para que o trio possa trabalhar mais facilmente em conjunto, o manipulador-chefe sempre usa os *butai-gueta* ("tamancos de palco"), de madeira e bastante altos, de cerca de quarenta centímetros para manejar os bonecos masculinos, e de trinta centímetros para os bonecos femininos, ocos para proporcionar leveza, e com espessas solas de palha, que abafam o som, possibilitando um deslizar fácil e silencioso através do palco. Os *butai-gueta* também são empregados para produzir batidas com os pés, nos momentos dramáticos.

Contrariamente ao manipulador-chefe, os dois outros operadores assistentes usam *zôri*, simples sandálias de palha e trajam vestes práticas comuns de algodão preto, tendo os rostos e pescoços completamente cobertos por um capuz de gaze negra provido de uma aba, que pode ser afastada para trás a fim de expor suas faces. Quando a aba está abaixada, o rosto é protegido do tecido por uma armação de arame. Todos os titereiros portam luvas longas, com a função de absorver a transpiração e esconder os antebraços nus: o manipulador-chefe, uma luva branca sem dedos, na mão direita, e os operadores assistentes, luvas negras sem o dedo polegar.

Mas nos atos preliminares ou nas cenas muito importantes, solenes, trágicas ou sórdidas, o trio de manipuladores aparece, ainda hoje, no estilo *kague-zukai*, totalmente de negro, encapuzados e envergando trajes de algodão idênticos, embora, por vezes,

---

10. Charles J. Dunn, "Bunraku: An Appreciation", em *Bunraku – The Puppet Theatre*, pp. 15-16, de Tsuruo Ando.

o manipulador-chefe tenha a aba de seu capuz afastada, de modo a expor a face. Há também peças especiais onde os três manipuladores aparecem com as faces descobertas, como, por exemplo, o papel de Bênkei em *Kanjincho* (*A Lista de Donativos*).

O boneco move-se, acompanhando a narração e os acordes do *shamisen*. O artista número um, suporte do trio de manipuladores, é denominado *omozukai* ("manipulador principal"), e opera a cabeça e o braço direito do boneco, num trabalho físico exaustivo, que exige prática e habilidade enormes. Sustenta e controla a postura do boneco pelas costas, inserindo a mão esquerda através de uma fenda no vestuário, sob a faixa de cintura, no tronco do boneco, e agarra a alça especial (*dôguchi*) colocada no peito do boneco, que regula a posição da cabeça. Usando os dedos, opera os pinos, que movimentam uma rede de diferentes cordas, ligadas aos interiores ocos das cabeças e do tronco, e que, puxadas ou liberadas apropriadamente, controlam a direção e inclinação da cabeça, assentindo ou agitando, bem como toda uma gama de expressões faciais, erguendo e abaixando as sobrancelhas, com movimentos verticais e horizontais dos olhos, abrindo e fechando a boca, simulando uma respiração agitada e, às vezes, até mesmo movendo o nariz. Tudo isso, além de movimentar o corpo do boneco através do palco. O manipulador-chefe usa ainda a mão direita, inserida na manga direita do quimono do boneco, para direcionar a mão e o braço direitos do boneco, conseguindo, por meio de um pino, abrir e fechar as mãos e articular os dedos do boneco. Para fazer o boneco operar acessórios de palco, o manipulador principal coloca seus próprios dedos através de uma correia de couro, que se encontra na palma da mão direita do boneco.

Extremamente atento aos movimentos da cabeça e ombros do boneco, o segundo manipulador, conhecido como *hidarizukai*, maneja apenas a mão e o braço esquerdo do boneco, em perfeita coordenação com as outras partes do corpo. Por não estar tão próximo ao boneco como o *omozukai* e para poder segui-lo por todas as partes, o braço esquerdo do boneco é operado pela mão direita do *hidarizukai*, através do *sashigane*, uma vara de cerca de quarenta centímetros de comprimento, ligada ao braço esquerdo do boneco, na altura do cotovelo. Nessa posição, o *hidarizukai* tem a oportunidade de aperfeiçoar seus movimentos, observando atentamente as habilidades do *omozukai*, podendo inclusive substituí-lo algumas vezes, visto que o manipulador-chefe, movendo-se de cima daqueles tamancos tão altos, às vezes, torce os tornozelos. É também responsável pelo suprimento de pequenos acessórios de palco, como uma toalha ou um leque, que o boneco necessite para o seu papel, e que ele estende ao manipulador-chefe, devolvendo-os, quando não mais necessários, ao assistente que fica ajoelhado atrás dele.

O terceiro é o júnior do trio de manipuladores e, como o seu nome o diz, *ashizukai* ("manipulador de pernas"), maneja apenas as pernas do boneco, acompanhando de perto os movimentos dos quadris do manipulador-chefe. Entretanto, sua tarefa não deve ser minimizada, pois exerce uma atividade extremamente árdua, devendo permanecer na posição agachada, meio sentada, para operar as pernas do boneco por meio de peças metálicas em forma de *L*, fixadas acima dos calcanhares do boneco, simulando o caminhar sobre um solo firme. Com a cabeça lançada para trás, a fim de não atrapalhar os movimentos de seus colegas, quando o boneco senta, tem de cair praticamente de joelhos no chão. O *ashizukai* quase nunca é visto pelo público e tem ainda a função de bater com força os próprios pés no chão, e não os do boneco, para a criação de efeitos sonoros, enfatizando o clímax de uma pose, as largas passadas de um guerreiro, os momentos de violência ou de grande tensão dramática, sincronizando as batidas dos pés com o acompanhamento musical de *shamisen* e os gestos dos bonecos.

As bonecas femininas não têm pernas nem pés, com algumas exceções, como a da personagem Ohatsu na peça *O Duplo Suicídio em Sonezaki*. Porém, como convencionalmente devem parecer como se os tivessem, dentro do quimono, o *ashizukai* simula sua existência, ao colocar ambas as mãos sob o quimono e apertar a bainha interna com o polegar e o indicador da mão esquerda, e o indicador e o médio da mão direita, criando, assim, a ilusão de andar, correr, sentar, ajoelhar ou agachar-se. Para sugerir a linha do joelho, dobra o braço e cerra o punho na posição exata, pois, se for muito abaixo, a boneca não parecerá feminina e viva, mas lânguida e lassa. Segundo Tamao Yoshida, "os anos de aprendizagem como *ashizukai* são os mais importantes, a base de toda a carreira de um manipulador, a época de se aprender os fundamentos"[11]. Uma vez efetuado o aprendizado, o polimento para se chegar à beleza e perfeição.

Assim como o manipulador principal deve trabalhar em combinação com vários assistentes, na apresentação de um único papel, os dois outros assistentes, o *hidarizukai* e o *ashizukai*, também devem trabalhar em várias combinações com qualquer

---

11. Barbara Adachi, *op. cit.*, p. 30.

manipulador-chefe. A combinação de um manipulador principal talentoso com dois assistentes inábeis leva inevitavelmente ao fracasso. Logo, somente assistentes largamente experientes são designados a trabalhar com um manipulador-chefe de alto nível num papel principal. Portanto, o segundo e o terceiro manipuladores têm a obrigação de conhecer toda a técnica usada pelo manipulador-chefe, além da narração *joruri* e o acompanhamento musical de *shamisen*, que acentua a narrativa, bem como a personalidade de seus bonecos. Nessas condições, embora seja vital que o trio de manipuladores trabalhe em harmonia para alcançar sucesso na apresentação, os três em geral não chegam a treinar juntos por um longo tempo, qualquer que seja o papel a ser representado. Todavia, para que os bonecos adquiram vida durante a apresentação, todos os integrantes, operadores, narradores e músicos de *shamisen*, devem trabalhar em unidade perfeita de sentimentos, como se realmente pulsassem com um único coração.

O público japonês adepto do teatro de bonecos afirma ter interiorizado a tal ponto a convenção dos *kurogo*, "os manipuladores de bonecos vestidos totalmente de negro", que sua presença no palco passa realmente a implicar a sua inexistência, não interferindo de maneira alguma na apreciação do espetáculo. No entanto, ao espectador estrangeiro e ao espectador japonês que vêem pela primeira vez uma encenação de *bunraku*, a presença dos *kurogo* pode, inicialmente, parecer estranha, incômoda, não havendo meio de ignorá-los, pois desviam a atenção dos bonecos, fazendo com que estes pareçam pequenas trouxas de roupa, perdidas no meio das massas sólidas dos corpos dos manipuladores, uma multidão confusa de bonecos e homens. Contudo, aos poucos, e em curto espaço de tempo, como asseguram os estrangeiros, o palco que parecia abarrotado de corpos estranhos vai gradativamente sendo ocupado pelos bonecos, que se avultam à medida que vão impondo sua presença através da expressão de suas personalidades, transformando-se de bonecos em criaturas de carne e osso, que traduzem as mais profundas emoções humanas. No fim da peça, pode-se constatar que a convenção dos *kurogo* é fácil e quase magicamente aceita pelo público, que se acostuma rapidamente a ela, tendo a impressão de que os *kurogo* se fazem quase invisíveis e os bonecos parecem mover-se por si próprios, conquistando o público.

Através do virtuosismo de suas destrezas técnicas, trabalhando em uníssono como se fossem um só homem, os três manipuladores, verdadeiras "sombras dos bonecos", na expressão de Paul

Claudel, conseguem, através da coordenação perfeita e harmonia com os narradores e instrumentistas de *shamisen*, ocasionar a junção de ação, palavras e música, para recriar a vida, traduzida numa experiência estético-dramática, onde os bonecos, tentando continuamente escapar das garras dos manipuladores, adquirem existência própria, conseguindo expressar toda uma gama de emoções humanas e alcançando, por vezes, uma intensidade tão grande, que chega a superar os atores humanos.

> Os bonecos nos dão a essência pura da emoção. Gordon Craig costumava exigir que os seus atores se entregassem e tão-somente se deixassem ser manipulados pelas mãos do diretor, como "supermarionetes", e aqui aquele ideal é maravilhosamente realizado. O operador une-se aos movimentos de dança do boneco e é possuído pelo estranho que, por alguma mágica, se apossa de ambos, o boneco e o mestre titereiro[12].

Atualmente, todos os manipuladores de bonecos, narradores e instrumentistas do *bunraku*, os atores de *kabuki* e *shimpa*, exceto os do Zenshin-za (Companhia Progressista), pertencem à Companhia Shôchiku.

---

12. Thomas Immoos, *Japanese Theatre*, p. 108.

5. Texto: Dramaturgias de Bunraku e Kabuki

5.1. DRAMATURGIA DE *BUNRAKU*

Inicialmente, as peças novas de *bunraku* eram desenvolvidas a partir de reuniões do dramaturgo-chefe, gerente do teatro e membros da companhia. Mas a partir de 1720, com a crescente complexidade do enredo, vai-se instaurar o processo de autoria coletiva do teatro *bunraku*, combinando os talentos de vários autores. Portanto, a situação do dramaturgo solitário na criação de uma peça é tendência dos tempos modernos no Japão, já que, no período Edo (1603-1867), vigorava o princípio de autoria coletiva, isto é, um texto era escrito em colaboração com dois ou mais escritores, na sala dos autores; todavia, o clímax da peça sempre ficava a cargo do dramaturgo-chefe.

Enquanto no *kabuki* os autores viam seus talentos literários limitados, por serem obrigados a explorar os talentos dos principais atores da companhia, os centros do espetáculo e que, por vezes, chegavam a modificar consideravelmente os textos, por sua vez, no *bunraku*, os dramaturgos encontravam-se totalmente independentes, livres para desenvolverem suas criatividades literárias, uma vez que as peças eram apresentadas por bonecos e narradores, virtualmente como os autores as escreviam, estando, assim, num estádio literário mais avançado do que o dos dramaturgos de *kabuki*, o que resultou em um repertório composto de obras-primas literárias. Antes de Chikamatsu, as peças de *bunra-*

ku eram conhecidas não pelos nomes dos seus autores, mas dos narradores.

A maioria das peças do repertório encenado atualmente no *bunraku* foi escrita no século XVIII, numa linguagem poética artificial, elaborada, com algumas passagens líricas e amorosas ou comentários reflexivos, de difícil compreensão, mesmo para o público da época.

Originalmente, uma peça de *joruri* era composta de vários atos e cenas, as mais longas como *Sembonzakura*, *Sugawara* e *Chûshingura*, chegando a durar cerca de catorze a quinze horas para uma encenação completa. Conseqüentemente, os *joruri* foram os primeiros dramas extensos a serem apresentados no Japão, tratando de uma única e contínua estória. No entanto, atualmente, um programa de *bunraku* é comumente composto de um conjunto de cenas selecionadas de quatro ou cinco peças diferentes e raramente faz-se a encenação de um texto completo, sendo esta a razão dos títulos abreviados com que tais obras são conhecidas.

5.1.1. Classificação das Peças de Bunraku

Assim como as peças de *kabuki*, as de *bunraku* são classificadas, de acordo com o herói e a forma de sociedade a que pertence, em dois tipos: *jidai joruri* ou *jidaimono* ("dramas históricos") e *sewa joruri* ou *sewamono* ("dramas domésticos").

Jidai joruri são "dramas históricos" de *bunraku* que tratam de um passado remoto e narram os feitos heróicos de bravos guerreiros, personalidades da corte e pessoas de fama literária, entremeados de eventos sobrenaturais e cenas aparatosas. Geralmente são baseados em narrativas e obras literárias antigas, bastante conhecidas, como: o ciclo de *Ise*, o ciclo de *Heike e Guenji*, o ciclo de *Sugawara* (o exílio de Michizane Sugawara) e o ciclo de *Taikô* (estórias épicas sobre o *Taikô*, Hideyoshi Toyotomi).

Já os *sewamono*, "peças domésticas", descrevem os acontecimentos da vida cotidiana do povo, os cidadãos contemporâneos, particularmente das classes dos lavradores e mercadores de Kansai, uma vez que o *bunraku* origina, se desenvolve e declina basicamente em Kansai, não havendo, portanto, *sewamono* em estilo de Edo. Um teatro popular vivo, freqüentemente encenando casos de duplo suicídio amoroso, cenas de assassinatos, roubos, crimes, extorsões e revoltas camponesas, que são apresentados de um modo extremamente realista.

As peças *jidaimono* são comumente divididas pelos seus autores em cinco partes e as *sewamono*, em três. Assim, as peças adquirem naturalmente uma forma piramidal de desenvolvimento: começo, clímax dramático e final. Isso deve ter sido grandemente influenciado pelos conceitos do *jo-ha-kyu* (introdução, desenvolvimento, resolução) e do programa de cinco partes das peças de *nô*. O padrão de cinco e três partes do *bunraku* precede, de alguma forma, o surgimento de Chikamatsu, mas foi ele que o estabeleceu firmemente na dramaturgia de *bunraku*.

Totalmente coincidente, a forma de desenvolvimento é comparável à de Aristóteles, na *Poética*: "completa em si mesma" ou "tendo um começo, uma porção central e uma conclusão". É também igual às peças clássicas de cinco atos, que se originaram em Roma e foram revividas durante o Renascimento e estabelecidas, no século XVII, na França. E possui essencialmente a mesma idéia apresentada por Gustav Freytag (1816-1895), em *A Técnica do Drama*, de cinco partes e três pontos. Entretanto, isso só pode ser dito em relação à estrutura das peças. Na realidade, a atmosfera e os temas de cada cena devem ser considerados antes anticlássicos ou mesmo barrocos, do que em conformidade com os princípios clássicos[1].

5.2. DRAMATURGIA DE *KABUKI*

Durante os primeiros cinqüenta anos, as apresentações de *kabuki* consistiam principalmente em números de dança, entremeados de pequenas farsas, não possuindo um roteiro propriamente dito, pois eram geralmente improvisados. Mais tarde, com a proibição do *kabuki* de mocinhos, em 1652, há um desenvolvimento maior do enredo e as peças tornam-se mais complicadas. Mesmo assim, antes do surgimento dos roteiros escritos, limitavam-se a reunir para um *kuchitate*, uma "discussão" sobre o enredo em geral, diálogos e movimentos, tomando notas, bases para os textos futuros, que eram meros esboços, e em suas atuações ainda se incluía uma boa dose de improvisação. Portanto, os primeiros autores de *kabuki* foram os próprios atores com inclinações literárias.

Num segundo período, de 1664 a 1749, as apresentações de *kabuki* alcançam um grande desenvolvimento, tornam-se complexas, dificultando a memorização por parte dos atores, o que acabou suscitando, já na década de 1670, o emprego do roteiro escrito com notações sobre as direções de palco. Nessa época, começa-se a usar o *maku* ("cortina de correr"), resultando na substituição das peças em um único ato pela produção de peças em vários atos, que permitiam maior complexidade no enredo e carac-

---

1. Toshio Kawatake, "Bunraku and Kabuki", p. 161.

terização das personagens. Com o decorrer do tempo, torna-se comum a produção de peças em cinco atos, provavelmente moldadas num programa de *nô* composto de cinco peças. Entretanto, ainda não havia autores teatrais independentes, a dramaturgia ainda permanecia a cargo dos proprietários ou mesmo um dever subsidiário dos atores, havendo mesmo alguns dentre eles que começavam a se mostrar mais inclinados para a dramaturgia do que propriamente à arte de representação. Por sua vez, no Ocidente,

esses dramas não deveriam ter um número ímpar de atos, como ocorreu por influência do teatro grego; o número par seria mais adequado à natureza repetível dos episódios descritos. Pelo menos no *Leo Armenius*, a ação termina com o quarto ato. Ao se emancipar do esquema dos três e dos cinco atos, a dramaturgia moderna assegura o triunfo de uma tendência barroca[2].

O proprietário teatral Gonnosuke Kawarazaki, uma verdadeira enciclopédia em questões teatrais, realiza uma versão dramática da famosa estória dos irmãos Soga, sob a forma de uma peça em três atos, que vem a ser o embrião estrutural das futuras peças de *kabuki*. A primeira peça em vários atos apresentada em Osaka, *Hinin no Adauchi* (*A Vingança do Marginal*), de 1664, foi escrita por Yagozaemon Fukui, e a de Edo, *Imagawa Shinobi Guruma* (*Imagawa Oculto numa Carreta*), em dois atos, por Dennai Miyako. Ambos, importantes na história do desenvolvimento da dramaturgia de *kabuki*, assim como Heibei Tominaga, ator de Osaka, que se torna o primeiro autor teatral a ter seu nome citado juntamente com os atores, num programa teatral de 1680. Estes três autores de *kabuki* assemelham-se a Molière e Shakespeare, na medida em que foram simultaneamente atores e autores.

Durante a era Guenroku, surgiram, devido a diferenças regionais, duas tendências diferentes de dramaturgia nas cidades de Osaka e Edo, que vão influir decisivamente na construção do drama posterior. Enquanto em Osaka, liderados por Monzaemon Chikamatsu, os escritores concentravam-se nos *keiseigoto* ("peças sobre cortesãs") e nos *oiemono* ("peças sobre as lutas entre as famílias dos senhores feudais"), desenvolvendo a tendência para um teatro da fala, mais realista e racional, os escritores de Edo, liderados pelo ator Danjuro Ichikawa I, que adotava o pseudônimo de Hyôgo Mimasuya enquanto dramaturgo e contava com a

2. Walter Benjamin, *op. cit.*, p. 160.

colaboração do ator especialista em papéis de vilão Dengoro Hayakawa, enfatizavam peças em estilo *aragoto*, vigoroso e fantástico. Contudo, a profissão de dramaturgo ainda não era muito respeitada, conforme evidenciava o seu baixo salário.

Num terceiro período, de 1750 a 1850, os métodos de escritura dramática são estudados, aperfeiçoados e, concomitantemente, o dramaturgo passa a ser aceito como membro regular de todas as companhias, melhorando assim o seu *status* profissional. Durante a era Hôreki (1751-1764), o trabalho do dramaturgo torna-se mais definido e cada teatro passa a ter uma equipe de escritores, liderada por um dramaturgo-chefe. Dessa maneira, todos os autores teatrais estavam ligados a uma companhia e formavam uma equipe de dramaturgos que, como os atores de *kabuki*, mantinham um rígido sistema hierárquico, dividido em quatro classes. Na base, os *minarai sakusha* ("aprendizes de escritor"), encarregados dos mais diversos afazeres, como entregar mensagens, procurar e carregar objetos e, nas horas vagas, deveriam iniciar-se no aprendizado da profissão de escritor, agindo como secretários e copistas de peças. Acima deles vinham os *kyôguen sakusha* ("homens encarregados da produção de peças"), com uma variedade de funções: compor os cartazes, agir como ponto durante os ensaios, dando assistência aos atores, manipular o par de matracas (*hyôshigui*), e que, ainda hoje, continuam a desempenhar algumas dessas funções no teatro. Com o decorrer do tempo, eram promovidos a *nimaime* e *sanmaime*, os quais, embora tivessem deveres semelhantes aos *kyôguen sakusha*, tinham agora a oportunidade de auxiliar o escritor-chefe, compondo sob sua supervisão algumas cenas menos importantes. No topo ficava o *tate-sakusha* ("dramaturgo-chefe"), planejador do drama e que, após escolher o tema, discutia o esboço da obra com o proprietário do teatro, esboçava o enredo e escrevia a peça em colaboração com sua equipe de assistentes, reservando a si o direito de escrever os atos mais importantes. Esse sistema de criar uma peça em colaboração com um ou mais autores foi inaugurado ao se observar o costume adotado pelos autores de *bunraku*, após a morte de Monzaemon Chikamatsu. No entanto, a peça final de *kabuki* sempre se subordinou ao ator, que a julgava e dava coerência através de sua atuação.

A tarefa mais importante dos autores teatrais de *kabuki*, dramaturgos residentes, exclusivos de um determinado elenco teatral, como Mokuami Kawatake, era escrever uma peça que fizesse o melhor uso das inclinações e talentos particulares dos atores da companhia, visto que os atores não eram escolhidos em função do novo texto a ser produzido, mas selecionados previamente por um contrato de um ano, o que, de certa maneira, cerceava os poderes criativos dos autores.

Os preparativos para a encenação de uma nova obra começavam com o *hon-yomi* ("leitura dramática da peça"), na presença de todos os relacionados, e geralmente efetuado pelo *tate-sakusha* ("dramaturgo-chefe"), que instruía os atores sobre as características e emoções a serem expressas em cada papel. Os intérpretes não recebiam o texto integral, mas somente os *kakinuki* ("cópia da parte respectiva a cada ator"). A seguir, iniciava-se o ensaio com o *yomiawase* ("leitura da peça pelos atores sentados") e *tachikeiko* ("ensaio de pé, com movimentos"). No decorrer do ensaio, o *tate-sakusha* freqüentemente reescrevia o roteiro, fazendo as modificações necessárias, não apenas nas peças novas, mas também nas tradicionais, esboçava os cenários, cuidava dos trabalhos publicitários, supervisionando programas, colocando cartazes na frente do teatro, exercendo, às vezes, o papel de diretor de cena, mais propriamente de gerente de palco, uma vez que, na história do teatro *kabuki*, não encontramos um verdadeiro diretor na acepção corrente hoje em dia. Não apenas toda ação, fala e direção ficava a cargo dos próprios atores, como também estes providenciavam seus próprios trajes, estando estabelecido de antemão apenas as cores das vestes. O período de ensaio durava cerca de dez dias no máximo e, mesmo atualmente, exceto para o caso de peças recentemente escritas, um programa de oito a dez horas, composto de sete a oito peças, requer preparativos de apenas seis ou sete dias, mostrando milagrosamente no dia da estréia uma apresentação bem organizada, posto que várias peças são freqüentemente reencenadas, com muitos atores interpretando os mesmos papéis, ano após ano, estando, assim, perfeitamente familiarizados com as falas, ações, vestuário e acessórios de palco a serem utilizados.

Tratando-se o Japão de um país onde se assinala com nitidez a mudança de estações do ano, as peças de *kabuki* eram apresentadas de acordo com as estações do calendário lunar, abrangendo seis programações teatrais durante o ano, cada qual durando dois meses e mostrando sempre contato íntimo e harmonia estética com o mundo da natureza e os eventos comemorativos das estações, que abrangiam os ritos, festivais e festas folclóricas.

A temporada teatral iniciava-se em novembro, considerado o ápice do ano teatral, com a cerimônia do *kaomise kyôguen*, literalmente "apresentação dos rostos", introdução formal dos atores, originado no início do século XVIII. Lanternas coloridas adornavam as ruas, casas de chá e residências dos atores circunvizinhas ao teatro. No primeiro dia, não se cobravam ingressos. Os atores, inclusive os recentemente contratados em outubro e os que tinham seus contratos renovados a cada mês de novembro, apresentavam-se por turnos no *nanoridai* ("plataforma de anunciação do nome") e introduziam-se ao público de maneira íntima e familiar, anunciando os novos programas, narrando detalhes das peças e as personagens que cada qual interpretaria. Essas obras introdutórias do novo calendário teatral incluíam sempre, em Edo, a peça *Shibaraku* (*Espere um Momento!*), que apresentava uma grande variedade de papéis, oferecendo, portanto, oportunidades para introduzir toda a trupe. Danças eram inseridas entre os atos da peça principal. No fim do espetáculo, o proprietário teatral aparecia no palco para agradecer o patrocínio do público no passado, no presente e almejando a sua continuidade no futuro.

Em janeiro e fevereiro, os *hatsuharu kyôguen* ("peças de Ano-Novo"). Enquanto, na área de Kansai, se representava uma peça de *keisei* ("cortesã"), em Edo, freqüentemente se encenava o *Kotobuki Soga no Taimen*, baseada na estória de vingança dos irmãos Soga sobre o assassino de seu pai.

Durante a primavera, época de floração das cerejeiras e desabrochar das folhas tenras das árvores, encenavam-se os *yayoi kyôguen*, peças de março e abril, leves e espetaculares, como *Sukeroku*, que transcorre no bairro dos prazeres, em Yoshiwara, exatamente na época das cerejeiras em flor ou, ainda, os *oiemono*, peças sobre as grandes e poderosas famílias, como *Sendai Hagui* e *Kagamiyama*, que também eram muito populares. As criadas e damas de companhia das casas dos senhores feudais costumavam gozar as suas férias em março, todavia, ao invés de visitarem os parentes, freqüentavam os teatros.

De maio a junho, época de preparação dos recintos teatrais, os atores mais famosos entravam em férias, sendo então suspensas as produções mais importantes. O que dava oportunidade aos novos dramaturgos (*nimaime* e *sanmaime*), bem como aos atores secundários, para a encenação de peças menos controversas e oferecidas a um preço mais módico.

Julho e agosto, verão, eram propícios à apresentação dos *kaidan-mono* ("peças de fantasmas") e cenas sangrentas, visando provocar suspense e terror, um arrepio gelado nos espectadores, inclusive com o uso de água verdadeira no palco. No *kabuki*, a atmosfera é criada através das luzes que são levemente escurecidas e dos sons plangentes de uma flauta, acrescidos de sons onomatopaicos, *doro, doro*, produzidos no tambor grande, anunciando o surgimento de seres do outro mundo, que aparecem por trás dos chorões. As mais representativas obras desse gênero são: *Yotsuya Kaidan* (*Contos dos Fantasmas de Yotsuya*); *Kasane* (nome da personagem principal); *Bancho Sara Yashiki* (*A Estória de Fantasmas sobre os Pratos de uma Mansão em Bancho*); *Botan Dôrô* (*A Lanterna de Peônia*), conto chinês dramatizado por Mokuami e Fukuchi; e *Ise Ondo Koi no Netaba* (*A Dança da Morte em Ise*), onde ocorrem dez assassinatos. Representavam-se também muitas peças de vingança. Ainda em julho e agosto, durante a época do *o-bon* ("finados"), a encenação dos *bon-kyôguen*, peças relativas aos espíritos dos ancestrais, que os japoneses crêem estar revitalizando a terra, e a celebração de rituais budistas. Por sua vez, no Ocidente, Finados e Dia de Todos os Santos, equivalentes ao *o-bon*, são celebrados em dois dias consecutivos de novembro. Antes de Namboku Tsuruya IV, os *kaidan-mono* eram oferecidos na primavera e no outono, no entanto, a partir de Namboku, passaram a ser encenados no verão. Aliás, não apenas as peças de *kabuki*, mas as programações cinematográficas e televisivas japonesas, apresentadas no verão, abundam com a presença de fantasmas, enquanto, na Europa, a aparição de fantasmas está, ao contrário, associada ao inverno, quando as horas de escuridão excedem a luz do dia, como no *Conto de Natal*, de Charles Dickens.

Em setembro e outubro, *peças de outono*, portanto, de despedida, uma vez que encerrava a temporada teatral. Época adequada às peças adaptadas do teatro *bunraku* e aos dramas trágicos, decorrentes de conflitos entre o indivíduo e as obrigações sociais.

5.2.1. Monzaemon Chikamatsu

Originariamente, as peças de *joruri* eram escritas por mestres de *haicai*. Monzaemon Chikamatsu, pseudônimo literário de Nobumori Suguimori, vem a tornar-se o primeiro dramaturgo profissional de *bunraku*, ambos pela qualidade e quantidade de obras produzidas. Um total de cerca de 154 obras: quarenta para o *kabuki* e 114 para o *bunraku* (cem peças históricas e quatorze peças domésticas, sendo 71 para o narrador Guidayu Takemoto I). Chikamatsu foi cognominado o "Santo Patrono dos Dramaturgos", pelos seus sucessores, e, no fim do século XIX, o "Shakespeare Japonês", por Shoyo Tsubouchi (1859-1935), um estudioso de *ka-*

buki e tradutor das obras completas de Shakespeare, que aponta características comuns nas obras dos dramaturgos inglês e japonês, como, por exemplo, o talento poético em se alcançar o realismo.

Como em Shakespeare, muitos fatos da vida particular e da carreira de Chikamatsu permanecem na obscuridade, e ambos mantinham a posição de dramaturgos de teatros comerciais. Chikamatsu nasce em 1653, na província de Echizen, e sabe-se que provinha de uma família de pequenos samurais, segundo filho de Nobuyoshi Suguimori, descendente do nobre Sanetsugu Sanjo e a serviço do senhor feudal de Echizen. Com a demissão de seu pai, a família muda-se para Kyoto, onde o adolescente Chikamatsu, de quinze ou dezesseis anos, serve como pajem, durante alguns anos, na mansão de Eikan Ichijo, um nobre da corte e conhecedor de teatro de bonecos. Dessa maneira, Chikamatsu vem a familiarizar-se com os costumes, as cerimônias e a linguagem sofisticada da aristocracia, bem como com a cultura clássica tradicional, ao entrar em contato com o teatro *nô*, até então acessível apenas às famílias das classes superiores. Após servir vários anos a alguns nobres ligados à corte imperial de Kyoto e oficiais do governo, e uma pequena estadia no Templo Chikamatsu, na província de Ômi, onde realiza o aprendizado das escrituras budistas, conscientizando-se da escassez de perspectivas, Chikamatsu decide abandonar a classe guerreira a que pertencia para lançar-se no mundo do comércio como um cidadão comum. Mas onde também fracassa, como declara num pequeno poema escrito pouco antes de sua morte: "Nasci numa família hereditária de samurais, mas deixei a profissão marcial. Servi à nobreza, mas jamais obtive a menor posição na corte. Transferi-me para o comércio, mas nada aprendi de negócios". Entretanto, a franca confissão desses fracassos iria, na realidade, oferecer-lhe um profundo e importante conhecimento das três classes: a dos samurais, nobres e mercadores, um fecundo material, que iria transparecer em suas obras. *Yo o suteru* ("renúncia ao mundo"), o abandono da classe a que pertencia originariamente, foi um ato praticado na época, não apenas por Chikamatsu, mas também por Matsuo Bashô, o poeta peregrino, e pelo romancista Saikaku Ihara.

Chikamatsu inicia a carreira de dramaturgo em Kyoto e, por volta de 1680, passa a escrever para Kaganojo Uji, um dos mais proeminentes cantores de *joruri* da época, produzindo então as obras: *Guenji Kuyô (Missa para o Príncipe Guenji)*, 1676; *Aizomegawa*, 1680; *Gaijin Yashima*, 1683; *Yotsugui Soga (Os Su-*

cessores de Soga), 1683. Simultaneamente, de 1684 a 1702, aproxima-se do *kabuki*, que se fizera proeminente na era Guenroku, com o estabelecimento da Idade de Ouro do *kabuki* de Kamigata. A partir de 1693, passa a escrever principalmente para o ator Tojuro Sakata (1647-1709), famoso pela atuação em estilo *wagoto*, em que representa o comportamento amoroso dos homens jovens da época, dando, assim, oportunidade a Chikamatsu de tornar-se um mestre na pintura vívida e realista do relacionamento sensual das cortesãs e seus clientes, bem como na descrição da vida civil. Em seguida, a partir de 1699, obtém a colaboração do ator de papéis cômicos e, mais tarde, *tachiyaku*, Kichizaemon Kaneko, no Miyako Mandayu-za, em Kyoto, em peças escritas para Tojuro. *Yûguiri Shichinenki* (1684), *Keisei Hotoke no Hara* (1699) e *Keisei Mibu Dainenbutsu* (1702) são tidas como notáveis peças de cortesãs.

A primeira peça seguramente reconhecida como de Chikamatsu vem a ser *Yotsugui Soga* (*Os Sucessores de Soga*), escrita para Kaganojo, em 1683. Reencenada no ano seguinte por Guidayu Takemoto, para a inauguração do seu novo estabelecimento teatral, o Takemoto-za, em Osaka, alcança sucesso e o nome de Chikamatsu vem a ser conhecido. Mas a primeira obra, através da qual Chikamatsu vai ser reconhecido como um grande dramaturgo, é *Shusse Kaguekiyo* (*Kaguekiyo Vitorioso*). Em 1686, a pedido de Guidayu, Chikamatsu escreve a peça histórica de *bunraku*, *Kaguekiyo Vitorioso*. Encenada em Osaka, em fevereiro de 1688, ela obtém enorme êxito, tornando-se um marco da nova produção dramatúrgica do teatro de bonecos, tanto pela diminuição do acompanhamento musical e aumento de diálogos compostos de frases não convencionais e não estereotipadas quanto pela inovação no enredo, em que se substitui os dramas moralistas com temas medievais de fé budista e milagres sobrenaturais do *joruri* tradicional por problemas humanos e terrenos, infundindo, assim, um novo estilo no *joruri*. A partir de então, Chikamatsu passa a assinar orgulhosamente seu nome nas capas dos roteiros. Apesar das críticas recebidas, seus sucessores tributam-lhe o nome de "Santo Patrono dos Dramaturgos", visto que até então, ao contrário do *tayu* ("narrador"), o escritor de *bunraku* não era muito respeitado; todavia, graças à atitude de Chikamatsu, doravante os dramaturgos passam a ser reconhecidos profissionalmente. Portanto, Chikamatsu realiza uma colaboração tridirecionada: com Kaganojo Uji, Guidayu Takemoto I e o *kabuki*.

Após a aposentadoria de Tojuro, como seus sucessores não

fossem tão talentosos, insatisfeito com a irreverência, agressividade e egoísmo dos atores, tomando liberdade em relação aos seus roteiros e acrescido do sucesso inesperado alcançado pela encenação de *Sonezaki Shinju*, decide, aos 54 anos, transferir-se de Kyoto para Osaka. Aí, de 1706 até a sua morte, em 1725, devota-se a compor quase que exclusivamente para o Teatro de Bonecos Takemoto-za, aos narradores Guidayu I e seu sucessor Guidayu II, desenvolvendo uma prolífica produção de peças de *bunraku*.

Baseando-se num acontecimento verídico, o duplo suicídio amoroso de uma cortesã e um gerente de uma grande loja de molhos, ocorrido a 7 de abril de 1703, em Sonezaki, Osaka, um mês após dá-se a encenação da peça de *bunraku Sonezaki Shinju (O Duplo Suicídio em Sonezaki)*, de Chikamatsu. Primeira obra a tomar um tema do cotidiano, transcorrido no seio do povo, e a transportá-lo integralmente para o palco, sem ficcionalizar nem mesmo os nomes das personagens e o local do acontecimento. Desse modo, Chikamatsu acaba apresentando um mundo novo, o das pessoas de sua época, o seu mundo contemporâneo. Valendo-se de sentenças com ritmo *shichigo-cho* (7-5), no prólogo e no epílogo, bem como da técnica do manipulador de bonecos Hachirobei Tatsumatsu, mestre na criação de impressões realistas, a peça de Chikamatsu alcança estrondoso sucesso, salvando da falência o Takemoto-za e fortalecendo a sua decisão de escrever doravante para o *bunraku*.

Em colaboração com Guidayu, Chikamatsu produz a maioria de suas obras mais reputadas. *Yomei Tennô Shokunin Kagami (O Espelho dos Artífices do Imperador Yomei)*, de 1705, emprega bonecos parcialmente mecânicos; as peças domésticas compreendem: *Shinju Nimai Ezoshi, Shinju Kasane Izutsu, Shinju Mannenso, Meido no Hikyaku (O Mensageiro do Inferno), Yûguiri Awa no Naruto* e *Horikawa Nami no Tsuzumi (O Eco de um Tamboril Perto do Rio Hori)*; e as peças históricas: *Goban Taiheiki, Keisei Hangonko, Yurikawa Daijin* e *Komochi Yamamba*.

Em 1714, com o falecimento de Guidayu I, o Takemoto-za encara sérias dificuldades. Procurando, juntamente com Izumo Takeda, proteger o jovem Masadayu Takemoto, que herdara o nome de Guidayu II, Chikamatsu escreve *Kokusenya Kassen (As Batalhas de Coxinga)*, em 1715, longo e romântico drama histórico sobre a China e o Japão, com muito exotismo e uso de efeitos espetaculares. A peça alcança enorme sucesso, sendo conhecida como a obra mais famosa de Chikamatsu, contribuindo, assim, para recuperar a prosperidade do Takemoto-za. Seguem-se as peças domésticas: *Daikyoji Mukashi-Goyomi, Yari no Gonza Kasane Katabira (O Arqueiro Gonza e O-Sai), Shinju Ten no Amijima (O Duplo Suicídio em Amijima), Hakata Kojoro Namimakura (As Aventuras da Pequena Cortesã em Hakata), Onna Goroshi Abura no Jigoku (O Inferno do Assassinato de uma Mulher no Óleo)* e *Shinju Yoigoshin (O Suicídio Amoroso nas Vésperas de Koshin)*; e as peças históricas: *Heike Nyogogashima (O Clã Taira e a Ilha Nyogo* – "Shunkan" é um ato desse longo drama), *Futago Sumidagawa (Os Gêmeos e o Rio Sumida)* e *Shinshu Kawanakajima Kassen*. Após contribuir enormemente para o desenvolvimento do teatro de bonecos, Chikamatsu passa, a partir de 1722, a dedicar-se à revisão dos textos de seus discípulos.

Kanhatsushu Tsunagui Uma (O Corcel Atado), de 1724, é sua última obra, vindo a falecer em Osaka, a 22 de novembro de 1724, aos 72 anos de idade. Em vida também usara os pseudônimos de Sorinshi e Heiando.

5.2.1.1. Sua arte

Diferentemente de Zeami, o grande teórico do *nô*, Chikamatsu não deixou diário ou autobiografia e nem mesmo produziu ensaios, relatando suas idéias acerca do teatro. A única fonte para os princípios artísticos de Chikamatsu é o prefácio de *Naniwa Miyague (Presente de Osaka)*, da autoria de seu amigo Koretsura Hozumi (1692-1769), onde estão compiladas as declarações de Chikamatsu acerca de teatro e das artes em geral. Na primeira parte do prefácio, as opiniões de Chikamatsu sobre a sua dramaturgia, o método de escrever peças teatrais:

> A linguagem dramática deve possuir sua própria capacidade de atração. Os roteiros de *joruri* não devem ser simplesmente lidos/ouvidos, mas encenados, inspirando os manipuladores a movimentar os bonecos com ações vívidas, que os façam adquirir vida no palco. A necessidade de infusão de sentimento humano em tudo no palco, até mesmo em objetos inumanos como o cenário.

Exemplo: em *Sonezaki Shinju (O Duplo Suicídio em Sonezaki)*, a harmonia entre os sentimentos dos dois amantes a caminho da morte e a paisagem personalizada. Esta peça funcionou não apenas como um reflexo da época, mas também como instigadora, nos anos subseqüentes, de uma onda de suicídios amorosos entre as cortesãs e seus jovens protetores, transformando-se, por sua vez, num tema constante das peças teatrais, que enfatizavam enormemente o ato do suicídio. Alarmado com o aumento dos casos de suicídios amorosos, o governo Tokugawa proíbe, em 1722, dramas que empregam a palavra *shinju* ("duplo suicídio", que originalmente significava *kokoro no naka*, "o que se acumula dentro do coração", "a manutenção de um compromisso" e, mais tarde, *jôshi*, "suicídio amoroso") no título e, a partir de 1724, peças que encenam duplos suicídios. O *shinju*, a realização amorosa através da morte, fim fatal dos casos amorosos ilícitos ou impossíveis face às leis sociais e familiares, torna-se uma peculiaridade do período Edo. Por não encontrarem um meio honrável de permanecerem juntos, exceto na morte, os suicidas acreditavam alcançar a felicidade no mundo pós-morte. Verdadeiras tragédias, que invariavelmente transcorriam nos bairros do prazer, com as desamparadas jovens mulheres, sem o calor de um lar, pais ou parentes que as protegessem. No entanto, Chikamatsu descreve essas tragédias com olhos ternos e compreensivos, sendo, pois, cognominado o "Poeta do Amor".

Na segunda parte do prefácio, a ênfase na questão da realidade. Uma teoria do realismo, distinguindo cada personagem através de sua apresentação realista: a descrição precisa de sua idade, características pessoais, vocação, profissão, ambiente e posição social, pois só dessa maneira o público apreenderia a psicologia dos bonecos a uma extensão realista.

E ainda, sua idéia acerca da escolha das palavras. A desaprovação sobre o uso de adjetivos sentimentais: "Uma situação triste ou trágica deve ser sugerida unicamente através do procedimento lógico, do curso dos eventos dramáticos e não através dos termos *triste* ou *trágico*, posto que o grau de tristeza ou tragédia diminui, quando se proferem as palavras *triste* ou *trágico* para descrever tais cenas".

Por fim, à luz do seu singular realismo, sobre o qual tanto insistia em seus trabalhos, o seu princípio sobre a ação dramática: *kyojitsu-himakuron* ("uma tênue margem entre a realidade e a ficção").

Diz-se que os freqüentadores de teatro não se satisfazem senão com a realidade, porque estão vivendo numa sociedade, onde a racionalidade precede todas as coisas. Certamente eles não aprovam as estórias lendárias, rejeitando os relatos como ficção sem fundamento. E algumas pessoas dizem que os atores de *kabuki* devem lutar, para imitar a vida e as pessoas reais no palco. Somente atores que podem representar uma réplica de uma pessoa real conquistarão a honra de um grande artista. Creio que essas pessoas não compreendem o verdadeiro significado da arte, embora suas palavras pareçam plausíveis. A arte reside na estreita margem, entre o real e o irreal. Sei que as platéias contemporâneas esperam que tudo seja realista, mesmo no palco, assim, os atores estão propensos a tentarem duplicar a vida real no teatro. Entretanto, quando os atores estão ocupados, imitando um ministro, por exemplo, eles percebem que o ministro vivo e real nunca maquila o rosto como fazem os atores ao imitá-lo? No entanto, se eles insistem em representar fielmente o ministro em sua aparência real, com um rosto coberto de pêlos eriçados e careca, como eles conseguirão entreter o público? A delgada margem, entre o real e o irreal, deve ser reconsiderada aqui. O drama não deve ser real e – contudo, nem irreal – ele deve ser real, todavia, irreal. O verdadeiro entretenimento é encontrado somente nessa estreita margem[3].

Tanto Zeami como Chikamatsu, embora atribuindo grande valor à realidade, basearam suas obras no princípio de beleza formalizada e estilizada, essencial também às artes teatrais japonesas em geral. A distinção entre arte e realidade é também assinalada por Aristóteles, na passagem que explica a diferença entre o poeta e o historiador: "Não é tarefa do poeta relatar os fatos que aconteceram, mas como poderiam ter acontecido, e tais como são possíveis de acordo com a probabilidade ou que necessariamente teriam acontecido".

Se até então, nas peças de *joruri*, os narradores contavam uma estória épica, religiosa ou romântica, usando a fala indireta, sob o ponto de vista de um estranho, Chikamatsu, ao levar o teatro japonês para a área do drama realista, abordando a vida humana real, passa a empregar a fala direta e a dar maior liberdade aos bonecos, estabelecendo, assim, um novo tipo de drama, sem qualquer traço medieval e, com a sua retórica altamente refinada, um novo caminho na literatura realista.

Peças domésticas – Chikamatsu toma os fatos reais como fontes de suas peças domésticas: casos amorosos, intrigas, espionagens, escândalos, ocorridos um ou dois meses antes e os transpõe para suas peças com os nomes reais das pessoas, às vezes, por delicadeza, alterando ligeiramente apenas os nomes e profissões das figuras principais, fazendo ainda alusões a conhecidas casas de chá, bordéis, teatros e canções populares, o que levou suas peças domésticas a serem cognominadas "jornais vivos", por refletirem a sociedade da época.

Apesar de não haver tido o menor contato com o Ocidente, a maioria das peças domésticas de Chikamatsu respeita a concepção de tragédia ocidental baseada em Aristóteles, bem como a imitação de uma ação perfeita, com começo, meio e fim, aproximando-se da regra das três unidades de tempo, lugar e ação. *Sonezaki Shinju*, por exemplo, é uma tragédia com estrutura em tu-

3. Compilado em Toshio Kawatake, *Monzaemon Chikamatsu*, pp. 35-36.

do semelhante à do drama clássico ocidental. A maioria das peças sobre suicídio amoroso em Chikamatsu conforma-se à estrutura da primeira peça do gênero, *Sonezaki Shinju*: o jovem citadino que se apaixona por uma prostituta e, ao tentar resgatá-la, comprando seu contrato do proprietário, é traído pelo vilão e, por fim, não vislumbrando mais saída alguma, comete o suicídio amoroso com sua amada. *O Inferno do Assassinato de uma Mulher no Óleo*, de 1721, é sua única peça sobre homicídio.

Peças históricas – Já as suas obras históricas, a maioria em cinco atos, geralmente não apresentam unidade de tempo, espaço e ação, sendo amorfas quanto ao enredo, como *As Batalhas de Coxinga*.

Dentro do código ético e social do fenômeno específico do período Tokugawa, Chikamatsu descreve, nas peças históricas, a transitoriedade da vida, os conflitos entre a ética social/política e os sentimentos humanos e, nos dramas domésticos, visualiza com afeição o povo, que vive dentro do código usualmente conflitante do *guiri* ("obrigação" à família, à classe social e à sociedade em geral) e *ninjô* ("sentimentos humanos"), despertando, assim, profunda simpatia no seio das massas. Mas uma moralidade estranha e um tanto difícil de ser compreendida pelos ocidentais.

Portanto, uma ética baseada no confucionismo, com ênfase no *guiri*; um sentimento religioso alicerçado na doutrina budista e também no xintoísmo, o "caminho dos deuses", religião nativa japonesa, com seus médiuns; a presença do sobrenatural e de superstições.

Na segunda metade do século XVIII, verifica-se o surgimento de uma leva de dramaturgos notáveis, mais concentrados na área de Kamigata (Kyoto e Osaka).

5.2.2. *Shozo Namiki (1730-1773)*

Discípulo do autor de *bunraku* Sôsuke Namiki (1694-1751), também conhecido como Senryu, foi um dos mais eminentes autores de Osaka, escrevendo para o Toyotake-za. Após a morte de seu mestre, desiste de escrever para o *bunraku*, passando a fazê-lo para o *kabuki*. Realizou também adaptações bem-sucedidas de peças de *bunraku*, combinando elementos técnicos e literários do *joruri* e do *kabuki*. Shozo Namiki é mais famoso por sua contribuição para o desenvolvimento da maquinaria de palco do *kabuki*, uma vez que inventor do palco giratório.

5.2.3. Gohei Namiki (1747-1808)

Nasce em Osaka, filho de um proprietário de uma casa de chá ligada ao teatro. No início de sua carreira, torna-se discípulo de Shozo Namiki, fazendo seu nome na área de Kyoto e Osaka. Em 1778, transfere-se para Edo, onde permanece pelo resto da vida. Em seus textos, combina o estilo mais racional de Osaka com o estilo mais romântico e impetuoso de Edo. Autor prolífico, produz cerca de cem obras, dentre as quais as famosas peças *Ume no Yoshibei* (*O Yoshibei das Ameixeiras*) e *Godairiki* (*Cinco Homens de Grande Força*). Colaborou com o ator Sojuro Sawamura III e, em 1796, o seu grande achado foi a divisão dos dramas, em dois tipos distintos: *jidaimono* ("peças históricas") e *sewamono* ("peças domésticas"), com enredos diferentes e títulos independentes.

5.2.4. Jisuke Sakurada I (1734-1806)

Um dândi, destaca-se como um dos primeiros dramaturgos de Edo. Excelente autor de *sewamono*, retrata as vidas das massas de Edo, como, por exemplo, em *Sukeroku*. Talentoso também como autor de dramas dançantes.

Já na primeira metade do século XIX, o foco de autores marcantes brilha em Edo, na mesma época em que surgem os *kizewamono* ("dramas domésticos realistas"), descrevendo as camadas mais inferiores da sociedade decadente de Edo, com suas vidas miseráveis, e o mundo do crime. Fato que mostra como o centro do *kabuki* se transferira de Kansai para Edo. Nesse período, destacam-se três grandes dramaturgos: Namboku Tsuruya IV, Mokuami Kawatake e Joko Segawa III, que contribuíram para infundir o realismo no *kabuki*.

5.2.5. Namboku Tsuruya IV (1755-1829)

Os três primeiros Namboku Tsuruya eram atores. Namboku Tsuruya IV, nome artístico de Guenzo Ebiya, nasce numa família humilde, no bairro de Nihonbashi, em Edo. Embora tivesse tido poucos estudos, era dotado intelectualmente, vindo a revelar-se um notável escritor, popularmente cognominado "Ô-Namboku" ("O Grande Namboku"), por ser o mais representativo autor de *kabuki* das eras Bunka (1804-1818) e Bunsei (1818-1830). As peças de Namboku vinham a satisfazer os anseios do público de sua época, ao desenvolver técnicas realistas nos *kizewamono* ("dramas domésticos realistas") e nos *kaidan-mono* ("peças de fantasmas"), com sua surpreendente galeria de personagens, constituída de vilões e criminosos, aliada a uma imaginação cênica viva, extremamente inventiva e hábil. Influenciado por Gohei Namiki, porém mais fantasioso do que este e diferentemente do processo de embelezamento das peças de Mokuami, Namboku é autor prolífico, de cerca de 120 peças, muitas marcadas pela crueldade e sadismo, destacando-se entre elas a obra-prima *Tokaido Yotsuya Kaidan* (*Conto dos Fantasmas de Yotsuya*), que une o real e o sobrenatural, descrevendo a sociedade decadente da época, de um modo realista, vigoroso, desencantado e penetrante; o destino miserável das mulheres na sociedade feudal e a corrupção da classe dos samurais.

Entretanto, a obra de Namboku Tsuruya ressoa de modo surpreendentemente próximo e moderno, graças a dois procedimentos de distanciamento: a fantasmagoria sobre o modo maravilhoso ou horrível, a visão que nós qualificaremos de disjunta. A fantasmagoria permite, no maravilhoso, sonhar com um mundo belo e bom e, no horrível, postular a retribuição dos crimes, graças aos espectros vingativos. Por outro lado, o autor apresenta a sede de poder e de dinheiro como um mal absoluto. Nada que se assemelhe à pintura de paixões, para purgar a alma do espectador. Sem chegar a criar a visão crítica do espectador, que almejava Bertold Brecht, o teatro de Namboku Tsuruya, levando ao extremo uma tendência do *kabuki*, fascina sem seduzir[4].

Yotsuya Kaidan, de 1825, fora baseado num acontecimento que ocorrera na juventude de Namboku.

Durante as eras Bunka e Bunsei, devido à escassez de bons autores de *kabuki*, ocorre o movimento de dramatização dos romances populares de Bakin, Tenehiko e Kyoden.

5.2.6. Mokuami Kawatake

Mokuami Kawatake (1816-1893), pseudônimo de Shinshichi Yoshimura, discípulo de Namboku Tsuruya V, é o dramaturgo que melhor representa a passagem do período antigo para o novo na história do *kabuki*, uma vez que vivencia na sua maturidade e reflete nas suas obras a renovação Meiji, a época de transição do fim do período Edo para o início da moderna era Meiji. Nasce em Edo, atual Tokyo, no *shita-machi* ("bairro popular"), numa família de pequenos comerciantes, de cinco gerações em Nihonbashi.

4. Jeanne Sigée, Introdução a *Les Spectres de Yotsuya*, de Namboku Tsuruya, p. XIII.

Autor prolífico de cerca de 360 peças, que abarcam os gêneros *jidaimono* ("peças históricas"), *sewamono* ("peças domésticas") e *shosagoto* ("dramas dançantes"). Sendo um *Edokko* ("Tokyoita") típico, caracterizado pela vivacidade, humor, ironia e espontaneidade, próprios dos habitantes de Edo, a maioria das obras de Mokuami é *zanguiri kyôguen*, peças que retratam com grande familiaridade o mundo da classe média e principalmente a baixa sociedade de Edo, na sua luta contra as injustiças e opressões. Escreveu também, enquanto especialista em *kizewamono* ("dramas domésticos realistas"), sobre os sacerdotes depravados, a vida noturna com suas gueixas e cortesãs, os malandros que não são tão maus no fundo, os artesãos, os pescadores, lojistas, enfim o pequeno povo da grande cidade. Com seu belo estilo musical e pictural, bem como a elegância nas expressões poéticas, Mokuami levou os *kizewamono* à perfeição.

Foi também ùm excelente autor de *shiranami-mono* ("peças sobre ladrões"), como *Sannin Kichisa* (*Os Três Patifes Chamados Kichisa*); *Benten Kozô* (nome da personagem principal), também conhecido como *Shiranami Gonin Otoko* (*Os Cinco Ladrões*); *Izayoi Seishin*, o romance entre o ex-sacerdote Seishin e a ex-religiosa Izayoi; *Kochiyama*, o chantagista Kochiyama disfarçado de alto sacerdote; *Shima Chidori*, a luta entre um homem disposto a regenerar-se e um outro não disposto; *Ikake Matsu*, o processo de transformação de um homem em ladrão, instigado pela caça ao prazer de um rico.

O último dos grandes autores de *kabuki*, Mokuami pregava o princípio das três amabilidades: em relação ao ator, em relação ao espectador e em relação ao proprietário do teatro.

> Mokuami é, no melhor sentido do termo, um inovador e um moderno. Um inovador, pois ele deu ao *kabuki* um repertório de teatro no sentido ocidental do termo, um teatro narrativo, que comporta uma ação e não mais somente um tema, simples pretexto para efusões líricas e coreográficas, um repertório essencialmente e, por natureza, destinado a atores, e não mais adaptado, bem ou mal, do repertório de marionetes[5].

Já Joko Segawa III (1806-1881), discípulo do grande Namboku Tsuruya IV, era talentoso especialmente nos dramas domésticos, que compunha com muitos detalhes, como no famoso *Yo wa Nasake Ukina no Yokogushi* (*O Escandaloso Caso Amoroso de Yosaburo e Otomi*).

---

5. René Sieffert, *Les Théâtres d'Asie*, p. 155.

Com a restauração Meiji, surge um novo público, que requer peças compatíveis com a nova era, marcada pelo espírito moderno. Com o sucesso alcançado pela produção de *Kiri Hitoha* (*Uma Folha de Paulownia*), de Shoyo Tsubouchi, destrói-se o monopólio da dramaturgia, concentrada, até então, nas mãos dos escritores tradicionalmente ligados às companhias teatrais. Doravante, a história da dramaturgia de *kabuki* passa a ser exercida por homens de letras, que não pertenciam propriamente aos círculos de *kabuki*, e que foram aos arautos na produção de uma nova escola dramática, realizando experimentações e adotando novas técnicas de encenação em peças que vieram a ser denominadas *shin-kabuki* ("*kabuki* novo").

Insatisfeito com o nível artístico dos *katsureki* ("peças de história viva"), Shoyo Tsubouchi (1859-1935), professor da Universidade Waseda, célebre escritor, crítico e dramaturgo, profundo estudioso das obras de Monzaemon Chikamatsu e tradutor de Skakespeare, dedica 47 anos de sua vida, a partir de 1888, à pesquisa e desenvolvimento de um novo drama japonês. Alicerçado em Chikamatsu e Shakespeare, Tsubouchi enfatiza os valores artísticos do *kabuki* tradicional, como a qualidade de uma beleza romântica, e acaba abrindo, assim, um campo exclusivamente seu, ao compor peças *katsureki*. *Kiri Hitoha*, escrita de 1894 a 1895 e encenada em 1907, numa produção do Tokyo-za, obtém grande êxito e representa o primeiro movimento representativo em direção ao "*kabuki* novo", a primeira tentativa consciente de criar um drama japonês de tipo shakespeariano. Em 1897, compõe *Hototoguisu Kojo no Rakuguetsu* (*Um Cuco sob o Quarto Minguante, Pairando sobre um Castelo Antigo*). Ambos os dramas descrevem o trágico declínio, em 1615, da família de Hideyoshi Toyotomi, líder que unificou o Japão no fim do século XVI. *Maki no Kata* (*Senhora Maki*), foi escrita de 1896 a 1897. Cria também outras obras e dramas dançantes, onde efetua adaptações de alguns aspectos do *kabuki* tradicional.

O movimento do "*kabuki* novo", com os dramaturgos trabalhando praticamente fora do teatro, tem Shoyo Tsubouchi como seu verdadeiro pioneiro, sendo seus principais sucessores: Sho-o Matsui (1870-1933), Shiko Yamazaki (1875-1939), Shin Hasegawa (1884-1963), Nobuo Uno (1904-), Hideshi Hojo (1902-), Seika Mayama (1878-1948), autor de cerca de cinqüenta peças, entre as quais *Guenroku Chûshingura* (*Os 47 Vassalos Leais do Período Guenroku*), e Kido Okamoto (1872-1940). Okamoto reina soberano durante toda a era Taisho e, influenciado pelo movimento do Teatro Livre francês, produz várias peças para Sadanji Ichikawa II. Em *Shuzenji Monogatari* (*Conto de Shuzenji*), *Toribeyama Shinju* (*O Duplo Suicídio em Toribeyama*), *Sasaki Takatsuna* e *Bancho Sara Yashiki* (*A Estória de Fantasmas sobre os Pratos de uma Mansão em Bancho*), introduz habilmente as novas idéias ocidentais, engendrando, assim, um novo movimento realista no *kabuki*.

Após o término da guerra do Pacífico, em 1945, Seiichi Funabashi (1904-1976) realiza a dramatização do clássico da literatura japonesa, *Guenji Monogatari* (*Conto de Guenji*), para o japonês moderno e, desde então, dramas totalmente distanciados da tradição do *kabuki* começam a ser produzidos em rápida sucessão, como partes do repertório de *kabuki*. Como exemplos recentes, temos: *Yûzuru* (*Pássaro do Poente*) e *Sannen Netaro* (*Dorminhoco por Três Anos*), adaptações de peças baseadas no folclore japonês, de autoria de Junji Kinoshita (1914-).

Em 1909, o ator de *kabuki* Sadanji Ichikawa II (1880-1940), pioneiro na representação dessas obras do "*kabuki* novo", associa-se a Kaoru Osanai (1881-1928) e funda o *Jiyû Guekijô* ("Teatro Livre"), onde encenam, pela primeira vez no Japão, textos traduzidos do repertório ocidental, e que, juntamente com o *Bunguei Kyôkai* ("Sociedade Dramática"), criado por Shoyo Tsubouchi, constituíam os dois movimentos líderes do *shingueki* ("drama moderno"). Acompanhado pelo seu conselheiro, o dramaturgo Sho-o Matsui, Sadanji parte para a Europa, onde estuda as técnicas do teatro ocidental na Academia de Arte Dramática de Londres. De volta ao Japão, Sadanji aplica os seus conhecimentos adquiridos no Ocidente em produções realizadas no Meiji-za, que herdara do seu pai: encenações de peças de Kido Okamoto, de Seika Mayama, que sofrera influências de Ibsen, e do próprio Ibsen; revive também peças antigas de *kabuki*, como *Kenuki* (*A Pinça*) e *Narukami* (*Deus do Trovão*). Em 1928, é convidado a levar sua trupe para a Rússia.

Atualmente, constata-se a falta de novos talentos na dramaturgia de *kabuki* para revitalizá-lo. Mas o reputado filósofo e historiador contemporâneo, Takeshi Umehara, diretor geral do Centro Internacional de Pesquisas em Estudos Japoneses – Kyoto, tem-se revelado igualmente um talentoso autor de *kabuki*, com as peças *Yamato Takeru* (1986) e *Oguri Hagan* (1991), escritas para o ator e diretor Ennosuke Ichikawa V e que, encenadas como "super*kabuki*", alcançaram estrondoso sucesso.

5.3. CLASSIFICAÇÃO DAS PEÇAS DE *KABUKI*

As peças de *kabuki*, resultado da assimilação de todas as formas dramáticas japonesas precedentes, podem ser divididas amplamente, de acordo com a sua origem, em: *maruhon-mono*, *Guidayu-kyôguen* ou *denden-mono* ("peças adaptadas do teatro *bunraku*"), que são as mais numerosas, *nô-torimono* ou *matsubame-mono* ("peças adaptadas dos teatros *nô* e *kyôguen*") e peças escritas e produzidas exclusivamente para o *kabuki*. Conforme o seu assunto, as peças de *kabuki* podem ainda ser classificadas em três categorias: *jidaimono*, *sewamono* e *shosagoto*.

Jidaimono ("peças históricas") tratam da classe dos samurais, abrangendo do fim do século XII, com as guerras Guempei, até o século XVI, com a unificação do Japão, na época de Nobunaga Oda e Hideyoshi Toyotomi. Como, por exemplo, *Yoshitsune Sembonzakura* (*Yoshitsune e as Mil Cerejeiras*), que aborda as lutas entre as famílias Taira e Minamoto, centrando-se na figura de Yoshitsune Minamoto, um jovem general do século XII. Portanto, peças sobre épocas anteriores ao período Edo, quando foram escritas. Ou ainda, descrevem fatos relacionados às classes superiores, com os seus heróis altivos, as personagens históricas famosas, mas transpostas para uma época anterior, para atender às imposições do regime de ditadura militar do xogunato Tokugawa. Este proibia a encenação teatral de eventos políticos e históricos reais, contemporâneos ao período Edo ou Tokugawa, que motivassem críticas ao governo da época, exercendo para tanto uma censura rigorosa, com um corpo de informantes, polícia secreta e censores. Não podendo retratar a veracidade dos fatos históricos atuais, os dramaturgos acabavam camuflando suas personagens, inserindo-as em um enredo totalmente irrelevante e imaginário, modificando seus nomes, transferindo-as para o período Kamakura (1192-1333), enfim, disfarçando os eventos como ocorrências da Idade Média. Como o caso de *Kanadehon Chûshingura* (*A Vingança dos 47 Vassalos Leais*), um fato real, ocorrido em 1702, no período Edo, mas que teve que ser adaptado para o período Kamakura. O nome do herói Kuranosuke Ôichi passa a ser Yuranosuke Ôboshi, o do vilão Kozukenosuke Kira torna-se Morono Kono e o da vítima Takuminokami Asano é mudado para Hangan Enya.

Os *jidaimono* subdividem-se em *ôdaimono* ("peças da era imperial") e *oiemono* ("peças relativas às grandes famílias"). Os *ôdaimono* são obras centradas na família imperial, nobres e sacerdotes dos períodos Nara (710-794) e Heian (794-1192), épocas em que a corte imperial era realmente o centro do governo, como, por exemplo: *Sugawara Denju Tenarai Kagami* (*Os Ensinamentos dos Segredos Caligráficos de Sugawara*), sobre um nobre erudito do século IX, Michizane Sugawara, santo patrono da caligrafia; *Imoseyama Onna Teikin* (*A Educação Adequada de uma Jovem nos Montes Imo e Se*), estória de dois jovens pertencentes a famílias aristocráticas inimigas que se suicidam. Já os *oiemono* são "peças das grandes famílias", dramatizando as lutas pelo controle de território, as tentativas de usurpação, os casos de vingança nos círculos familiares dos *daimyô* ("senhores feudais") do período Edo (1603-1867). Os *oiemono* misturam as vidas dos samurais e do povo, sendo denominados *jidai-sewamono* ("peças histórico-domésticas") e correspondem, no Ocidente, às peças de Shakespeare, como *Hamlet* e *Macbeth*.

A subida ao poder do primeiro xogum Tokugawa, Ieyasu, marcou o início de três séculos de paz no Japão, mas a ausência de guerra foi equiparada por todas as espécies de disputas dentro das casas de muitos senhores feudais, que controlavam feudos por toda a nação. Assim, o enredo dos *oiemono* freqüentemente se articularia na morte súbita de um senhor, cujo filho e herdeiro ainda era apenas uma criança. Um vassalo mau procuraria expulsar imediatamente o futuro herdeiro e substituí-lo por um outro candidato, favorável a si mesmo, para que deste modo ele pudesse eventualmente tomar controle do patrimônio da família. Um vassalo fiel da família viria a saber do complô, e a luta resultante entre os dois lados forneceria o principal material para a peça[6].

Exemplos de *oiemono*: *Meiboku Sendai Hagui* (*A Disputada Sucessão na Família Date*), *Kanadehon Chûshingura* (*A Vingança dos 47 Vassalos Leais*), *Kuroda Sodo* (*A Luta na Família do Lorde Kuroda*), *Kagamiyama Kokyo no Nishikiê* (*A Vingança da Criada*). Os membros da corte imperial e os guerreiros medievais das guerras Guempei aparecem nos *ôdaimono* com seus nomes reais, mas nos *oiemono*, como as lutas entre os feudos eram acontecimentos contemporâneos, sendo rigorosamente vedada a sua dramatização, os dramaturgos tinham de ambientá-las num passado remoto, com as personalidades disfarçadas sob nomes fictícios.

Embora o xogunato Tokugawa proibisse a encenação de eventos políticos e acontecimentos relacionados à aristocracia social e militar, não impunha restrições à dramatização sem disfarces de fatos sensacionalistas ocorridos no seio do povo. Con-

---

6. Tamotsu Kokubu, *Understanding Japan: Japanese Theater*, p. 62.

seqüentemente, os *sewamono* ("peças domésticas"), dramas sociais sobre as maneiras domésticas dos estratos inferiores, cenas da vida cotidiana do povo, com suas tristezas e alegrias, são mais realistas do que os *jidaimono* ("peças históricas"), e começam a desenvolver-se no início do século XVIII, em parte para compensar a área de material proibido, mas principalmente devido à crescente importância social que os citadinos vinham adquirindo, embora, durante o período Edo, ainda não gozassem de direitos políticos.

Os autores de *sewamono* foram os pioneiros a explorar o rico material da natureza humana em seus aspectos mais plebeus. Mas podemos perceber também, debaixo dessa camada familiar do cidadão comum, uma assimilação quase que completa de características das peças *jidaimono*, como a figura heróica do cidadão, agindo de acordo com um código ético semelhante ao dos samurais, as mulheres e as esposas dos citadinos, comportando-se com grande dignidade e nobreza, como as personagens aristocráticas das peças históricas, distinguindo-se destas apenas pela fala numa linguagem mais simples, ao procurar-se dar às peças um certo realismo. Havia também uma recriação de cenas da vida cotidiana, como o surgimento de vendedores ambulantes, o beber chá ou vinho, a preparação de comida. Contudo, até a metade do século XVIII, os trajes das peças *sewamono* eram confeccionados de modo a não se assemelharem aos dos cidadãos contemporâneos.

Os *sewamono* podem ser subdivididos em: *sewamono* propriamente dito, sobre a classe média alta, como *Umegawa Chûbei*; *kizewamono*, "peças domésticas realistas"; e *zanguiri-mono*, "novas peças domésticas", um novo tipo de *sewamono* influenciado pelo impacto do Ocidente: *Shimachidori*, que narra o arrependimento de dois ladrões; *Takahashi O-Den*, sobre a heroína vilã O-Den Takahashi.

Os *kizewamono* (*ki* = "puro", "inalterado" + *sewamono* = "peças domésticas"), "peças domésticas realistas", retratam mais realisticamente do que os *sewamono* várias facetas do cotidiano das camadas mais humildes, o submundo de Edo. Os crimes, aventuras, amores e crueldade sanguinolenta dos ladrões, jogadores, assassinos, prostitutas, agiotas e *rônin* ("samurais sem amo"), entremeados com a aparição de fantasmas, em lugares públicos como as pontes sobre o Rio Sumida ou nas moradas miseráveis, refletindo a corrupção e decadência da sociedade da época, com sua filosofia niilista, hedonista e individualista e, simultaneamente, atendendo ao próprio público, que ansiava pelo cruel e espetacular no teatro, desejoso de escapar para um mundo de excitação e colorido. Todavia, o retrato dessas vidas de extremada pobreza, com qualidades de *grand guignol*, com o objetivo de desvendar o lado negro da sociedade, é apresentado através de uma beleza estilizada, mesmo nas situações mais desesperadoras.

Enquanto a maioria dos *sewamono* são produtos de Osaka, capital comercial, os *kizewamono* ("dramas domésticos vivos"), extremamente realistas, foram criados especialmente em Edo e embora a sua origem enquanto gênero seja atribuída à peça de bunraku *Natsu Matsuri Naniwa Kagami* (*Conto do Festival de Verão em Osaka*), de Sôsuke Namiki, os *kizewamono* não são obras adaptadas do *bunraku*, visto que foram escritas propriamente para o *kabuki*, tendo-se originado por volta do fim do século XIX, após o *bunraku* ter cessado o seu desenvolvimento. Ao gênero *kizewamono* pertencem os *shiranami-mono* ("peças sobre ladrões e agiotas") e os *kaidan-mono* ("peças sobre fantasmas"), destacando-se os expressivos dramaturgos Namboku Tsuruya IV e, mais tarde, Mokuami Kawatake. Exemplos de *kizewamono*: *Yotsuya Kaidan, Sannin Kichisa, Izayoi Seishin, Tengajaya, Irezumi Chohan, Kozaru Shichinosuke, Ippon Gatana Hohyo-Iri* e *Benten Kozô*, o Robin Hood japonês.

Por sua vez, os *shosagoto* ("dramas dançantes") são tramados num enredo leve, que contém diálogos simples e a ação desenvolve-se principalmente através de movimentos simbólicos de dança dos atores, com comentários e descrições do coro de narradores-cantores, acompanhados de música de *shamisen* dos estilos *nagauta* ou *joruri* (*Tokiwazu, Kiyomoto* e, ocasionalmente, *Guidayu*). Devido à mistura de estilos e convenções, os variados dramas dançantes resistem a uma simples classificação. Porém, de maneira geral, abarcam os gêneros: *matsubame-mono*, interlúdios de dança, *hengue-buyô* e *fûzoku mitate-mono*.

Os *matsubame-mono* são danças derivadas diretamente dos teatros *nô* e *kyôguen*, sendo invariavelmente encenadas com o cenário do palco de *nô*, com as pinturas estilizadas de pinheiro e bambus e com os atores adotando o *suriashi* ("passo deslizante") do *nô*. Portanto, seguem de perto o original do *nô*, mas com uma diferença fundamental, posto que no *kabuki* sempre são apresentadas com o acompanhamento musical de *shamisen*. Os melhores dramas dançantes de *kabuki* são adaptações de *nô*, tais como: *Kagamijishi* (*A Dança do Leão*), *Momijigari* (*A Contemplação das Folhas Coloridas de Outono*); *Musume Dojoji* (*A Moça no Templo Dojo*); e do *kyôguen*: *Sannin Katawa* (*Os Três Deformados*),

Suo Otoshi (*O Casaco Caído*), *Migawari Zazen* (*O Substituto para a Meditação*), *Chatsubo* (*O Pote de Chá*) e *Bôshibari* (*Atado a um Pilar*).

As peças mais longas de *kabuki* são entremeadas por interlúdios de dança, que às vezes são encenadas como dramas dançantes independentes, como "Michitose", em *Kochiyama to Naozamurai*; "Ochiudo", a viagem de Okaru e Kampei, em *Chûshingura*; "Chushin", a viagem de Shizuka e da raposa disfarçada de guerreiro Tadanobu, em *Yoshitsune Sembonzakura*.

Dentre os dramas dançantes propriamente do *kabuki* ou "danças puras de *kabuki*", caracterizados por explorarem melhor os recursos de iluminação, com rápidas mudanças de cenário e vestuário, um estilo de dança livre e sugestivo a coreografar a vida dos cidadãos do fim do período Edo, tendo como principais temas a alegria dos festivais, os vendedores ambulantes e os acontecimentos no bairro de Yoshiwara, destaca-se o gênero *hengue-buyô* ("danças transformacionais"), onde um único ator dança os papéis de várias personagens. Chega mesmo a doze, numa única peça ou num mesmo ato, e realiza rápidas mudanças de vestuário, com o propósito de maior efeito dramático. O *henguebuyô* origina-se na era Guenroku (1688-1735), desenvolve-se na área de Kansai e torna-se popular no fim do período Edo, para atender à avidez do público, assim como no caso do *kizewamono*, pelo espetacular e variado. Na peça *Yamatogana Iroha Nana Moji*, Mitsugoro Bando III dança os papéis de sete personagens, acompanhado de rápidas mudanças de vestuário no palco: um homem da corte, um macaco amestrado, uma garota do campo, uma anciã, Guenda (um jovem viril), Momotarô (da antiga lenda japonesa) e Sambasô (dança de felicitação).

Danças tais como *Fuji Musume*, *Yasuna* e *Kuruma Jishi* não retratam uma personagem baseando-se especificamente numa estória, mas sim através do cenário, acompanhamento musical e da interpretação em solo do dançarino, os quais, em conjunto, criam a atmosfera apropriada, sugerindo uma jovem apaixonada, um ser amargurado ou um mendigo.

Como uma arte hereditária, o *kabuki* tem incitado seus atores a preservarem não apenas a linhagem familial, mas também a arte específica a cada clã, através da seleção de peças representativas do repertório-padrão de cada família teatral, transmitindo-a de pai para filho. Tais coleções de peças foram surgindo de tempos em tempos, selecionadas por atores famosos, muito embora nem todas sejam apresentadas regularmente hoje em dia.

O famoso *Kabuki Jûhachiban* (*As Dezoito Peças Favoritas de Kabuki*) é uma seleção de peças de *kabuki*, efetuada e estabelecida por Danjuro Ichikawa VII (1791-1859), em 1840, que as compilou e adaptou, quando necessário. Coleção das mais marcantes obras que seus antepassados de Edo se especializaram em representar, em estilo de atuação *aragoto*, obtendo grande aclamação pública. Algumas delas ainda hoje são favoritas dos espectadores. "O uso do número dezoito tem uma origem budista, que era familiar às pessoas, através de uma variedade de contos budistas e expressões como: 'mesmo um demônio pode ter dezoito anos', 'dezoito dândis' ou 'dezoito votos de Buda'."[7] *O Kabuki Jûhachiban* incluía as seguintes peças: *Fuwa* (a personagem principal Banzaemon Fuwa), *Narukami* (*Deus Trovão*), *Shibaraku* (*Espere um Momento!*), *Fudô* (*Deus do Fogo*), *Uwanari* (*A Amante*), *Zôhiki* (*O Roubo de um Elefante*), *Kanjincho* (*A Lista de Donativos*), *Sukeroku* (personagem principal), *Oshimodoshi* (*Repulsão*), *Uirôuri* (*O Vendedor de Remédio Uirô*), *Yanone* (*A Ponta da Lança*), *Kan'u* (a personagem principal Kuan Yu), *Kaguekiyo* (nome do herói), *Nanatsumen* (*As Sete Máscaras*), *Kenuki* (*A Pinça*), *Guedatsu* (*Libertação/Salvação*), *Jayanagui* (*A Árvore de Chorão-Cobra*) e *Kamahigue* (*O Barbear com uma Gadanha*). Estas dezoito peças tornaram-se propriedade tradicional da família Ichikawa, cujos direitos autorais e de representação ainda hoje lhe pertencem. Portanto, *As Dezoito Peças Favoritas de Kabuki* não constituem as dezoito obras-primas do *kabuki* e sim as dezoito peças favoritas da família Ichikawa. Origina-se daí a expressão popular: "Este é o seu *Jûhachiban*", isto é, "Este é o seu *forte*", uma dança ou uma canção.

Seguindo o exemplo do seu ancestral, Danjuro Ichikawa IX produz e apresenta a coleção *Shin Kabuki Jûhachiban* (*As Dezoito Novas Peças Favoritas de Kabuki*), que inclui: os dramas históricos *Nakamitsu* (nome do herói), *Takatoki* (personagem principal), *Jishin Kato* (*Kiyohara Kato no Terremoto*) e *Ise no Saburo* (nome do herói); bem como os dramas dançantes *Momijigari* (*A Contemplação das Folhas Coloridas de Outono*), *Kagamijishi* (*A Dança do Leão*), *Omori Hikoshichi* (personagem principal) e *Funabênkei* ("Bênkei no Barco"); abarcando ainda as peças: *Sekai no Taikô, Koshikoejo, Sanada no Harinuke Tsutsu, Tsuri-Guitsu-*

---

7. Toshio Kawatake, "Bunraku and Kabuki", p. 208.

ne, *Kiri no Otodo*, *Yamabushi Settai*, *Hidari Kogatana*, *Tako no Tametomo*, *Bungaku Kanjincho*, *Chuko*, *Onna Kusunoki*, *Futari Bakama* e *Fukitorizuma*, o que, na realidade, acaba por exceder o número de dezoito peças.

Por sua vez, o *Shin-Ko Engueki Jusshu* (*As Dez Peças de Kabuki Antigas e Novas*) surge como a coleção de textos peculiares da família de Kikugoro Onoe. Selecionada pelo famoso ator Kikugoro Onoe V (1844-1904), foi posteriormente melhorada e complementada por Kikugoro Onoe VI e Baiko Onoe VI. A coleção consiste em peças em um ato, de natureza relativamente clássica: *Tsuchigumo* (*A Aranha Terrestre*), *Modori Bashi* (*A Ponte Modori*), *Ibaraki* (*A Anciã Ibaraki*), *Hagoromo* (*O Manto de Plumas*), *Ayatsuri Sambasô* (*O Sambasô Marionete*), *Hitotsuya* (*A Casa Isolada*), *Furudera no Neko* (*O Gato do Templo Antigo*), *Rakan* (*Os Discípulos Iluminados de Buda*), *Osakabe Hime* (*Princesa Osakabe*) e *Kikujido* (*O Espírito do Crisântemo*), às vezes, incluindo-se também o *Migawari Zazen* (*O Substituto para a Meditação*), adaptada do *kyôguen*.

Outras coleções de peças selecionadas por atores famosos são: *Kataoka Junishû* (*As Doze Peças Selecionadas por Nizaemon Kataoka XI*); *Ganjiro Junikyoku* (*As Doze Peças Selecionadas por Ganjiro Nakamura I*); *Koga Jusshu* (*As Dez Peças Escolhidas por Sojuro Sawamura*).

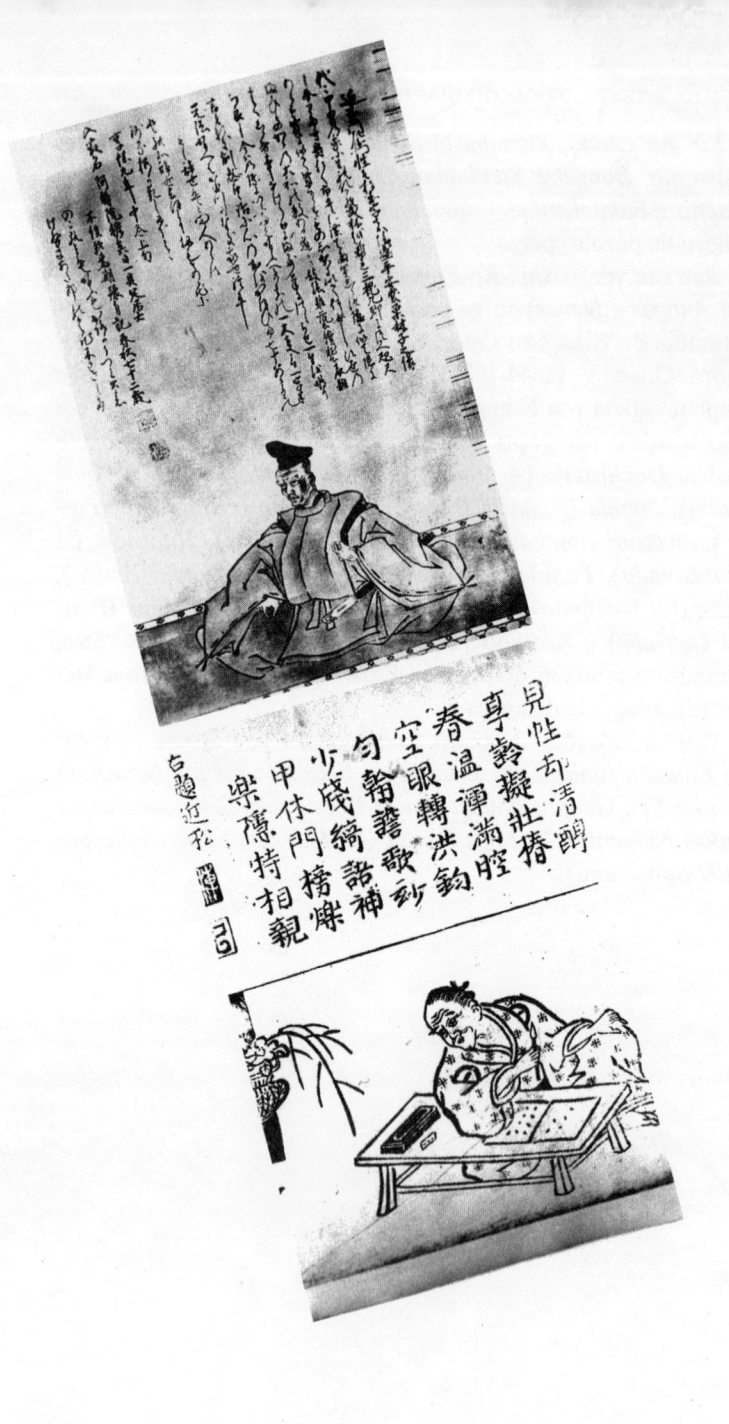

O célebre dramaturgo Monzaemon Chikamatsu (1653-1724), autor de peças de *bunraku* e *kabuki*.
Fotos: Museu do Teatro da Universidade Waseda

Shozo Namiki (1730-1773)

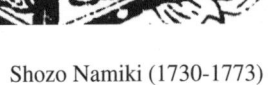

Gohei Namiki (1747-1808)

DRAMATURGOS DE *KABUKI*
Fotos: Museu do Teatro da Universidade Waseda

Tsuruya Namboku IV (1755-1829)

Mokuami Kawatake (1816-1893)

6. Encenação

6.1. UM VERDADEIRO CARNAVAL COLORIDO

Um espetáculo de *kabuki* é essencialmente uma suntuosa festa para os olhos. A pródiga combinação de cores, com o uso intenso de cores primárias, a profusão de cores quentes puras, violentamente contrastantes, no vestuário, na maquilagem *kumadori* e nos cenários de *kabuki*, individualmente resultam desarmoniosas, agressivas, de uma extravagância sem par, mas em conjunto criam um cromatismo mágico, um imponente arranjo de cores com o resto da cena, compondo um exemplar de beleza pictórico-escultórica e inesgotável fonte de impacto plástico e sensual.

Ao ousarem usar a imaginação, essa fonte de energia criadora tão naturalmente manipulada pelas crianças, os encenadores de peças *kabuki* acabaram por se afastar radicalmente das cores imitativas, de mera reprodução da realidade, passando a utilizar generosamente as cores puras enquanto expressão dos sentimentos. Três séculos antes do aparecimento do movimento fauvista na Europa, com seus quadros inflamados de cores, as peças *kabuki*, com seu colorido exuberante e arrojado, já encarnavam com garra e audácia os dizeres de Matisse em seu *Estudo para a Alegria de Viver*, como se realmente "pintadas no estado de graça de um selvagem ou de uma criança".

6.2. VESTUÁRIO DE *KABUKI*

6.2.1. Um Vestuário Deslumbrante

Durante a era Guenroku (1688-1735), graças à paz estabelecida pelo xogunato Tokugawa, o teatro *kabuki* atinge o seu primeiro estágio de desenvolvimento artístico, paralelamente ao intenso progresso econômico da classe dos mercadores, o seu grande público. Já no fim do século XVIII, para conter a difusão de um luxo excessivo na maneira de viver dos citadinos, o governo continuamente emitia leis e impunha restrições, proibindo a exibição pública de riqueza e a cada transgressão tornava-se mais repressor.

Se, na Europa de então, a exibição de luxo através do uso de trajes e cores especiais era um privilégio dos ricos, posto que o povo em geral devia vestir-se humildemente, segundo os preceitos mesmos da Igreja, no Japão, era um privilégio restrito aos senhores feudais, que puniam severamente toda manifestação de luxo na roupagem, seja dos ricos citadinos ou dos atores de *kabuki*. "Desde 1569, em Paris, um decreto proibia aos padeiros de usarem casacos, chapéus e calções, exceto nos domingos e outras festas, quando lhes era permitido portarem chapéus e casacos de pano cinza ou branco e não de outra cor."[1] No que concerne ao vestuário japonês, os mercadores e plebeus em geral, mesmo enriquecidos, tinham permissão e acesso, *a priori*, apenas ao uso de quimonos mais simples e de colorido sóbrio, uma vez que a seda e os pigmentos corantes mais vistosos, como o vermelho e o roxo, importados da China, eram-lhes proibidos ou muito caros. Mesmo assim, os inconformados e com alguma posse passaram a concentrar-se mais na qualidade do tecido, usando um forro de seda colorida, bastante elaborado e caro, sob o quimono exterior mais discreto e humilde. E esse pequeno detalhe era a concessão à expressão de sua elegância.

Atualmente, todo o vestuário de *kabuki* pertence às companhias teatrais, mas até a metade do século XIX, cada ator providenciava seu próprio costume, com exceção dos trajes dos atores menos graduados, que eram fornecidos pelas companhias. Não se faziam restrições aos magníficos trajes do teatro *nô*, visto que o *nô* era patrocinado pelas aristocracias civil e militar, mas todos os trajes luxuosos do *kabuki* eram confiscados. O que obrigou os

---

1. J. Delumeau, *La Civilisation de la Renaissance*, p. 330.

atores de *kabuki* a criarem, com curiosos pedaços de seda e algodão, padrões especiais, ideando novas combinações de cores e escolhendo harmoniosamente os acessórios, de modo que estes apresentassem eficácia no palco. E o fizeram tão bem, que o uso de *mon* ("heráldica") nos quimonos pelos atores de *kabuki* propagou-se rapidamente no século XVIII, sendo um costume adotado até hoje: borboleta para a personagem Gorô, grou para Asahina. Portanto, ao envergarem publicamente as suas roupas extravagantes e de colorido vivo nos palcos, com o uso do vestuário antes como fantasia do que realismo, os atores de *kabuki* vinham, de certa maneira, a realizar os anseios reprimidos e frustrados dos cidadãos comuns na sua vida cotidiana. A indumentária e o ator de *nô* transformam-se num único corpo, todavia, no caso do *kabuki*, devido a sua história de repressão, desenvolve-se uma estética em que o vestuário se faz independente do ator.

Porém, a partir da era Meiji (1867-1912), as leis proibitivas tornam-se mais brandas e os atores de *kabuki* passam a ter "carta branca", usando trajes com um arranjo de cores por vezes discordante, mas de uma beleza e vibração inusitadas.

Algumas cores eram sempre associadas a certas personagens favoritas do *kabuki*, e comumente o significado da cor tem uma origem específica. Por exemplo, o papel de Sukeroku está sempre relacionado a uma certa cor roxa, conhecida, no período Guenroku, como o "roxo do xogum". Sukeroku sempre aparece com uma faixa de tecido ao redor da cabeça (*hachimaki*) e meias (*tabi*) desta cor. Para se fazer essa cor especial, é necessária uma tinta vermelha (*beni*), obtida exclusivamente na China. Antes do período Guenroku, somente o xogum era suficientemente rico para importar esse artigo de luxo. Sukeroku, o "cidadão viril", ao usar a cor especial do xogum, não apenas ao redor da cabeça, mas também nos pés, mostra que ele se rivaliza em riqueza com o governante e zomba publicamente dele, a mais alta autoridade do país[2].

Kabuki ishô, o magnífico "vestuário de *kabuki*", por si só constitui um espetáculo à parte: belo e bizarro. A expressão da cultura da classe mercantil. Mesmo o costume do *kabuki* campestre é majestoso. O mesmo espírito dos foliões do carnaval do Rio, que durante quatro dias se transformam em reis, rainhas e colombinas, os governa. As cores ofuscantes e os padrões usados nos trajes de *kabuki* não funcionam apenas como fonte de atração visual, com o propósito de se atingir um efeito dramático. Na realidade, obedecem a um código cromático e de padrões, que leva à identificação da idade e condição social das personagens, assim

2. Faubion Bowers, *op. cit.*, p. 180.

como à revelação de suas personalidades, e que se solidificou através das convenções estabelecidas durante os quase quatro séculos de existência do *kabuki*. Cada papel tradicional tem seu vestuário definido rigidamente até o mais ínfimo dos acessórios, tendo se estabelecido, inicialmente, quando atores famosos usaram um vestuário específico. Fato que leva os espectadores experientes a identificarem, de imediato, através do vestuário, os tipos de personagens e as categorias das peças: as princesas vermelhas, os monges de manto branco, as cortesãs luxuosamente vestidas, um ladrão com o corpo todo tatuado ou um nobre da corte com o seu chapéu preto. Atualmente, os atores mais importantes têm o privilégio de escolher suas cores e padrões preferidos, mas no conjunto não houve mudanças profundas, sendo que os padrões mais comuns dos quimonos são os mesmos adotados pelos atores do período Edo.

Os trajes mais elaborados e deslumbrantes do vestuário de *kabuki* são os das cortesãs e dos heróis das peças em estilo *aragoto*. As suntuosas roupas das *keisei* ("cortesãs de alta classe"), de cores brilhantes, são compostas pela superposição de vários quimonos de brocado, com o *manaita obi*, uma larga "faixa de cintura", ricamente bordada com fios dourados e prateados, atada bem acima da cintura, na frente, e não atrás, com suas amplas extremidades pendendo rijamente até a altura dos joelhos, como se fosse um avental. Quando saíam, usavam o *kake*, manto exterior bastante vistoso, altamente ornamentado e com pesado estofo nas bainhas. As ricas vestes das cortesãs chegavam a pesar vários quilos e apresentavam uma certa cauda, o que as obrigava a calçar altíssimos tamancos de madeira, freqüentemente laqueados de preto, para as manterem longe do pó ou da lama, necessitando apoiarem-se nos ombros de um criado, para não tropeçarem, ao se locomoverem de um lugar para outro. Mas elas nunca usavam *tabi* ("meias bifurcadas"), aparecendo sempre descalças. As belas e volumosas silhuetas das cortesãs do período Edo, cujas procissões com seus séquitos constituíam verdadeiros espetáculos para os cidadãos de Edo e Kyoto, ficaram registradas para sempre nos admiráveis *ukiyoê* de Utamaro e Toyotomi.

Os quimonos acolchoados, as gigantescas mangas e as enormes calças rastejantes dos trajes particularmente exagerados de alguns heróis de peças *aragoto*, como o de Gongoro, em *Shibaraku* (*Espere um Momento!*), considerado o mais impressivo de todo o vestuário de *kabuki*, exigem auxílio constante dos assistentes de palco, para dispô-los convenientemente, ao se movimentarem, particularmente nas poses especiais denominadas *mie*, e traduzem o poder sobre-humano do seu portador. O terceiro traje para a personagem Gongoro foi ideado por Danjuro Ichikawa II e é, em sua essência, a indumentária adotada até hoje.

O vermelho expressa juventude, beleza e transformação, sendo empregado como a cor dominante nos belos e suntuosos quimonos brocados das personagens *akahime* ("princesas vermelhas"), que apresentam o corpo totalmente coberto por um esplêndido quimono de seda vermelha, ricamente bordado, com uma longa cauda rastejante, deixando entrever apenas as pontas dos dedos das mãos e com os cabelos ornados por uma tiara prateada em forma de leque. Na realidade, os autores e o público da era Guenroku, por não terem a noção de como seria uma verdadeira princesa, acabaram inventando o tipo "princesa vermelha", com o rubro simbolizando a paixão ardente da princesa. As personagens cômicas também utilizam abundantemente o vermelho.

Um homem envergando um traje totalmente cinza representa o espírito de um rato encerrado numa forma humana, como, por exemplo, o vilão Danjo Nikki, em *Meiboku Sendai Hagui* (*A Disputada Sucessão na Família Date*). Danjo Nikki traja *kataguinu* e *nagabakama*, com a parte central em estilo *noshime*, isto é, com um colorido e padrão diferentes, representando a sua metamorfose, pela bruxaria, em rato num dos momentos mais excitantes da peça. O preto é empregado profusamente no *kabuki* para consignar seja a invisibilidade, por meio do *keshimaku* ("cortina de ocultamento") e dos *kurogo*; seja a noite, com o uso de *kuromaku* ("cortina negra") nas cenas de *danmari* ("pantomima sem palavras"); ou ainda, para expressar elegância, através dos trajes das personagens Sukeroku, Kampei, Tadanobu e Motome. Paralelamente, no teatro elisabetano, verificamos a existência do "manto para se fazer invisível". Um manto alegórico aceito pelo público, como tendo a capacidade de tornar seu portador invisível, e usado por Ariel em *Tempestade*, numa convenção semelhante à do *kurogo* no *kabuki*. Em *Ninguém e Alguém*, 1606, a personagem Ninguém usa um traje com calções até o pescoço, de modo a ocultar todo o corpo, transformando-se assim em Ninguém. Já no *kabuki*, grupos de oficiais do governo, que fazem evoluções acrobáticas, usam trajes totalmente em negro e, às vezes, dourado ou prateado; enquanto homens e mulheres do povo usam quimonos de colorido simples e sem heráldicas, ou com ornamentos de heráldicas em círculos brancos. Verde expressa ora o verdor dos campos, como no caso da interiorana O-Mitsu, ora a paixão das jovens O-Miwa e Chidori; o azul, representando o mar, assinala mulheres e filhas de pescadores; *assagui* ("verde-azulado") é usado pelo oficial do governo Togashi em *Kanjincho* (*A Lista de Donativos*), enquanto em *Chûshingura* manifesta a sensualidade de Kampei e Wakanosuke. O branco, sugerindo pureza e esplendor, alude também à tragédia, sendo a cor do traje mortuário, como em *Sagui Musume* (*A Moça Garça*) e *Ninokuchi Mura* (*A Aldeia Ninokuchi*), bem como a cor do luto, se bem que, às vezes, o preto, o cinza-pálido ou o marrom-escuro também sejam empregados para expressar o luto. No Japão, o roxo é uma cor nobre e luxuosa, usada pelos altos eclesiásticos, mas no *kabuki* é também uma cor romântica e elegante, empregada pelos jovens amantes e pelos ladrões em *Shiranami Gonin Otoko* (*Os Cinco Ladrões*). Grupos de policiais, guerreiros ou malfeitores envergam *yoten*, vestes de mangas largas com as bainhas abertas dos lados. Nos cenários, recorre-se profusamente ao dourado e ao prateado, harmonizando-os com cores serenas e refinadas.

Através do *hengue* ("transformação"), técnica teatral de mudança do vestuário, maquilagem e cabeleira, os atores modificam totalmente o visual, traduzindo enfaticamente a mutação de suas personalidades e atendendo, assim, à estética do *kabuki*, que visa antes de mais nada à produção de efeitos visuais surpreendentes. A peça *Sukeroku* tem apenas um ato, mas a cortesã Aguemaki muda de trajes quatro vezes, simbolizando a passagem das quatro estações do ano.

No início de "Kurumabiki", um ato da peça *Sugawara Denju Tenarai Kagami* (*O Ensinamento dos Segredos Caligráficos de Sugawara*), Matsuômaru, Umeômaru e Sakuramaru aparecem trajados de modo idêntico, com quimonos axadrezados, mostrando que são irmãos. Entretanto, no decorrer da peça, manifestam-se como guerreiros hercúleos, que punem um samurai vilão. E revelam, através do *hada o nugu*, processo de mudança parcial do traje, que é mantido no lugar por uma larga faixa de cintura, removendo-se somente a manga direita e depois a esquerda, portanto a parte superior do quimono exterior, roupas interiores com padrões e cores diferentes: folhas de pinheiro, flores de ameixeira e flores de cerejeira, respectivamente ilustrações literais de seus nomes, uma vez que *matsu* significa "pinheiro"; *ume*, "ameixeira"; e *sakura*, "cerejeira". Matsuômaru e Umeômaru atuam de maneira exagerada e arrojada, manifestando virilidade, enquanto Sakuramaru é mais gentil.

Também na peça *Soga no Taimen* (*O Confronto dos Soga*), presenciamos o emprego reiterado do processo *hada o nugu*, que acentua ainda mais a ira da personagem Gorô diante do seu antagonista Kudo.

À medida que Gorô se aproxima cada vez mais de Kudo, a sua ira aumenta, e esse movimento é acompanhado por mudanças de vestuário, que enfatizam ambas, a sua ira e a sua importância visual. Primeiro, ele remove a manga direita do quimono exterior, revelando sob ele um brilhante quimono vermelho; quase que não há vermelho nos outros trajes ou no cenário. Depois de um certo tempo, ele remove a manga esquerda, de modo que a parte superior de sua indumentária se torna inteiramente vermelha; mais tarde, ele remove a parte superior do seu quimono vermelho, para exibir sob ele um outro quimono vermelho ainda mais brilhante[3].

O *hadanugui*, essa técnica de abaixar a parte superior do traje, deixando-o pendente na cintura, é ainda bastante empregada nas poses *mie*, principalmente para traduzir um espírito agressivo, e freqüentemente nas cenas *jitsu wa* ("na realidade"), para expressar mudança de personalidade, quando a personagem se identifica dizendo: "Na realidade, sou..." Apenas uma manga é abaixada para acentuar um estado emotivo ou de excitação, ao passo que, às vezes, ambas as mangas são abaixadas para indicar uma personagem gravemente ferida. Nas cenas de luta, remove-se a manga direita. Quando subitamente irada, a personagem masculina despe a sua manga, para tornar a vesti-la quando recupera a calma.

Além do *hada o nugu* existem ainda no *kabuki* surpreendentes processos de rápidas mudanças de vestuário no palco, como o *hikinuki* e o *bukkaeri*, efetuados inteiramente à vista do público, com o auxílio dos *kôken* ("assistentes de palco"), revelando a verdadeira ou dupla natureza da personagem. Como as mudanças de cenário, as mudanças de vestuário diante do público obedecem ao princípio do *kabuki* de revelar o teatro como teatro.

Nos clímax dos dramas dançantes, antes do cerrar da cortina, ou quando uma personagem é desmascarada pelo inimigo, amiúde ocorre o artifício mais dramático denominado *hikinuki* (*hiki* = "puxar" – *nuki* = "tirar"), "arrancar", referindo-se ao puxar dos alinhavos, que mantêm os trajes juntos, e arrancar o quimono. O *onnagata* usa vários trajes superpostos e, em questão de segundos, sempre auxiliado pelo assistente de palco, remove instantâ-

---

3. Earle Ernst, *op. cit.*, p. 185.

nea e completamente, uma veste após a outra no palco, sem interromper em momento algum os movimentos da dança. Assim, através do processo *tama o nuku*, ágil e hábil retirada dos alinhavos, que são costurados frouxamente no alto das mangas e na bainha, seguida pela rápida remoção das partes superior e inferior do quimono pelo assistente de palco, a personagem passa a exibir, num piscar de olhos, um traje completamente novo, igualmente magnífico, de colorido contrastante com o anterior. Todavia, o *obi* ("faixa de cintura") é sempre o mesmo. Quando empregado nas cenas *jitsu wa* ("na realidade"), o *hikinuki* ocasiona a revelação da personalidade, contribuindo, assim, para o desenvolvimento da peça. Por outro lado, nas cenas dançantes, manifesta antes uma mudança de humor do que de personalidade. Mas sempre, uma exibição de esplendor e colorido inesperados.

A técnica do *hikinuki* é freqüentemente usada pelas personagens femininas nos *shosagoto* ("dramas dançantes"), e raramente pelas personagens masculinas. Em algumas peças ocorrem várias mudanças de vestuário de uma única personagem, expressando mudanças de tempo, emoção ou personalidade. A heroína de *Sagui Musume* (*A Moça Garça*) muda de vestes quatro vezes, simbolizando a passagem das quatro estações do ano; enquanto na peça *Kyoganoko Musume Dojoji* (*A Moça no Templo Dojo*), a bela jovem realiza sete trocas de trajes no decorrer da dança, representando a vida de uma mulher, da infância à maturidade: do vermelho ao azul-claro, sucedendo-se o rosa, o lilás, o amarelo, o roxo, o branco, retomando o vermelho na cena final sobre o sino. Mas os motivos dos seus quimonos são sempre as flores de cerejeira.

No *bukkaeri* ("mudança súbita"), o ator retira seus braços das mangas, despindo rapidamente apenas a parte superior do quimono exterior com o auxílio de um assistente de palco, empurra-a para baixo, deixando-a suspensa ao redor dos quadris, ocultando a faixa de cintura e funcionando como a parte inferior do novo traje, revelando assim a parte superior do novo quimono, de colorido e padrões totalmente diferentes. O *hada o nugu* é um processo semelhante ao *bukkaeri*, todavia, enquanto no *hada o nugu* o ator despe uma ou ambas as mangas para realizar um trabalho ou para lutar, revelando mas não mudando a sua personalidade, no *bukkaeri* o forro do quimono exterior e a roupa interior são iguais, alterando o caráter da personagem. O *bukkaeri* é usado na peça *Narukami* (*Deus Trovão*), quando o sacerdote Narukami transforma-se num espírito vingativo.

Contrariando o dito comum de que "o vestuário retrata a época", nas encenações de peças históricas do *kabuki*, o vestuário utilizado não corresponde exatamente ao da época histórica correspondente. Quase todas as personagens de *kabuki*, sejam elas beldades do século IX ou do século XII, usam trajes e penteados do período Edo (1603-1867), uma vez que o *kabuki* atinge o auge de seu desenvolvimento durante esse período. Portanto, freqüentemente, não há um emprego correto do vestuário no *kabuki* e embora alguns trajes sigam a moda da época, outros são frutos da imaginação, embelezados ou exagerados, simbólicos ou grotescos, ou ainda, imitações de costumes do *nô* e *bunraku*, nas peças adaptadas desses teatros. Assim, numa mesma cena de *kabuki*, podemos presenciar a peculiaridade do contraste entre personagens com trajes comuns, de uma simplicidade enorme, lado a lado com personagens com vestuário fantástico, especialmente os nobres e samurais. Posto que o governo feudal proibia taxativamente a imitação do vestuário de nobres e samurais da vida real, bem como o uso de tecidos luxuosos nos palcos de *kabuki*, os atores tiveram que explorar intensamente os recursos dos padrões, desenho e colorido nas vestes teatrais, de modo que pudessem representar condignamente suas importantes personagens.

Em "Kabuki Costumes"[4], Ruth M. Shaver afirma que, nas peças clássicas de *kabuki*, não há uma recriação cuidadosa do vestuário da época Heian (794-1192), pois o que se conhecia era o estilo super-refinado adotado pela realeza e nobreza e cuja reprodução no palco era proibida por lei. Por outro lado, Aubrey e Giovanna Halford[5] apresentam uma visão oposta, ao afirmar que, nas peças relativas ao período Heian, podemos constatar a recriação cuidadosa da roupa de época, onde o quimono já era adotado tanto pelo homem como pela mulher, em todas as classes sociais, como veste tipicamente japonesa.

A versão para o palco do traje da mulher do período Heian é um dos mais fascinantes do vestuário de *kabuki*, com a formação de longas linhas flutuantes, combinando dignidade e esplendor. Ao invés das duas faixas de cintura, bastante elaboradas e que vão ser desenvolvidas mais tarde, as mulheres do período Heian usavam uma faixa estreita e macia ao redor da cintura, atando-a na frente. No vestuário formal da corte, as mulheres vestiam o *juni-*

---

4. Ruth M. Shaver, "Kabuki Costumes", em *History and Characteristics of Kabuki*, de Shoyo Tsubouchi e Jiro Yamamoto, p. 262.
5. Aubrey e Giovanna Halford, *op. cit.*, p. 405.

hitoe, literalmente "quimono não forrado e com doze superposições", com coloridos variados no pescoço, mangas e bainha, embora, na realidade, o número de camadas não fosse fixo; um elaborado casaco exterior de brocado, denominado *uchikake* e, nas cerimônias mais formais, uma roupa de musselina bordada. Porém, como tais vestes dificultariam os movimentos dos atores, os costureiros cosiam várias camadas de bainhas, criando o efeito de vários trajes superpostos. Os homens usavam *uwagui*, um casaco exterior com mangas enormes, sobre cinco quimonos sobrepostos e calças compridas. Nas cenas interiores, os atores representavam com os pés descalços e quando saíam, os nobres calçavam sapatos pretos semelhantes a barcos e os pobres, quando não estavam descalços, usavam grosseiros sapatos de palha.

O vestuário da era Guenroku (1688-1735) é o que expressa com todo o esplendor a roupagem característica de *kabuki*, conhecida como extravagante e colorida, uma vez que versão exagerada de seus modelos reais. O calçado mais comum da época era o *zôri* ("sandálias de palha"), havendo ainda os *tabi* ("meias bifurcadas"), usados nos interiores, e os *gueta* ("tamancos de madeira"). Tamancos muito altos nos pés de personagens masculinas, como Sukeroku, Gosho no Gorozô e Guimpei, expressam um caráter violento. "Nos tempos feudais, considerava-se mais polido ficar descalço. No *kabuki*, presume-se que pés descalços acrescentam beleza à produção cênica. No cotidiano, os *buke* ('guerreiros') usavam *tabi*, ao ar livre, para proteger seus pés da sujeira, mas nunca dentro de casa. Somente os guerreiros do palco usam *tabi* nos interiores, para mostrar distinção de classes."[6]

6.2.2. Vestuário dos Jidaimono

O traje formal masculino mais freqüente dos *jidaimono* ("peças históricas") é o *kamishimo*, composto de *kataguinu*, uma veste de brocado rijo, que acentua ampla e duramente a linha horizontal dos ombros, combinando com *hakama* ("saia-calça larga") sobre o *kitsuke* ("quimono"). O *kamishimo* corresponde ao terno dos tempos modernos e é usado em papéis de homens sérios e fortes, samurais a serviço de um senhor feudal. Nas cerimônias, os ricos mercadores do período Edo punham o *kamishimo*; no entanto, por convenção, no *kabuki*, os mercadores jamais aparecem envergando *kamishimo*. O *kamishimo* é também utilizado

---

6. Ruth M. Shaver, *op. cit.*, p. 266.

pelos *kôken* ("assistentes de palco"), narradores e instrumentistas musicais, bem como pelos atores nas cerimônias de anunciamento *kojo*.

Uma vez que as peças históricas tratam de lendas antigas, façanhas de samurais e nobres da corte, suas personagens pertencem à classe superior, portanto, são apresentadas em vestimentas suntuosas.

Nas peças em estilo *aragoto*, os homens exibem trajes exagerados: pesados quimonos acolchoados, ornados com grandes padrões e gigantescas saias-calças rastejantes denominadas *shitatare*. As damas de alta classe usam longos quimonos rastejantes, exceto nas peregrinações ou caminhadas, e sempre com o *uchikake* ("manto exterior") rastejante e de brocado. As criadas portam faixas de cintura de cores mais simples e não usam *uchikake* sobre os quimonos. Mais tarde, tanto os homens como as mulheres passam a usar um traje exterior chamado *haori*, que é usado ainda hoje.

6.2.3. Vestuário dos Sewamono

O vestuário nos *sewamono* ("peças domésticas") é consistentemente autêntico, de modo que essas peças podem ser denominadas peças de época genuínas. Nesses dramas contemporâneos, retratos da vida dos mercadores, lavradores e *playboys* da última parte do período Edo, temos as mais líricas e pungentes cenas amorosas de todo o repertório de *kabuki*, enfocando os amores e pesares dos cidadãos comuns. Nas cenas *michiyuki* (literalmente "caminhando pela estrada"), a peregrinação final para a morte, o par de amantes, prestes a cometer duplo suicídio, freqüentemente veste belos quimonos de padrão idêntico, diferindo apenas no colorido.

Os samurais dos *sewamono* usam o mesmo tipo de traje dos samurais dos *jidaimono*, mas feitos de tecidos de seda comum de cores mais apagadas e, em seus lares, envergam um simples quimono. As mulheres vestem roupas de cores mais discretas e não usam *uchikake* ("manto exterior"), a não ser quando saem para alguma visita ou em ocasiões formais.

Nem todo o vestuário de *kabuki* é espetacular e deslumbrante, uma vez que os homens comuns usam roupas cotidianas do período: quimono e *haori* de seda de colorido sóbrio, com o toque de elegância sendo dado pelo colarinho preto do quimono interior, geralmente azul-marinho, a fim de acentuar a alvura da pele do jovem formoso. Somente os muito pobres trajam quimonos de algodão. Os anciãos em geral usam marrom e cinza-escuro. Mas crianças, moças e garotos pertencentes a famílias de samurais, gueixas e cortesãs vestem roupas de cores brilhantes: rosa, roxo, vermelho, alaranjado. Nos *sewamono*, os trajes das célebres cortesãs do período Edo são recriados com autenticidade histórica. Aparecem no palco com seus guarda-roupas suntuosos, cabeleiras ricamente ornamentadas, descalças, equilibrando-se sobre tamancos pretos altíssimos. Quando as cortesãs e seus séquitos, portando vestes de gala ricamente bordados e de cores esplêndidas, surgem no palco, superadornadas mas régias, deixam nos espectadores uma visão inolvidável. O mais extravagantemente ornado e volumoso traje de cortesã do repertório de *kabuki* é o de Aguemaki, heroína da peça *Sukeroku*.

As personagens mais clássicas de papéis *nimaime* ("homens jovens e formosos"), atuando em estilo *wagoto*, portanto, um *rônin* ("samurai desempregado") ou um dândi em apuros, usam *kamiko* (contração de *kamikoromo* = "quimono de papel"). Um traje preto com retalhos amplos e irregulares de cor lilás-escuro, com padrões de caligrafia japonesa. Em situações drásticas, as cartas amorosas recebidas de suas amadas serviam para a confecção de seus quimonos: a representação estética da pobreza no *kabuki*. Os *kamiko* são de origem típica do *kabuki*, embora atualmente sejam confeccionados de cetim ou crepe. Ou ainda, quimonos azul-claros ou lilás-claros, com desenhos femininos coloridos nas bainhas. O *kamiko* era usado com a gola um pouco afastada nas costas, como nas mulheres, revelando um pouco do pescoço, considerado pelos japoneses uma das partes mais atraentes e sensuais do corpo, e complementado com o *amigasa*, chapéu dobrado, feito de palha trançada, para não serem reconhecidos ao dirigirem-se aos prostíbulos.

Os atores em papéis *nimaime* de peças menos clássicas vestem quimonos de seda com listas estreitas, utilizadas no cotidiano pelos mercadores. Logo, são trajes inteiramente realistas, embora na vida real os mercadores estivessem proibidos por lei de usarem seda. Tanto os atores de papéis *nimaime* mais clássico como o menos clássico nunca usam *tabi* ("meias bifurcadas"), aparecendo no palco com os pés, mãos e faces pintados de branco e calçando *asa-ura zôri*, sandálias japonesas com alças geralmente brancas e solas de cânhamo.

6.2.4. *Vestuário dos* Zanguiri-mono

Já nos *zanguiri-mono* ("novas peças domésticas"), há uma

reevocação dos primeiros anos da Iluminação Meiji, com as personagens envergando chapéus ocidentais, capas de inverno, botas abotoadas, relógios de ouro com corrente, juntamente com o quimono e o traje exterior *haori*.

6.2.5. Vestuário dos Kizewamono

Nos *kizewamono*, uma ramificação derivada do *sewamono*, escritos após a restauração Meiji, mas que ocorrem num período anterior, narrando o cotidiano das classes sociais mais inferiores, como ladrões, prostitutas, jogadores, vagabundos e mendigos, a indumentária de *kabuki* reflete quase precisamente a dos marginais da época, trajando-os invariavelmente com quimonos de algodão. Os bombeiros e aprendizes usam *happi*, um casaco de algodão curto, com a heráldica de seus patrões nas costas. Os *otokodate* ("cidadãos viris") são identificados pelos quimonos com padrões arrojados de dragões ou crânios, ou ainda, em xadrez grande denominado "xadrez de Danshichi", herói de vários dramas de *kabuki*.

6.2.6. Vestuário dos Shosagoto

O vestuário de *shosagoto* ("drama dançante") procura cativar os olhos do público, ávido pelo espetacular, através de vários detalhes, cada qual mais extravagante. Nas peças derivadas do teatro *nô*, há uma adaptação do vestuário para o *kabuki*. E mesmo as personagens mais humildes envergam trajes de brocado suntuoso, com mangas flutuantes, semelhantes aos *karaori* do *nô*, mas com um quê de versão exagerada, própria do *kabuki*. As mulheres usam quimonos interiores justos, com um quimono exterior com faixa de cintura. Nas danças cômicas, os servos portam *kamishimo* comum sobre quimono axadrezado.

6.2.7. Cabeleiras

A cabeleira, elemento essencial da indumentária de *kabuki* e obrigatoriamente usada por todos os seus atores, tornou-se necessária a partir do *yarô kabuki* ("*kabuki* de homens adultos"). Enquanto as cabeleiras de *nô* são confeccionadas com crina de cavalo, com os lugares de inserção ocultos pela máscara, as cabeleiras de *kabuki* feitas de crinas de animais são destinadas apenas às personagens más e as de *honke* ("cabelo humano verdadeiro") – antigamente, abundantemente importado da China – reservadas às personagens honestas. Os variados estilos de cabeleira indicam o caráter, a idade, a condição social e a época em que viviam as personagens, de modo que um simples olhar no estilo do cabelo é suficiente para nos revelar a ocupação de uma personagem masculina ou se a personagem é uma cortesã, uma princesa, uma mulher solteira ou casada. Se nos *jidaimono* ("peças históricas"), especialmente nos derivados do *bunraku*, em vez da reprodução fiel dos costumes da época em que se deram os acontecimentos, adotam-se vestuário e estilo de cabelo da época em que foram escritas as peças, isto é, a era Guenroku, por outro lado, nos *kizewamono*, os estilos de roupa e cabelo são os dos últimos anos da restauração Meiji.

Nas peças referentes aos períodos Heian (794-1192) e Kamakura (1192-1333), os homens usam os cabelos puxados para trás e simplesmente amarrados, em estilo *nadetsuke honke*, sendo que os nobres os usam fortemente amarrados, de modo que o "rabo-de-cavalo" fica de pé. Todos os homens mantêm as cabeças cobertas, tanto nas cenas interiores como nas exteriores. Em ocasiões formais, os nobres usam *kanmuri*, um pequeno chapéu preto; nas cerimônias imperiais, uma crista de crina de cavalo trançada (*ei*) é aplicada atrás. Já nas ocasiões informais, portam o *ebôshi*, às vezes denominado *tatebôshi* e que também é usado pelos homens das classes inferiores. Os militares adotam o *samurai-ebôshi*, um toucado achatado, com uma crista triangular. As mulheres comumente usam os cabelos longos, atados com uma fita atrás do pescoço; enquanto as damas da corte soltam-nos, com uma aplicação de cabelos ou uma franja de seda preta, que aumenta ainda mais o comprimento de seus cabelos.

Durante a era Guenroku (1688-1735), com exceção dos nobres, que continuavam a usar *kanmuri* e *ebôshi* sobre as fartas cabeleiras, ocorre uma tendência generalizada de raspar o topo da cabeça. Este estilo, criado pelos samurais durante as guerras que constantemente assolavam o país antes do estabelecimento do xogunato Tokugawa, alegando-se que os cabelos bastos tornavam os capacetes insuportavelmente quentes, passou a ser gradualmente adotado por todas as outras classes sociais. O samurai e o homem do povo dispensavam o chapéu, exceto os *ebôshi* usados pelos senhores feudais e os largos chapéus de vime usados pelos viajantes. O homem da classe alta freqüentemente portava uma espécie de lenço de cabeça de seda lilás, enquanto o homem do povo utilizava o *tenugui*, uma pequena toalha de algodão.

As cabeleiras, tanto femininas quanto masculinas, eram compostas de: *maegami* ("cabelo de fronte"), *bin* ("tufos de cabelo em ambos os lados da face"), *tabo* ("cabelo na base do pescoço") e *mague* ("nó no topo da cabeleira"). Pomadas adequadas eram aplicadas para manter os cabelos firmes e brilhantes. Os xoguns e *daimyôs* ("senhores feudais") das peças históricas trazem os cabelos firmemente untados, sem um fio fora do lugar, para mostrar uma aparência segura, nobre, enquanto dois a três fios pendentes nas faces das personagens *nimaime* mostram o seu lado sensual.

Durante a era Guenroku, as damas da corte imperial mantinham o cabelo solto, no estilo simples das mulheres do período Heian, enquanto no período Edo as mulheres em geral, exceto as cortesãs de primeira classe, costumavam prendê-lo no topo com um nó (*mague*), adotando três estilos básicos: *momo-ware*, *shimada-mague* e *maru-mague*. E até antes da Segunda Guerra Mundial, versões desses três estilos tradicionais, inalterados desde o período Edo, eram adotados pelas mulheres japonesas em geral. No *kôgai-mono*, faz-se um coque e prende-se com um grampo, que, quando retirado, deixa cair todo o cabelo, imitando uma cortesã.

Em 1652, com a proibição do *kabuki* de mocinhos, os atores viram-se obrigados a raspar as frontes para não parecerem muito atraentes, o que os levou a adotar o *bôshi tsuki no katsura* (literalmente "cobertura de cabeça ligada à cabeleira"), que, mais tarde, se tornou uma marca *sui generis* dos *onnagata*.

O *kabuki* desenvolveu dois tipos especiais de cabeleiras femininas. Um é o estilo enormemente exagerado, associado à cortesã de mais alta classe, adornado com grande tufos de cabelo falso, enormes presilhas, lenços e borlas douradas, atrás. Essas cabeleiras, denominadas *hyogo-mague*, são extremamente pesadas, chegando até a vinte e cinco ou trinta libras. O outro estilo é a cabeleira da princesa ou jovem dama de alta classe. Esta é pura invenção da era Guenroku, pois nenhum figurinista da época havia visto uma princesa real. Ela usa uma forma de *taka-shimada*, conhecida como *fukiwa*, com o longo nó enlaçado sustentado por uma barra brilhante, adquirindo o formato semelhante ao *tsuzumi* ("tamboril"). Na fronte, ao invés de pente, há uma coroa de flores prateadas, com borlas pendentes prateadas[7].

A contraparte masculina de cabeleiras mais elaboradas são as dos atores nas peças *aragoto*, que recorrem a estilos de cabelo exagerados, quase grotescos, não guardando semelhança alguma com a realidade, numa representação da coragem e força sobre-

---

7. Aubrey e Giovanna Halford, *op. cit.*, p. 475.

naturais do herói. Homens honrados usam cabeleira *namajime*; os vilões completos, cabeleira *oji*; camponeses e vilões temporários, cabeleira *botto*.

Nas peças *kizewamono*, que enfocam as camadas mais inferiores da sociedade, as personagens usam estilos de cabelo bem mais simples, freqüentemente o *kuma no fukigue* ("pele de urso"), isto é, com o topo da cabeça escurecido ou coberto de cabelo curto, expressando que eles não se barbeavam.

Nos *shosagoto* ("dramas dançantes"), os atores de *kabuki* usam cabeleiras adequadas a seus respectivos papéis. Porém, em algumas danças derivadas do teatro *nô*, na representação de espíritos de animais e fantasmas, às vezes, são feitas adaptações exageradas para o *kabuki*, utilizando-se grandes jubas ou crinas, como, por exemplo, a enorme cabeleira branca exibida pelo dançarino que encarna o espírito de um leão em *Kagamijishi* (*Dança do Leão*); enquanto as mulheres usam o cabelo longo e solto dentro do sobrecasaco, com faixas de seda ao redor da cabeça, numa reminiscência das faixas de cabeleira, que serviam para segurar as máscaras de *nô*.

As cabeleiras são confeccionadas pelos *tokoyama*, artesãos altamente habilitados, verdadeiros mestres que dedicam a vida a essa arte, que, como todas as artes tradicionais do Japão, é uma tradição familiar, sendo transmitida de geração a geração. Os *tokoyama* sentam-se diariamente no camarim das cabeleiras, atrás do palco, com a função de repenteá-las e repará-las constantemente. E,

de maneira geral, as cabeleiras podem ser divididas, como os trajes, entre aquelas que se aproximam dos estilos de cabelo da época, e aquelas que são estilizadas e nunca teriam sido usadas na vida real. Esses estilos de cabelo mudam no palco, de acordo com as vestes. Por exemplo, um estilo conhecido como *shike*, que é um pouco de cabelo salientando-se nas orelhas, sofre mutações sutis, dependendo do tipo da personagem. Há muitas variedades, e quando ele é puxado, todo o cabelo cai. O resultado é conhecido como *obake-gue* ["cabelo de fantasma"] e indica que a personagem se transformou num ser sobrenatural.

Há um outro artifício conhecido como *gattari*, que consiste em retirar um fecho de um penteado elaborado, de modo que a "superestrutura" empilhada tomba para um lado. Se o fecho é arrancado mais rapidamente, os cabelos caem desordenadamente sobre a cabeça – um processo conhecido como *sabaki*, usado nas cenas de batalha e morte. O *sabaki* às vezes deixa o cabelo frontal no lugar, outras vezes não. Quando todo o cabelo cai livremente, é denominado *sosabaki*[8].

8. Masakatsu Gunji, *op. cit.*, p. 41.

Geralmente, o movimento do *so-sabaki* é acompanhado de *harakiri*. O estilo de cabelos crescidos em "cinqüenta dias" é usado por Narukami para expressar a sua fúria ao descobrir que fora enganado pela princesa Taema, que cortara a corda sagrada. Já a cabeleira *hyakunichi* mostra que não vai ao barbeiro durante cem dias.

6.3. VESTUÁRIO DE *BUNRAKU*

Originalmente, o próprio manipulador confeccionava todo o vestuário de seus bonecos, mas atualmente, quando o traje é bastante elaborado ou de alto custo, passa a ser fornecido pelo costureiro da companhia teatral, especialista encarregado da confecção, manutenção e reparo da indumentária dos bonecos.

Quando uma peça nova vai ser encenada, o costureiro deve preparar os costumes e acessórios de cada papel, trabalhando dentro da estrutura delimitada pela tradição e estética do *bunraku*. Quase todos os modelos, a partir dos quais são confeccionados os novos trajes, datam do período Edo, com certos padrões e cores sendo tradicionalmente associados a determinados papéis e sempre obedecendo ao princípio estético de harmonia com as cores das vestes das outras personagens, cenário e iluminação.

Como no *kabuki*, alguns trajes das peças históricas (*jidaimono*) do *bunraku* são extremamente elaborados, fantásticos ou mesmo grotescos, de grande efeito dramático. Já os dos dramas domésticos (*sewamono*) são cópias relativamente fiéis do vestuário adotado pelo povo japonês no século XVIII e início do XIX. Assim, no momento em que o boneco aparece no palco, o espectador bem informado decodifica imediatamente a personagem. Fica sabendo de sua posição social, idade e mesmo o tipo de peça a ser encenada, se um drama histórico ou uma tragédia, se transcorre no inverno, primavera, verão ou outono, posto que as roupas são confeccionadas com padrões adequados à estação do ano em que ocorre a peça.

Os trajes dos bonecos de *bunraku* são feitos com uma abertura horizontal nas costas, para o manipulador inserir sua mão, ao sustentar e movimentar o boneco.

Tamazo, que honrou as apresentações de bonecos durante 65 anos, até falecer em fevereiro de 1905, aos 77 anos de idade, era hábil na operação de qualquer tipo de boneco, masculino ou feminino. Introduziu muitos truques, inclusive as mudanças instantâneas de vestuário do manipulador, coincidindo com as mudanças de vestuário do seu boneco, e talvez o mais espetacular artifício, a elevação no ar, sobre o palco, do próprio manipulador, quando o boneco precisava voar[9].

6.3.1. Cabeleiras de Bunraku

O estilo de cabelo usado pelos bonecos de *bunraku* serve para indicar, melhor mesmo que o tipo de cabeça empregado, não apenas o sexo, classe social, ocupação e, no caso das personagens femininas, o estado civil da personagem, mas principalmente para definir claramente a idade, como também para deduzir o seu caráter, se calmo ou violento, bom ou mau, rústico ou refinado, se personagem de uma peça doméstica ou de um drama histórico.

Como no caso do vestuário, mesmo nas peças históricas que transcorrem num período remoto, por exemplo, séculos X ou XII, os estilos de cabelo utilizados na encenação de peças de *bunraku* são os adotados na vida real pelos japoneses na metade do período Edo, por volta de 1750. Esses estilos de cabelo do Japão pré-moderno eram bastante elaborados: cada pequena curva no chinó ou nas laterais indicava a idade e posição social do portador, se era um *daimyô* ("senhor feudal"), samurai ou mercador, se de Edo ou de Osaka.

Algumas cabeleiras, como as de demônios e seres sobrenaturais, são deliberadamente exageradas, sendo que, no clímax das peças, nos momentos de perturbação emocional, pesar, assassinato, combate, suicídio, o cabelo do boneco é solto, aumentando o efeito dramático da cena. Num papel feminino, alguns fios de cabelo solto dão um ar de abandono sensual e erótico.

No caso de encenação de uma peça nova, o artesão de cabeleiras, com uma longa experiência, conhecendo profundamente cerca de cem estilos de cabelo e consultando suas anotações para os casos especiais, é responsável pela renovação de todas as cabeleiras, bem como colocá-las nas cabeças dos bonecos, fixá-las, repará-las e modificá-las quando necessário.

As cabeleiras dos bonecos de *bunraku* são confeccionadas com cabelo humano ou cabelo de *yak*, uma espécie de boi do Tibete.

6.3.2. Vestuário Elisabetano

Através de ilustrações teatrais do século XVIII, pode-se infe-

---

9. Shuzaburo Hironaga, *op. cit.*, p. 32.

rir que o teatro elisabetano, assim como os teatros *bunraku* e *kabuki*, possuía um sistema próprio de vestuário, originado no fim do século XVI. Data de então, como testemunham relatos de viajantes estrangeiros do continente europeu, a aparição de atores no palco inglês envergando magníficas vestimentas. Dado que, na época elisabetana, corte e teatro estavam intimamente relacionados, os comediantes provavelmente obtinham na corte alguns de seus trajes suntuosos, para exibi-los a seguir em seus espetáculos.

Um código do vestuário, com uma convenção pela qual a roupagem comum da época era usada por várias personagens, com o propósito de assegurar precisão histórica e efeito simbólico; trajes mais atraentes e especiais para as personagens orientais (Otelo); semiclássicos para as personagens romanas (Antônio, Júlio César, Coriolano, Tito, Timão, Tróilo, Péricles) e gregas.

Nas peças de Shakespeare, curiosamente encontramos algumas personagens envergando vestimentas peculiares: o tipo popular do Falstaff (*Henrique IV*, parte II), Póstumo (*Cymbeline*), Drômio (*Comédia de Erros*) e Rei Lear, enquanto outras personagens, como Romeu, Mercúcio, Hamlet e Macbeth, aparecem em trajes contemporâneos ao período elisabetano. Por sua vez, as atrizes portavam vestidos da última moda. As figuras alegóricas e as deidades clássicas também exibiam vestuário especial, havendo, ainda, os trajes de animais.

Os vestuários e cabeleiras das personagens principais de *bunraku, kabuki* e do teatro barroco europeu, em correspondência com seus respectivos cenários, todos eles ricamente adornados, apresentam-se igualmente como vestuários volumosos, luxuosos e rebuscados.

6.4. MAQUILAGEM DE *KABUKI*

Da Antiguidade aos tempos modernos, entre primitivos e civilizados, a maquilagem com o seu poder de metamorfose, assim como a máscara, sempre existiu, atendendo a uma necessidade básica do homem: a mutação, a vontade profunda de sentir-se/ser outro, de transfigurar-se, superando os limites do seu ser físico. Respeitadas as diferenças culturais de cada raça, que o digam os índios brasileiros, que pintam o rosto e todo o corpo para as ocasiões especiais: festas, funerais e guerras; e, no Japão, as jovens *maiko*, aspirantes a gueixas, ainda hoje presentes no distrito de Guion, em Kyoto, com o rosto como se coberto por uma espessa camada de farinha branca, porquanto a pele branca sempre representou superioridade social para os japoneses, pois os nobres e os ricos não precisavam expor-se ao sol e, ainda, por permitir maior variedade no colorido dos quimonos e, por fim, o testemunho mais eloqüente: o progresso crescente da indústria de cosméticos em todo o mundo.

O excepcional manuseio das cores, enquanto índices de revelação da personalidade, continua no *kumadori* (*kuma*, "sombras", + *dori*, "tirar" = "sombrear"), a bizarra maquilagem, bastante carregada e de estilização exagerada do *kabuki*. Uma atuação em estilo exagerado pede necessariamente uma expressão facial da mesma ordem. Originalmente ideada exclusivamente para as peças em estilo *aragoto* puro, constituindo-se no epítome dessa atuação bombástica, que combina gestos, cabeleira e vestuário arrojadamente exagerados, mais tarde, a extravagante maquilagem *kumadori* torna-se extensiva a todas as personagens masculinas de grande força de caráter, bem como demônios e fantasmas, com exceção das peças domésticas, aumentando ainda mais a pomposidade ou o horror dos seus semblantes. Mesmo assim a maquilagem *kumadori* restringe-se a determinados papéis, o que torna a sua eficácia ainda maior.

A maquilagem comum, usada pelo resto das personagens de *kabuki*, é o branco puro e opaco, sem linhas, para crianças, mulheres e homens jovens e formosos. Antigamente, as matronas e as mulheres casadas raspavam as sobrancelhas. O *kabuki* preserva esse costume, obliterando as sobrancelhas sob o *oshiroi* ("pintura branca") e, nas jovens e cortesãs, as sobrancelhas são desenhadas bem acima das reais. Os cantos exteriores dos olhos são enfatizados por linhas vermelhas, tanto nas mulheres como nos homens jovens e formosos, por darem um leve toque sensual. Nos homens, as linhas dos cantos da boca são curvadas para baixo, enquanto, nas mulheres, são desenhados lábios vermelhos mínimos, criando um padrão de beleza clássica feminina tipicamente japonesa, resultante do contraste entre a face branca e o leve toque vermelho nos lábios. Em oposição aos ricos e nobres, que usam maquilagem branca, camponeses e personagens de estratos sociais inferiores apresentam maquilagem mais escura, de cor marrom-clara. Se um ladrão como Benten Kozô, de baixa categoria social, mas em papel importante, usa igualmente maquilagem branca, é como reminiscência dos tempos antigos, para se sanar as deficiências da iluminação primitiva dos teatros de então. Graus variados de maquilagem de base vermelha são usados para traduzir o homem mau, o corajoso ou o de baixa condição social.

Dessa maneira, podemos concluir que o contraste das cores vivas com o usual fundo branco em toda a extensão do rosto era usado para atenuar o efeito de escuridão, nos primórdios do *kabuki*, quando o sistema de iluminação ainda era um tanto deficiente, à fraca luz de velas.

A origem da maquilagem *kumadori* é obscura. Acredita-se que foi criada no fim do século XVII por Danjuro Ichikawa I, que teria se inspirado diretamente na maquilagem *lien p'u*, usada pelos atores da Ópera de Pekim e que realmente apresenta grandes semelhanças com a maquilagem *kumadori*. A maquilagem *lien p'u* exibe padrões mais complicados e diversificados, freqüentemente baseados nos formatos de um morcego, mosca ou borboleta, com um colorido mais brilhante e o rosto dividido em áreas separadas de cor. Mas enquanto os padrões da *lien p'u* cobrem todo o rosto, apagando completamente a estrutura muscular da face, e criam o efeito quase de uma máscara, os padrões lineares do *kumadori*, ao contrário, compostos de linhas mais simples, sempre seguem atentamente a fisiologia humana, a musculatura natural da face, braços e pernas, exagerando e acentuando arrojadamente os delineamentos ósseos e musculares do rosto e membros do corpo, permanecendo sempre como algo pintado. Como declara o ator Danjuro Ichikawa IX, não se aplica uma espécie de sombreado às feições, mas como o próprio nome o diz, *kumadori*, "tira-se o sombreado" das feições, com o dedo.

Ambas as maquilagens, a *lien p'u* e a *kumadori*, expressam qualidades da natureza humana e têm origens incertas. A maquilagem da Ópera de Pekim foi comprovadamente usada nos teatros da dinastia Ming (1368-1644), sendo que a sua contraparte japonesa, a maquilagem *kumadori*, apresenta todas as características de ter sido realmente uma adaptação da chinesa, realizada por Danjuro Ichikawa I, com o propósito de servir aos objetivos do teatro *kabuki*.

Em 1673, quando Danjuro tinha quatorze anos, estreou no papel de Sakata no Kintoki em *Shitenno Osanadachi* [*A Infância de Quatro Guerreiros Fortes*], usando pela primeira vez o *kumadori*, uma maquilagem fantástica, produzida pelo emprego de arrojadas linhas coloridas. O rosto de Danjuro foi pintado totalmente de vermelho, e linhas negras foram desenhadas sobre ele para delinear e enfatizar as suas feições. As feições mais proeminentes da maquilagem eram as sobrancelhas largas, fortes e curvadas para cima, expressando vitalidade[10].

Após a morte de Danjuro I, em 1644, o *kumadori* continuou a ser desenvolvido pelo seu filho, Danjuro II, e seguidores.

As espessas linhas arrojadas, em vermelho, azul ou marrom, pintadas nas faces, geralmente em curvas simétricas, sobre um fundo branco, vermelho, ou marrom-claro, retêm a tensão emocional da expressão facial do ator, pondo em relevo a construção muscular e óssea do rosto; preto aplicado na parte superior do nariz e ao seu redor, bem como em ambos os lados das narinas, aumentam a altura do nariz; os traços pretos inclinados para baixo nos cantos da boca alargam ambas as extremidades dos lábios, produzindo uma expressão sombria e carrancuda, que intimida o agressor; e o mais importante, as linhas ao redor dos olhos os sublinham acentuadamente, alargando-os; espessas e vigorosas sobrancelhas são pintadas em preto, obliterando as sobrancelhas naturais.

Em alguns papéis em que se emprega a maquilagem *kumadori*, as fortes e espessas linhas vermelhas pintadas estilizadamente sobre todo o corpo, no peito, na barriga, nas mãos, nos braços, pernas e pés dos atores, contrastando com o fundo branco, enfatizam a musculatura de todo o corpo e traduzem teatralmente a tensão dos vasos sangüíneos e tendões de um homem tomado pela ira que cresce dentro de si, ou a explosão de fortes emoções. Atualmente, para poupar tempo e trabalho, os atores não mais maquilam o corpo todo para um espetáculo, como era de costume nos primórdios do *kabuki*, simplesmente vestem o *meriyasu*, uma fina malha aderente ao corpo, que já vem com as linhas adequadamente pintadas. Assim, também a pintura de tatuagem, que era feita no próprio corpo do ator durante o período Edo, a partir da era Meiji passa a ser substituída pelo *meriyasu*.

A maquilagem *kumadori* é multiforme e de grande impacto visual. As linhas em vermelho, azul, cinza, preto ou marrom obedecem a um código cromático, onde as cores funcionam como índices que desvelam ao público, melhor do que as linhas desenhadas, as variadas complexões emocionais ou o segredo do verdadeiro caráter das personagens. Em geral, o vermelho sugere juventude, virilidade, coragem, justiça e ira; o azul e o preto, a maldade ou o sobrenatural, personagens misteriosas e assustadoras;

---

10. Ruth M. Shaver, *op. cit.*, p. 49.

marrom, a comicidade, enfatizando-se o grotesco; vermelho sobre todo o rosto consigna o vilão, como na peça *Shibaraku* (*Espere um Momento!*), ou o super-homem.

A maquilagem *kumadori* mais comumente empregada é a de linhas em vermelho-escuro e preto sobre fundo branco, exprimindo um amálgama de ira, indignação e crueldade, ou ainda, uma personagem obstinada, com personalidade forte e boas qualidades, como a força ou a justiça. Vermelho aplicado sobre a face toda pintada de vermelhão misturado com óleo expressa avidez, paixão, vigor ou ação. O roxo indica nobreza, altivez ou sublimidade. Enquanto o verde-claro manifesta a tranqüilidade e o azul-claro, a calma, compostura e serenidade, o rosa é a expressão da jovialidade e alegria, sendo restrito aos papéis de raposa charmosa ou amorosa. Se o cinza revela a tristeza, por sua vez, o cinza azulado é empregado para mostrar a maldade, sendo usado pelo *kugue-aku* ("aristocrata vilão"). O predomínio do azul-escuro significa a maldade, sendo utilizado na variante *aiguma*, nas faces de espíritos, demônios e pessoas de mau caráter, como a maquilagem para o nobre vilão usada por Shihei no ato "Kurumabiki", da peça *Sugawara Denju Tenarai Kagami* (*O Ensinamento dos Segredos Caligráficos de Sugawara*). O preto expressa medo e terror. Já a mistura de linhas pretas e vermelhas nas faces e sob os olhos traduzem a maldade ou sentimentos dúbios, enquanto preto combinado com vermelho e azul é exclusivo dos papéis de mulheres pertinazes ou enciumadas. Marrom-escuro é a representação do egoísmo, desprezo ou espírito baixo dos vilões entre os nobres da corte, também aparecendo nas faces de alguns deuses.

Com as linhas estilizadas desenhadas no rosto e no corpo do ator, a maquilagem *kumadori* projeta as expressões facial e corporal do ator, fazendo o semblante e o corpo parecerem "grandes" no palco. Isto é, aumenta o campo de visibilidade da face e do corpo, intensificando o efeito de tensão violenta, através da simulação de vasos sangüíneos dilatados, devido a uma emoção intensa ou, na maioria dos casos, devido a uma indignação profunda, visto que, quando muito iradas, as pessoas empalidecem ou arregalam os olhos, contraindo sobrancelhas e lábios num ríctus facial. No conjunto da maquilagem *kumadori*, verifica-se a produção de uma deformação plástica fantasiosamente grotesca e de grande impacto visual, que expressa uma agitação mental enorme, uma tensão interna violenta, manifestando vivamente os estados mental e emocional, bem como a ênfase no grande vigor

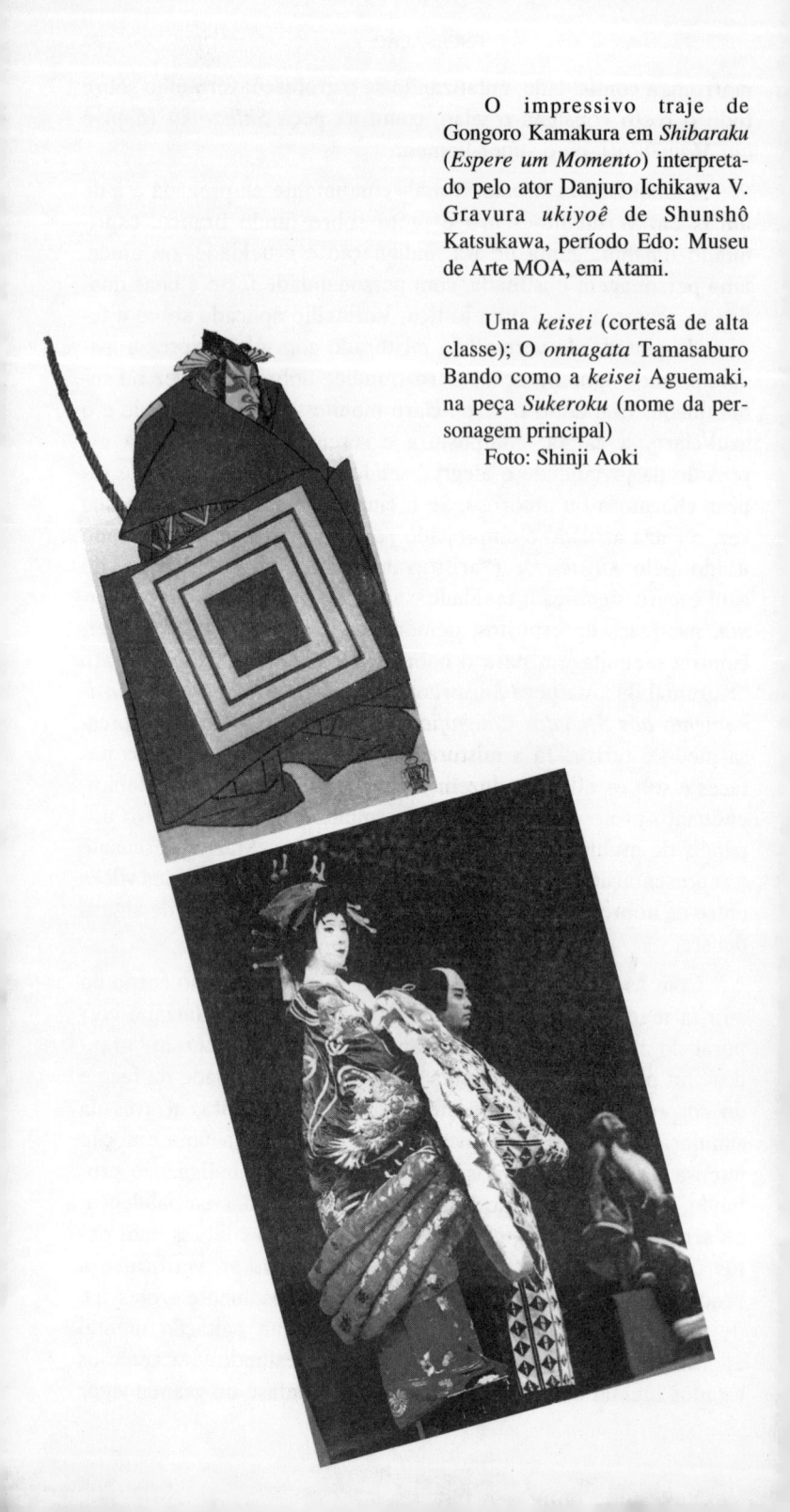

O impressivo traje de Gongoro Kamakura em *Shibaraku* (*Espere um Momento*) interpretado pelo ator Danjuro Ichikawa V. Gravura *ukiyoê* de Shunshô Katsukawa, período Edo: Museu de Arte MOA, em Atami.

Uma *keisei* (cortesã de alta classe); O *onnagata* Tamasaburo Bando como a *keisei* Aguemaki, na peça *Sukeroku* (nome da personagem principal)
Foto: Shinji Aoki

TÉCNICAS TEATRAIS DE MUDANÇAS DO VESTUÁRIO

Umeômaru efetuando o *hadanugui* (remoção da parte superior do traje), que revela mas não muda a sua personalidade, em *Kurumabiki,* um ato da peça *Sugawara Denju Tenarai Kagami* (*O Ensinamento dos Segredos Caligráficos de Sugawara*). *Nishikiê* (gravura multicolorida). Teatro Nacional do Japão.

Processo do *bukkaeri* (mudança súbita do vestuário) em *Narukami* (*Deus Trovão*), que altera o caráter da personagem, o sacerdote (o atual Danjuro Ichikawa)
Foto: Museu do Teatro da Universidade Waseda

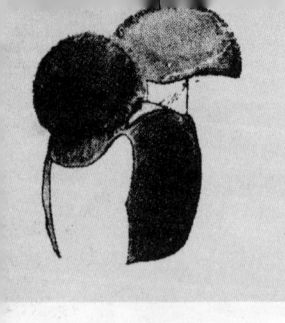

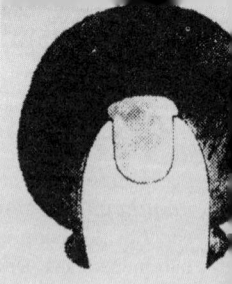

kiriwara-tsukamitate

kurumabin

hishikawa

chasen

CABELEIRAS DE *KABUKI*

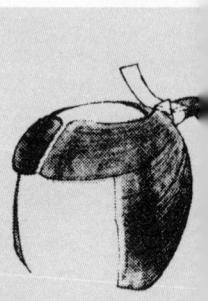

fukiwa

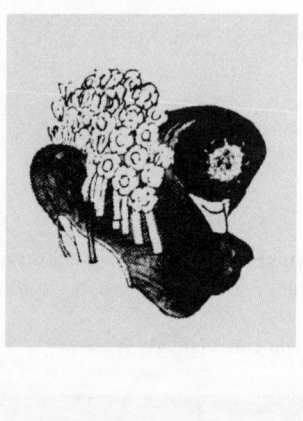

katahazushi

shitake

hyôgo

shimada

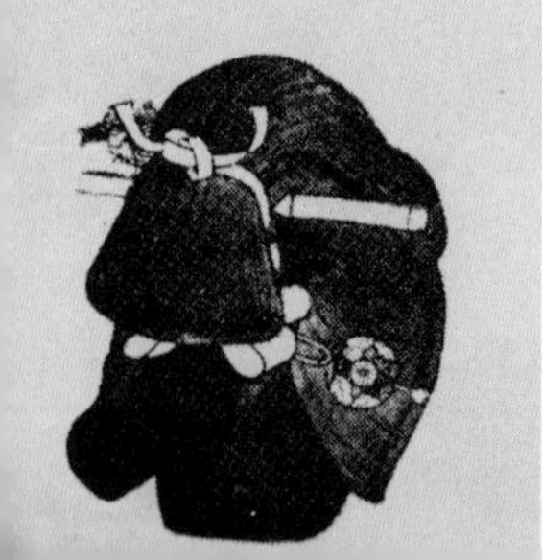

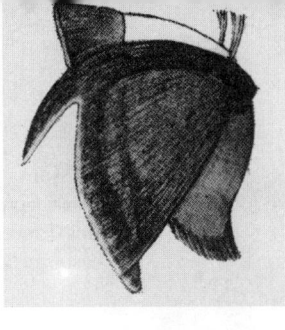

futatsuori-aburatsuki

ende

happôware

CABELEIRAS MASCULINAS DE *KABUKI*

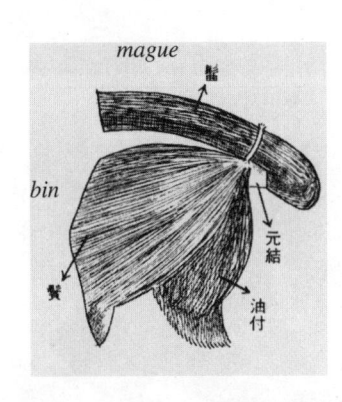

aburatsuki

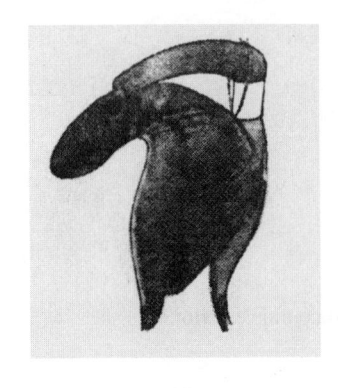

rashahari

Ilustrações: Museu do Teatro da Universidade Waseda

gojûnichi (50 dias)

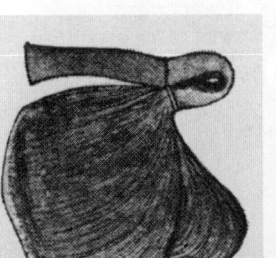

futatsuori-fukurotsuki

wakashû

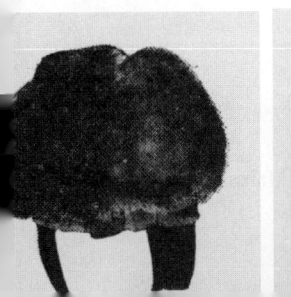

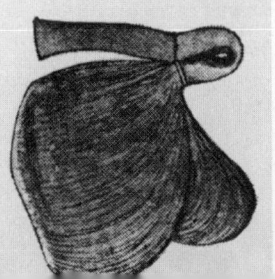

Montagem do vestuário de boneco, apresentada pelo manipulador Tamao Yoshida, designado "Tesouro Nacional Humano" em 1977.

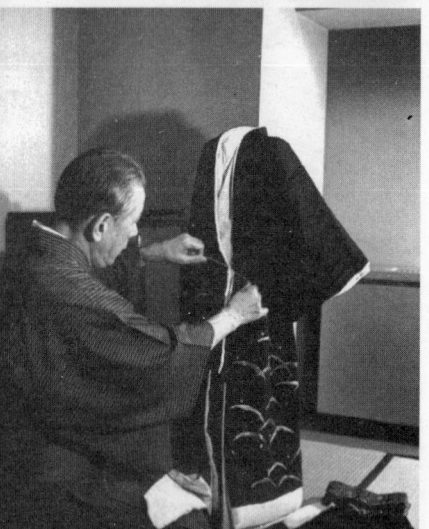

Após colocar a gola no corpo do boneco, veste-o com o traje interior.

Ata o traje exterior.

Põe o *obi* (faixa de cintura de brocado).

Fotos: Seisuke Miyake/
Teatro Nacional
Bunraku, em Osaka

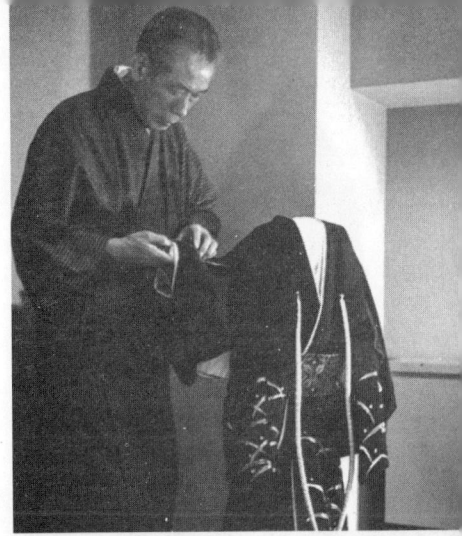

Veste o haori (sobretudo).

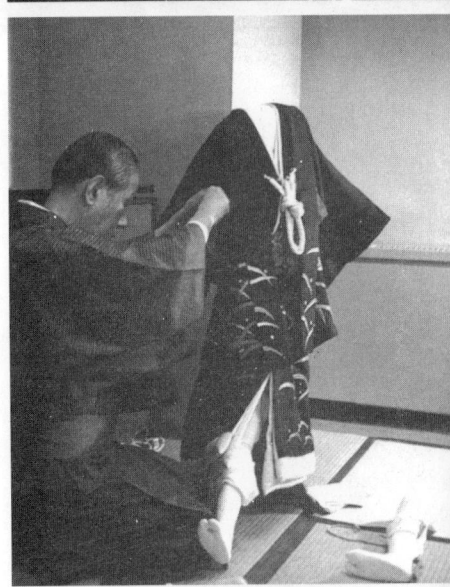

Acrescenta as pernas.

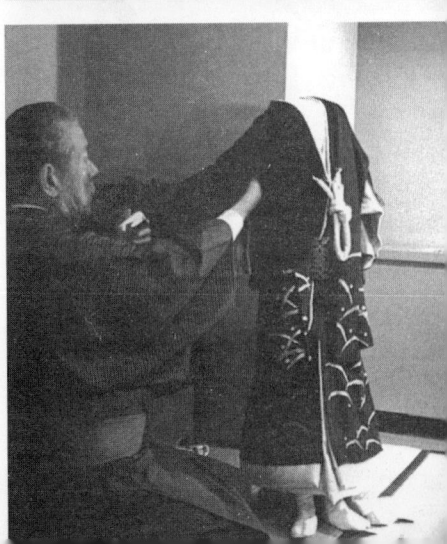

Fixa as mãos.

Trajes de Turcos

DESENHOS DE BRUNATTI (1638-1707)
Foto: Museu do Teatro da Universidade Waseda

Vestuário para *Medida por Medida*, de Shakespeare

Cenografia de Giuseppe Bibiena.
Traje de baile do período barroco, por A. D. Bertori (1678-1743).
Fotos: Museu do Teatro da Universidade Waseda

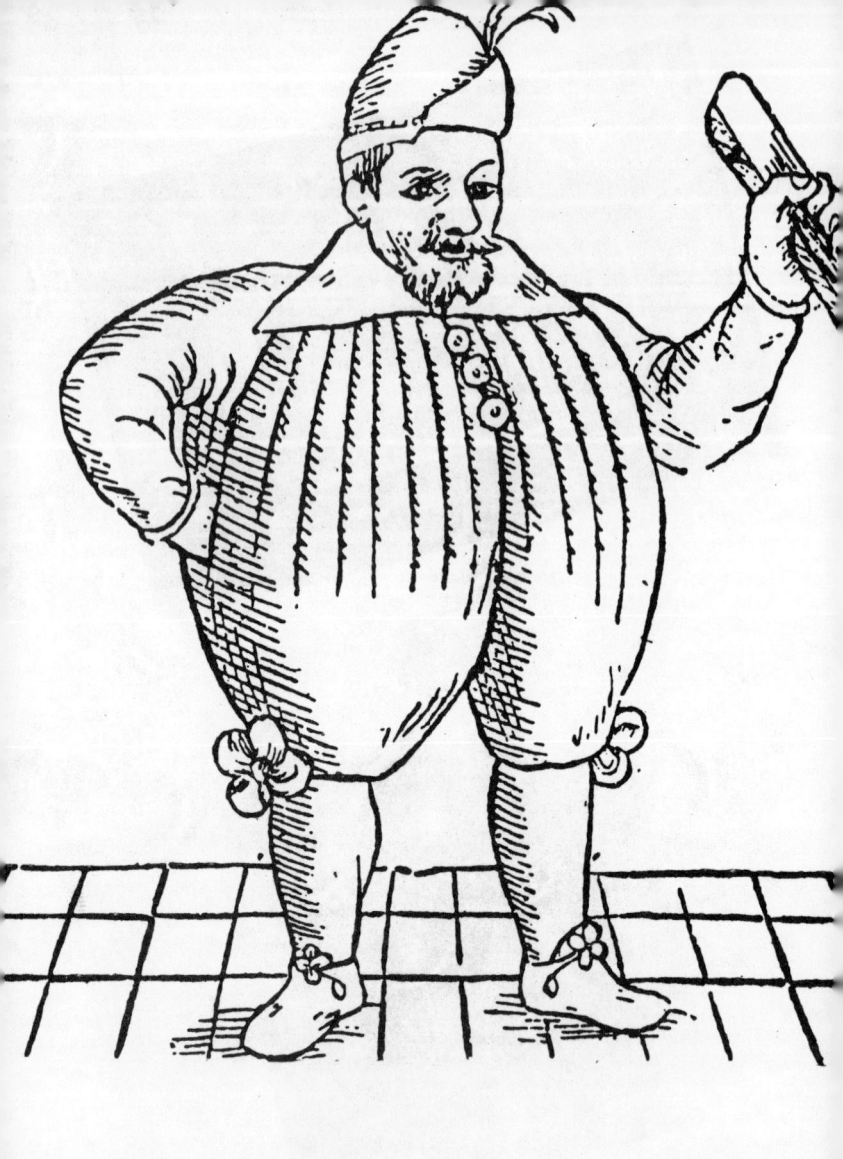

Vestuário da personagem Ninguém, em *Ninguém e Alguém*, de 1606. Os calções até o pescoço ocultam todo o corpo, transformando-o em Ninguém.

Maquilagem *lien p'u* da ópera chinesa, já usada na dinastia Ming (1368-1644).
Foto: Programa da peça *Chang Sheng Dian (O Palácio da Eterna Juventude)*, da Companhia de Ópera Kunju, de Xangai.
Apresentação no Teatro Nacional do Japão - Tokyo, em setembro de 1988

Maquilagem *kumadori* do *kabuki*, provavelmente uma adaptação da chinesa, realizada por Danjuro Ichikawa I (1660-1704) e seus seguidores.
Gravura: *Os Grandes Atores de Kabuki da Linhagem "Danjuro Ichikawa" I, II, III, IV e V. Ukiyoê* de Toyokuni (1786-1864).

Mukimi-guma, maquilagem de jovem galã.
Saru-guma, maquilagem do macaco, para pápeis de palhaços.
Namazu-guma, maquilagem do bagre, usada em papéis cômicos.

TIPOS DE MAQUILAGEM *KUMADORI* DO *KABUKI*

Suji-guma, maquilagem de samurai poderoso. Estilo básico do qual a maioria das outras maquilagens derivam.

Tsuchigumo-guma, maquilagem de uma aranha demoníaca.
Hannya-guma, maquilagem de uma mulher-demônio.
Yuurei-no-kuma, maquilagem de fantasma.

e poder sobre-humano das personagens. O expressionismo *avant la lettre*, uma vez que a maquilagem *kumadori* apresenta similaridades com a maquilagem usada no moderno teatro expressionista alemão.

Enquanto as máscaras de *nô* se caracterizam, de acordo com a postura do ator, pela sutil mobilidade de expressões faciais, a maquilagem de *kabuki*, ao contrário, reduz as expressões faciais às tradicionalmente associadas a cada papel específico, dando ao rosto uma expressão permanente, reflexo do verdadeiro caráter ou estado emocional da personagem.

Ao atingirem a adolescência, os atores de *kabuki* começam a maquilar-se a si próprios, usando pincel chato, pincel para as linhas e as pontas dos seus dedos. Com o decorrer dos anos, passam a pintar-se com a atitude de reverência de um artista frente a sua obra-prima, tendo o seu próprio rosto como tela. No *workshop* realizado pela Companhia de Teatro Kabuki do Japão, no Teatro Sérgio Cardoso em São Paulo, no dia 10 de abril de 1986, pudemos acompanhar, passo a passo, o fascinante processo de maquilagem, onde um ator se transformava em *onnagata* ("intérprete de papéis femininos"), graças à maquilagem básica, que consiste em uma base branca, cobrindo todo o rosto e um pouco de ruge nos cantos exteriores dos olhos, e o outro ator se transformava num jovem galã, em papéis da peça *Ninokuchi Mura* (*A Aldeia Ninokuchi*).

Originalmente, existia cerca de 115 variações da maquilagem *kumadori*, mas atualmente as formas ainda em uso constante, especialmente as derivadas dos desenhos de Danjuro II, restringem-se a pouco mais de uma dúzia, surgindo a partir de duas categorias básicas: "uma linha" ou "duas linhas", indicações dos traços que são delineados a partir dos cantos dos olhos para cima. As linhas desenhadas com a curvatura para cima indicam força e coragem, enquanto as que se encaminham para baixo manifestam vilania, fraqueza ou humor.

Após colocar o *habutae* ("boné de seda"), que adere fixamente à fronte e ao crânio, servindo para proteger os cabelos e como base para a peruca, o ator unta a face de creme e aplica *oshiroi*, uma pintura branca sobre todo o seu rosto, pescoço e costas, usando um pincel. No caso do *onnagata*, o *habutae* é trazido mais para baixo, de modo a cobrir as sobrancelhas, enquanto os intérpretes de papéis masculinos apagam as sobrancelhas com cera. Aguemaki, a *keisei* ("cortesã de mais alta classe"), passa três camadas de *oshiroi*; a *oiran*, que vem em segundo nível, duas camadas; delineiam os olhos e, em último lugar, as sobrancelhas que haviam se apagado. O ator utiliza as pontas dos dedos, a palma da mão e vários tipos de pincéis, para desenhar cuidadosamente as linhas em vermelho, azul ou preto, apropriadas. Auxiliado pelo *tokoyama* ("encarregado das cabeleiras"), ajusta a peruca na cabeça e, logo depois, arregaça as mangas do quimono e, com um pincel, aplica uma espessa camada de tinta branca às mãos e aos braços.

Nihon-guma ou *suji-guma*, abreviação de *suji-kumadori* (*suji* = "linha" – *kuma* = "sombras"), estilo fundamental do qual a maioria das outras formas de maquilagem *kumadori* deriva, é freqüentemente usado pelos heróis nas peças em estilo de atuação *aragoto*, como Matsuômaru no ato "Kurumabiki", em *Sugawara Denju Tenarai Kagami* (*O Ensinamento dos Segredos Caligráficos de Sugawara*). Desenhadas com uma única pincelada, sem retoques, as duas linhas paralelas, em vermelho, partindo do topo das sobrancelhas até a raiz dos cabelos, resultam em linhas rijas e vigorosas, que expressam uma grande força de ação masculina, uma personalidade forte, com os sentimentos de ira e indignação estampados no semblante, como a de um guerreiro corajoso. Supõe-se que o *suji-guma* tenha sido inspirado pelas fisionomias indignadas das esculturas dos guardiões budistas, tendo sido usado, pela primeira vez, por Danjuro I, em 1702. Por volta de 1712, o estilo *suji-guma* é aperfeiçoado por Danjuro II, através da técnica *bokashi* ("gradação"), isto é, uma extremidade de todas as linhas, há pouco pintadas, é borrada levemente com o dedo, criando-se, assim, um efeito de gradação ou sombreado de colorido apropriado. O que deu origem à lenda um tanto poética, mais tarde celebrada num famoso poema, de que a técnica *bokashi* teria sido concebida por Danjuro Ichikawa II (1688-1758), ao observar as riscas vermelhas nos núcleos das pétalas das peônias brancas, em floração nas árvores de seu jardim. A técnica *bokashi* é, por sua vez, completada por Danjuro VII (1791-1859), que ampliou a gradação do colorido, para se obter um efeito mais impressivo e expressivo das feições faciais do ator.

Ippon-guma ("maquilagem com uma única linha") foi adaptada do *suji-guma* e como o nome o diz, ao invés de duas linhas, consiste em uma larga linha vermelha, partindo do topo das sobrancelhas até a raiz do cabelo e com as narinas também delineadas de vermelho. É usada por Umeômaru, no ato "Kurumabiki"; Watônai, em *Kokusenya Kassen* (*As Batalhas de Coxinga*); e o leão pai, no drama dançante *Renjishi* (*O Leão e Sua Cria*).

No *mukimi-guma*, apenas uma única linha em vermelho sob os olhos e estendendo-se até as extremidades exteriores das sobrancelhas, desenhada sobre uma face pintada totalmente de branco, expressa o frescor da juventude e bravura, a ira e indignação de um jovem formoso. O protótipo da maquilagem de jovem galã, formoso e valente, como a usada por Sukeroku, na peça de mesmo nome; por Gorô, em *Soga no Taimen* (*O Confronto dos Irmãos Soga*); e Sakuramaru, em "Kurumabiki".

Saru-guma ("maquilagem do macaco") foi criada por Denkuro Nakamura (1662-1713). As três linhas sobre a fronte, semelhante à de um macaco, representam a face de um homem valente de outrora, como Bênkei, no prólogo de *Yoshitsune Sembonzakura* (*Yoshitsune e as Mil Cerejeiras*). Mas possui também uma expressão cômica, podendo ser utilizada em papéis de palhaços.

Namazu-guma ("maquilagem do bagre") é usada para papéis cômicos. As linhas vermelhas no rosto e as linhas pretas, representando o bigode, são desenhadas de modo a expressar a comicidade.

Tsuchigumo-guma ("maquilagem da aranha terrestre") – As linhas marrom-escuras, pintadas sobre toda a face, indicam uma aranha demoníaca.

Yuurei-no-kuma ("maquilagem do fantasma") – O predomínio de linhas cinza-azuladas, que sugerem melancolia, traduz o rosto de um fantasma ou de um espírito mau.

Hannya-guma ("maquilagem do demônio *hannya*"), inspirada na máscara de *nô hannya* e adaptada para o *kabuki*, por Heikuro Yamanaka (1632-1724). As linhas em cinza sobre todo o rosto, com as pupilas e os lábios chamejantes, contrastando com o preto delineado nos cantos dos olhos e da boca, representam as expressões assustadoras e inumanas dos demônios e fantasmas. É usada para os papéis de mulheres-demônios, como nas peças *Momijigari* (*A Contemplação das Folhas Coloridas de Outono*) e *Musume Dojoji* (*A Moça no Templo Dojo*).

Maquilagem com base dourada é utilizada para o papel do leão na peça *Shakkyô* (*A Ponte de Pedra*) e pelo deus tigre em *Ryuko*, ambos dramas dançantes. Sobre a base dourada, a face do leão é pintada com vermelhão e sólidos traços pretos nos olhos e lábios, enquanto a do tigre é desenhada com linhas cinza, com olhos e lábios em preto e leves toques de vermelho.

No decorrer de uma peça de *kabuki*, em paralelo com as mudanças de vestuário e cenário, e obedecendo-se a esse mesmo impulso, a mudança de cores na maquilagem *kumadori*, bem como a alteração no número de linhas pintadas na face, expressam a transformação do caráter da personagem. No primeiro ato de *O Ensinamento dos Segredos Caligráficos de Sugawara*, Matsuômaru aparece com duas linhas desenhadas nos cantos dos olhos, representando uma personagem desafiadora, em conflito com seus dois irmãos, Umeômaru e Sakuramaru. Já no segundo ato, quando o conflito já se resolveu, Matsuômaru reaparece com a maquilagem comum, em branco. Geralmente, as mudanças de maquilagem ocorrem fora do palco, mas nas peças domésticas, às vezes, elas se realizam em cena, à vista do público, como, por exemplo, quando a personagem se torna completamente ébria e pinta a estrutura óssea de sua face com vermelho-vivo, para sugerir embriaguez.

Em 1985, durante os números do *Rock in Rio I*, os brasileiros puderam ver/ouvir uma exuberante Nina Hagen, ostentando galhardamente uma enorme peruca vermelha e maquilagem inusitada, testemunhas eloqüentes da enorme atualidade e influências marcantes da cabeleira exagerada e maquilagem *kumadori* do *kabuki*, até mesmo nos roqueiros internacionais.

6.5. MÚSICA DE *KABUKI*

O *kabuki* expressa uma beleza rítmica, através da associação de música e dança. Inicialmente, uma estilização sonora. O rápido acréscimo de novos instrumentos musicais no teatro shakespeariano equivale ao desenvolvimento da orquestra *gueza* no *kabuki*, que é ainda freqüentemente associado à ópera, devido à qualidade dramática da música de *kabuki*, que desempenha um papel essencial na sua encenação. "Entretanto, assemelha-se mais à opereta comum ou à comédia musical contemporânea, devido à forte cor local de sua música e porque a substância da música consiste realmente em falas e ações comuns, embora grandemente exageradas."[11]

11. Yonezo Hamamura, Takashi Sugawara, Junji Kinoshita e Hiroshi Minami, *Kabuki*, p. 34.

Desde os primórdios do *kabuki*, um dos elementos essenciais, enquanto acompanhamento das danças de Okuni e seu grupo, tem sido sempre a música, constituindo-o como um drama de grande beleza e vivacidade musical. Conforme registrado em numerosas gravuras da época, o *kabuki* era originalmente apresentado em palcos de *nô*, sendo acompanhado musicalmente pelo *hayashi* ("orquestra de *nô*"), composto de flauta, tamboris de mão e tambor de baquetas. Mas à medida que o *kabuki* vai adquirindo a sua própria arquitetura, vai gradativamente incorporando novos instrumentos.

Enquanto a narrativa musical é o elemento mais importante do teatro *bunraku* e, assim sendo, o *Guidayu* narra sem ver os bonecos, de modo que os manipuladores devem movimentá-los de acordo com a narração e o acompanhamento de *shamisen*, no teatro *kabuki* ela é subordinada ao ator, centro e gênese do espetáculo. Portanto o *chobo* (conjunto de narrador e instrumentista de *shamisen* do *kabuki*) narra e acompanha musicalmente, olhando e harmonizando segundo os movimentos dos atores. Logo, embora apresentando um refinamento constante, nesses seus quase quatro séculos de existência, a música de *kabuki* tem conservado sempre essa característica importante: jamais se impõe ao ator, antes deriva dele, servindo-lhe de apoio, dando expressão viva e rítmica à sua atuação no palco, sublinhando seus gestos e movimentos e aumentando seus efeitos dramáticos, através de um simples toque de tambor ou de um som de *shamisen*, acentuando uma frase ou um diálogo.

Ainda dentro do princípio de procura deliberada da beleza formal no *kabuki*, a música tem a função de, além de enfatizar poeticamente as cenas amorosas, embelezar fascinantemente as cenas cruéis ou grotescas, como assassinatos, violência e tortura, através do recurso, por exemplo, de um gongo de bronze usado pelos monges budistas nos momentos da morte, ou empregando o contraponto de uma música alegre para uma cena trágica.

A música de *kabuki*, que sofre influências das antigas músicas japonesas, músicas de *nô* e estrangeiras, apresenta, segundo Masakatsu Gunji[12], três categorias básicas:

I. *guishiki* ("música cerimonial"):
1. *batidas no tambor grande* (atualmente, não mais se emprega tal recurso)

---

12. Masakatsu Gunji, *op. cit.*, p. 42.

- atraindo o público ao espetáculo
- avisando aos atores para se prepararem e ao público para entrar
- *shaguiri*, no final da peça, como se estivessem dizendo: "Saiam, saiam..."

2. *hyôshigui* ou *ki*
   - no começo e fim de uma peça, acompanhando o descerrar e cerrar das cortinas

3. *tsuke-uchi*

II. música *gueza* ou *kague-bayashi* ("músicos ocultos")

III. música executada no palco = *de-bayashi* ("músicos à vista do público"):
1. recitativo *joruri*
2. música lírica *nagauta*
3. baladas *Tokiwazu* e *Kiyomoto*

6.5.1. Hyôshigui

Enquanto no teatro ocidental e no teatro japonês moderno, o início e o fim de uma peça ou ato são anunciados pelos toques da campainha e descerrar/cerrar da cortina, por sua vez, no teatro *kabuki*, são evidenciados pelos sons do *hyôshigui*, um par de matracas retangulares, feitas de madeira de carvalho rijo, que são batidas uma contra a outra, segundo a técnica do *kikkake*. Os sons do *hyôshigui*, às vezes abreviado para *ki*, são produzidos pelo *kyôguen-kata* ("assistente de diretor de cena"), totalmente de negro, que senta no palco, na ala extrema direita do público, acompanhando, simultaneamente, todos os atos de abrir e fechar a cortina.

Desde os tempos antigos, os sons do *hyôshigui* têm sido usados no Japão pelos sacerdotes, no acompanhamento rítmico para a entoação de sutras budistas; pelos vigias noturnos, para comunicar que tudo está em ordem nas ruas da cidade, correspondendo, neste caso, aos sons do apito do guarda no Ocidente; e pelos ambulantes de *kamishibai* ("teatro de papel"), para atrair as crianças aos espetáculos de *slides* de papel, narrados no estilo dos atores de *kabuki* das províncias. No teatro *kabuki*, o *hyôshigui* é usado para vários propósitos no decorrer de uma apresentação: na abertura da cortina, dando-lhe ritmo, apelo emocional e chamando a atenção do público para o palco, onde o espetáculo logo terá início; na entrada dos músicos; na mudança de cenário; no fechar da cortina; sempre em harmonia com a atmosfera de cada cena; e, ainda, como instrumento de percussão.

As técnicas de batidas do *hyôshigui* são reguladas por rigorosas regras, variando de acordo com o tipo de peça, com suas especificidades quanto à entrada e saída dos atores. Quando o ator entra correndo em cena, os sons da matraca acompanham-no ritmicamente e acentuam sugestivamente as suas passadas, começando com rápidas batidas em *crescendo/fortíssimo* e terminando em *pianíssimo*. Já o inverso ocorre quando a saída se dá correndo, magnificando-se a impressão de rapidez e velocidade com que a personagem desaparece de cena. O início e o fim de uma peça histórica são indicados pelo padrão de sons que começam lentamente, com as pesadas batidas produzidas isoladamente, a longos intervalos, que vão gradualmente se tornando mais freqüentes, atingindo uma aceleração crescente, com batidas contínuas, semelhante a uma fuzilaria, simultaneamente ao puxar da cortina, no início, bastante lentamente, acompanhando o ritmo das batidas, até tornar-se cada vez mais rápido. No conjunto, cria-se um clima de grande excitação ao público.

Os sons penetrantes do *hyôshigui* servem para chamar a atenção e sublinhar ritmicamente os movimentos dos atores e é importante salientar que os seus efeitos sonoros são usados, em conjunto com a música *gueza*, apenas para enfatizar dramaticamente os movimentos da cortina de correr, jamais da cortina suspensa. No início da peça *Kanadehon Chûshingura* (*A Vingança dos 47 Vassalos Leais*), o par de matracas bate 47 vezes, anunciando os 47 vassalos.

6.5.2. Tsuke-Uchi

No *tsuke-uchi* ("acompanhamento com batidas"), um outro uso do *hyôshigui*, o *kyôguen-kata* apresenta-se ajoelhado no palco, à direita do público, totalmente de negro e até com um capuz preto, e executa um acompanhamento musical de padrões rítmicos complicados, semelhantes aos sons de uma cascata intrépida, golpeando forte e rapidamente o par de barras de madeira de carvalho, que tem em mãos, um pouco menores que o *ki*, contra uma placa de madeira oblonga e achatada colocada sobre o palco. Originalmente, *tsuke* vem de *oto o tsukeru* ("colocar o som").

A função do *tsuke-uchi* é a de pontuar/acentuar forte e dramaticamente os diálogos especiais, ações, poses e movimentos decisivos dos atores, chamando a atenção particularmente para os momentos de clímax. É usado para acompanhar os movimentos do ator, enfatizando sua virilidade; ao aproximar-se ou afastar-se do *shichi-san*, a posição-chave no *hanamichi*; nos *tachimawari* ("cenas de luta"), com padrões sincopados, empregados para aumentar a excitação e agindo em contraponto aos movimentos em forma de balé dos atores; nas cenas de assassinato; nos momentos em que o ator irrompe em corrida, acentuando os sons de suas largas passadas; e nas peças em estilo de atuação *aragoto*, sempre que o ator lança uma impressiva pose *mie*, variando de acordo com o tipo de *mie* apresentado: ora num crescendo acelerado, ora espaçadamente, a grandes intervalos, até atingir o clímax que, nas poses *mie*, é sempre expresso por uma única e aguda batida das matracas. E mesmo quando se deixa cair algo leve, que na realidade não faz barulho algum, usa-se o *tsuke-uchi* para se dar a impressão.

Dentre a grande variedade de música de *kabuki*, devemos incluir desde as canções populares e folclóricas, contemporâneas à história do *kabuki*; o *hayashi renchû*, a música derivada do teatro *nô*; a música vocal do grupo de narradores, acompanhada de *shamisen*, que abrange o recitativo *joruri* do teatro *bunraku*, a música lírica *nagauta* ("canto longo") e os estilos narrativos *Tokiwazu* e *Kiyomoto*; e por fim, os efeitos sonoros. Dada a existência de um grande número de escolas de música *kabuki*, para cada peça faz-se o uso adequado de um determinado tipo de música, nas entradas e saídas das personagens principais, nas cenas especiais e nos acompanhamentos para os diálogos.

6.5.3. *Música* Gueza *ou* Kague-Bayashi

Os *sewamono* ("dramas domésticos"), essencialmente dialogados, são acompanhados pelo *gueza ongaku* ("música *gueza*"), composto de orquestra e coro, também denominado *kague-bayashi* ("*hayashi* da sombra" ou "orquestra invisível"), por ser uma música executada fora do palco. Recebe esse nome pelo fato de o grupo de músicos e sonoplastas atuar atrás das cenas, oculto do público, no *gueza*, que, no período Edo, significava "fora do lugar" (外座), isto é, "fora do palco", mas que, mais tarde e numa escrita mantida até hoje, passa a ser escrito (下座) "lugar inferior", porque a pequena sala de efeitos musicais ficava originalmente debaixo de uma sala semelhante, usada pelo *chobo* – os músicos de *joruri* do *kabuki* – localizando-se à direita do público. Todavia, com a adoção do *hanamichi*, passou a situar-se à esquerda, diretamente oposta ao *hanamichi*, para facilitar aos músicos *gueza* espreitarem as evoluções dos atores, durante as entradas e saídas através do *hanamichi*, produzindo a música e os efeitos sonoros necessários e não oferecidos pelos músicos no palco. Portanto, *gueza* é um termo geral, que serve para designar tanto a sala semi-escura onde trabalham os músicos, quanto os próprios músicos ocultos do público e a música aí executada. Os fascinantes cantos e acompanhamentos musicais aí produzidos escoam para o palco, através do *kuromisu* ("persianas negras"), uma longa janela retangular com grades de bambu pintadas de preto, localizada na parede esquerda, que faz face ao palco. Tradicionalmente, a música *gueza* ficava sob o controle dos músicos *nagauta*. No entanto, atualmente os músicos *gueza* executam todos os tipos de música *kabuki*.

A música produzida no *gueza* é denominada ainda de *gueki ongaku* ("música de teatro"), *kague no narimono* ("instrumentos musicais das sombras"), ou *hayashi* ("orquestra derivada do *nô*").

Gueza originou-se no começo do século XVIII, enquanto acompanhamento para certos estilos cômicos de danças *kabuki*. Inicialmente, várias músicas líricas de *shamisen* foram usadas, principalmente as do tipo *meriyasu nagauta*. À medida que as produções de *kabuki* tornaram-se mais elaboradas, os músicos *gueza* foram convocados a tocarem variados instrumentos de percussão e outros mais. Assim, *gueza* tornou-se o departamento de efeitos especiais, como também uma extensão do conjunto de música do palco[13].

A música *gueza* compõe-se de música melódica, com canto e instrumentos melódicos, e música de percussão, com uma grande diversidade de instrumentos e padrões. Os instrumentos musicais do *kabuki* são bastante variados, havendo uma combinação de instrumentos de percussão, cordas e sopro. Inicialmente, a incorporação dos instrumentos do *hayashi*, herdados do teatro *nô*, que dão algumas das mais excitantes e espetaculares músicas de *kabuki*, com: *taiko* ("tambor de baquetas"), *ôtsuzumi* e *kotsuzumi* ("tamboris de mão grande e pequeno") e *nôkan* ("flauta transversal"), freqüentemente usada nas passagens solenes, dignas ou em que aparecem fantasmas, pois acredita-se que a flauta tem o poder de convocar os espíritos. Mais tarde, adicionam-se *shami*-

---

13. William P. Malm, *Nagauta – The Heart of Kabuki Music*, p. 108.

sen e *koto*, instrumentos de corda; em seguida, a incorporação de *shakuhachi, kokyu* e *mokugyô* ("gongo de madeira com formato de peixe ou pássaro"), que é golpeado com uma baqueta acolchoada e usado nos templos pelos monges budistas ao recitarem os sutras; *tsurigane* ("sino pendente"), no estilo dos sinos utilizados nos templos para marcar a passagem das horas noturnas; *dora* ("gongo com centro nodoso"); pratos, sinos e címbalos.

Os instrumentos melódicos da música *gueza* compõem-se primordialmente de *shamisen* e duas flautas *nagauta*, complementados pelo *mokkin*, xilofone de treze ou dezesseis chaves, instrumento de origem chinesa, que produz música apropriada ao acompanhamento de danças cômicas; *shakuhachi*, flauta vertical de bambu, que emite sons plangentes, de grande efeito dramático; *kokyu*, pequeno instrumento de três ou quatro cordas, semelhante ao violino e tocado com um arco; e *koto*, harpa horizontal de treze cordas, tocadas com os dedos, a produzir sons melancólicos, que enfatizam passagens emocionais.

Os músicos *gueza* observam atentamente o desempenho dos atores no palco e, simultaneamente, criam a atmosfera musical adequada a cada situação e personagem, bem como o acompanhamento para as cenas de pantomima, assemelhando-se à trilha sonora dos filmes ou dos antigos melodramas. Como a função primordial da música *gueza* é a de pano de fundo, o canto não é freqüentemente usado, a não ser nas cenas amorosas ou ternas, em que a personagem está a meditar. Aí são empregados os *meriyasu*, "canções românticas", simples e curtas, havendo ainda, nas cenas melancólicas e calmas, o recurso altamente efetivo da voz em solo.

Utilizando diversos tipos de tambores, tamboris, gongos, sinos, castanholas e xilofones, os instrumentistas talentosos do departamento de música *gueza* conseguem, como num estúdio de rádio com seu equipamento de efeitos acústicos, criar efeitos sonoros de uma riqueza ímpar, sem paralelo no mundo. Por exemplo, usando bastões diferentes, geralmente de setenta a oitenta centímetros de comprimento, feitos de finas ripas de madeira de carvalho, e batendo nos mesmos tambores grandes, os instrumentistas são capazes de produzir uma variada gama de efeitos sonoros, com cerca de 130 variações. Padrões rítmicos e texturas sonoras especiais, para a representação de fenômenos da natureza, que não são cópias fiéis da realidade, porém, através da estilização artística, representações sonoras simbólicas da idéia de chuva, vento, neve, o silvar do vento, os ecos dos vales e das montanhas, as correntezas dos rios, a chuva, a neve, a tempestade, bem como o aparecimento de fantasmas e seres sobrenaturais, o galopar de cavalos, a aproximação do ataque inimigo, os sons dos insetos e o canto dos pássaros. Assim, unicamente através do recurso do tambor grande, consegue expressar admiravelmente os mais variados fenômenos naturais. O cair da chuva é sugerido pelas rápidas e leves batidas com as baquetas finas; o trovão, pelo retumbar de batidas bamboleantes; o bramido das ondas do mar apresenta muitas variações, de acordo com as estações do ano e hora do dia, mas no geral é representado por um crescendo de rápidas batidas, que subitamente decrescem. Uma série de leves batidas no tambor grande, combinadas com os sons da flauta, anunciam a entrada de um espírito ou fantasma no palco, decorado com tochas ardentes, para aumentar ainda mais o clima tétrico da cena. O tambor grande é ainda muito eficaz nas peças *aragoto*, na descrição de aberturas de cenas de batalha, com o emprego de batidas pesadas e ressonantes.

A neve que cai sem fazer barulho é sugerida no *kabuki*, como "os sons do coração", através do *yukioroshi*, rápidas mas leves batidas com as pontas dos grossos e curtos bastões, de trinta e cinco a quarenta centímetros de comprimento, envoltas em algodão e revestidas de tecido, ritmando simultaneamente com o cair de milhares de pequenos pedaços de papel branco picado, contidos numa cesta de vime com grandes buracos. Ela fica suspensa, acima do palco, atrás da cortina principal, fora do alcance da vista do público e, quando necessário, é balançada. Originalmente, os papéis eram picados manualmente e tinham o formato triangular, mas atualmente, devido à mecanização, tornaram-se quadrados. Em Tokyo, o som que representa a neve que cai é mais rápido, enquanto em Kansai, área de Kyoto e Osaka, é mais lento. Mas fechando-se os olhos, os sons parecem realmente sugerir o cair da neve.

Enquanto no *kyôguen*, onde o acompanhamento musical é raramente utilizado, os sons, por exemplo, do repicar de um sino são produzidos onomatopeicamente pelos próprios atores, no teatro *kabuki* lança-se mão do rico acompanhamento musical para sugerir os sons dramáticos do vento, da neve e da aparição de fantasmas, que perpassam os nossos corações: através do ressoar de um sino pendente, toda a melancolia de um entardecer.

Em oposição à música grave e austera do *nô*, cuja orquestra utiliza apenas quatro instrumentistas, ou da raramente empregada música de *kyôguen*, ou ainda, do realismo do teatro moderno, a música de *kabuki* é marcada por uma estilização melancolicamente sensual, que requer o uso constante e indispensável do *shamisen*, a música dominante no *kabuki*, tanto no palco como no *gueza*, a tal ponto que, atualmente, a música de *kabuki* é popularmente conhecida como música de *shamisen*. Os *shamisen* usados no teatro *kabuki* e nos bairros do prazer tinham o tom mais alto, produzindo sons plangentes e sensuais. Enfim, uma música licenciosa, segundo os eruditos e homens do governo do período Edo, e que escandalizava os neoconfucianos.

O acompanhamento musical do *gueza*, usado especialmente para efeitos sonoros, está presente durante toda a encenação de quase todas as peças de *kabuki*, para a criação de melhor efeito dramático, exceto nos dramas dançantes, quando ele é omitido em prol dos músicos que aparecem no palco. Às vezes, um instrumentista de *shamisen* deixa o *gueza*, senta-se no palco, à frente da cortina cerrada, e executa o *ôzatsuma*, um estilo musical robusto e rítmico, criado por Shuzendayu Ôzatsuma (1696-1759). Ele é adequado para o acompanhamento musical de peças em estilo de atuação *aragoto*, nas cenas de encerramento com pantomima *danmari* executada no *hanamichi*, como, por exemplo, no final da peça Yanone (*A Ponta da Lança*).

6.5.4. A Música de Shamisen no Kabuki

Durante a época do *kabuki* de Okuni, os instrumentos usados no acompanhamento musical constituíam-se dos mesmos utilizados no teatro *nô*, acrescidos de gongos budistas. Todavia, com a proibição do kabuki de mulheres, a música de *shamisen* é introduzida na época do *kabuki* de mocinhos, como acompanhamento das danças e, a partir da metade do século XVII, torna-se a maior fonte musical do *kabuki*. Ideada para o acompanhamento da voz humana do narrador, sempre a precede ou a segue, jamais a ofusca, servindo ainda para preencher os intervalos quando cessa a narração.

Através da técnica japonesa do *bachi-oto* ("som do plectro"), quando as cordas do *shamisen* são vibradas pelo plectro, deixa-se as cordas fazerem vibrar também o corpo do instrumento, de modo a produzirem uma espécie de suave música percussiva. Portanto, embora seja um instrumento de cordas, o *shamisen* é também um instrumento percussivo, produzindo simultaneamente sons melódicos e percussivos, sendo bastante eficaz no acompanhamento musical das danças *kabuki*.

As linhas ou as figuras dos dançarinos no palco movem ou oscilam, harmonizando com o ritmo produzido pelo som do plectro. Esta harmonia entre o ritmo do plectro e o movimento de dança é um elemento vital do *kabuki*. E o ritmo do plectro avança do tom fraco para o mais forte, o que é diretamente oposto à ordem que encontramos na música ocidental, onde o movimento é do tom mais forte para o mais fraco. Alguns, em seu desejo de criar novas formas de danças *kabuki*, recentemente procuraram usar a orquestra ocidental no lugar do *shamisen*, mas falharam tristemente na tentativa de harmonizar o ritmo da dança *kabuki* com a música ocidental. Tal derrota pode ser atribuída inteiramente a essa diferença fundamental na natureza do ritmo dessas duas formas de música. Em outras palavras, pode-se dizer que sem a música de *shamisen* não pode haver dança *kabuki*, e o reverso também é verdadeiro. Assim, constatamos que a relação entre a dança *kabuki* e o *shamisen* é vital; pode-se denominar cada qual o próprio sangue vital do outro[14].

6.5.5. Escolas de Música de Shamisen

A música japonesa em geral pode ser classificada em: canto (*utaimono*), recitativo (*katarimono*) e música instrumental (*bugaku kanguenkyoku*). Do *Heikyoku* ("narração cantada dos *Contos de Heike*") originaram-se o *utaimono* e o *katarimono*, as duas categorias básicas da música vocal de *kabuki* acompanhada de *shamisen*. O *utaimono* ("forma cantada") relaciona-se antes ao ritmo e à melodia em si, isto é, ao canto, do que propriamente às palavras e constitui a música lírica para o *shamisen*, imprescindível ao *kabuki*, sem a qual é impossível a encenação. O *katarimono* ("forma narrativa"), com a ênfase no texto falado, na narração pura, é a música narrativa para o *shamisen*, que não é imprescindível ao *kabuki*, uma vez que se pode encenar uma peça de *kabuki* sem o recurso da narração. Ambas as categorias vão influir na composição dos vários estilos de música *shamisen*.

Originalmente, como o *shamisen* consistia num meio de subsistência de músicos cegos, assim como haviam sido o *biwa* e o *koto*, o método de aprendizagem e ensino era o de saber a música de cor. Conseqüentemente, a notação musical para o *shamisen* é criada somente no século XX.

Há cinco escolas principais de música vocal acompanhada de *shamisen*: *Guidayu, nagauta, Tokiwazu, Tomimoto* e *Kiyomoto*; e duas secundárias: *Shinnai* e *Kato*. Enquanto o *nagauta renchû* deriva do *utaimono*, os outros tipos de música vocal do *kabuki*, *Guidayu, Tokiwazu, Kiyomoto, Shinnai* e *Kato*, originam-se do *joruri*, um ramo do *katarimono*, sendo que o *Guidayu* é utilizado princi-

---

14. Kasho Machida, *Odori – Japanese Dance*, p. 39.

palmente para a narração e apenas ocasionalmente para os dramas dançantes, e os demais estilos para o acompanhamento de dramas dançantes. De acordo com as peças, músicas dos estilos *nagauta* ou *joruri* (*Guidayu, Tokiwazu* e *Kiyomoto*) são executadas e, em peças especiais, ocorre a combinação de músicas de estilos diferentes.

6.5.6. Música Lírica

6.5.6.1. Nagauta

No início do século XVII, quando o *kabuki* ainda assemelhava-se a uma revista musical, os principais gêneros de música *shamisen* para o acompanhamento das danças *kabuki* eram o *kouta* ("canções breves") e *kumiuta* ("suítes de canções para *shamisen*"), no estilo das executadas nas casas de chá ou inspiradas nas existentes no folclore japonês, populares já antes do século XVII. Mas à medida que o *kabuki* vai evoluindo para um drama musical, passa a prescindir de composições mais extensas, ocorrendo assim a adoção do *nagauta* de Edo, literalmente "canção longa", que evoluíra a partir da técnica dos *jiuta* ("canções locais"), populares na área de Kyoto e Osaka, através do trabalho dos músicos cegos e que foram levados para Edo. O conjunto *nagauta* deve ter-se iniciado em Edo, no início do século XVII, influenciado pelo *joruri* primitivo, como um dos muitos gêneros de música *shamisen*, e se estabelece mais firmemente, no século XVIII, como a música básica do teatro *kabuki*, à parte a existência de outros estilos musicais. Inicialmente, o *nagauta* apresenta um desenvolvimento paralelo ao da dança *kabuki*. Mais tarde, num drama mais sério, torna-se um elemento básico do *de-bayashi* ("orquestra visível"), isto é, a música executada no palco, e está intimamente relacionado ao desenvolvimento da música de *shamisen*, instrumento central do conjunto *nagauta*. Posteriormente, o *nagauta* passa a ser executado até mesmo em concertos fora do teatro, como uma arte independente.

O *nagauta* é considerado o soberano no campo da música lírica para *shamisen* e uma característica importante é a adoção do *hayashi* ("orquestra do *nô*"), além de ser associado à música barroca européia.

O *nagauta*, como o *Guidayu*, usa extensamente uma série de padrões melódicos estereotipados. Entretanto, o seu uso no *nagauta* é mais livre. Eles são mais semelhantes à técnica usada pelos compositores barrocos na Europa, onde certos tipos-padrões de melodias descreviam determinadas emoções. O seu uso pode ser bom ou mau, dependendo do compositor (Bach os usava freqüentemente)[15].

A música *nagauta*, que toma por base a dança *kabuki*, apresenta seis divisões: *oki* ou "introdução", estabelece a cena; *michiyuki*, acompanha os movimentos do ator, do *hanamichi* até o palco principal; *kudoki*, de estilo bastante suave, com raro emprego de tambores, é a parte mais lírica e sensual, e acompanha as danças femininas; *odoriji* ou *taikoji*, ao contrário, freqüentemente utiliza tambores de baquetas, sendo uma música bem mais viva, acompanha uma dança mais ativa; *chirashi*, "dispersar ou espalhar", é a seção mais livre, a velocidade aumenta, prenunciando o *danguire* ou "final", onde se empregam os recursos de todos os instrumentos para acompanhar as poses *mie* finais dos dançarinos.

Enquanto o conjunto *nagauta renchû* apresenta-se no fundo do palco, sendo, portanto, denominado *de-bayashi* ("orquestra visível"), e seus músicos não sentam no solo, mas num lugar alto (*hinadan*), por outro lado, os *kaguekatari* ("narradores ocultos"), que ficam no lado direito do palco, como também os *kaguebayashi*, "orquestra oculta", situada no lado esquerdo do palco, sentam no chão. O *nagauta* passa a ser utilizado como acompanhamento musical, não apenas dos dramas dançantes, mas também das peças comuns de *kabuki*.

6.5.7. Música Narrativa

6.5.7.1. Guidayu-Bushi

Guidayu-bushi é o estilo narrativo-musical do teatro *bunraku*, criado por Guidayu Takemoto (1651-1714), por volta de 1675. Portanto, todas as peças de *kabuki* adaptadas do repertório de *bunraku*, inclusive as de Chikamatsu, adotam o *Guidayu-bushi*, principal acompanhamento musical de *shamisen* no ramo narrativo, sendo denominadas *Guidayu-kyôguen* ou *maruhon-mono*. A combinação dos músicos, narrador e instrumentista de *shamisen*, é denominada *chobo* no teatro *kabuki*, embora seja considerada de categoria inferior ao do *bunraku*. A sua passagem para o *kabuki* deu-se através de dramaturgos da época, como Mozaemon Chikamatsu, que escreviam tanto para o *bunraku* como para o *kabuki*.

---

15. William P. Malm, *Japanese Music and Musical Instruments*, p. 210.

Em 1717, durante uma apresentação amadorística, em Nagoya, os músicos são transferidos do *ato-za* ("fundo do palco") para o lado direito do palco, numa plataforma denominada *chobo-yuka* ("lugar para o acompanhamento narrativo-musical"). O Takemoto-za, famoso teatro de bonecos de Osaka, adota essa posição em 1728 e essa prática propaga-se rapidamente aos demais teatros da área e até mesmo em Edo, nas encenações de peças *kabuki* derivadas do *bunraku*.

Ambos os componentes do *chobo* usam traje formal *kamishimo*, apresentando-se sentados à direita do palco, no *chobo-yuka*, um estrado ligeiramente elevado: o instrumentista de *shamisen*, à direita, e à esquerda, o *tayu* ("narrador"), com o libreto à sua frente, apoiado sobre um suporte de madeira (*kendai*), exatamente como no teatro *bunraku*.

Enquanto no *bunraku* os músicos *Guidayu* são o cerne do drama, no *kabuki*, onde o ator é o elemento principal, eles passam a funcionar apenas como comentadores. Assim, posto que os atores enunciam os diálogos, o *chobo* tem a função de descrever e explicar ao público o lugar e a época do evento; as personagens que aparecem no palco, os seus movimentos e a expressão de seus pensamentos; agindo ainda "como uma voz de consciência, semelhante a um coro grego; como um substituto para o solilóquio, tão necessário no drama elisabetano"[16]. As cenas realistas são descritas por um narrador e um instrumentista de *shamisen*, enquanto, nos dramas dançantes, aparecem vários narradores e instrumentistas. O *Guidayu-bushi*, a narrativa que melhor expressa os sentimentos no mundo musical, compreende as formas *monogatari*, "narração dos feitos passados de uma personagem masculina", e *kudoki*, "canto dos pesares sentimentais de uma mulher".

6.5.8. Baladas de Estilos Itchû, Bungo, Tokiwazu, Shinnai, Kiyomoto e Tomimoto

Em Edo, por volta de 1717, evoluiu o estilo especial de acompanhamento musical denominado *Kato-bushi*, o mais antigo dos estilos *joruri* de Edo, inventado por Masumi Kato (1684-1725), música de tempo bastante lento, reputada como a mais refinada e elegante música de *shamisen*. Entretanto, com o crescente sucesso da Escola *Bungo*, o *Kato-bushi* perde o contato

---

16. Faubion Bowers, *op. cit.*, p. 31.

com as massas, conseqüentemente passa a ter pouca vitalidade e, atualmente, é usado exclusivamente na peça *Sukeroku* e somente quando interpretada por um ator da família Ichikawa, que executa uma dança não sofisticada, salientando a beleza do traje de Sukeroku. Os músicos colocam-se atrás das janelas da casa de chá Miura-ya, que forma o pano de fundo do cenário. Mas quando atores da família Kikugoro a apresentam, emprega-se a música *Kiyomoto*.

Assim, se até então, o *kabuki* de Edo utilizava apenas as baladas de estilos *Gueki*, *Ôzatsuma* e *Kato*, originárias da própria Edo, com o sucesso alcançado pelos estilos derivados do *Bungo-bushi* de Kansai, passa também a incorporá-los, ocasionando o desenvolvimento do acompanhamento musical de *kabuki*.

Miyakodayu Itchû (1650-1724) foi o líder da Escola *Itchû-bushi*, estilo de música de *shamisen* fundado na área de Kyoto e Osaka, por volta de 1688, e que, por sua vez, deu origem, em 1716, a uma nova escola, *Bungo-bushi*, criada por Bungonojo Miyakoji (1660-1740), que chega a Edo no fim da era Kyoho (1716-1735). De estilo romântico e melancólico, extremamente passional, reputado por seus efeitos eróticos, devido às suas vívidas descrições dos casos amorosos, geralmente culminando em duplo suicídio, o *Bungo-bushi* alcança grande popularidade, chegando a influir tão profundamente nas pessoas, a ponto de, em 1739, o governo proibir a sua apresentação.

Porém, mais tarde, o seu discípulo Mojidayu Tokiwazu (1709-1764) obtém permissão para fundar uma nova escola, batizando-a de *Tokiwazu*, segundo o nome de Tokiwabashi, uma ponte localizada perto de sua residência. A balada *Tokiwazu* é mais leve, contida e refinada, com um estilo vocal menos intenso e sons menos percussivos do *shamisen*, baseando-se mais na voz do que propriamente nos instrumentos musicais, sendo que, no *kabuki*, é empregada apenas para o acompanhamento de dramas dançantes, como, por exemplo, em *Masakado*.

Da balada de estilo *Bungo* originou-se ainda, em Edo, o *Shinnai-bushi*. O estilo *Shinnai*, nome derivado da personagem Shinnai da peça *Rancho*, foi criado por Wakasanojo Tsuruga (1717-1786), distinguindo-se como um estilo tenso, tendo como centro da balada o *kudoki* ("relato dos sentimentos de uma mulher"), com a intensa e penetrante voz do cantor, geralmente narrando fatos associados ao bairro do prazer.

Já o *Kiyomoto-bushi*, escola musical criada por Enjudayu Kiyomoto (1777-1825), em 1814, evoluiu a partir do *Tomimoto-bu-*

shi, fundado em 1748 por Buzennojo Tomimoto (1716-1764) e que, por sua vez, era um ramo do estilo *Tokiwazu*, mas que teve curta existência. Após a ruptura com a Escola *Tomimoto*, o estilo *Kiyomoto* realiza inovações na construção e introduz canções da época, tornando-o bastante popular, através da criação de um estilo vivaz e animado. Considerado por muitos como o mais belo e melodioso estilo de acompanhamento musical, principalmente para as cenas amorosas e os dramas dançantes de *kabuki*, o estilo *Kiyomoto* caracteriza-se como a menos percussiva das narrativas musicais, com ênfase na melodia, primordialmente a bela voz do tenor, de leveza excepcional, num tom um pouco mais alto e bastante comovedor, com o ator tendo que seguir a música e não o inverso, que é a norma no *kabuki*.

Desta maneira, embora o estilo *Bungo-bushi* atualmente não mais seja executado, não foi totalmente extinto em Edo, visto que acabou dando origem a quatro escolas: *Tokiwazu, Shinnai, Tomimoto* e *Kiyomoto*, que se desenvolveram como músicas de teatro.

As orquestras nas quais os músicos aparecem no palco, à vista do público, são denominadas *de-bayashi* ("orquestras visíveis"), diferenciando-se, assim, do *gueza ongaku* ("orquestra invisível"), e expressam uma qualidade intrínseca da maior parte da música de *kabuki*: a sua natureza essencialmente narrativa ou descritiva, com o acompanhamento de *shamisen*. Os músicos *de-bayashi* usam traje formal *kamishimo*, como os integrantes do *chobo*, mas com a cor combinando com o cenário da peça, para se obter um efeito visual mais harmônico.

Tanto os músicos do teatro chinês como os de várias escolas do *kabuki* sentam-se no palco, totalmente à vista do público. Mas enquanto os do teatro chinês distribuem-se ao acaso no palco, os do teatro *kabuki* obedecem a uma grande formalidade, cada escola ocupando tradicionalmente uma posição especial no palco, variando, às vezes, quando necessário. Os músicos *nagauta* sentam-se no fundo do tablado, fazendo face ao público, no *hinadan*, plataforma de dois andares coberta de tecido vermelho: na parte superior, os narradores e instrumentistas de *shamisen*; na parte inferior, os instrumentistas do *hayashi* ("orquestra do *nô*"). O narrador e o instrumentista de *shamisen* que sentam no meio do andar superior são os mais graduados, decrescendo da parte central para as laterais. Os músicos *Tokiwazu* e *Kiyomoto* sentam-se à esquerda e à direita do palco, no *yamadai* ("plataforma da montanha") porque originariamente se colocava um cenário montanhês na frente dos músicos, sendo ela, às vezes, disposta obliquamente.

6.6. MÚSICA DE *BUNRAKU*

6.6.1. Narrador

Sentados lado a lado no *yuka* ("pequeno palco circular giratório"), à direita do público, ficam, geralmente, apenas um *tayu* ("narrador") e um instrumentista de *shamisen*, envergando traje formal *kamishimo*, ladeados por dois altos suportes de velas e permanecendo no palco, à vista do público, durante toda a encenação. Como se trata de uma tarefa exaustiva, a cada ato de uma peça de *bunraku*, um novo par de narrador e instrumentista de *shamisen* se apresenta no palco, ou ainda, em alguns dramas ou cenas especiais, temos a presença simultânea de vários narradores, cada qual responsável por um papel.

Ao dar-se o sinal de início do espetáculo, através das batidas rítmicas de um par de matracas (*hyôshigui*), um membro da companhia, todo de negro, proclama: *Tôzai! Tôzai!*, literalmente "Leste-Oeste", "Oriente-Ocidente", "Chamando os quatro cantos do mundo", convocando os espectadores a ouvirem atentamente os importantes detalhes da peça a ser encenada. Em seguida, anuncia o título da peça e os nomes do narrador e instrumentista de *shamisen*, que permanecem curvados, em atitude de profunda reverência, até a enunciação do segundo grito de *Tôzai! Tôzai!*

Na cenas do teatro *nô*, diálogo e ação estão unidos, mas quando chega à dança *kuse*, a voz que narra (coro) e o corpo que se move (*shite*) se separam; nos teatros de bonecos do Ocidente, geralmente, os próprios manipuladores proferem as falas das personagens; já no *bunraku*, narração e ação estão nitidamente separadas. Enquanto no *kabuki* o ator é o centro do espetáculo, com os narradores e instrumentistas de *shamisen* acompanhando os movimentos dos atores, no *bunraku*, ao contrário, o texto é o elemento mais importante, portanto, o *Guidayu* narra sem olhar para os bonecos, que devem se movimentar de acordo com a narração. Assim sendo, na arte trina do *bunraku*, composta pela combinação de manipulação de bonecos, narração do texto e acompanhamento musical de *shamisen*, a narração denominada *Guidayu-bushi* é considerada a arte básica do teatro de bonecos, constituindo-se numa arte própria, que pode ser apresentada independentemente da atuação cênica.

Desse modo, se num primeiro momento, podemos afirmar que o *bunraku* é, antes de tudo, para ser "ouvido" e não para ser "visto", progredindo em sua apreciação, notamos que o *Guida-*

yu-bushi deve ser não apenas ouvido, mas também deleitado com os olhos, visto que, durante sua apresentação, o narrador se transforma num verdadeiro ator, atuando emocionalmente ao demonstrar claramente os seus sentimentos, através de suas expressões vocais, faciais e corporais. O que não ocorre nos casos de ventriloquismo, onde os narradores permanecem ocultos do público e os bonecos passam a agir como os verdadeiros atores.

No vestuário, para facilitar a emissão vocal, o *tayu* cerra fortemente a barriga com uma faixa de cintura, de dez metros de comprimento, como se a comunicação dos vasos sangüíneos das partes superior e inferior do seu corpo fosse abruptamente interrompida, e introduz o *otoshi* ("saquinho oblongo que contém *azuki*, 'feijão vermelho', e areia") na barriga, para dar o equilíbrio. No palco, canta na posição de *tate hiza* ("ajoelhamento vertical").

Antes de iniciar a narração, o *tayu* pega o libreto que está no suporte de madeira à sua frente, eleva-o acima da cabeça curvada, num sinal tradicional de reverência e gratidão aos seus mestres, ao autor da peça e ao público presente, esperando que tudo corra bem durante o espetáculo. Recoloca-o no suporte e, após o *okuri* ("música introdutória") executado pelo instrumentista de *shamisen*, levanta novamente o texto, reverenciando-o, numa atitude semelhante à do ator de *nô* em relação à máscara.

Embora tenha memorizado todo o texto, o *tayu* o mantém à sua frente, apoiado num suporte, e desempenha simultaneamente as funções de contador de estórias, recitador e cantor lírico, uma vez que, sendo a voz dos bonecos, descreve as cenas, recita os diálogos, expressa as emoções, pensamentos e planos das personagens e dá prosseguimento à narrativa. Nas peças de *bunraku*, em geral, aparece apenas um *tayu* no palco, mas em certas cenas especiais, como no *michiyuki*, interlúdio de dança, quando um casal de amantes está a caminhar para um duplo suicídio, aparecem vários *tayu* e instrumentistas, cada qual narrando um papel ou agindo em conjunto como um coro.

Posto que o *tayu* é obrigado a produzir toda uma gama de vozes, abrangendo os diálogos de todas as personagens, seja ela um homem ou uma mulher, ancião ou jovem, virtuoso ou vilão, bem como narrar as partes do coro, estabelecendo a cena e comentando a ação, e ser responsável pela criação da atmosfera da peça, sua voz adquire um extenso e expressivo âmbito tonal, e uma qualidade sonora, diferente de todas as outras técnicas vocais existentes no mundo. O método de enunciação do *tayu*, projetada do diafragma, capacita-o a cantar, chorar, gritar, soluçar, mudando rapidamente da conversação para o tom melódico, isto é, da fala para o canto, como nas passagens poéticas ou, ainda, de um leve sussurrar para um esbravejamento de raiva explosiva, com a produção de uma voz rouca, grunhida, escapando da garganta constrita.

Ao iniciar a narração, o *tayu* mantém suas mãos sobre as coxas, mas à medida que o enredo vai progredindo, identifica-se mental e emocionalmente com as personagens, ajoelha-se, agarra o suporte que sustenta o texto, gesticula, contorce o rosto, que se torna avermelhado nas cenas emotivas, revira os olhos manifestando espanto ou terror, ri, cospe, suspira, lacrimeja ou soluça nas cenas trágicas, movimenta o corpo, expressando a força e as nuanças emocionais contidas nas palavras que enuncia. Assim, através da narração, complementada pelas expressões faciais e corporais do *tayu*, podemos apreender bem melhor o espetáculo e, no caso de um mestre *tayu*, este consegue sugerir a visão das cenas, sem a necessidade propriamente de vê-las.

A arte do *tayu* foi bastante elogiada pelos cantores de *rock* na turnê do Teatro Bunraku em Nova York. Enquanto, para um diletante, emitir as sonoras e excessivamente longas gargalhadas de um samurai é suficiente para fazer girar a cabeça, um especialista continua a cantar por mais de uma hora, sem microfone, desgastando enormemente os seus nervos cerebrais e mesmo emocionalmente.

A função e o prestígio do *tayu* no teatro *bunraku* são bem maiores do que no *kabuki* e tão grandes, a ponto de, antigamente, a corte conceder aos narradores mais talentosos o título de *jo* e um tratamento semelhante ao dos samurais, e sendo o artista mais importante do grupo, era constantemente designado o chefe da companhia. Atualmente, a liderança é compartilhada por vários elementos da trupe.

6.6.2. *Instrumentistas de* Shamisen

Sentado à esquerda do *tayu*, o instrumentista de *shamisen* proporciona a melodia, não apenas enquanto acompanhamento musical para a recitação, mas também produzindo sons, que sugerem a chuva, o vento, a tempestade ou, ainda, aumentando ou aliviando a tensão, criando a atmosfera apropriada a cada cena. Simultaneamente, emite sons inarticulados, compostos de pequenos gritos, gemidos e grunhidos, que ajudam a pontuar a apresentação, mantendo o ritmo correto da composição e auxiliando o

INSTRUMENTOS DE METAIS DO *KABUKI*

Hon-Zurigane (grande sino pendurado a um suporte)

Hitotsugane (gongo de uma batida)

Ekiro (aros de ferro ligados ao redor de um fio) - cenas de viagem

Sôban (pequeno gongo suspenso) - cenas de templos e cultos budistas

Chappa (címbalos) - cenas de exotismo chinês

Kin (tigela de bronze) - a mesma função que o *Mokugyo*

Orugôru (caixa de música)

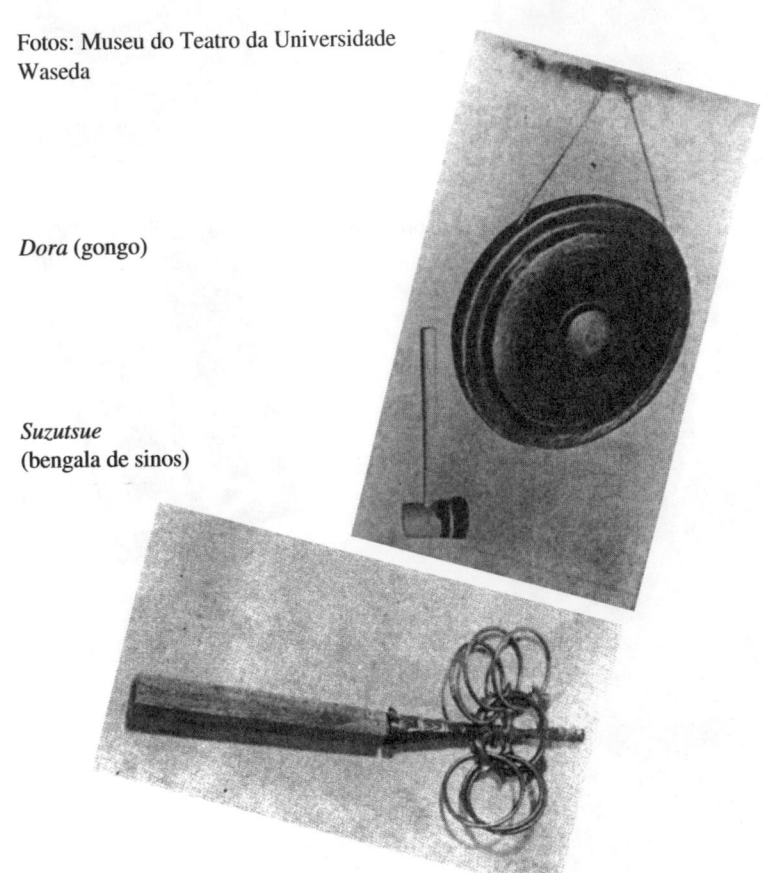

Fotos: Museu do Teatro da Universidade Waseda

Dora (gongo)

Suzutsue (bengala de sinos)

Matsumushi (par de pequenos gongos) - canto dos insetos ou o barulho da bigorna nas cenas de fundição

Rei (pequeno sino com cabo) - canto de peregrinação

Atarigane (pequeno gongo)

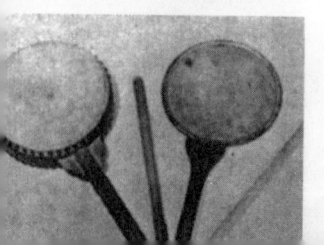

INSTRUMENTOS REVESTIDOS DE PELE DO *KABUKI*

Mame-Taiko, usados nas cenas infantis

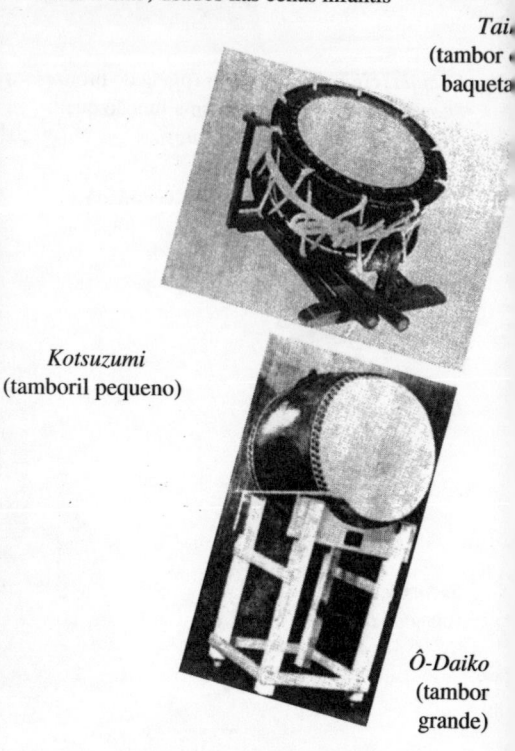

Tai...
(tambor
baqueta...

Kotsuzumi
(tamboril pequeno)

Ô-Daiko
(tambor
grande)

Ôtsuzumi (tamboril grande)

Ôkedo (tambor com formato de tina)

À esquerda, *Gara-Taiko* (tambor padrão), à direita, *Daimoku-Taiko* (tambor-título)

Mokugyo
(gongo de madeira)

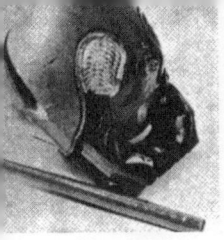

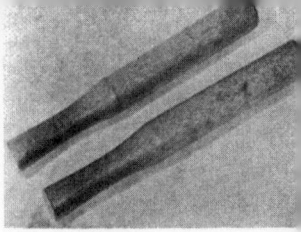

Mokkin (xilofone)
atmosfera de exotismo chinês

Kinuta
(cepos compactos)

INSTRUMENTOS DE MADEIRA/BAMBU DO *KABUKI*

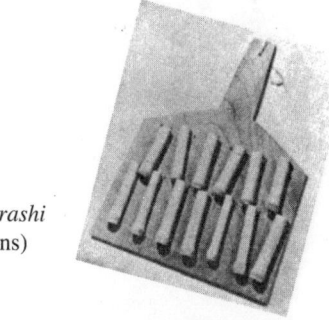

Narashi
(sons)

Fotos: Museu do Teatro da Universidade Waseda

Yotsudake
(quatro pedaços de bambu)

Fuê (flauta).
Nas peças adaptadas no *nô*, o uso do *nôkan*, (flauta de *nô*)

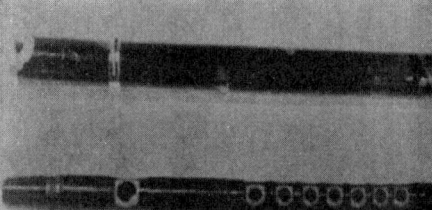

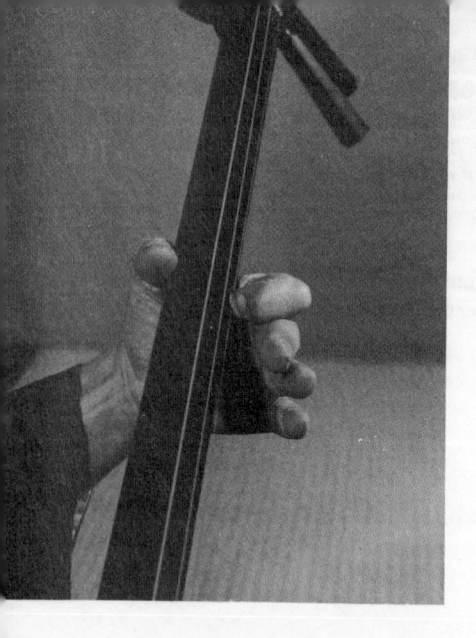

MANEJO DO *SHAMISEN* DE *BUNRAKU*

Composto de braço grosso (*futozao*) e corpo largo e pesado, que dão uma grande ressonância.

1. A formação de caminhos das cordas (*itomichi*) nas unhas dos dedos indicador e médio da mão esquerda, os mais usados.

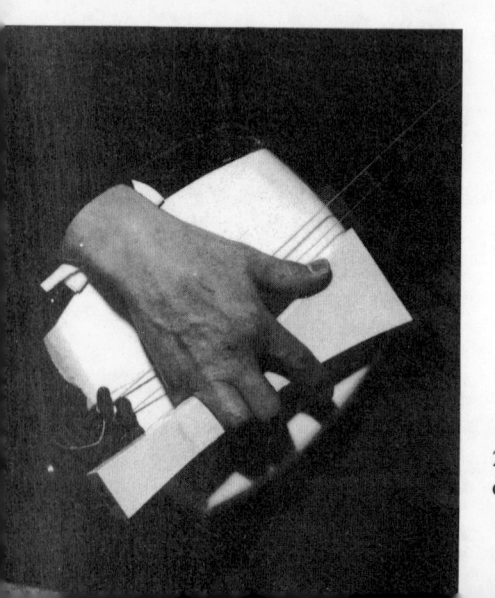

2. A posição dos dedos ao utilizar o *plectro*.

Instrumentos do ofício.

O instrumentista de *shamisen* Enza Tsuruzawa, designado "Tesouro Nacional Humano" em 1985.

Fotos: Seisuke Miyake/Teatro Nacional Bunraku, em Osaka

PREPARAÇÃO DO NARRADOR SUMITAYU TAKEMOTO, DESIGNADO "TESOURO NACIONAL HUMANO", EM 1989.

1. Ata uma longa faixa abaixo da barriga (*haraobi*).

2. Coloca um peso (*otoshi*) dentro do quimono, para contrabalançar o seu próprio peso.

Veste o *kataguinu,* parte superior do traje formal tradicional.

Após envergar o *kamishimo* (traje formal) auxiliado pelo discipulo, está pronto para subir no palco.

Senta-se sobre os calcanhares, na posição de ajoelhamento vertical, apoiando-se num pequeno escabelo de madeira, para libertar o abdômen e ajudar a respiração.

O narrador Sumitayu Takema.

Fotos: Seisuke Miyake/Teatro Nacional Bunraku, em Osaka

narrador nas suas dificuldades. Porém, quando o narrador está com a voz boa e fluente, não necessita do amparo dos gritos de seu acompanhante, exceto um grito agudo no início de uma nova cena ou nas mudanças de atmosfera. A música de *shamisen* nos transmite também toda uma gama de emoções e variações de estados psicológicos.

Há três escolas de instrumentistas de *shamisen*: *Tsuruzawa*, *Nozawa* e *Toyozawa*. No teatro *bunraku*, o instrumentista de *shamisen*, que obedece a um treinamento árduo e rigoroso desde a infância, deve atuar em completa harmonia com o narrador. Conseqüentemente, a sua principal função não é tanto a de solista, o saber tocar primorosamente o *shamisen*, mas o aprendizado mais árduo de saber acompanhar a voz do *tayu*, fazendo salientar sua narrativa, intuindo o momento adequado para tocar uma nota específica, ou quando não tocar para não interferir na narração, até chegar ao ápice, com a ênfase na expressão emocional, traduzindo a cólera, o amor, o desejo, a alegria, a tristeza, além de regular o tempo e acentuar os movimentos dos bonecos no palco. Fazendo-se uma analogia com o beisebol, esporte favorito dos japoneses, o *tayu* corresponderia ao arremessador e o instrumentista de *shamisen* ao apanhador. Presume-se a necessidade de cinco anos para se atingir a harmonia na atuação de um narrador com seu acompanhante de *shamisen*, a ponto de chegarem a respirar em uníssono, ora ajudando-se mutuamente, ora duelando-se.

O *shamisen*, a espinha dorsal das músicas de *bunraku* e *kabuki*, o mais popular dos instrumentos musicais japoneses, essencial nos entretenimentos das gueixas, nas baladas amorosas e nos festivais folclóricos, é um instrumento de cordas, composto de três partes principais: *1.* a caixa de ressonância de madeira, coberta em ambos os lados com pele de gato/cachorro; *2.* o *zao* ("pescoço" ou "braço"), feito de três seções, com três longas estacas giratórias de marfim ou madeira dura, duas à esquerda e uma à direita; *3.* e as três cordas de seda torcidas. O plectro é de marfim.

Há três tipos de *shamisen*, classificados de acordo com a espessura do *zao*, feito de madeira de *kouki*, uma árvore da Índia, bastante dura: *futozao* ("braço grosso"), *chûzao* ("braço médio") e *hosozao* ("braço fino"), com as partes restantes do instrumento variando proporcionalmente, de acordo com o tamanho do *zao*. Cada tipo de *shamisen* é adequado a um tipo de música, uma vez que cada qual produz sons totalmente diferentes.

O *shamisen* usado no teatro *bunraku* é conhecido como *futo-*

zao ou *Guidayu shamisen*, diferindo dos outros instrumentos utilizados nos demais estilos narrativos (*Tokiwazu, Kiyomoto, nagauta*). Pois, como o seu próprio nome o diz, *futozao*, tem o pescoço mais longo e grosso, com uma caixa de ressonância mais larga, que lhe dá uma força musical profunda, viril, produzindo notas fortes, sonoras, adequadas aos recintos teatrais. Tem um tom masculino e ressonante, mas é também bastante flexível, expressando as nuanças emotivas e psicológicas, salientando a voz do narrador e torna-se mais impressivo quando vários instrumentistas de *Guidayu shamisen*, cinco ou seis, tocam em conjunto, criando um efeito alegre e colorido.

Ao tocar o *shamisen*, o instrumentista senta-se, apoiando a base sobre a perna direita, com o instrumento diagonalmente através do seu corpo, sustentando-o com a mão esquerda. Utiliza os dedos da mão esquerda para apertar as cordas, num sistema de notação com 48 posições, para ser pressionado com o indicador da mão esquerda, obtendo, assim, a nota desejada, ao bater/golpear a corda com o plectro, que é mantido na mão direita. Toca-se o *shamisen* não apenas com a força das mãos, mas também, como no ciclismo, com a dos quadris e da barriga. Os sons do *shamisen* variam sutilmente de acordo com o clima. F como não há partituras, o aprendizado da música de *shamisen* é realizado através da prática, ouvindo o mestre à sua frente e memorizando todas as combinações e permutações. O *shamisen* tem três tons básicos: *hon-chôshi*, *ni-agari* e *san-agari*, adequando-se respectivamente às músicas solene, alegre ou melancólica.

6.6.3. *Outros Instrumentos Musicais do* Bunraku

Outros instrumentos musicais empregados nas apresentações de *bunraku* são o *koto*, instrumento de sete cordas semelhante à cítara/harpa, e, nas cenas trágicas, o *kokyu*, instrumento semelhante ao violino, que produz sons plangentes. O *koto*, o *kokyu* e o *shamisen* constituem o trio de instrumentos musicais tradicionais do Japão.

6.6.4. *Música* Gueza *do* Bunraku

Atrás do palco de *bunraku*, assim como no de *kabuki*, no lado esquerdo do público, existe uma pequena sala de efeitos musicais, *gueza*, onde três músicos atuam ocultos do público, produzindo a música *gueza*, isto é, efeitos musicais criados fora do palco.

Uma grande variedade de instrumentos é utilizada na música *gueza*, para a criação da atmosfera apropriada a cada cena. As batalhas, que ocorrem fora do palco, são sugeridas pela combinação dos sons de flautas, tambores, gongos e trombetas. Como no *kabuki*, os músicos *gueza* do *bunraku* observam os movimentos dos bonecos no palco e utilizam diferentes tipos de tambores para a obtenção dos mais variados efeitos sonoros, sugerindo, através de pequenas e leves batidas, o som da água corrente, completamente diferente dos sons das águas de um rio; as ondas suaves, diversas das de uma tempestade no mar; enquanto os apitos de bambu indicam ora o gralhar do corvo, ora o zumbido dos insetos, ora o canto da cotovia, ora os sons da coruja. Às vezes, ao mudarem os ritmos dos seus tambores, os músicos emitem simultaneamente gritos, ora agudos ora anasalados.

6.7. DANÇA DE *KABUKI*

Até o surgimento do *shimpa* ("escola nova"), em 1888, e do *shingueki* ("drama moderno"), em 1909, a dança constituía o elemento primordial de todas as artes dramáticas tradicionais japonesas, sendo, portanto, o ancestral do teatro japonês em geral.

Na dança ocidental, principalmente no balé clássico europeu, que corresponde de certo modo à dança de *kabuki*, o bailarino procura libertar-se da terra, estendendo seus braços acima da cabeça, elevando seu corpo nas pontas dos pés, com saltos e pulos freqüentes. Fundamentado no uso de passos, que por si só são abstratos, o balé clássico europeu é uma dança que apresenta a tendência a tornar-se abstrata. O balé se eleva no ar, aspira aos céus, e seu aprendizado pode ser efetuado por partes, separadamente, através do domínio dos seus diversos passos, visto que há o fato sistemático como as cinco posições dos pés. A dança japonesa, ao contrário, com seus quadris abaixados, os passos deslizantes, os pés sempre tocando o solo e suas fortes batidas de pés, está intimamente ligada à terra, e seus movimentos, baseados na natureza e derivados da sucessão de gestos (*furi*) da vida cotidiana, não são abstratos, uma vez que comportam uma interpretação da realidade e seus acessórios de dança se metamorfoseiam em várias coisas. O aprendizado da dança japonesa, assim como o da música tradicional japonesa, onde não há exercícios e deve-se estudar um trecho de música completo, deve ser feito, desde o começo, através do estudo de uma dança completa, pois seus movimentos não constituem um encadeamento como no balé. Após conhecer várias danças completas, o aluno de dança japonesa estará ao par de todos os seus movimentos.

É dessa diferença básica (céu/terra) que se originaram diferentes tipos de movimento. O movimento da dança ocidental é radiante e extenso e o da dança oriental é intensivo. A dança ocidental tenta expressar um mundo separado e diferente do cotidiano da existência humana, enquanto a dança japonesa torna o mundo em que vivemos um paraíso, intimamente relacionado à vida cotidiana, e expressa os dois como uma espécie de dupla revelação.

Outra diferença nas estéticas de dança do Oriente e do Ocidente é que a técnica de dança ocidental visa expressar a beleza da juventude, enquanto o ideal da técnica de dança japonesa é exprimir a beleza da velhice. *Okina*, a dança do ancião, é a mais sagrada, considerada tecnicamente a mais difícil e o ideal de todas as danças japonesas[17].

Nas danças femininas, enquanto as bailarinas ocidentais adotam a postura dos pés para fora, as artistas de dança tradicional japonesas, ao contrário, mantêm os pés levemente para dentro, como os pombos, com os joelhos sempre unidos, para conservar o quimono na forma adequada, refletindo uma característica peculiar da feminilidade japonesa, que pode ser observada ainda hoje, no ultramoderno Japão contemporâneo, seja nos trens elétricos ou simplesmente andando pelas ruas das cidades. Nas danças masculinas japonesas, ao contrário, os joelhos devem estar amplamente separados, com os pés para fora, assemelhando-se à primeira ou segunda posição do balé. Se no balé clássico europeu, a ênfase é colocada sobretudo no domínio da perfeição técnica, embora imbuída de espiritualidade nos grandes artistas, como Ana Pavlova, por sua vez, o primordial na dança japonesa é a revelação da espiritualidade interior, posto que, para os japoneses, o espírito é mais importante do que a técnica.

O teatro *kabuki* origina-se como dança, o *nembutsu odori*, primitiva "dança de oração", executada por Okuni e seu grupo de atraentes dançarinas. O *nembutsu odori*, uma forma de dança exorcista budista, tem sua origem no período Heian (794-1192), como parte do *o-bon*, "festival dos mortos", com o grupo de fiéis invocando o nome de Buda, aos saltos e pulos, com o acompanhamento rítmico de batidas nos gongos e cabaças. Adquire nova forma, propagando-se rapidamente no período Kamakura (1192-1332) e, no período Muromachi (1333-1572), passa a fazer

---

17. Masakatsu Gunji, *Buyo – The Classical Dance*, p. 67.

parte de rituais religiosos e de invocação da chuva, evoluindo, posteriormente, para as frenéticas e vigorosas danças semi-religiosas, *nembutsu furyû*.

O *nembutsu odori* era acompanhado musicalmente por vários tipos de canções religiosas e seculares e, com o tempo, vai ser popularizado como *kabuki odori* ou *kabuki buyô* ("dança *kabuki*"). Subseqüentemente, com a concentração maior no seu desenvolvimento dramático, os diálogos e as ações passam a tornar-se os principais elementos das peças de *kabuki*, mas a dança continuou sendo transmitida, persistindo até hoje como um fator primordial do teatro *kabuki*.

Portanto, desde o seu início, a história do teatro *kabuki* apresenta um desenvolvimento paralelo ao da dança de *kabuki* e, assim sendo, os gestos e movimentos convencionais, bem como as poses formais dos atores de *kabuki*, assemelham-se antes aos movimentos de dança do que aos movimentos reais e, até hoje, a dança permanece como um aprendizado essencial do ator de *kabuki*, base para toda a sua técnica de atuação.

Mais tarde, as danças *kabuki* tornaram-se bastante famosas e fazem-se representativas da dança típica japonesa, sendo conhecidas como *nihon buyô* ("dança clássica japonesa") ou simplesmente *buyô* ("dança clássica"). O termo *buyô* é formado pela combinação dos ideogramas 舞 (*mai*) + 踊 (*odori*), tendo sido criado por Shoyo Tsubouchi e seus discípulos, durante a era Taisho (1912-1926).

As danças *kabuki* são constituídas pelo amálgama de três tipos básicos de movimentos de dança: *mai*, *odori* e *furi*. *Mai*, substantivação do verbo *mawaru* ("girar"), originalmente indicava a invocação que as *miko* ("sacerdotisas xintoístas") faziam aos deuses, rodando com ramos de bambu ou *sakaki* ("árvore sagrada") nas mãos e entrando em transe. Na Idade Média, a palavra *mai* era usada para indicar a dança sutil, de gestos calmos, lentos e dignos; uma dança rotativa e em círculos, com movimentos intimamente relacionados ao solo, uma vez que, através da técnica especial do *suriashi* ("passos deslizantes"), os pés são movimentados com os calcanhares quase nunca deixando o chão. O *mai* é um termo geral que abrange diversos tipos de danças aristocráticas e elegantes, executadas com acessórios de dança e acompanhadas de expressões literárias: as danças religiosas e ritualísticas como o *kagura*, as antigas danças da corte como o *bugaku*, o *shirabyôshi-mai*, o *kuse-mai*, o *kôwaka-mai*, o *Kamigata-mai* e a esotérica e altamente refinada dança de *nô*, uma dança intimista, movimentando-se o corpo dos quadris para cima e estendendo-se os braços. Os *mai* do *nô* e do *kyôguen* foram introduzidos na dança de *kabuki* na época do *kabuki* de mocinhos.

Odori, principal corrente de dança *kabuki*, é formado de fortes elementos rítmicos, visto que é acompanhado do ritmo intenso dos instrumentos de percussão, com movimentos ativos dos membros, mais vivos, livres, leves e rápidos do que no *mai*, e diferentes gestos das mãos e da cabeça, para os diversos tipos de personagens. Uma dança de saltos e pulos, acompanhados de batidas dos pés. Deriva de danças grupais, como *bon odori*, festivais rústicos, danças folclóricas e populares, criadas principalmente no século XVI; *nembutsu odori*, danças ao Buda, entoando orações para a eliminação de demônios e maus espíritos provocadores de calamidades, e que, com o decorrer do tempo, transformam-se nas danças semi-religiosas *furyû odori*, que se popularizam no período Muromachi (1333-1572), e consistem em danças grupais de rua, relacionadas aos movimentos executados durante os trabalhos cotidianos do povo, ainda hoje preservadas nas artes folclóricas japonesas. Portanto, o termo *odori* torna-se popular no início do século XVII, com o surgimento da dança *kabuki*, que submete os *odori* a um processo de refinamento. Atualmente, o termo *odori* é empregado para designar a dança japonesa em geral.

O *mai*, com sua estudada beleza de movimentos, gestos lentos, nobres e dignos, descende da aristocracia e corresponderia ao *adágio*, que se compõe igualmente de movimentos lentos, nobres e solenes, mas graciosos, como as belas poses da bailarina no "arabesco" e na "atitude", tendo sua origem na corte francesa ou nas danças executadas na corte de Luís XIV. Por sua vez, o *odori*, com seus movimentos rítmicos e alegres, acompanhado de canções populares, deriva do povo e dos camponeses, com suas danças folclóricas e locais, realizadas nos festivais, e corresponde ao *allegro*, dança viva e rápida, cheia de saltos e pulos e descendente do campesinato italiano.

Tanto o *mai* como o *odori* significam "dança", enquanto *furi*, no seu sentido mais amplo, é qualquer gesto ou movimento de pantomima realista e, no seu sentido mais restrito, significa coreografia, expressão dramática das emoções através da técnica de dança, geralmente, de acordo com o significado dos cantos. Nos dramas dançantes de *kabuki*, o *furi* é classificado em: *monomane buri*, com movimentos bem mais realistas do que os gestos simbólicos do *nô*; e *fuzei buri*, gestos derivados dos bonecos do *bunraku*, porém mais estilizados, uma vez que o *kabuki* é mais lírico e estético, e o *bunraku*, mais narrativo. Com a adição do *furi*, as simples danças *kabuki* transformaram-se em dramas dançantes.

A dança ocidental geralmente liga-se diretamente ao instrumento musical, portanto, não há palavras no seu acompanhamento musical. E no balé clássico, essencialmente lírico, as coisas não são descritas uma a uma, tudo depende dos movimentos do corpo do bailarino. Por outro lado, uma característica peculiar das danças tradicionais japonesas é que não existe dança sem letra nas melodias, e que todo movimento exprime alguma coisa, algum padrão da vida nipônica; todo movimento é um gesto, havendo poucos movimentos dos pés, porém, muitos movimentos das mãos e braços. Como declara Sadoshima, em *Yakusha Rongo* (*Analectos dos Atores*), a dança expressa o canto, imita, fundamentando-se na verdade. A dança *kabuki* pede o auxílio da literatura e apega-se às palavras, tendo sido influenciada nesse processo pelo teatro *kyôguen*, que explica as coisas através de palavras e, ainda, lança mão dos recursos de vestuário, acessórios de dança, bem como dos elementos mímicos e dramáticos. Mas, fundamentalmente, a dança *kabuki* traduz em gestos e movimentos o significado das palavras das canções, portanto, a sua essência está nos gestos.

A mímica vigorou no balé até o fim do século XIX, todavia, perdeu a sua força em grande parte devido ao surgimento de Michael Fokine. Nenhum sinal da mímica propriamente dita pode ser visto no palco num programa de balé do século XX.
Por outro lado, o gesto da dança *kabuki* é uma mímica que tem um significado. Aqui, a dança *kabuki* contrasta agudamente com o balé, à medida que a primeira é cheia de significado, como os ideogramas chineses, enquanto a última é vazia de significado, sendo meramente uma justaposição de letras fonéticas. Cada gesto na dança *kabuki* significa algo como "contemplar uma montanha" ou "chorar", enquanto um movimento no balé não tem maior significado do que a letra fonética t ou f[18].

Nos seus primórdios, as danças *kabuki* eram acompanhadas de *kouta* ("canções breves"), antigas canções populares, com o acompanhamento de *shamisen*. Em seguida, passam a ser acompanhadas de *nagauta* ("canções longas"), com o acompanhamento de *shamisen* e que constituem um ótimo recurso para expressar as emoções. Entretanto, com o desenvolvimento de um enre-

18. Eiryo Ashihara, *The Japanese Dance*, p. 92.

do mais complexo, tornou-se necessária a introdução do *joruri*, música recitada, que narra um fato ou descreve o estado psicológico das personagens.

A fase do *kabuki* de mulheres compunha-se de três papéis principais: a jovem da casa de chá, o seu amante e o *saruwaka* ("palhaço"), que adotava uma forma de dança com uma pantomima mais literal e cômica, e a peça finalizava com uma dança grupal, como numa revista musical. E durante os primeiros cinqüenta anos do desenvolvimento do *kabuki*, compreendendo as fases do *kabuki* de mulheres e do de mocinhos, o teatro *kabuki* constituiu-se quase que totalmente de danças, que alcançaram grande sucesso graças à incorporação de modismos populares e criação de efeitos sensuais inusitados, ao travestirem as mulheres de homens ou vice-versa, em danças eróticas e lascivas. Após a proibição de mulheres e mocinhos nos palcos japoneses, os *shows* de danças eróticas são substituídos por representações mímicas, que ocasionaram, na segunda metade do século XVII, um desenvolvimento maior da dramaticidade.

Após o *nembutsu odori*, surgem o *yakko odori* e o *kaka odori*. Paralelamente, durante a era Guenroku (1688-1735), desenvolvem-se os estilos de dança masculinos *tanzen* e *roppo*, usados até hoje para as entradas e saídas em estilo exagerado de personagens turbulentas.

> Em contraste com as danças do *onnagata*, a dança *yakko* tornou-se muito popular no *kabuki* de Edo. O *yakko* era basicamente um vassalo, cujo trabalho consistia em abrir caminho para o séquito de um senhor feudal, e era um caráter fanfarrão e semicômico mesmo na vida real. [...] No *kabuki* de homens adultos, o ator *yakko* tornou-se uma importante categoria de papel, e as peças *yakko* bem como as danças *yakko* aparecem em profusão. Essas peças, que eram rudes, cômicas e cheias de bravura, formaram a base para o desenvolvimento posterior das técnicas de *kabuki* exageradamente masculinas, conhecidas como *tanzen* e *roppo*[19].

Os dramas dançantes de *kabuki* passam a ser conhecidos como *furigoto* ou *shosagoto* ("estilo de dança"), em Edo, e *keigoto* ("estilo elegante"), em Kansai, sendo acompanhados de *joruri*, narração e acompanhamento de *shamisen* do teatro de bonecos. As cenas de dança relacionadas a demônios ou fantasmas compunham o estilo mais popular. Os *shosagoto* eram apresentados somente pelos *onnagata*, que, fazendo da dança o seu meio

---

19. Masakatsu Gunji, *Buyo – The Classical Dance*, p. 117.

exemplar de expressão, uma vez que não tinham permissão de interpretar vários papéis importantes numa peça, acabaram tornando a dança *kabuki*, até a era Tenmei (1781-1789), uma especialidade exclusiva dos *onnagata*. Isto suscitou muitas inovações e pôs em relevo as figuras de Guenzaemon Ukon e Tatsunosuke Mizuki, que cria fama com suas rápidas mudanças de vestuário e caráter.

Se, nos primórdios do *kabuki*, as danças eram grupais, *soodori* ("dança das massas"), manifestando a nova liberdade do corpo, com o surgimento dos *onnagata* elas se transformam em *shinuki* ("dança em solo"), manifestando o caráter e as emoções das personagens, através de movimentos graciosos e elegantes, e ocasionando a formação de belas e inusitadas linhas flutuantes, nas longas mangas e bainhas rastejantes dos seus belos quimonos. A passagem da expressão da beleza do corpo para a beleza do vestuário.

O desenvolvimento do *shosagoto* está intimamente relacionado ao desenvolvimento da música, que alcançou rápido progresso no século XVIII, com a introdução de muitas inovações no acompanhamento musical para os dramas dançantes, e ambos acabaram provocando o surgimento dos *furitsukeshi* ("coreógrafos profissionais"). Assim, enquanto em seus primórdios a coreografia de *kabuki* era feita pelos próprios atores, a partir da segunda metade do século XVIII, os teatros *kabuki* passam a empregar vários coreógrafos, que vão contribuir para a difusão dos dramas dançantes. Posteriormente, cada qual acaba fundando a sua própria escola de dança, levando seu nome e propagando seu estilo peculiar de dança japonesa. Dentre as várias escolas de coreografia, destacam-se as Escolas Shigayama, Nishikawa, Bando, Inoue e Azuma, sendo que, atualmente, as duas principais são as Escolas Fujima e Hanayagui.

Mesmo nas apresentações com um grande número de atores, cada *onnagata* dançava individualmente no proscênio, cada qual a seu turno, enquanto os demais permaneciam enfileirados, no fundo do palco, para não distrair a atenção sobre o dançarino principal. E, por volta da metade do século XVIII, alguns intérpretes de papéis masculinos também começam a desempenhar partes importantes nos dramas dançantes, contribuindo decisivamente para o seu desenvolvimento. Em 1754, ao efetuar a dança *Otoko Dojoji* (*O Jovem no Templo Dojo*), versão masculina do popular *Musume Dojoji* (*A Moça no Templo Dojo*), Sukegoro Nakamura, famoso intérprete de papéis de vilão, acaba, na realidade, quebrando a tradição de que as danças eram uma exclusividade dos *onnagata*.

No *kabuki*, existe a diferenciação entre *buyô* ("dança pura") e *buyô gueki* ("dramas dançantes"), onde a dança faz parte de um contexto dramático maior, não constituindo um fim em si mesma. Portanto, com a criação do *buyô gueki*, "dança narrativa dramática" ou "drama dançante", acompanhado de baladas de estilos *Tokiwazu* e *Kiyomoto*, tornou-se realmente necessária a introdução de personagens masculinas.

Em 1784, trinta anos após o *Dojoji* de Sukegoro, o criativo ator Nakazo Nakamura I (1736-1790), excelente na atuação de papéis de herói e de vilão, que se fez por si mesmo no mundo do *kabuki*, graças ao seu talento, dá início ao processo de diversificação no repertório de danças *kabuki*, introduzindo novas técnicas e incluindo cenas de dança executadas por atores em papéis masculinos, coreografando e dançando ele próprio, em peças célebres, com estréias em: 1775, *Futa Omote*; 1784, *Sekinoto*, o espírito da cerejeira metamorfoseado em mulher e procurando reaver a manga do quimono, legado do seu falecido esposo, e *Nakazo Kyôran*, o correspondente masculino às peças femininas de loucura; 1788, *Modori Kago*. Portanto, ao criar e interpretar um certo número de danças masculinas, Nakazo Nakamura I acaba destruindo definitivamente o monopólio dos *onnagata* sobre as danças *kabuki*. No início do século XIX, a dança *kabuki* atinge um alto grau artístico, com os *tachiyaku* ("intérpretes de papéis masculinos") passando a devotarem-se mais à dança e os *onnagata* a desempenharem papéis mais importantes, embora a dança permaneça, até hoje, como uma importante arte dos *onnagata*.

6.7.1. Estrutura das Danças Kabuki

Assim como as peças de *nô* são estruturalmente divididas em três partes: *jo*, *ha*, e *kyu*, literalmente "introdução", "desenvolvimento" e "clímax ou final", os dramas dançantes de *kabuki* também apresentam uma divisão tripartite em sua estrutura básica: *deha*, *nakaha* ou *chûha*, e *iriha*, respectivamente "entrada, parte inicial ou prelúdio", "parte central ou tema", e "saída, retirada ou coda"; muito embora, atualmente, essas três partes não sejam observadas estritamente. Do *deha* originou-se o *tanzen*, e do *iriha*, o *roppo*, que ainda hoje são usados como estilos de atuação, respectivamente, para as entradas e saídas exageradas dos atores de *kabuki*.

A dança *kabuki* é organizada fundamentalmente em sete seções: *oki*, *de-no-odori*, *michiyuki*, *monogatari*, *kudoki*, *odori*-

ji, chirashi. Na composição de um drama dançante de *kabuki*, onde toda coreografia provém e é ilustrativa do acompanhamento musical, a parte inicial, *deha*, primeira aparição e dança no *hanamichi*, compreende três partes: *oki, de-no-odori* e *michiyuki*. No *oki* ("introdução"), abreviação de *oki-uta* ("canção introdutória"), os narradores e instrumentistas apresentam a parte introdutória da peça exclusivamente através da narrativa musical, com a função dramática de criar a atmosfera apropriada à entrada do ator principal no palco, descrevendo o cenário ou o humor da personagem. Quando a personagem faz a sua entrada em cena através do *hanamichi*, executa aí o *de-no-odori* ("dança introdutória"), indicando claramente o caráter geral do seu papel, sendo acompanhado ritmicamente apenas pelos sons do *shamisen* e instrumentos de percussão, excluindo-se o canto. O *michiyuki*, literalmente "a caminho de uma viagem", é a dança executada pelos viajantes, geralmente um casal de amantes ou, ainda, pai e filho, mãe e filha, a caminho de uma certa destinação. Todos os acontecimentos ocorridos durante a viagem, a mudança de cenários, os encontros com várias personagens, são interpretados através desse *michiyuki*, dança altamente estilizada com acompanhamento de música *Guidayu*, na passarela e no tablado principal, que se transformam em estradas.

A parte central ou tema (*nakaha*) compreende o *monogatari* e o *kudoki*. Para os papéis masculinos, a parte central do drama dançante é denominada *monogatari odori*, literalmente "dança narrativa", que se inicia após a entrada do ator no palco principal, descrevendo mimicamente o caráter da personagem ou os eventos importantes do seu passado, como os feitos heróicos numa batalha ou um acontecimento trágico, utilizando apenas um leque e espadas como adereços; ou, ainda, nas peças adaptadas do teatro *bunraku*, uma pantomima em forma de dança, com gestos e poses semelhantes aos dos bonecos de *bunraku*, criando-se uma beleza simbólica, ao atuar em precisão rítmica com o acompanhamento da recitação dramática do narrador e instrumentista de *shamisen*. O *monogatari* do *kabuki* assemelha-se ao *episódio* do drama grego e tem a função de tornar compreensível ao espectador o caráter e o meio em que vivia a personagem. Por tratar-se de uma dança plena de gestos e ações, é considerada a mais importante das danças masculinas de *kabuki*, sendo sempre apresentada pelos seus melhores atores. Por exemplo, a dança de Kumagai relatando a morte de Atsumori, em *Kumagai Jinya* (*O Acampamento de Kumagai*).

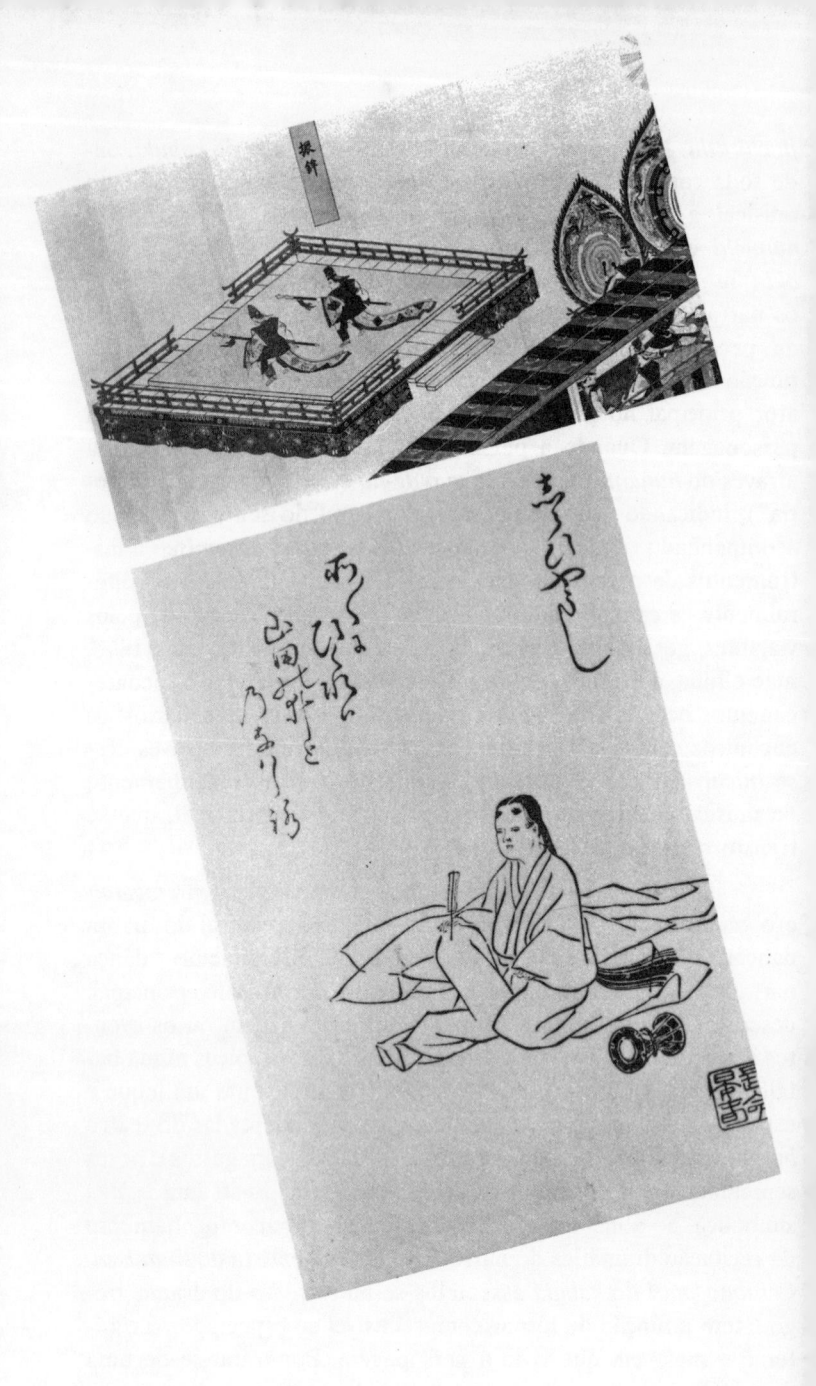

TIPOS DE DANÇA *MAI*
Bugaku, dança majestosa da corte imperial.
Shirabyôshi
Fotos: Museu do Teatro da Univerdade Waseda

Nembutsu Odori

TIPOS DE *ODORI*
Fotos: Museu do Teatro da Universidade Waseda

Bon-Odori de Tokushima

Para os intérpretes de papéis femininos, o *kudoki odori* ("dança do cortejar"), que segue e equivale ao *monogatari* e à inspeção de cabeças dos papéis masculinos, é uma seção mais suave, a relatar as lembranças de uma mulher, sua paixão e seus pesares, seus sentimentos mais íntimos, seu amor secreto, seus ciúmes, a fugacidade da felicidade e da vida humana. Trata-se da psicologia mental e emocional feminina, coreografada em forma de comovente dança lírica, com abolição do uso de instrumentos de percussão e adoção de um acompanhamento de narrador e música de *shamisen* mais simples. O *kudoki* é, por sua vez, a mais importante das danças femininas, tendo uma das suas mais famosas cenas na peça *Hadesugata Onna Maiguinu* (*A Mulher num Vistoso Traje de Dança*).

Mais radiante do que o calmo e melancólico *kudoki*, o *odoriji* ("dança própria"), também denominado *taikoji*, pelo uso do tambor de baquetas, é a principal dança de *kabuki*, correspondendo à dança *kuse* do teatro *nô*. Desenvolve-se à parte do enredo do drama, com um dançarino ou um grupo de dançarinos bailando alegremente, ao som de uma viva e rápida música de *shamisen* e instrumentos de percussão, movimentando livremente seu corpo e suas mãos, prescindindo-se do uso de acessórios de dança.

A parte final do programa, *chirashi* ("dança final"), a seção mais livre, é bem mais rápida e brilhante, com ação e música mais aceleradas, vivificadas ritmicamente pelo acréscimo dos sons de mais dois tambores. O *chirashi* leva ao *danguire* ("cadência final"), que é seguido pela saída do ator através do *hanamichi* ou pelo cerrar da cortina, após uma impressionante e estatuesca pose *mie*.

6.7.2. *Classificação das Danças* Kabuki

Há basicamente quatro tipos de danças *kabuki*: interlúdios de dança, dramas dançantes propriamente ditos, danças de costumes ou personalidades da época e danças adaptadas do teatro *nô*.

Originalmente, os interlúdios de dança eram intercalados entre os atos de um drama histórico ou entre as cenas de um drama principal, para quebrar a monotonia da ação, sem interrromper a sua continuidade nem aumentar a complexidade do enredo. No século XIX, os dramas dançantes começam a ser encenados como números de dança independentes e, dessa maneira, os interlúdios de dança também estendem-se a outros tipos de danças *kabuki*. Dentre os vários tipos de cenas amorosas expressas em movimentos de dança, a mais famosa é o *michiyuki* ("a caminho de uma viagem"), interlúdio de dança entre os atos de uma peça longa, descrevendo, como anteriormente explanado, viajantes, geralmente um casal de jovens amantes que, defrontando um problema, está viajando ou fugindo da polícia/outros adversários. Enquanto estão a caminhar, às vezes param, relembrando o passado ou descrevendo a paisagem, interpretando um belo *pas de deux*, com acompanhamento musical: a pantomima dos seus sentimentos, manifestando seu amor recíproco e imorredouro. O mais famoso *michiyuki* talvez seja o de Okaru e Kampei, nas profundidades das montanhas Totsuka, na peça *Chûshingura* (*A Vingança dos 47 Vassalos Leais*).

Já os dramas dançantes propriamente ditos são obras com acompanhamento musical completo, onde os atores harmonizam seus gestos de dança com a fala. Nessa categoria incluem-se as peças *Kanjincho* (*A Lista de Donativos*), *Omori Hikoshichi* (*O Herói Guerreiro Hikoshichi Omori*) e os *onryô-mono*, dramas dançantes sobre fantasmas vingativos, espíritos de amantes, ou ainda, outros seres sobrenaturais, enfatizando-se antes a beleza do que o sobrenatural. Apresentam-se tanto fantasmas humanos como seres humanos possuídos pelo espírito de uma raposa, borboleta, pato, cegonha ou garça.

Por sua vez, as danças de costumes e personalidades da época (*fûzoku mitate-mono*), geralmente em solo, descrevem as animadas cenas de rua, um esboço dos costumes e ocupações dos cidadãos comuns da época, como, por exemplo, o amestrador de macacos, o mendigo cego, a jovem apaixonada, o padre depravado, o barqueiro, o vendedor de doces. Muitas dessas peças, como *Tobae*, a coqueteria de uma graciosa rata para livrar-se da ratoeira, *Fuji-Musume*, a moça com o espírito da flor de *wisteria*, que floresce em maio, símbolo da primavera e juventude, e *Ukare Bôzu*, dança cômica, acrobática e seminua, foram inspiradas nos *otsuê*, gravuras do início do período Edo, predecessoras dos famosos *ukiyoê* coloridos.

O número de peças *kabuki* derivadas do teatro *nô* é substancial e recebem a denominação de *matsubame-mono*, literalmente "peças de pinheiro", por utilizarem o mesmo cenário do palco de *nô*, com a pintura estilizada de um enorme pinheiro. Embora durante longo tempo a adaptação das peças de *nô* para o *kabuki* tivesse sido proibida, com o advento da era Meiji, quando o *nô* se libera da exclusividade das aristocracias civil e militar e torna-se acessível ao povo, gradativamente, um considerável número de peças *kyôguen* ("interlúdios cômicos do *nô*"), como *Migawari Zazen*, *Bôshibari*, *Tsuri Onna*, *Suô Otoshi* e *Ninin Bakama*, foi sendo adaptado como danças *kabuki*, recebendo a denominação *kyôguen buyô* ("danças *kyôguen*"). E a partir de 1840, com o sucesso de *Kanjincho*, um drama dançante propriamente dito e ao mesmo tempo uma adaptação do *nô Ataka*, realizada por Danjuro Ichikawa VII, muitas peças populares do repertório de *nô*, como *Okina*, *Funabênkei*, *Tsuchigumo*, *Momijigari*, devido à sua natureza de verdadeiros dramas dançantes, foram sendo progressivamente adaptadas como dramas dançantes de *kabuki*, mas sofrendo uma grande transformação no referente à música e movimentação. Se, por um lado, as peças de *nô* empregam música de flauta, tamboris grande e pequeno e tambor de baquetas, por outro, uma peculiaridade do *kabuki* é que, mesmo nos dramas dançantes derivados do *nô* e *kyôguen*, sempre se utiliza a música de *shamisen*, que torna as danças *kabuki* mais vigorosas, expansivas e espetaculares.

Por exemplo, enquanto na dança sagrada de *nô Okina* há três personagens, Okina, Senzai e Sambasô, simbolizando respectivamente o céu, a terra e o homem, com a ênfase colocada sobre o ancião Okina, símbolo de longevidade e boa sorte, com o seu correspondente ocidental no Papai Noel, em contrapartida, no *kabuki*, a figura principal passa a ser o ancião Sambasô, o cômico, e a peça vem a ser intitulada *Sambasô*. Portanto, na adaptação para o *kabuki*, a dança adquiriu um caráter mais leve e humorístico, sendo também denominada *shugui-mono* ("peça congratulatória"). As obras *Kotobuki Sambasô*, *Shitadashi Sambasô*, *Ayatsuri Sambasô* e *Ninin Sambasô*, variações em torno da personagem Sambasô, são apresentadas no início de um programa de peças ou danças clássicas de *kabuki*, ou em festivais religiosos.

Kyoganoko Musume Dojoji (*A Moça Vestida Esplendidamente no Templo Dojo*) é a versão *kabuki* do drama dançante criado por Tomijuro Nakamura I, em 1753, e adaptado do *nô* de mesmo nome, composto no século XVI. Por crer-se que ela emprega todas as técnicas da dança japonesa, possibilitando a manifestação de todas as técnicas da arte do *onnagata*, a expressão máxima da beleza feminina, é reputada como o protótipo, a mais tradicional das danças japonesas, constituindo-se na fonte das danças japonesas subseqüentes. O *Musume Dojoji* narra a estória da bela princesa Kiyo, que se apaixona e é desprezada pelo sacerdote Anchin, que, certa noite, viera pedir pousada em sua casa, aí permanecendo por vários dias. Assustado com a paixão obsessiva da princesa Kiyo, Anchin decide fugir e atravessa a barco um grande rio. Como não havia outro barco, a princesa Kiyo, na sua perseguição, decide transpor o rio a nado, mas afoga-se. Entretanto, seu amor ardente a metamorfoseia instantaneamente em serpente e ela continua na sua perseguição. Anchin procura refúgio em Dojoji, um templo budista na prefeitura de Wakayama, região oeste do Japão, onde os monges o escondem dentro de um enorme sino. A serpente surge, enrodilha-se ao redor do sino e, com o calor de sua paixão ardente, derrete-o, reduzindo Anchin a cinzas. Subseqüentemente, o templo permanece sem campanário durante um longo tempo. No entanto, após muitos anos, decidem reconstruí-lo. Por ocasião da cerimônia comemorativa pela reconstrução do sino, a serpente, o espírito obsessivo da princesa Kiyo, reaparece sob a forma de *shirabyôshi* ("dançarina") e pede aos monges permissão para dançar no cerimonial. Sendo a entrada de mulheres proibida no templo, a princípio, os monges recusam, mas acabam cedendo. A princesa Kiyo os entretém com suas danças e, aproveitando um momento de descuido destes, desprende o sino, abaixa-o e esconde-se dentro dele. Ao levantarem o sino, os monges percebem que a dançarina se transformara numa enorme serpente. Começam a orar fervorosamente e, por fim, a serpente é retirada por um valente guerreiro.

A dança da princesa Kiyo é uma das mais antigas, refinadas e impressivas de todo o repertório de danças *kabuki*, posto que a heroína baila cerca de uma hora, quase inteiramente em solo, num amálgama de vários aspectos das danças femininas da época, num crescendo de velocidade e tempo, simbolizando a vida de uma mulher, do nascimento à maturidade. Os diversos estágios de mudanças e desenvolvimento do seu caráter, o coração de uma mulher apaixonada, são apresentados através de vários tipos de dança, acompanhados de sete ou mais rápidas trocas de traje, a maioria à vista do público. Assim, a atmosfera de cada dança muda, de acordo com a mudança de vestes, mas a faixa de cintura e os padrões do quimono interior na base dos pés, bem como o motivo de flores de cerejeira dos diversos quimonos permanecem inalterados.

Inicialmente, o *michiyuki*, a entrada através do *hanamichi*, como uma jovem dançarina, portando quimono vermelho, símbolo da infância, uma vez que, segundo o costume japonês, veste-se o recém-nascido de vermelho, e um chapéu cerimonial dourado, com leque dobrado na mão. Já no meio do palco, as várias facetas de uma mulher apaixonada, expressas sob a forma de dança *mai*, no estilo lento do *nô*, com passos em ziguezague, sugerindo os movimentos insinuantes de uma serpente. Remove o capacete, música e dança tornam-se mais rápidas, enquanto o coro entoa uma canção popular. Em seguida, dá-se o *te-odori* ("dança das mãos"), com a mudança para um quimono azul-claro, efetuada no palco. E ela baila, representando uma jovem na época do seu primeiro e inocente amor, colhendo as pétalas das cerejeiras. Logo após, dança/brinca com uma bola. Retira-se do palco e há um interlúdio de dança, com dois monges disputando uma bola imaginária. A princesa Kiyo reaparece em quimono cor-de-rosa, com sete chapéus de seda vermelhos (*hana-gasa*), ícones de flores, na mão, e executa uma dança alegre e viva, evocando a beleza das flores, relembrando sua feliz adolescência e o despertar para a maturidade. Os monges executam uma dança com chapéus ornamentados de flores e a atmosfera muda, de uma fase juvenil para outra sensual, quando a dançarina surge em quimono lilás e larga toalha de mão, branca com motivos em azul, e apresenta o bailado da toalha de mão (*tenugui*), dança da maturidade de uma mulher, com gestos sensuais e movimentos pronunciados da cintura. Segue-se uma seção de *furigote*, onde a dançarina toma a toalha como ícone de um espelho de mão e se lamenta, expressando os seus sentimentos de amargura em relação a Anchin, que a desprezara. Lança a toalha ao público, retira-se do palco e surge em quimono amarelo, dançando com o tambor de baquetas (*kakko*) no peito e executa o movimento do corpo para trás (*ushiroburi*), herdado dos bonecos de *bunraku*. Reaparece vestida de roxo com flores brancas e baila com as mangas do quimono. No palco, os *kôken* ("assistentes de palco") retiram instantaneamente o traje roxo e a princesa Kiyo surge toda de branco, substituindo o tambor por um par de tamborins (*suzu-daiko*). A dança atinge o clímax, com um ritmo alegre e complicado, os monges começam a cochilar e o sino desce, como que puxado por uma mão invisível. A princesa Kiyo enverga novamente o quimono vermelho de uma *shirabyôshi*, salta sobre o sino e finalmente mostra a sua verdadeira natureza de demônio-réptil, despindo sutilmente o quimono vermelho, como se descascasse a fina pele de uma serpente, mostrando-se toda de branco, cabeleira enorme e rosto coberto por linhas estilizadas. Os movimentos até então elegantes de um ser humano transmutam-se subitamente nos movimentos ásperos de um réptil, lançando a pose final *mie*, em forma de uma serpente enrodilhada no topo do grande sino, como se a abraçar o amado, mas acabando, na realidade, por sufocá-lo com o calor de sua paixão. Esta dança expressa, de vários modos, a paixão de uma bela jovem, todo o seu sentimento de alegria pelo conhecimento do amor, transfigurando-se, ao ser desprezada, em ódio e fúria, sob a forma de uma serpente vingativa. Todavia, à visão do ocidental, acostumado aos movimentos do balé e da dança moderna, as mudanças de estilos de dança do *Musume Dojoji* afiguram-se-lhe extremamente sutis. Às vezes, ocorre a interessante encenação, com a *shirabyôshi* metamorfoseando-se na cabeça da serpente e os atores secundários, no seu corpo e cauda, um ícone da serpente, defrontando o herói Samagoro Odate, que aparece para subjugá-la.

As danças trágicas sobre a loucura (*kyôran-mono*) enfatizam não tanto o frenesi da loucura, mas notadamente a beleza do mundo da fantasia, onde divagam as mentes perturbadas. Muitas dessas peças, como *Onatsu Kyôran*, *Chuzo Kyôran*, *Yasuna* e *Wankyu*, retratam a loucura decorrente de um grande amor perdido/não correspondido, ou a perda de um filho, revelando nítidas influências das loucas de certas peças do teatro *nô*.

Por sua vez, o *hengue* ("dança de variação") é a técnica de se dançar continuamente vários estágios emocionais de uma única personagem, ou várias personagens, dando origem, assim, aos *hengue-mono*, peças que surgem na primeira metade do século XIX, empregando essa técnica. *Hengue-mono*, literalmente "peças de metamorfose ou transfiguração", consiste em um grupo de peças curtas, com canções e danças populares, retratando os costumes do povo e onde um único ator assume diversos papéis, em rápida sucessão, seis ou mesmo doze, de idades, cargos ou classes sociais diferentes: um homem, uma cortesã, um ancião, um nobre ou mesmo animais. Na realidade, transforma-se numa nova personagem, através de rápidas mudanças de vestuário e acessórios de palco, bem como interpretando vários estilos de dança, exigindo, portanto, que o artista seja tanto excelente ator como dançarino e constituindo-se num ótimo meio para o *onnagata* demonstrar suas habilidades. Exemplos de *hengue-mono*: *Sagui Musume*, *Shiokumi*, *Tama-Usagui* (*O Garoto Coelho*), *Echigo-Jishi* (*O Leão de Echigo*). *Sagui Musume* (*A Moça Garça*) é uma dança composta de sete partes, cada qual encenada com um quimono de colorido diferente. No início, a personagem surge toda de branco, com uma sombrinha para protegê-la da neve e, no final, novamente de branco, desaparece, voando como uma garça. Um mundo de terna melancolia e solidão espiritual, semelhante à *Morte do Cisne*, do balé ocidental, que se torna famosa no Japão, quando introduzida por Ana Pavlova, em 1905.

Já os *sairei-mono* são dramas dançantes baseados nos festivais populares do período Edo, como: *Sanja Matsuri* (*Festival de Sanja*, em Asakusa), *Kanda Matsuri* (*Festival de Kanda*) e *Kioi Jishi* (*Leões em Fúria*).

A partir dos seis anos, ou mesmo antes, o ator de *kabuki* é instruído na arte de dança *kabuki*, que compreende três etapas iniciais: ensino dos movimentos básicos das mãos, seguido pela dança com leque e mangas, com acompanhamento musical, para finalmente chegar-se à dança com armas (*yariyakko*). Assim sendo, o ensino da dança feminina, por ter uma forma mais delicada e sutil, portanto mais difícil de se dominar, precede o da dança masculina, de ritmo mais vigoroso. E até os treze anos, interpreta papéis de *komorikko* ("babá"), *kamuro* ("acompanhante de cortesã") ou *tenaraiko* ("aprendiz").

As danças *kabuki* destinadas a apresentações fora do palco regular de *kabuki* são denominadas *su-odori*, literalmente "danças sem trajes", visto que o bailarino enverga simplesmente o traje formal japonês, em vez da vestimenta de dança do *kabuki*. Os *su-odori* são altamente reputados no Japão, pois os dançarinos são obrigados a contar apenas com seu talento artístico, mostrando a beleza da dança unicamente através dos movimentos do corpo, prescindindo do recurso do vestuário.

A partir da era Meiji (1867-1912), devido ao processo de ocidentalização do Japão, verifica-se um movimento de absorção de várias danças européias, como *Fausto*, *Mumyô* (adaptação da peça *Britannicus* de Jean Racine) e *Carmen*, encenadas com vestuário japonês e uma mistura de gestos de dança tradicional japonesa e técnicas de dança ocidental. Conseqüentemente, a atuação tradicional japonesa, que até então tendia para o intimismo, passa a dirigir-se cada vez mais para o exterior.

Mais recentemente, em 1986, Maurice Béjart criou *The Kabuki*, adaptação de *Kanadehon Chûshingura* (*A Vingança dos 47 Vassalos Leais*), famosa peça de *kabuki* originariamente escrita para o *bunraku*, empregando técnicas tanto de *bunraku* e *kabuki* como do balé ocidental, com dançarinos ocidentais e japoneses, utilizando habilmente os vestuários japonês e ocidental, o que provocou um verdadeiro estupor no mundo da dança tradicional japonesa. Na realidade, Béjart procurou não imitar simplesmente o *kabuki*, nem realizar uma peça de balé clássico, mas criar algo novo, que transcendesse todos os gêneros.

Por outro lado, a dançarina Yasuko Nagamine adaptou as danças *kabuki*, *Musume Dojoji* (*A Moça no Templo Dojo*) e *Sagui Musume* (*A Moça Garça*), para a dança *flamenca*, e o intercâmbio entre estilos de dança totalmente diferentes tem resultado bastante frutífero, estimulando e ativando ambas as danças.

6.7.3. Acessórios de Dança

Dois dos mais importantes acessórios utilizados em quase todas as danças *kabuki* são o *sensu* ("leque dobrável") e o *tenugui* ("toalha de mão"), que servem para figurar inúmeros objetos, posto que se metamorfoseiam em várias coisas, e são classificados sob a categoria de *mochimono* ("objetos segurados nas mãos"), estando intimamente ligados às danças relacionadas à terra.

> Na dança relacionada *ao ar*, geralmente nada é sustentado na mão do dançarino, porque ele tem que saltar freqüentemente no ar. *Mochimono* seria um estorvo para tal dançarino. Nas danças relacionadas *à terra*, ao contrário, os *mochimono* são necessários, para adicionar beleza de variedade ao movimento da parte superior do corpo. Do ponto de vista físico, podemos compreender porque intérpretes da dança *kabuki* consideram leques ou toalhas como acessórios indispensáveis, mas há outras razões para seu uso.
>
> Quando examinamos a história das danças japonesas, constatamos que havia duas espécies de *mochimono*, usadas de acordo com a atmosfera que o dançarino procurava criar. Um tipo era segurado na mão, para acalmar a mente, e outro, brandido acima da cabeça, para exorcizar os espíritos malignos. Alabardas e cajados eram do segundo tipo, enquanto ramos de bambu, *sakaki* ["árvore sagrada"] e plantas similares pertenciam ao primeiro tipo[20].

Os *sensu* empregados nas danças *kabuki* são maiores do que os usados na vida cotidiana desde os tempos antigos e, quando dobrados, são utilizados para representar ora um cachimbo, uma vara de pescar, um pincel, uma espada ou uma flauta; e, quando abertos, ora uma garrafa de *sakê*, uma carta, um espelho; ou ainda, quando movimentados, uma borboleta, a chuva, o vento, as ondas do mar, as águas do rio.

Embora os *tenugui* sejam objetos indispensáveis desde antanho no cotidiano do povo japonês, sendo empregados como lenços de mão, pequenas toalhas, ou mesmo para cobrir a cabeça, é certo que não foram adotados como acessórios de dança no *bugaku* e no *nô*, artes dramáticas que precederam o *kabuki*, e sua incorporação nas danças japonesas data do período Edo, portan-

---

20. Eiryo Ashihara, *op. cit.*, pp. 124-125.

to, bem mais tarde do que a dos leques dobráveis. Nas danças *kabuki*, os *tenugui* são usados como *mochimono*, representando objetos semelhantes aos do leque dobrável, ou para cobrir a cabeça de modo *hachimaki* e *hôkaburi*. Os japoneses costumam usar a toalha retorcida de modo *hachimaki* em volta da cabeça, dando um nó bem rígido na fronte, por acreditarem que tal costume incita à coragem. Nas danças *kabuki*, o *hachimaki* é usado como *yamai-hachimaki*, faixa de cabeça roxa, com o nó atado no lado direito da cabeça, que indica uma pessoa doente, mais exatamente, sofrendo de amor não correspondido, enquanto o *dateotoko-hachimaki*, faixa da mesma cor, com o nó atado no lado esquerdo da cabeça, é o adotado pelo galã. Empregado de modo *hôkaburi*, o *tenugui* cobre as faces do homem, seja para protegê-lo do frio, do calor ou da sujeira, seja para ocultar seu rosto; costume este freqüentemente adotado pelos atores de *kabuki* em papéis de galãs, nas visitas secretas às suas amantes.

Os demais acessórios de dança *kabuki* constituem-se de leques redondos, tamboris de mão, chapéus e outros objetos adequados ao drama correspondente.

6.8. ATUAÇÃO NO *KABUKI*

> *A excitação dos sentidos é um dos aspectos mais importantes do* kabuki.
>
> YASUJI TOITA[21]

> *O papel da bela princesa Taema é muito especial. Num certo sentido, esse papel personifica uma verdade essencial do teatro. A de que um ator vive para um propósito: o de seduzir o seu público. Em* Narukami *[Deus Trovão], à medida que você revela uma técnica de sedução após a outra, pode ver as faces dos seus espectadores sofrerem lentamente uma transformação: a princípio, um traço de melancolia ou incerteza, mudando pouco a pouco para o embaraço, depois, para uma sensação mais aguda de desconforto – mas você sabe muito bem que eles não conseguem desgrudar os olhos de você, e finalmente, é claro, eles sucumbem com o sacerdote. A sedução é como uma catarse; ela alivia a platéia, como alivia a terra devastada; e quando eles caem, eu experimento a minha própria*

---

21. Yasuji Toita, *op. cit.*, p. 77.

> catarse – o momento supremo de libertação do ator.
> É então, quando o elemento erótico está no seu clí-
> max, que a chuva cai e a princesa, com a sua tarefa
> cumprida, deixa o palco com um gesto de magnífica
> indiferença. Este é o meu presente para o público. [...]
> É para isto que eles vêm ao teatro.
>
> TAMASABURO BANDO
> o mais popular *onnagata* da atualidade[22]

O teatro *kabuki*, remontando às suas origens com o grupo de Okuni e suas atraentes dançarinas e o *kabuki* de belos mocinhos, ambos intimamente relacionados à prostituição, sempre esteve baseado numa forte dose de erotismo e sensualidade, que perpassa todas as suas peças, ainda que, às vezes, veladamente. Portanto, a atuação no *kabuki* obedece, antes de mais nada, ao princípio da arte como sedução, num verdadeiro culto à beleza da forma e à atração dos sentidos. Importância maior é dada à perfeita expressão física do ator, do que à atuação enquanto expressão psicológica da personagem. Logo, o magnetismo físico, a atração sensual, o charme, uma presença no palco capaz de provocar perturbação e arrepios na platéia, é uma característica essencial não apenas dos *onnagata*, mas de todos os atores de *kabuki*.

Um *star system*. O *kabuki* é o teatro da supremacia do ator. Toda atuação no *kabuki* obedece a um princípio básico: a ênfase no ator e não no valor literário da peça. O importante não é o enredo, nem o conteúdo ou o significado do evento, mas a oportunidade que tal ou qual cena dá para ressaltar o virtuosismo e o talento superiores do ator. Nesse sentido, os atores de *kabuki* são considerados mais importantes do que os autores das peças, tendo liberdade considerável frente ao texto teatral, que é julgado não um fim em si mesmo, mas uma parte do processo para se encontrar uma atuação satisfatória, funcionando como mero veículo para os êxitos pessoais dos atores. Com o passar do tempo, as repetições acabaram, sem dúvida, dando uma certa autoridade aos textos, contudo, os atores de *kabuki* nunca se sentiram constrangidos a decorá-los e segui-los rigidamente, chegando mesmo, por vezes, a alterá-los consideravelmente, irritando os autores com as pretensões absurdas acerca da relevância de seus papéis. Crê-se que o talentoso Monzaemon Chikamatsu, já então consagrado autor de peças para o teatro *kabuki*, decidiu deixar de escrever para o *kabuki*, transferindo definitivamente suas atividades para o

---

22. Alan Booth, *op. cit.*, p. 40.

campo da dramaturgia do teatro de bonecos, justamente devido à excessiva liberdade e descaso dos atores para com seus textos teatrais. E como não havia diretores de teatro na época, os atores de *kabuki* dirigiam-se a si mesmos.

6.8.1. Os Kata *como Estilos de Atuação:* Danmari, Aragoto, Wagoto, Maruhon e Shosagoto

Na tradição do *kabuki*, assim como no teatro tradicional japonês em geral, vigora o princípio da transmissão vertical da arte, que dá grande ênfase à preservação das formas estabelecidas de encenação, com a cristalização do vestuário, maquilagem, gestos, inflexões de voz e posições no palco, que foram sendo polidos e aperfeiçoados pelas várias gerações de atores, através dos séculos. Assim sendo, sempre sobrou pouco espaço para a inovação nos estilos de atuação do *kabuki*. Mas o ator excepcionalmente talentoso e confiante tem possibilidade de expressar sua individualidade artística, introduzindo modificações na atuação, que mais tarde serão reconhecidas como significativas. Primeiramente, o ator deve absorver todos os elementos da tradição do *kabuki*, contudo, uma vez dominados, pode renovar o papel, ideando sua própria forma individual de interpretação. Entretanto, a menos que o ator possa estar seguro de que uma ligeira mudança na sua atuação será notada e apreciada pelo público, não há tentação de modificá-la. Kikugoro Onoe VI (1885-1949) e Kichiemon Nakamura I (1886-1954) são exemplos de grandes inovadores do *kabuki*, pertencentes à mesma geração.

> No clímax da peça *Kumagai Jinya* [*O Acampamento de Kumagai*], o guerreiro Kumagai levanta do solo uma placa de madeira, com a inscrição de uma ordem enigmática do xogum. Ele pergunta se suas ações revelaram sua compreensão da ordem. Tradicionalmente, Kumagai sempre sustentava a placa sobre seu ombro, como sinal de respeito por uma ordem emanada de cima, mas o grande ator Kichiemon Nakamura I decidiu apontar a placa para baixo, a fim de acentuar as linhas ondulantes de sua indumentária. Tais diferenças podem parecer insignificantes para um leigo, mas para os especialistas, que conhecem de cor todos os movimentos, toda variação é digna de comentário, e eles elogiarão ou deplorarão a audácia do ator[23].

No *kabuki* não há reprodução literal de atos e diálogos reais.

---

23. Donald Keene, Introdução a *Kabuki – The Popular Theater*, de Yasuji Toita, p. 31.

Mas as peças de *kabuki* comportam tanto técnicas de atuação relativamente realistas, na apresentação do cotidiano dos cidadãos e guerreiros, quanto técnicas de atuação altamente estilizadas, compostas de movimentos, poses e elocuções, com modos tradicionais de atuação denominados *kata* (literalmente "forma, padrão ou modelo"), criados por atores famosos no passado e transmitidos de geração a geração nas famílias tradicionais de *kabuki*, não apresentando grande mudança a partir de meados do século XIX. "*Kata* são significantes bem estabelecidos, comunicados metonimicamente ao público."[24] Os *kata*, técnicas de apresentação específicas estabelecidas para cada papel e peça, incluem técnicas de atuação (movimentação e elocução), maquilagem, vestuário, cabeleira e acompanhamento musical, visando a obtenção de máxima beleza formalizada, o que leva os atores de *kabuki* a submeterem-se a constante treinamento físico e vocal, durante toda a sua carreira artística.

Atrás de cada atuação no *kabuki*, existe todo um mundo de tradições agindo inconscientemente. Como nas demais manifestações do teatro tradicional japonês (*nô*, *kyôguen* e *bunraku*), as personagens principais de *kabuki* sempre entram pelo *shimote*, o lado esquerdo do palco, quando tomado como ponto de referência o público. Nas cenas cruciais, todas as falas e ações das figuras principais são dirigidas encarando-se o público, não apenas os companheiros de cena; e, mesmo nos diálogos, favorece-se antes o público do que os interlocutores. O emprego da técnica *shômen engui* ("atuação frontal") manifesta a procura deliberada do efeito pictórico ou fotográfico, a cena como quadro ou fotografia, e é bastante usada nas atuações estáticas de cenas interiores, com as personagens sentadas sobre o *tatami*. Nas situações em que uma discussão se torna cada vez mais acalorada, os dois adversários aproximam-se um do outro através da técnica *tsumeyori* ("aproximar-se"), achegando-se um ao outro, passo a passo e naturalmente. Amiúde, como na peça *Kanjincho* (*A Lista de Donativos*), os atores alternam as duas técnicas, *tsumeyori* e *shômen engui*, pressionando-se lentamente um em direção ao outro, para em seguida encarar o público. E assim, progressivamente, até chegarem bem próximos um do outro, no centro do palco, numa confrontação clímax, mirando-se face a face.

Visto que a posição do palco mais próxima do público é a mais importante, no caso de haver três personagens, as duas mais

---

24. Jacob Raz, *op. cit.*, p. 267.

relevantes permanecem na frente e a terceira fica entre elas, em posição de retaguarda, realizando uma formação triangular, freqüentemente usada no *kabuki*. Às vezes, pode ocorrer também a formação do triângulo invertido, com a personagem principal na parte anterior do palco e as duas secundárias mais no fundo. Nas cenas com várias personagens, a presença das principais, dispostas em linha paralela às luzes do palco, acentua a força da parte anterior do palco. Enquanto as figuras secundárias ou os músicos, sempre eqüidistantes um do outro e geralmente ajoelhados ou sentados no fundo do palco, formam uma frisa de atores ou músicos, numa linha única, semelhante e paralela à dos atores principais, o que abole a sensação de peso ou volume. Os atores secundários e os músicos permanecem com as faces inexpressivas, em posições estáticas, em contraponto com os movimentos dos atores principais. A composição da massa no *kabuki* é sempre encarada no sentido de unidade, resultando na quase ausência de diferenciação de vestuário, maquilagem e atuação de seus membros.

A criação de formas piramidais dá-se com o uso de plataformas colocadas no fundo do palco: a personagem socialmente superior senta-se no topo da pirâmide, enquanto as personagens secundárias, sentadas ou de pé, distribuem-se nas plataformas inferiores. As formações piramidais também podem ser efetuadas no centro do palco, como no fim de certos dramas dançantes, quando uma pequena plataforma é trazida para a atuação do dançarino principal, com as personagens secundárias agrupadas em ambos os lados da plataforma; ou com a construção de uma pirâmide composta de corpos humanos; ou ainda, com as personagens menores ajoelhando-se ou levantando-se em círculo ao redor do herói e elevando-o.

Os gestos e movimentos dos atores de *kabuki*, que se aproximam antes dos movimentos de dança do que propriamente da ação, cobrem uma extensa gama, desde o extremo da movimentação mais contida e restrita, baseada no princípio de economia de ação, mas que mesmo assim são mais expansivos do que os movimentos hieráticos e sintéticos do *nô*, até o extremo oposto dos movimentos expansivos, exagerados e de pura muscularidade das peças em estilo *aragoto*. Portanto, os atores de *kabuki* são obrigados a seguirem um treinamento paralelo tanto de dança quanto de acrobacia, tornando-se extremamente ágeis e capazes de se expressarem através de todas as partes dos seus corpos.

Os *kata* de atuação para os movimentos de entrada e saída dos atores no palco, com o objetivo de deixar uma vívida impressão no público, são denominados respectivamente *de* ("entrada") e *hikkomi* ("saída"), sendo sinônimos dos termos *deha* e *iriha*, empregados para designar a entrada e a saída nas danças.

Há cinco estilos de atuação em geral no *kabuki*: *danmari, aragoto, wagoto, maruhon* e *shosagoto*, que surgiram sucessivamente como reflexos dos diferentes estádios de desenvolvimento do teatro *kabuki*.

6.8.1.1. Danmari *("pantomima sem palavras")*

Danmari, literalmente "pantomima sem palavras", também conhecido por *kurayami* ("escuridão"), por ocorrer supostamente em escuridão total, uma pantomima em forma de dança, é provavelmente o mais antigo estilo de atuação do *kabuki*, tendo sido usado para introduzir os membros das companhias durante o *kaomise*, a temporada de abertura do *kabuki*, em novembro, sendo denominado *kaomise-danmari*. Inicialmente, essa pantomima ortodoxa com acompanhamento musical era inserida numa peça histórica, fazendo avançar o enredo da peça. Podendo ser tanto uma pantomima de cinco a dez minutos como uma peça independente, o *danmari* ocorre em cenas exteriores, sempre noturnas. Numa cena típica de *danmari*, geralmente diante de um pequeno santuário num vale ou nas montanhas, um certo número de pessoas encontra-se por acaso, com os atores entrando sucessivamente no palco e apresentando-se através da exposição de seus trajes vistosos e elaborados, atuações especiais em estilo de dança, e com a personagem principal surgindo no *hanamichi*, através do artifício de palco *seriague* ("ascensor"), que eleva o ator do fundo para o solo do palco. Culmina num quadro grupal de poses *mie*, que traduz violenta oposição entre as personagens, que permanecem nessas poses estáticas, até que algo ocorra para dispersá-las. Nas cenas *danmari* mais desenvolvidas, muitas personagens encontram-se no escuro, exprimindo-se através de pantomima em câmera lenta, movendo-se de uma pose cênica para a seguinte, lutando pela posse de algum objeto ou carta. Culminam igualmente num quadro grupal ou terminam com o ator principal dirigindo-se ao *hanamichi*, onde lança uma impressiva pose *mie* final e retira-se.

Embora, mais tarde, o *danmari* tenha sido empregado para a exploração das inúmeras e ricas possibilidades de expressão da pose *mie*, provavelmente a sua origem deva-se às primeiras apresentações de *kabuki*, atuações simples, que nada mais eram senão propaganda dos encantos físicos das atrizes e atores adolescentes, que exerciam a prostituição. Ao perambularem por todo o Japão, as companhias de *kabuki* introduziam-se ao público de uma nova província, utilizando o recurso de uma peça *danmari*.

Os *sewamono* ("peças domésticas") adotam essa forma de pantomima ortodoxa, tornam-na mais livre, realista e refinada, e denominam-na *sewa-danmari* ("*danmari* moderno"), com as personagens principais aparecendo à noite, nas margens de um rio ou na praia, lugares onde as pessoas geralmente se cruzavam. O dramaturgo Mokuami Kawatake freqüentemente lançou mão do recurso do *danmari* em suas peças.

Dentre os estilos de atuação do *kabuki*, originados durante a era Guenroku (1688-1735), temos a criação do *onnagata*, bem como o *aragoto* e o *wagoto*.

6.8.1.2. Aragoto *("rude")*

O *kabuki* desenvolvido em Edo, capital militar situada na planície de Kanto, no leste do Japão, com sua inclinação para lendas históricas e proezas sobre-humanas, reflete a crueza e a dureza de uma jovem, vigorosa e petulante cidade, com um misto de espírito marcial e inclinação exagerada para o luxo e os excessos. O *aragoto*, literalmente "maneiras rudes" ou "linguagem bombástica", também denominado *aragami-goto* ("deidade feroz que protege contra o mal") ou *arahitogami-goto* ("deidade que aparece sob a forma humana"), foi o magnífico estilo de atuação do *kabuki* criado em Edo, pelo inventivo ator, descendente de uma família de samurais, Danjuro Ichikawa I (1660-1704). Introdutor da gíria do arrogante samurai contemporâneo de Edo, Danjuro I inspira-se no selvagem e espirituoso estilo *Kimpira-bushi* do teatro *bunraku*, adaptando para o *kabuki* a execução dramática da música, o vestuário, a maquilagem e os movimentos rudes e cambaleantes dos bonecos-guerreiros de força descomunal, capazes de derrotarem sozinhos todo um exército e que refletiam o espírito dos pioneiros cidadãos de Edo. A atuação de Danjuro I em *Shitenno Osanadachi (A Infância de Quatro Guerreiros Fortes)* foi considerada a primeira em estilo *aragoto*, glorificando o homem japonês, liberto da religiosidade medieval e da opressão feudalista do governo Tokugawa. Danjuro I, além de grande propulsor do desenvolvimento da técnica teatral do *kabuki* de Edo, sendo cognominado o "Pai do *Kabuki* de Edo", foi também autor de mais de dez peças, com o pseudônimo de Hyôgo Mimasuya e, embora tenha tido um fim trágico, ao ser assassinado no teatro por um ator rival, seu nome continua até hoje como o mais distinto na hierarquia dos nomes tradicionais de *kabuki*.

Aperfeiçoado por seu filho Danjuro II (1688-1758), que se tornaria um dos mais famosos de sua família, e desenvolvido pelos atores da linhagem Danjuro, o *aragoto* é um estilo masculino e viril, relacionado às artes marciais e de bravura embriagante; um modo antinaturalista de atuação, baseado no exagero teatral: tamanhos descomunais das personagens, acentuados por vestes extravagantes, de cores ofuscantes, e cabeleiras fantásticas; falas proferidas com vozes poderosas, palavras bombásticas, muitas vezes sem significação; gestos arrogantes, braços e pernas estendidos com grande força, com os dedos das mãos e dos pés recurvados; movimentos heróicos, acrobáticos, musculares e galantes; armas enormes, portando, às vezes, três espadas grandes ao invés das duas da classe guerreira e que aumentam a estatura do herói; maquilagem *kumadori* carregada e poses com olhares fixos.

Os atores de *aragoto* arrebatavam o público, que via neles os substitutos dos heróis guerreiros do passado, os Robin Hood japoneses que protegiam os fracos. A ênfase na força e na justiça era expressa através de uma masculinidade heróica, robusta e agressiva. A essência do *aragoto* resume-se na grandiosidade ingênua, o espírito de adoração dos heróis e homens valentes, super-homens, sejam eles lendários ou históricos, fundamentado na superação do pensamento naturalista e racional. Pois como dizia o seu criador, Danjuro Ichikawa I: "O *aragoto* deve ser apresentado como se a gente tivesse cinco ou seis anos de idade". O estilo *aragoto*, rude, arrojado, excêntrico, com um heroísmo pomposo e exagerado, uma vez que altamente emocional e idealista, é especialmente evidente nas peças que punem vilões e, sobretudo, no famoso *Jûhachiban*, as dezoito peças tradicionalmente interpretadas pela família Ichikawa, que contém a sistematização das técnicas e do repertório da linha de atores da família e consideradas o cartão de visitas do *kabuki*.

Os representantes da família Ichikawa, Danjuro Ichikawa I, II, V, VII e IX, salientaram-se não apenas como grandes atores, mas também como seres de grande personalidade e talento literário.

Três das mais impressivas técnicas de atuação do estilo *aragoto* são o *mie*, o *roppo* e o *tachimawari*.

6.8.1.3. Mie *("pose estática com olhar fixo")*

Uma peça de *kabuki* em estilo *aragoto*, especialmente as do *Jûhachiban*, é composta de uma série de clímax emocionais, marcados pelas impressivas poses *mie*. No final de um diálogo ou de uma frase momentânea, em certos momentos culminantes das peças em estilo *aragoto*, ou nas peças derivadas do teatro de bonecos, os movimentos de intensidade rítmica cada vez maior alcançam um equilíbrio na pose *mie*, quando o ator faz uma pausa momentânea. Simultaneamente, todo movimento no palco é interrompido e os atores secundários procuram apagar-se, ficando de costas ou reservando um espaço considerável para o ator principal realizar a sua *performance*.

Por alguns segundos, o ator congela todos os movimentos do seu corpo numa pose estática, rígida, como se fosse uma estátua, inserindo grande força nos braços e pernas estendidos. A contorção violenta dos músculos faciais retesados, com os cantos da boca para baixo, acentuados pela maquilagem, produz uma expressão carrancuda, que assusta e intimida o agressor. No conjunto, a tensão estilizada do corpo como um todo, tendo como foco os olhos, a última parte do corpo a se congelar, arregalados, cruzados, fixos numa única direção (*nirami*), resulta num olhar irado, intenso, marcante. Danjuro introduz o *nirami* no teatro *kabuki*, como um encantamento contra os maus espíritos. Às vezes, inesperadamente, o ator mostra a língua, toda pintada de vermelho berrante, criando um efeito inusitado. Em seguida, rola a cabeça em movimentos circulares cada vez mais acelerados (*senkai*) e então, com um gesto brusco da cabeça, congela-se numa pose vigorosa e escultural. Quando inicia os movimentos circulares pelo lado esquerdo, termina com a cabeça pendendo no lado direito, e vice-versa.

A pose *mie* é um verdadeiro ponto de exclamação visual, acompanhado auditivamente pelos sons de rápidas batidas do *tsuke-uchi*, duas matracas de madeira, que o assistente de palco faz ressoar sobre uma pequena plataforma de madeira, e que serve para intensificar ainda mais o clímax da cena, sublinhando os sentimentos de pesar, emoção ou a excitação. Em tais momentos, o público entusiasmado não mais se contém e explode em calorosos aplausos. O âmago da pose *mie* é a expressão enfática e exagerada de um clímax emocional, magnificando-se seja a essência da força, do pesar ou do triunfo, através de um grande esforço moral ou físico, seja a essência da beleza ou um outro atributo humano. Logo após uma vigorosa pose *mie*, há um relaxamento gradual e dá-se prosseguimento à peça.

Mulheres e homens jovens e formosos, nas peças em estilo *aragoto*, raramente executam a pose *mie*, apresentando, em seu lugar, belas poses clímax. Porém, quando o fazem, não empregam amplos movimentos de braços nem de pernas, o movimento circular da cabeça é modificado e nunca efetuam o *nirami*. As poses femininas são denominadas *kimari*, que consistem em enrijecimento dos músculos faciais e tensão geral do corpo.

Dentre os vários tipos de *mie*, que, embora podendo ocorrer na posição sentada, geralmente se dão de pé por proporcionarem maior eficácia visual, o mais antigo e impressivo é, sem dúvida, o *Guenroku mie*, assim denominado por ter-se originado na era Guenroku. Uma pose exagerada, grandiosa, exclusiva das personagens masculinas das peças em estilo *aragoto*, tendo sido provavelmente criada por Danjuro Ichikawa I, para traduzir uma tensão emocional intensa. O famoso herói Gongoro Kamakura, na peça *Shibaraku* (*Espere um Momento!*), lança o braço direito dobrado para a frente e para o alto, com o punho cerrado abaixo do queixo, todo o braço esquerdo para trás, segurando a bainha da espada, enquanto estende firmemente a perna esquerda para a frente e dobra a perna direita, sobre a qual apóia o peso do corpo, ou vice-versa, e lança um olhar irado. Essa atitude, que sugere uma força descomunal, acaba derrotando o mau aristocrata e o seu séquito.

O *mie de pernas separadas* assemelha-se à postura das pernas no *Genroku mie*, mas à maneira das atitudes tensas das deidades guardiãs: a mão esquerda é estendida para a frente, com a palma para cima, enquanto a mão direita sustenta verticalmente uma espada nas costas. Já no *mie de pé*, os pés são conservados juntos, com uma espada na mão direita.

No *ishinague mie*, o ator executa uma pose *mie* como se tivesse acabado de lançar uma pedra: a mão direita levantada acima da cabeça, com os dedos abertos e retesados, e a mão esquerda segurando um leque ou o punho de uma espada. Na peça *Kanjincho* (*A Lista de Donativos*), Bênkei lança a pose *ishinague mie*, enquanto se recorda da batalha de Yashima.

Já no *hashiramaki mie* ("*mie* ao redor de um pilar"), o ator coloca-se ao redor de um pilar de uma casa ou de um portal, ou ao redor de uma árvore, e apresenta uma pose *mie* com o braço direito em volta do pilar, à altura de sua cabeça, a mão esquerda contra o pilar, ao nível da cintura, e a perna esquerda levantada, com a sola do pé contra o pilar e com um olhar fixo. Dosetsu Inuyama, o líder dos bandidos na peça *Hakkenden*, apresenta uma pose *hashiramaki mie*, com uma perna e braços em torno de uma árvore, enquanto encara fixamente o inimigo à distância.

O *emen no mie* é o *"mie* em forma de quadro", como no final da peça *Soga no Taimen* (*O Confronto dos Irmãos Soga*), onde as personagens principais lançam poses *mie*, formando um quadro, que representa um grou com as asas abertas e o Monte Fuji. A pose *mie* harmoniza-se com a maquilagem e o vestuário na criação de um efeito integral.

O correspondente ocidental "às avessas" do *mie* japonês seria a "mirada celestial", a elevação dos olhos em direção aos céus, em harmonia com postura do corpo, sugerindo que os sentimentos atingem o transcendental e que, segundo Weisbach, se trata de um motivo recorrente no Barroco. A "mirada celestial" é introduzida e aos poucos aceita no Renascimento, enquanto relação entre o terreno/humano e o sobrenatural, passando a ser amplamente utilizada na arte religiosa barroca, para expressar o êxtase místico, a visão extática de Cristo, da Virgem ou dos Santos. Portanto, ambos, tanto a "mirada celestial" quanto o *mie*, manifestam um clímax emocional, mas se na primeira o clima emocional é místico, nos teatros *bunraku* e *kabuki*, devido à inexistência do misticismo, o clímax emocional é humano, terreno.

6.8.1.4. Roppo *("saída espetacular")*

Os banhos públicos prosperam no Japão durante todo o período Edo. E a casa de banho público defronte à mansão do *daimyô* ("senhor feudal") Tango Hotta, em Kanda, bastante freqüentada na década de 1620 e que passa a ser denominada *Tanzen* (*Tan*, "nome do *daimyô*" + *zen*, "defronte"), vai dar origem ao *tanzen buyô* ("danças *tanzen*"). O *roppo* é derivado do gênero *tanzen*, mas, enquanto o *tanzen* caracteriza-se por uma postura elegante, o *roppo* é selvagem.

Roppo, literalmente "seis direções", que cobre a distância de seis saltos, a quintessência do estilo *aragoto*, é a maneira de andar estilizadamente exagerada, empregada pelas personagens masculinas nas saídas através do *hanamichi* ("passarela do *kabuki*"). Consiste em movimentos atléticos de pernas e braços, com as mãos abertas simbolizando força, e vários estilos de caminhar, correr e dançar, vocalização, expressões faciais e poses *mie*. O *roppo* originou-se do modo de andar popular em Edo, de um homem jovem caminhando arrojadamente pelos distritos teatrais e bairros do prazer, com largas passadas e agitando os braços.

Geralmente, a saída em estilo *roppo* inicia-se na posição do *shichi-san*, localizada no *hanamichi*, logo após a cortina do palco principal ter sido cerrada, e continua, com seu estilo flamejante e altamente excitante, até o ator perder-se de vista ao fim da longa passarela. *Tobi roppo* ("*roppo* em forma de saltos") é um *roppo* vigoroso, onde o ator se dirige ao *hanamichi* com largas passadas, aos saltos e pulos, com braços e pernas literalmente voando nas seis direções, como se fosse um gigante. Temos como exemplos: as saídas espetaculares do sacerdote Narukami, em *Deus Trovão*, e Bênkei, em *A Lista de Donativos*, numa dança de triunfo, manifestando sua força sobre os inimigos; bem como a saída majestosa de Danjo Nikki, na *Disputada Sucessão na Família Date*; e a retirada de Matsuômaru, em *A Interrupção da Carruagem*. Já Tadanobu, em *Yoshitsune e as Mil Cerejeiras*, apresenta o *kitsune roppo*, um *roppo* em forma de dança com movimentos ágeis e vigorosos, representando o caminhar peculiar de uma raposa. O atual Ennosuke Ichikawa V, com o seu *superkabuki*, executa o *kitsune roppo* de maneira soberba, como se realmente transfigurado numa verdadeira raposa.

6.8.1.5. Tachimawari *("cenas de luta")*

As cenas de luta de massas do *kabuki*, *tachimawari* (literalmente "de pé e girando ao redor"), geralmente consistem em combates com espadas ou lanças, com seu estilo singular, mais propriamente pitoresco do que realista, posto que as violentas batalhas são apresentadas através de cenas agitadas, porém, extremamente estilizadas quanto aos seus aspectos visual e auditivo. Os *tachimawari* compõem-se de seqüências de movimentos interligados e, por serem vigorosos e altamente espetaculares, freqüentemente constituem o *dénouement* de peças violentas.

Há dois tipos característicos de cenas de luta. Um deles, o mais apreciado pelos japoneses, dá-se quando o herói ou heroína move-se através do palco, paralelamente às luzes da ribalta, enquanto seu único adversário ou grupo de inimigos, vestido de modo semelhante e portando armas idênticas, surge do lado oposto do palco para confrontá-lo, movendo-se em uníssono como num coro dançante, denominado *yoten*. Ao ocorrer o encontro, os inimigos espalham-se ora à esquerda ora à direita do herói, desvencilhando-se de seus golpes de espada, golpeiam ou saltam de lado. O outro tipo de *tachimawari*, não muito de agrado aos padrões japoneses, trata-se de uma cena de assassinato extremamente estilizada, efetuada em câmera lenta, para se acentuar a intensidade do tempo enquanto duração, formando uma grotesca, mas bela dança da morte. Os movimentos dos atores durante as lutas são estilizados e perfeitamente coordenados, no sentido de se atingir maior beleza das formas e são acompanhados de música *gueza*, especialmente os sons rítmicos dos tambores, reforçados pelos sons das matracas. E assemelham-se antes aos interlúdios de dança do que às cenas de lutas reais, isto porque, tanto nas cenas de luta quanto nas de assassinato, o herói expressa sua valentia derrotando facilmente seus oponentes, não havendo, portanto, quase contato físico real entre os corpos e nem mesmo entre as espadas, com os duelos transformando-se numa coreografia de balé com acompanhamento musical. As seções dentro do *tachimawari* culminam em impressivas poses *mie*. E quando as lutas ocorrem nos tetos, todos os truques circenses são empregados.

Tate é a denominação geral dessas técnicas de movimentação nas cenas de lutas grupais. O acento na importância dos atores no *kabuki* e a procura da realização do princípio de beleza formalizada alcançam momentos significativos através dos *tate*, posto que, compostos de cenas de atuações grupais de lutas estilizadas, com cambalhotas, saltos e acrobacias, observam um alto grau de lealdade e sacrifício próprio dos atores secundários, que chegam a apagar-se, constituindo mero pano de fundo, em benefício do ator principal, geralmente o chefe ou professor do grupo, dando-lhe oportunidade para demonstrar suas habilidades. Quando o ator principal está executando uma pose *mie*, às vezes, os atores subordinados que estão no palco gritam-lhe palavras de elogio (*kesho-goe*, literalmente "vozes maquiladas"), que tendem a aumentar o fascínio das expressões faciais e do efeito escultural do seu corpo. Podemos deduzir, portanto, que um forte espírito feudalista permeava os movimentos *tate*, mas esta era e continua sendo exatamente uma das características mais marcantes e que vigora com grande severidade no sistema de aprendizagem da arte do *kabuki*, baseada na rígida relação mestre-discípulos. No conjunto, os movimentos *tate* transformam-se em danças grupais brilhantemente coreografadas.

6.8.1.6. Heróico

No capítulo II, de *El Barroco, Arte de la Contrarreforma*, Werner Weisbach aborda o conceito de heróico, originado na Antiguidade e desenvolvido durante o Renascimento. Se na Antiguidade, o ideal do corpo humano derivado da natureza, o nu, a exaltação do corpo de atleta, o próprio símbolo do heróico, com o antropomorfismo fora transportado aos deuses pelos gregos, constituindo-se, portanto, numa corporeidade sublimada, por sua vez, no Renascimento, esse ideal vai percorrer um caminho inverso e o nu vai aparecer no campo artístico, através do despertar de um novo e sensual sentimento da natureza, após superadas as resistências medievais e eclesiásticas quanto ao menosprezo pelo corporal. Desse modo, temos o ideal artístico do Renascimento marcado por uma afirmação heróica, valorizando e exaltando o corpo humano e o homem.

O conceito de heróico vai encontrar sua expressão máxima na arte de Michelangelo, cognominado o "Pai do Barroco", que coloca o nu humano, com um estilo de arredondamento vigoroso, como o ponto de partida e a dominante de suas obras. Exemplos representativos do estilo heróico na arte religiosa de Michelangelo podem ser encontrados no túmulo de Júlio II, no teto e no *Juízo Final* da Capela Sistina, onde o artista chega a abarcar o humano e o divino, ampliando o conceito de heróico.

Ao conceito de heróico, sendo mesmo considerado uma qualidade do heróico, está relacionado o conceito de terrível de Michelangelo. Os corpos são representados de forma maciça, hercúlea, com musculatura vigorosa e uma agitação demoníaca, inquietante e angustiosa, uma terrível energia percorre esses corpos poderosos.

Uma emoção violenta transforma as personagens, mas o movimento é bloqueado: ele só irrompe em pontos particulares através da massa compacta, mas então com muito mais paixão e impetuosidade. Várias dessas figuras, diz J. Burckhardt, dão à primeira vista, não a impressão de humanidade depurada, mas a de uma monstruosidade abrandada. As figuras do túmulo dos Medici marcam o ponto culminante dessa arte. São também a mais clara expressão de um estado anímico que essa arte tinha a missão de traduzir.

Em relação a essas assim chamadas figuras alegóricas, não se deve atribuir demasiada importância nem à própria alegoria, nem ao lugar onde se encontram. Estas representações da Noite e do Dia, da Tarde e da Manhã, que ali vemos deitadas, gemendo surdamente, lutando para emergir do sono, os membros retraídos de modo crispado ou pendendo sem vida, são revolvidas por uma inquietação e insatisfação profundas, um sentimento recorrente em Michelangelo, nas poesias como nas figuras, e que por vezes estaria tentado a chamar de *Weltschmerz*, se a palavra já não estivesse tão desgastada[25].

25. Heinrich Wölfflin, *Renascença e Barroco*, p. 95.

O *danmari* (pantomima sem palavras) ocorre em cenas exteriores, sempre noturnas.
Foto: Museu do Teatro da Universidade Waseda

Tipos de *Mie*

O versátil ator Kôshiro Matsumoto, interpretando o *ishinague mie* (*mie* como se tivesse acabado de lançar uma pedra), na peça *Kanjincho (A Lista de Donativos)*.

Danjuro Ichikawa representando o *hashira-maki mie (mie* ao redor de um pilar), na peça *Narukami (Deus Trovão)*.

Fotos: Museu Do Teatro da Universidade Waseda

Vários aspectos do *Tachimawari* (Cenas de Luta) em *Kabuki Kunmô Zui* (*Conjunto de Ilustrações para os Principiantes de Kabuki*)

Ningyôburi (atuação em formas de bonecos) Observar as mãos dos manipuladores, que sustentam os corpos dos atores.

Yuranosuke (Eric Vu-An) descobre que Okaru (Masako Todo) lera a carta secreta, em *The Kabuki*, baseada na peça *kanadehon Chûshingura* (*A Vingança dos 47 Vassalos Leais*), numa apresentação da Companhia de Balé de Tokyo, em 1986, sob a direção de Maurice Béjart.

Foto: Fundação de Artes Cênicas do Japão

O conceito de terrível de Michelangelo corresponderia a um dos princípios básicos da filosofia de Leibniz, as partículas básicas do corpo como átomos formativos que contêm energia; ao caráter de grandiosidade do Barroco, cuja força de atração irresistível reside no desmesurado, no extremado, no gigantesco que rompe as proporções, encontrando expressão nas figuras dos atlantes; e, no *kabuki*, equivaleria ao *aragoto*, um estilo de atuação vigoroso e exagerado, com o nu do conceito de terrível contrastando com o vestuário e maquilagem exagerados do *aragoto*, mas ambos expressando igualmente o heróico, o grandioso.

De acordo com Weisbach[26], o conceito plástico de heróico vai sofrer modificações e ampliações na arte barroca, pois, enquanto no Renascimento, como, por exemplo, nos *Escravos* de Michelangelo (Louvre), o corpo retorcido de um dos escravos contrasta com o rosto demasiado sereno, no Barroco, uma vez que se leva em consideração a necessidade de concordar ao máximo corpo e cabeça, vai se verificar um progressivo avanço naturalista, fazendo corresponder à patética agitação do corpo um rosto em que se refletem as emoções passionais, acentuando-se, ao contrário do Renascimento, muito mais a expressão do rosto, que encontra uma caracterização mais fecunda. E corresponde, assim, no *kabuki*, à pose *mie* do *aragoto*, que, ao contrário do Renascimento, consiste no enrijecimento de todo o corpo, tendo como ponto focal os olhos fixos e cruzados.

O heróico não significaria o nu em si mesmo, visto que "os nus de Rembrandt carecem de todo caráter heróico, mas sim a harmonia equilibrada derivada de um determinado ideal estético e o dinamismo corporal"[27]. O nu no heróico de Rubens apresenta-se com um acento furioso, ostentatório, generosidade de curvas, abundância e magnificência da carne, envolvendo-nos com sua sensualidade e fazendo-nos perceber a passagem do heróico ideal para o heróico terreno e corporal.

O tipo da heroína, assim como do herói, baseou-se em modelos da Antiguidade e encontra-se imbuído de sublimidade e religiosidade, como *As Sibilas* da Capela Sistina, obra de Michelangelo, e as "virtudes heróicas" de Santa Teresa.

Com o dito, se liga o já observado por Wölfflin: o Barroco não quer testemunhar uma existência satisfeita e calma, mas sim um estado de excitação e tur-

---

26. Werner Weisbach, *El Barroco, Arte de la Contrarreforma*, p. 101.
27. *Idem*, p. 119.

bulência. Wölfflin interpreta esse movimento interno como aspiração ao sublime, uma idéia muito próxima à de magnificência, na avaliação do século XVII. E recorda, a esse respeito, a afirmação de Schiller: a beleza é o gozo de uma gente feliz, os que não se sentem felizes procuram alcançar o sublime. Essa sublimidade é uma manifestação de sensibilidade: pertence à linhagem do terrível, do extremoso; à ela impeliria, segundo a sagaz observação de Schiller, o sentimento de infelicidade – que não é forçosamente de miséria – suscitado pelo estado crítico e instável da época do Barroco[28].

O conceito de heróico de Michelangelo será sutilizado e superficializado pelo Maneirismo italiano, que se distancia cada vez mais da natureza, com sua tendência construtiva e intelectualista. E, nos fins dos séculos XVII e XVIII, à medida que o Barroco vai avançando, verifica-se, tanto nas artes plásticas quanto na literatura e nas artes cênicas, a debilitação e banalização do tipo heróico, com a passagem do herói extremado ao herói discreto, doce e sentimental, cortesão, galante e cavalheiro.

6.8.1.7. Wagoto ("suave")

Enquanto o *aragoto* desenvolve-se na planície de Kanto, simultaneamente, na região de Kansai, compreendendo a área de Kyoto e Osaka, estabelece-se um drama mais realista e apresentam-se peças com diálogos verdadeiros. Atores de *kabuki* liderados por Tojuro Sakata (1647-1709) e pelo maior dramaturgo da época, Monzaemon Chikamatsu (1653-1724), desenvolvem e aperfeiçoam o *wagoto*, um estilo de atuação mais suave e elegante, sensual, comovedor e, comparado ao *aragoto*, mais realista e próximo do cotidiano. Tojuro Sakata advogava um modo de atuação totalmente realista, afirmando que "um ator de *kabuki* deve apresentar realidade no palco", e veio a tornar-se, assim, insuperável em papéis de jovem amante, gentil e formoso. As peças em estilo *wagoto* mais genuínas são envoltas de muito humor, com elementos capazes de provocar o riso, entretanto, não podemos considerá-las por tal como peças cômicas.

Em contraste com o rude *aragoto* de Edo, baseado na intensidade de ação dramática e na ênfase no teatro de cenas exteriores, o *wagoto*, refletindo o gosto dos mercadores de Osaka e o refinamento cultural de Kyoto, é o teatro dos recintos interiores, utiliza as técnicas da mulher cortesã, preferindo a tagarelice a respeito de suas experiências pessoais, a graciosidade, o tom

---

28. José Antonio Maravall, *op. cit.*, p. 432.

romântico e as linhas ondulantes, tanto no vestuário quanto nos padrões de gesticulação, movimentação e elocução. O *kabuki* de Kansai ou Kamigata, literalmente "lugar superior", em respeito à corte imperial situada em Kyoto, com assuntos mais domésticos, centrados nas vidas dos cidadãos comuns, expressa principalmente dois temas: a sociedade dos samurais e mercadores, e as emoções dos homens formosos ao entrarem em contato com as belas cortesãs nos bairros do prazer. É mais natural do que o *aragoto*, contudo, suas personagens são igualmente estilizadas. Enquanto Danjuro Ichikawa I, criador do *aragoto*, de seu natural falava rápido, dificultando a compreensão por parte do público, Tojuro Sakata era bastante fluente ao falar, chegando até mesmo a cansar a platéia. Essas características pessoais vão ser transpostas para os seus respectivos estilos de atuação. Durante essa época, através das interpretações de Ayame Yoshizawa I, considerado o maior ator de papéis femininos de então, e para alguns, de todos os tempos, a arte do *onnagata* atinge um certo padrão.

As peças em estilo *wagoto* são tragicomédias de costumes, descrevendo a vida nos bairros do prazer. Tomam sempre como tema central o enredo amoroso, com *playboys* do período Edo, fisicamente frágeis e de vontade fraca, que passam seu tempo nos prostíbulos, ocasionando intrigas amorosas; galãs charmosos, mas pobres, uma vez que foram deserdados, apaixonados por cortesãs de luxo e de grande beleza, freqüentemente culminando em cenas de duplo suicídio. No gênero *wagoto* estão incluídas todas as famosas peças de duplo suicídio, da autoria de Monzaemon Chikamatsu. Um exemplo típico de peça *wagoto* é *Kuruwa Bunshô* (*Escritos do Bairro Licenciado*), 1712, de Monzaemon Chikamatsu, para o ator Tojuro Sakata, que, no papel de Izaemon, aparece trajando *kamiko* ("quimono de papel"), ao ir encontrar-se com a cortesã Yûguiri.

Os espectadores sentados próximos ao palco podem enxergar as copiosas lágrimas nos rostos dos atores, todavia, em consideração aos que estão sentados muito distante, o choro, na convenção do *kabuki*, é sugerido por um leve estremecimento dos ombros. O choro feminino é expresso pelo movimento rítmico do balançar da cabeça acompanhado por gestos precisos das mãos que levam a manga do quimono ou uma toalha de mão à boca, prendendo-a entre os dentes, combinados com a produção de sons estilizados de choro na garganta. Uma senhorita leva a ponta da manga até os olhos; uma senhora, ao olho direito, em seguida, ao esquerdo e finalmente ao nariz; uma anciã funga. O ato de morder a manga do quimono, com um leve menear da cabeça, traduz ainda a ira feminina ou a repressão de emoções violentas. Para sugerir o ato de chorar, os homens simplesmente limitam-se a esconder o rosto atrás de suas mãos, leques ou mangas do quimono.

O princípio de estilização do *kabuki*, que apresenta as coisas não em si mesmas, mas apenas as sugere, dando a impressão das coisas, como que evita o conflito, o confronto real, resultando numa quase completa ausência de contato físico entre os atores. Inclusive no indolente e elegante *iro-moyo*, um tipo de cena amorosa terna com um forte elemento de dança estilizada, o contato físico fica reduzido ao mínimo. Uma troca de olhares entre um homem de pé e uma mulher ajoelhada ao seu lado; um simples roçar de mãos, como na cena de amor entre Izayoi e Seishin; o leve apalpar dos pés da amada em *Sonezaki Shinju* (*O Duplo Suicídio em Sonezaki*); o pousar da mão sobre um joelho ou ombro. E a mulher retribui ao carinho, penteando os cabelos do seu amado ou acendendo-lhe o cachimbo. Portanto, mesmo nos encontros furtivos dos heróis com as cortesãs, nas cenas mais ardentemente amorosas, toda a paixão incontida é transmutada em sentimentos de ternura e devoção. No entanto, como os atores que representam o casal, embora interpretando papéis de um homem e de uma mulher, são na realidade homens, as cenas amorosas, com seus gestos e poses sensuais refinados através dos séculos, alcançam um grau de estilização maior do que em outras cenas do *kabuki*, resultando em belíssimos e inusitados padrões cênicos.

6.8.1.8. Maruhon *("derivado do* bunraku*")*

Enquanto o *danmari*, o *aragoto* e o *wagoto* são estilos puros de atuação do *kabuki*, o *maruhon* (literalmente "roteiro completo") é um estilo de atuação derivado do teatro *bunraku*, uma vez que, como o próprio nome o diz, toma como base de adaptação para o *kabuki* o roteiro completo de uma peça de *bunraku*. Desenvolvido na metade do século XVIII, quando várias peças famosas de *bunraku* foram adaptadas para o *kabuki*, o estilo *maruhon* é diretamente influenciado e fundamentado nas técnicas de atuação dos bonecos, visto que os atores de *kabuki* procuravam dar aos seus movimentos a rigidez dos bonecos. Os atores de *kabuki* tiveram de adequar os padrões de ação dos bonecos ao *chobo*, isto é, à narração e música do acompanhamento musical de *shamisen* do *kabuki*, herdada do *joruri*. Daí resultou um novo estilo de atuação *kabuki*, posto que a ênfase recai na narração, o ponto-chave das peças em estilo de atuação *maruhon*, que concluem com um comentário do narrador, diferindo, portanto, das peças em estilo *kabuki* puro, que terminam invariavelmente com um quadro visual impressivo.

Se no *bunraku* o narrador enuncia todos os diálogos e descrições, já nas peças *kabuki* em estilo *maruhon*, os atores proferem muitas de suas falas ou, às vezes, alternam sílabas com o narrador, criando um belo efeito. Nas cenas de riso ou choro, o narrador acompanha o ator, completando seu riso e choro, funcionando, assim, como seu *alter ego*.

O narrador *chobo* faz mais do que pronunciar o diálogo das personagens. Ele fornece também uma exposição extensa dos eventos passados, descrições de tempo e lugar para estabelecer a cena, delineação dos traços das personagens, e mesmo comentários oniscientes sobre a provável conseqüência das ações de uma personagem. Todas estas funções estavam ausentes nos estilos de atuação *danmari*, *aragoto* e *wagoto*, porque não havia narrador. Portanto, a narração em estilo *maruhon* acrescentou uma dimensão completamente nova ao *kabuki*. Tornou esse estilo de atuação mais denso, reflexivo e lento. Por exemplo, quando o ato habitual de *kabuki* começa, a cortina é aberta, uma música breve fora do palco (*geza*) estabelece a cena, o ator entra e a ação se inicia. Entretanto, quando a cortina é descerrada para começar um típico ato *maruhon*, uma longa passagem de narração *chobo* descreve a situação e cena, através de frases graves, prolongadas, repletas de elaboração musical. Deve-se transcorrer muitos minutos, antes que os atores possam aparecer e a ação da peça se inicia. O tempo do movimento do ator é bastante retardado, porque as passagens descritivas requerem mais tempo do que o movimento de um ator[29].

Uma das técnicas básicas de atuação do estilo *maruhon* é o *ningyômi* (literalmente "corpo de boneco"), onde movimentos semelhantes aos dos bonecos são deliberadamente acentuados, principalmente pelos *onnagata*, no *ushiroburi* e *ningyôburi*. O *ushiroburi* ("movimento para trás"), que, embora seja uma proeza difícil e bela de ser executada pelos bonecos, é relativamente mais fácil para os atores, continua a cativar o público de *kabuki*. Já no *ningyôburi* ("movimento de boneco"), desempenhado nos dramas dançantes, o ator é praticamente metamorfoseado em boneco no palco, pois move-se à maneira dos bonecos de *bunraku* e é manipulado por três dançarinos vestidos de negro, em papéis de pseudotitereiros, num processo em tudo semelhante ao do teatro de

---

29. James R. Brandon, *Studies in Kabuki*, vários autores, p. 76.

bonecos. Como, por exemplo, na cena *michiyuki* de Okaru e Kampei na peça de *kabuki Kanadehon Chûshingura*, originalmente escrita para o *bunraku* e adaptada para o balé contemporâneo por Maurice Béjart, que revivificou de modo surpreendente o vestuário de *kabuki*. E mesmo no início dessa peça, apresentada em seu estilo tradicional, há o *ningyôburi*. Os atores permanecem imóveis, como bonecos, até que os seus nomes sejam anunciados, e vão assim, lentamente, cada qual a seu turno, despertando para a vida.

Um *onnagata* representando em estilo de boneco: há uma cena na peça *Date Musume Koi no Higanoko*, onde o desejo de encontrar o seu amado leva a heroína a golpear o tambor na torre de observação de incêndios, para que o portão do quartel seja aberto. Esta cena é interpretada com movimentos afetados, formalizados, copiados do teatro de bonecos, e o seu interesse reside no contraste entre as emoções violentas descritas e a atuação sem emoção. Notar a presença dos manipuladores vestidos de negro. Um papel masculino em estilo de boneco: entre os atores desempenhando papéis masculinos, o estilo de boneco é observado freqüentemente nos papéis cômicos e de inimigos. O vilão que atormenta a cortesã Akoya, em *Dannoura Kabuto Gunki*, atua em estilo de boneco. Ele tem até mesmo falsas sobrancelhas, que se movem mecanicamente e é "sustentado" por dois "manipuladores"[30].

6.8.1.9. Shosagoto *("estilo de dança")*

Dentre os estilos de atuação do *kabuki*, o *shosagoto* ("estilo de dança"), também denominado *keigoto* ("estilo elegante"), na área de Kyoto e Osaka, é, sem dúvida, o mais complexo, compreendendo três tipos de dança: *mai, odori* e *furi*, explanados anteriormente, no item sobre a *dança*.

6.8.1.10. A pose pictórica

Ao contrário da pose natural, espontânea, o sentido de movimentação no *kabuki* é o da figura centrada num gesto ou movimento padronizado como o da dança: a pose pictórica ou fotográfica, portanto, altamente convencionalizada. Cada cena é composta por uma série de quadros, onde o espaçamento e arranjo das figuras no palco obedecem ao mesmo princípio de composição das pinturas *ukiyoê*, como se realmente visassem a serem captadas por um quadro ou uma fotografia.

---

30. Masakatsu Gunji, *Kabuki*, p. 159.

Geralmente, no final de um ato ou nas cenas culminantes de peças em estilo *aragoto*, o ator principal lança uma vigorosa pose *mie*, com os atores secundários agrupados ao seu redor, formando uma cena estática de grande beleza pictórica. Nas cenas *kudoki* ("lamento"), interpretadas pelos *onnagata*, ou mesmo no decorrer de um ato, a ação é súbita e momentaneamente interrompida para constituir tais cenas estáticas. Todas as peças de *kabuki* devem encerrar-se com uma cena que componha um quadro de beleza formal equilibrada.

O âmago da beleza do *kabuki* reside numa tradição corporal, constituída pelas gerações de artistas, que criaram, desenvolveram e refinaram esse exuberante mundo artístico.

6.9. ELOCUÇÃO NO *KABUKI*

As falas do teatro *kabuki*, denominadas *serifu*, abrangem o *dokuhaku* ("monólogo") e o *taihaku* ("diálogo"), sendo proferidas individualmente ou em conjunto com o narrador *joruri* e, às vezes, o narrador profere a fala para o ator, que simplesmente atua.

Os *maruhon-mono* ("peças *kabuki* adaptadas do *bunraku*") são sempre acompanhados pelo estilo narrativo *Guidayu-bushi*. Portanto, com a introdução de peças adaptadas do teatro de bonecos, o *kabuki* passa a desenvolver uma expressão vocal peculiar, ressaltando-se a qualidade rítmica dos diálogos proferidos pelos atores e que, nos monólogos longos, adquire uma cadência ainda mais musical.

Logo, os diálogos das peças *kabuki* afastam-se da elocução comum, uma vez que são proferidos em ritmo com a música de *shamisen* e outros instrumentos, sendo emitidos através de unidades próprias e obedecendo a uma ordem rítmica das palavras. A musicalidade adentra-se nos diálogos de *kabuki*, que possuem uma fascinante melodia, a meio caminho entre o canto e a fala. Conseqüentemente, os movimentos dos atores também se tornam mais rítmicos, assemelhando-se aos movimentos de dança.

Nos *jidaimono* ("peças históricas") representados em estilo *aragoto*, os atores continuam a empregar um tom declamatório, derivado do canto falado do teatro *nô* e acentuado por vários sons explosivos exagerados, com a voz se quebrando em fragmentos. Entretanto, nas duas últimas décadas do século XVIII e primeira do século XIX, os dramaturgos Gohei Namiki e Namboku Tsuruya

IV realizaram uma transformação nos monólogos e diálogos de *kabuki*, introduzindo diálogos diretamente influenciados pelo estilo e dicção da fala cotidiana, porém, mantendo de certa forma a qualidade rítmica na elocução. Dessa maneira, enquanto as peças de *kabuki* mais antigas são constituídas de diálogos com fraseologias antigas, difíceis de serem compreendidas quando ouvidas pela primeira vez, por outro lado, os *sewamono* ("peças domésticas") adotam a língua e a fala coloquial relativamente simples do período Edo, a época em que foram escritos, embora muitas de suas formas estejam em desuso hoje em dia. As peças modernas de *kabuki* empregam a fala coloquial direta, que pode ser escutada atualmente no Japão. Tanto as falas das peças *kabuki* mais antigas quanto as dos *sewamono* utilizam entonação com metros rítmicos de formas altamente estilizadas, bem como o ritmo natural da língua japonesa, que fornece a eufonia.

As técnicas de elocução *sawari* e *tsurane* mostraram-se de grande eficácia no processo de popularização do *kabuki*. *Sawari*, literalmente "toques", por tocarem os acordes do *pathos*, assemelham-se aos solilóquios ocidentais, como nas peças de Shakespeare, diferenciando-se destes por serem pronunciados exclusivamente pelas personagens femininas, com a função de descrição psicológica das heroínas, sendo empregados apenas nos *maruhon-mono* ("peças *kabuki* adaptadas do *bunraku*").

Já nas peças em estilo *aragoto*, como em *Shibaraku* (*Espere um Momento!*), no meio de um diálogo em língua comum, a personagem principal subitamente irrompe numa longa declamação, *tsurane* ("fala introdutória de apresentação"), semelhante ao *nanori* ("anunciação do nome"), onde profere a sua verdade pessoal como num monólogo, enunciando frases auspiciosas, de maneira grandiloqüente e musical. Originalmente, as falas *tsurane* eram improvisadas pelos atores de *kabuki* como prova de sua capacidade oratória, mas atualmente já estão estabelecidas. Quando várias personagens principais interpretam papéis semelhantes, por exemplo, os cinco ladrões em *Shiranami Gonin Otoko* (*A Estória dos Cinco Ladrões Notáveis*), ou uma companhia de *tobi* ("bombeiros de Edo"), anunciam-se sucessivamente, alinhados no palco principal ou no *hanamichi*, introduzindo-se através da descrição de seus atributos ou incidentes de suas vidas, empregando o recurso da fala altiva do *tsurane*.

Um artifício favorito dos *sewamono* é o *yakuharai*, onde o ator principal combina os elementos básicos da fala cotidiana com a técnica do *shichigo-cho* ("metro de sete e cinco sílabas"), a estrutura melódica clássica japonesa, com acompanhamento de música *gueza*, doze batidas regulares com uma pausa no fim de cada frase, que torna a narração mais vívida, através do seu efeito rítmico. O *yakuharai* foi inicialmente desenvolvido por Namboku Tsuruya IV, em *Yotsuya Kaidan* (*Conto dos Fantasmas de Yotsuya*), sendo aperfeiçoado por Joko Segawa, no ato "Guenjidana" ("Em Guenjidana") da peça *Kirare Yosa* (*O Caso Amoroso de Yosaburo e Otomi*) e é bastante recorrente nas obras de Mokuami Kawatake, como em *Sannin Kichisa* (*Os Três Patifes Chamados Kichisa*) e *Murai Chôan* (*Chôan Murai, um Curandeiro Diabólico*). Dessa maneira, Mokuami efetua uma volta ao diálogo poético em seus dramas, tornando-se famoso pelos seus longos solilóquios, que se assemelham à ária numa ópera.

Na peça *Date Kiso Kuruwa no Sayaate*, as duas personagens principais, Sanza Nagoya e seu rival Banzaemon, encontram-se no bairro dos prazeres, entrando simultaneamente através das passarelas principal e temporária. Dialogam longamente, empregando a técnica do *kakeai-zerifu* ("diálogo antífono") ou *wari-zerifu* ("diálogo dividido"), um artifício semelhante ao utilizado no teatro clássico grego, narrando suas proezas em dueto, através de linhas divididas, frase por frase, emitindo seus solilóquios alternadamente, aparentemente sem conexão alguma, sem saber que seus pensamentos em voz alta estão a misturar-se com os de outra pessoa, formando na realidade uma fala contínua, até atingir-se o clímax, com a última linha pronunciada em uníssono, sendo, portanto, uma técnica bastante eficaz para expressar a ironia. Outros exemplos de *kakeai* podem ser verificados nas peças *Izayoi Seishin* (*O Caso Amoroso do Monge Seishin e da Cortesã Izayoi*), de Mokuami Kawatake, e *Sakura Hime Azuma Bunshô* (*A Princesa Sakura de Edo*), 1817, de Namboku Tsuruya IV:

Seiguen – Quando penso em como a minha alma mergulha na miséria; cada dia mais profundamente por seu amor, então, eu anseio encontrá-la; para que ela possa ver a angústia me inquietando pela criança; torna-me desconhecido dela, pois se eu pudesse agora...

Sakura – Que pessoa estender-lhe-ia a mão de socorro; educando minha criança para a idade adulta, meu bebê, apenas um vislumbre...

Seiguen – Num encontro acusar com crescente amargura...

Sakura – Do meu bebê adorado, minha criança querida...

Seiguen – A mãe desta criança, princesa Sakura...

Sakura – Encontrar novamente.

Seiguen – Vê-la...

Sakura – Oh, Buda misericordioso...

Seiguen – Deixe a princesa...

Sakura – Deixe a criança...
Seiguen – Por favor, deixe-nos...
Ambos (em uníssono) – Encontrar... mais... uma... vez...

Um correspondente ocidental do *wari-zerifu* pode ser observado na peça de Calderón, *A Vida É Sonho*:

Estrela – Sábio Tales
Astolfo – Douto Euclides
Estrela – Que entre signos
Astolfo – Que entre estrelas...
Estrela – Hoje governas...
Astolfo – Hoje resides...
Estrela – E seus caminhos...
Astolfo – Seus vestígios...
Estrela – Descreves...
Astolfo – Taxas e medes...
Estrela – Deixe que em humildes laços...
Astolfo – Deixe que em ternos abraços...
Estrela – Hera desse tronco seja
Astolfo – Rendido a teus pés me veja[31].

As peças *kabuki* utilizam ainda a técnica do *watari-zerifu* ("diálogo com linhas extensas"), onde uma única sentença ou pensamento de um diálogo é dividido em frases, recitadas consecutivamente por personagens diferentes. No entanto, como as personagens estão sempre conscientes de estarem compartilhando um mesmo pensamento, culminam na frase final enunciada em uníssono por todos os seus membros, criando-se cenas de grande efeito, com diálogos em quartetos ou quintetos. O *watari-zerifu* é empregado principalmente para expressar o pensamento dos membros de um grupo com pouca individualidade, como em *A Princesa Sakura de Edo*:

Primeira criada – Não há outro sacerdote no Templo Kiyomizu, a não ser Sua Excelência Seiguen...
Segunda criada – É verdade, ninguém que pareça poder ler uma oração...
Terceira criada – Embora eles conheçam a música de *kabuki* mais recente e canções de amor, você pode estar certo...
Quarta criada – Todos eles, todos eles...
Todas as criadas (em uníssono) – Cheiram ao mal mundano. Ha, ha, ha!

Todavia, "personagens principais também podem usar o *wa-*

---

31. Pedro de Calderón de la Barca, *La Vida Es Sueño* – cena VI, em *El Teatro Español* – tomo III, p. 190.

tari-zerifu", como quando o vilão Akugoro faz a sua aparição inicial na mesma peça:

Príncipe Matsuwaka – Akugoro Iruma...
Vassalo Shichiro – Surge no seu cavalo...
Samurai Guengo – Com espírito fogoso...
Príncipe Matsuwaka – Sustentando...
Todos (em uníssono) – Que ordem?[32]

Já nas peças *wagoto*, mais suaves, nas cenas em que um homem espera uma mulher, emprega-se a fala em estilo sensual. Há ainda falas sem sentido, usadas exclusivamente para se obter um efeito especial, jogos de palavras e, nas falas extensas, o recurso do *nani nani zukushi*, repetição de uma mesma frase com variações de sentido, para se quebrar a monotonia.

Os atores de *kabuki* devem ter a proficiência na elocução de vários dialetos japoneses, sejam eles urbanos ou rurais, posto que, se, por um lado, as obras de Monzaemon Chikamatsu, originárias de Kyoto e Osaka, requerem o dialeto de Kansai, por outro lado, as peças de Mokuami Kawatake, centradas em Edo, devem ser apresentadas com o acento de Kanto, havendo, ainda, dramas como *Gotaiheiki Shiraishi Banashi*, que empregam o dialeto rural. Conseqüentemente, os atores de *kabuki* obedecem, desde a infância, a um treinamento vocal intenso.

---

32. Compilado em James R. Brandon, "Form in Kabuki Acting", p. 101.

7. Cotejo da Estética Teatral do Barroco em Suas Concepções Oriental e Ocidental

7.1. ESTRUTURA

Em oposição ao teatro clássico ocidental, que respeita a regra das três unidades de tempo, espaço e ação, os teatros *bunraku* e *kabuki* assemelham-se ao teatro shakespeariano e ao teatro barroco europeu, à medida que desprezam a regra das três unidades, adotando um livre e múltiplo uso de tempo, espaço e ação. O mais próximo da observação da regra das três unidades nos teatros *bunraku* e *kabuki* é representado pelos *shinju-mono* ("peças sobre duplo suicídio amoroso") e alguns outros *sewamono* ("peças domésticas") de Monzaemon Chikamatsu.

Enquanto o teatro clássico ocidental é um drama de palavras, com ênfase nos diálogos e um enredo verossímil, portanto, um teatro centrado na lógica, os teatros *bunraku* e *kabuki*, ao contrário, apresentam um grande dinamismo no palco, com a generalização de diálogos, atuação e música, um enredo freqüentemente ilógico, ou com uma lógica apenas dramática, e caracterizando-se sobretudo como teatros centrados na imaginação fantasiosa e nas emoções.

Toshio Kawatake[1] afirma que, após o Renascimento, o teatro

---

1. Toshio Kawatake, "Kabukisei Aruiwa Sôgôgueijutsusei" ("A Natureza do Kabuki ou a Natureza da Obra de Arte Total"), p. 184.

ocidental desenvolve-se como um teatro realista, baseado na fala e nos gestos, ocorrendo a diferenciação dos gêneros: teatro da fala, com o predomínio das palavras; ópera, domínio absoluto da música; e balé, com o tema dominante da dança. Entretanto, no Japão, desde as artes folclóricas até os teatros *bunraku* e *kabuki*, não se verifica essa diferenciação, uma vez que não se procura apresentar problemas lógicos, mas a ênfase no que está mais próximo do seu *ethos*: a sensação, a emoção e a intoxicação carnal, com a valorização da teatralidade auditiva e visual. Isso corresponde à obra de arte total de Wagner, que contém poesia teatral, música e dança. Características comuns da arte dramática de vários países do Oriente.

Se o teatro clássico ocidental respeita a unidade de tom, separando o drama histórico do popular, a tragédia da comédia, o retrato solene da classe superior e que termina em infelicidade, do retrato vulgar do povo, terminando em felicidade, os teatros *bunraku* e *kabuki*, por sua vez, assemelham-se aos teatros de Calderón, Shakespeare e ao teatro barroco em geral, à medida que seguem a regra de ouro do teatro espanhol dos séculos XVI e XVII, com a mistura dos dois gêneros, situação ou atmosfera trágica com situação ou atmosfera cômica, isto é, a incursão de cenas cômicas mesmo nas tragédias, bem como a incursão de cenas trágicas, como violências, duelos e raptos, nas comédias, característica comum na comédia barroca francesa de 1625 a 1640.

Enquanto as cenas cômicas do *kabuki* (*chari*) têm relação com as origens populares do *kabuki*, o cômico do teatro barroco procede da tradição do bobo da corte da Idade Média, sendo indispensável também nas tragédias shakespearianas, com as presenças de Rodrigo e Bianca em *Otelo*, o bobo em *Rei Lear*, Polônio em *Hamlet* e o porteiro em *Macbeth*. Já na peça de *kabuki Yotsuya Kaidan* (*Conto dos Fantasmas de Yotsuya*), verificamos a ação cômica do *handôke* ("personagem meio cômica") na cena sombria do *kamisuki* ("pentear os cabelos"). "A comédia e a tragédia ganham muito quando se associam através de um vínculo meigo e simbólico, e só por meio dele se tornam poéticos." "Em Shakespeare alternam-se a poesia com a antipoesia, a harmonia com a desarmonia, o vulgar, o baixo e o feio com o romântico, o elevado e o belo, o real com o fictício: exatamente o contrário do que acontece com a tragédia."[2] Daí a crítica de Benjamin à rigidez e gravidade do drama alemão do século XVII, explicável a

---

2. Novalis, citado em *Origem do Drama Barroco Alemão* de Walter Benjamin, p. 149.

partir do teatro grego, sendo que o cômico do drama barroco seria recuperado pelo *Sturm und Drang*, através do intrigante humorístico.

Assemelhando-se à estrutura da música barroca, composta de vários movimentos independentes, que se unificam para constituir um todo, um mundo maior, e à estrutura da pintura *ukiyoê*, que possibilita a divisão em vários fragmentos, em que cada fragmento pode tornar-se um quadro independente, comportando, assim, múltiplos pontos de vista, a peculiaridade dos teatros *bunraku* e *kabuki* é que apresentam igualmente uma estrutura barroca. Isto é, por serem muitas vezes de autoria coletiva, suas peças são amiúde descentradas, com uma multiplicidade de intrigas, apresentadas através da sucessão de diversas cenas, mas cada ato sendo composto como um trabalho completo e independente, como num poema épico ou nos *emaki-mono*, antigos "rolos de pintura" que ilustravam uma lenda ou um conto, com as cenas e paisagens pintadas horizontalmente e sucedendo-se umas às outras. As rápidas mudanças de situação nos teatros barroco, *bunraku* e *kabuki* rompem os limites da realidade, num salto para uma outra dimensão, lançando-se no universo infinito, no palco da fantasia.

Se na acepção de Shoyo Tsubouchi, o teatro *kabuki* é visto como "um monstro de várias cabeças", por sua vez, Corneille, consciente da falta de unidade e homogeneidade das personagens e suas ações na sua tragicomédia *A Ilusão Cômica*, a citava na dedicatória como um estranho monstro, com vários centros, exatamente por ter visado deliberadamente a intensidade de efeitos imediatos. Uma obra inacabada, com forma aberta, que contém várias zonas de indeterminação, pois não ficamos sabendo como Clindor e seus companheiros escaparam dos seus perseguidores e como chegaram ao teatro. "É um traço observável em outras peças de Corneille, que ele notará mais tarde, nos seus *Exames*, como um defeito, 'a desigualdade de categoria' de uma mesma personagem no decurso dos cinco atos [ver, por exemplo, *A Praça Real, Horácio, Pertharite*]."[3]

7.2. CARACTERÍSTICAS DO BARROCO / TEATRO BARROCO

A imersão na leitura da bibliografia sobre o Barroco/teatro barroco aprofunda-nos progressivamente a intuição de que as ca-

3. Jean Rousset, *La Littérature de l'Âge Baroque en France*, p. 205.

racterísticas estéticas do Barroco/teatro barroco podem ser transpostas quase que integralmente para os teatros *bunraku* e principalmente *kabuki*, embora não haja uma relação direta entre esses teatros, mas sim analógica.

No percurso a seguir, a investigação de como os teatros *bunraku* e *kabuki* se manifestam no tocante a certas características do Barroco, notadamente as idéias de movimento, culto do maravilhoso, paradoxo, aparência, ostentação, crueldade e morte, grande teatro do mundo, festa, jogo lúdico e obra aberta.

7.2.1. Movimento

> *Nossa natureza está no movimento.*
> *O homem tem necessidade de movimento para viver.*
>
> Pensamentos, PASCAL

Embora o Renascimento procure a calma perfeita, o bem-estar, a beleza encontrada na harmonia do equilíbrio e simetria, no imutável, a arte clássica não se define, como afirma Henri Focillon, pela fixidez absoluta, mas por um "ligeiro tremor, imperceptível, que me indica que ela vive"[4]. E poderíamos acrescentar, mas que não provoca agitação da alma nem inquietude.

Em oposição ao Renascimento, o princípio fundamental da arte barroca é a idéia de dinamismo, mudança, excitação, *élan* vital. Como se o espírito, durante séculos aprisionado pelas formas greco-latinas, subitamente se libertasse com um golpe abrupto, numa ruptura deliberada. O que encontra expressão nas pinturas de Tintoretto, Greco e Rubens. O descobrimento do sangue nessa época vem a confirmar a tese, que rege os homens e o universo em geral. *Leviatã* – Hobbes: "A vida não é outra coisa senão movimento"; *El Criticón* – Gracián: "A definição da vida é o mover-se". Também para Montaigne e sobretudo para Bernini, a natureza essencial do homem está no movimento.

Bernini não trabalhará de outro modo o busto de Luís XIV. Para a surpresa de todos que o viam esculpir, ele não pedia ao rei para posar, deixando-o livre nos seus movimentos; ele mesmo movia-se ao redor do seu modelo, observando-o sob diferentes aspectos, "de baixo ao alto, de lado, de perto e de longe", tomando séries de esboços, captando traços fugitivos.

---

4. Citado em *Esthétique du Rococo* de Philippe Minguet, p. 105.

É que, no dizer mesmo de Bernini, "um homem jamais se assemelha tanto a si mesmo, do que quando está em movimento"[5].

Em contraposição ao *nô*, teatro intimista, escultura em movimento, o *kabuki*, teatro da ação, é *nishikiê* ("gravuras multicoloridas") em movimento. Um mundo das formas em movimento.

A idéia de movimento no teatro dá-se enquanto mudanças no tempo, espaço e ação. Se no teatro barroco a idéia de movimento, enquanto mudanças no espaço, é intensamente explorada através do grande desenvolvimento da maquinaria de palco, que vai proporcionar rápidas mudanças de cenas graças às mudanças de cenários, o mesmo ocorre nos teatros *bunraku* e *kabuki*, através do recurso do *dôgugaeshi* ("rápidas mudanças de cenários") e, particularmente no *kabuki*, com o uso simultâneo do palco propriamente dito, do *hanamichi* ("passarela principal") e do *kari-hanamichi* ("passarela temporária"), que funcionam como extensões do palco, ocasionando, assim, a multiplicidade de focos de atuação, e os recursos de maquinaria de palco: *mawaributai* ("palco giratório"), *seri* ("ascensores situados no palco"), *suppon* ("elevador localizado na passarela principal") e, mais recentemente, o *chûnori* ("elevação no ar"), todos eles totalmente à vista do público.

Jean Rousset[6] declara que, no século XVII, tudo é focalizado do ponto de vista do movimento: a vida em movimento, a morte em movimento e o homem em movimento, que, por sua vez, vão caracterizar a atitude barroca em relação à arte, isto é, a representação estética dos sentimentos e paixões, através da ação, agitação. Imagens como a curva, espiral ou ondulação, como um estilema do Barroco; alguns tomando mesmo a coluna salomônica, toda retorcida, como o símbolo do Barroco, em oposição à coluna dórica. Bem como a estética da força em movimento, o heróico, manifesto nas musculaturas tensas das figuras dos quadros de Michelangelo e que corresponderia ao estilo de atuação *aragoto* no *kabuki*. A recusa da serenidade e do repouso, mesmo na imagem da morte, pois se nos *gisant*, os túmulos do Renascimento, os defuntos parecem estar apenas adormecidos, após o Concílio de Trento, a caveira e o esqueleto é que vão dominar. O espetáculo da morte, não o após-morte, mas o ato mesmo de morrer, obseda e seduz os artistas barrocos. Fantasmas aparecem nas peças de

---

5. Jean Rousset, *op. cit.*, p. 139.
6. *Idem, ibidem.*

Shakespeare, porém, em bem menor número do que nas peças de *bunraku* e *kabuki*.

Portanto, o Barroco e os teatros *bunraku* e *kabuki* coincidem quanto à manifestação da idéia de movimento, através da estética da força em movimento, heróico/*aragoto*, todavia, divergem quanto à concepção espacial, visto que o Barroco expressa o movimento através de curvas, espirais e ondulações, enquanto no *bunraku* e *kabuki* há um predomínio de retas e paralelas.

A convicção de que tudo muda. Um equilíbrio instável. "A instabilidade do mundo barroco é tal, que não se pode captá-lo a não ser na mudança."[7] A vida manifesta-se como uma realidade mutante, fugitiva, fragmentada, e o homem do século XVII, reflexo desse mundo em movimento, um universo em metamorfose, vai ser igualmente complexo, inconstante, múltiplo, recusando-se terminantemente à simplificação, à idéia de definição, ao esquema linear, exigindo, assim, os pontos de vista múltiplos. Os temas poéticos barrocos enfocam a mudança e a efemeridade da vida: a água que corre, a flama, a nuvem que passa, o vento, o arco-íris, os fogos de artifício, a rosa, a bolha. Rubens e Velásquez (a roda do tear em *As Fiadeiras*) conseguiram captar em seus quadros o movimento mesmo enquanto tal.

E no teatro, encontramos a mudança, a inconstância, como o tema central das comédias de Corneille: *Mélite*; Célidée da *Galeria do Palácio*; Phylis e Alidor da *Praça Real*; *O Mentiroso*; *Sofonisba*.

Alidor deixava pressentir essa reviravolta: rompendo com tudo o que muda, já o víamos à procura de qualquer coisa que não se altera; seus ziguezagues conduziam a uma linha reta; a personagem do inconstante por vontade de ser livre desenhava o primeiro esboço dessa personagem, que devia dominar o teatro de Corneille, de Medéia a Domitie, de Emília a Sofonisba, da sangrenta Cleópatra de *Rodogune* ao Aristeu de *Sertório* ou ao Grimoald de *Pertharite*, rígida, inalterável, toda de uma peça – o oposto da personagem barroca[8].

Por sua vez, o movimento, enquanto mudanças no tempo, é manifesto nos teatros *bunraku* e *kabuki* através de súbitos assombros no coração, que nos causam as rápidas e constantes mudanças de vestuário no palco, graças à extrema destreza dos assistentes de palco, expressando ora as diferentes fases de uma mulher apaixonada, em *Musume Dojoji* (*A Moça no Templo Dojo*), ora a

---

7. Annie Richard, "*L'Illusion Comique*" *de Corneille et le Baroque*, p. 35.
8. Jean Rousset, *op. cit.*, p. 212.

passagem das quatro estações do ano, em *Shibaraku* (*Espere um Momento!*); ou das fileiras de flores de cerejeira, que repentinamente pendem na parte dianteira do palco, indicando a chegada da primavera; ou dos amplos lençóis brancos estendidos sobre o palco e a passarela, simultaneamente com o cair de milhares de pedacinhos de papel branco, iconizando a neve, com a vinda do inverno; ou simplesmente o ressoar da batida de um gongo, anunciando o entardecer; ou ainda, uma cortina negra no fundo do palco, representando a escuridão noturna, embora as luzes permaneçam acesas durante todo o transcorrer da cena.

O movimento enquanto mudanças na ação é magistralmente expresso pelo *superkabuki* de Ennosuke Ichikawa V, cujo repertório se compõe das peças: *Date no Jûyaku* (*Os Dez Papéis na Peça Date*); *Yoshitsune Sembonzakura* (*Yoshitsune e as Mil Cerejeiras*), onde o guerreiro Tadanobu metamorfoseia-se numa raposa; *Kurozuka* (*A Anciã-Demônio de Adachigahara*), a anciã que, ao ver desvendado o seu segredo, um quarto repleto de esqueletos, transforma-se num demônio; *Kagamiyama Gonichi no Iwafuji* (*O Monte Kagami e o Retorno de Iwafuji*); e *Yamato Takeru* (nome do herói). A rápida e freqüente mudança de cenas/personagens chega, por vezes, a ser vertiginosa, atraindo e empolgando a platéia jovem de *kabuki* com o recurso do *chûnori* ("elevação no ar"), vestuário deslumbrante e atuação arrojada. Em *Date no Jûyaku*, Ennosuke interpreta simultaneamente dez papéis numa só peça, transformando-se, num piscar de olhos, de herói em vilão, de jovem em idoso, de homem em animal, modificando, a cada papel, todo o seu vestuário, cabeleira, atuação e elocução, e arrebatando-nos o fôlego.

Temos, ainda, o movimento enquanto mudanças na ação mostrado através de enredos confusos, intrigas múltiplas que se desenvolvem paralelamente, como em *Kanadehon Chûshingura* (*A Vingança dos 47 Vassalos Leais*), com os vassalos vivendo suas vidas independentes, mas unidos pelo propósito comum de vingar a morte do seu amo Hangan; em *Kokusenya Kassen* (*As Batalhas de Coxinga*), recentemente encenada pela trupe de teatro contemporâneo *Yume no Yûminsha* (*Boêmios do Sonho*). A rápida mudança de ações e cenas também se faz presente nos balés da corte francesa, como no *Balé de Circe Expulsa dos Seus Estados*, de 1627, bem como nas encenações que empregam recursos de maquinaria de palco, precursoras da ópera e, particularmente, nas peças do teatro espanhol: *A Dama Boba* e *O Ausente no Lugar*, do inimitável Lope de Vega (1562-1635), reputado criador de cerca de oitocentas peças, restando atualmente mais de quinhentas; de Calderón (1600-1681) do *Alcaide de Zalamea, A Vida É Sonho* e dos dramas religiosos *O Mágico Prodigioso* e *O Príncipe Constante*, com o santo governante Fernando de Portugal triunfando sobre todas as paixões e humilhações; e *O Sedutor de Sevilha*, do sacerdote Tirso de Molina (1571-1648). Todos eles teatros dinâmicos, ricos em mudanças, manifestando, assim, o princípio fundamental da arte barroca, a idéia de movimento.

7.2.2. Culto do Maravilhoso

As peças de *bunraku* e *kabuki* caracterizam-se pelos seus enredos freqüentemente absurdos, com intrigas políticas e agitações nos clãs, cenas de assassinato horripilantes, sacrifícios extremos, amores excessivos e bufonarias, apresentados através de constante mutação no palco e truques exagerados. Fatores que os aproximam tanto do teatro elisabetano e das comédias barrocas de cinco atos dos jovens Corneille e Rotrou, caracterizados pela procura incessante de surpresa e intensidade de efeitos, mediante uma sobrecarga de peripécias romanescas, bem como do teatro barroco alemão, visto que são plenos de *Haupt-und Staatsaktionen*, que se impuseram durante meio século.

No teatro barroco europeu em geral ressalta-se a inventividade de enredo, com uma profusão de intrigas, peripécias e confusão, mostrada através de freqüentes mudanças de cenas.

Na teoria da Escola de Nuremberg, a palavra "confusão" se transforma num termo técnico da dramaturgia. O título do drama de Lope de Vega (também representado na Alemanha) é típico: *El Palacio Confuso*. Segundo Birken, o "encanto das peças heróicas está no fato de que tudo se confunde com tudo, de que a narrativa não segue a ordem das histórias, de que a inocência é maltratada e a maldade recompensada, até que no final tudo se inverte de novo e as coisas reassumem seu verdadeiro rumo". A palavra "confusão" não deve ser compreendida apenas num sentido moral, mas também pragmático[9].

A expressão do culto do maravilhoso tanto no teatro oriental quanto no teatro ocidental.

É a *maravilha*, que cria o prazer, esse mesmo prazer que nós sentimos com "as súbitas mudanças de cenário" no teatro, o prazer de ver "numa só palavra,

---

9. Walter Benjamin, *op. cit.*, p. 117.

um teatro cheio de surpresas, um *pien teatro de meraviglia*". A idéia de disfarce e de "milagre" se associa toda naturalmente à idéia de teatro[10].

O culto da poética do maravilhoso encontra sua mais perfeita expressão no famoso verso de Marino: "È del poeta il fin la meraviglia", manifestando a atitude fundamental do Marinismo, a mais expressiva corrente lírica italiana do século XVII, que rompe com as normas racionais e clássicas ao adotar uma linguagem incomum e grandiosa, utilizando a imagem e a metáfora, com suas associações inusitadas. O Marinismo pressupõe uma atitude fundamentalmente lúdica, hedonística quanto à sua criação, o que ocasionou o surgimento de uma onda de reação contra a poesia barroca em geral.

A poética do maravilhoso compreende os extremos tanto do mundo dos sonhos, da fantasia, das ações sobre-humanas e dos milagres, como também o seu lado cruel, repugnante e espantoso. Ambos utilizados pela Contra-Reforma para aumentar a crença religiosa dos seus fiéis e, no teatro barroco, para atender à avidez do público pelo maravilhoso, tendo alcançado uma grande realização na obra de Calderón, *A Vida É Sonho*.

As entradas, nos palcos de *bunraku* e *kabuki*, das *keisei* ("cortesãs de alta classe") de incomparável beleza, com seus trajes suntuosos, cabeleiras ricamente ornamentadas e longos séquitos, e dos heróis de força sobrenatural, fazendo suas evoluções acrobáticas nas peças em estilo de atuação *aragoto*; as aparições de um sapo gigante em *Masakado* e de um enorme javali branco no meio de uma tempestade de neve, em *Takeru Yamato do Monte Ibuki*; o vilão Danjo Nikki transfigurando-se num rato e roubando o tesouro, em *Meiboku Sendai Hagui* (*A Disputada Sucessão na Família Date*); o navio despedaçando-se em meio a uma tempestade marítima, em *Chinsetsu Yumihari Zuki* (*Lua Crescente: As Aventuras de Tametomo*); os cenários deslumbrantes, mudando rápida e instantaneamente frente ao público; o cego Sawaichi e sua mulher, O-Sato, atirando-se ao fundo do penhasco, mas salvando-se milagrosamente, com Sawaichi recuperando a visão, graças à fé de sua mulher, na peça *O Milagre do Templo Tsubosaka*, constituem algumas facetas dos teatros *bunraku* e *kabuki*, que, como o teatro barroco, são plenos de culto ao maravilhoso.

10. Jean Rousset, *op. cit.*, p. 188.

7.2.3. Paradoxo

As peças de *bunraku* e *kabuki* são marcadas principalmente pelos temas centrais de lealdade, duplo suicídio amoroso (*shinju*) e vingança (*katakiuchi*), manifestando, assim, a insatisfação para com o opressivo regime feudal vigente, com as pessoas procurando reafirmar sua condição humana dentro desse quadro social. O *bunraku*, por exemplo, é soberbo na descrição das grandes emoções, especialmente nos *shinju*, as tragédias amorosas. Impossibilitados de encontrar a realização amorosa em vida, devido às convenções da sociedade feudal, os protagonistas lançam um último desafio à realidade, consumando seu amor através da morte.

O sentimento de devoção e lealdade ao senhor, a piedade filial e a fidelidade das mulheres formavam a base da moralidade feudalista do período Tokugawa, flagrantemente influenciada pelo confucionismo. A lealdade e a piedade filial são fundamentadas na idéia de *on* ("dívida de gratidão"), do povo para com a nação, do vassalo para com o senhor e da criança para com os pais. E numa sociedade, onde vigorava um rígido sistema de castas sociais, a virtude de conhecer o seu lugar sobrevive como *guiri* ("obrigação"). A virtude de agir estritamente de acordo com a sua posição social: o mestre deve agir como mestre, amando seus subordinados e estes devem agir como subordinados, sendo leais ao mestre. O *guiri* também se manifesta como honra, o que leva uma pessoa ao ato extremo de suicidar-se para salvar sua dignidade. Em *Kagamiyama Gonichi no Iwafuji* (*O Monte Kagami e o Retorno de Iwafuji*), a dama de companhia de um senhor feudal é humilhada por sua rival Iwafuji e suicida-se, devido à vergonha de ter sido insultada.

As peças de *bunraku* e *kabuki* são repletas de tragédias decorrentes do conflito entre *on* ("dívida de gratidão") / *guiri* ("obrigação") e *ninjô* ("sentimentos humanos"), o embate entre as convenções sociais e os sentimentos humanos naturais. Atos de supremos sacrifícios pelas idéias de *on* e *guiri*, o dar a vida pela causa do senhor, em retribuição ao bom tratamento e gentileza recebidos ao servi-lo: o samurai sacrificando-se a si próprio na batalha; os pais divididos entre a lealdade ao senhor e o amor ao filho, mas finalmente sacrificando o próprio filho em substituição ao filho do amo, como em *Kumagai Jinya* (*O Acampamento de Kumagai*) e *Terakoya* (*Escola Privada*), em cenas cheias de *pathos*, que comovem o público japonês até as lágrimas. Em *Meiboku Sendai Hagui* (*A Disputada Sucessão na Família*

Date), Masaoka incita o filho Senmatsu a comer um doce envenenado por Yashio e destinado ao infante. Porém, Yashio precipita-se e apunhala o pescoço de Senmatsu para evitar a constatação do complô assassino. E Masaoka mantém-se em atitude estóica, não deixando transparecer em momento algum o estupor, pesar e angústia profundos. Não derrama uma lágrima sequer perante os outros e só se permite a abraçar, lamentar e enaltecer a atitude heróica de Senmatsu, quando totalmente a sós com ele, proferindo as pungentes palavras de louvor ao filho morto: *"Dekachatta, dekachatta, dekachatta..."* ("Bem procedido, bem procedido, bem procedido..."). Todavia, enquanto as tragédias gregas são marcadas pela noção de destino, não existe nos teatros *bunraku* e *kabuki* as tragédias de destino como tais, uma vez que, como pudemos verificar, essas tragédias japonesas são oriundas dos conflitos entre as leis, convenções e moral de uma antiga sociedade feudal e os sentimentos humanos naturais.

Encontramos o mesmo tema da lealdade ao senhor numa peça da Idade de Ouro do teatro espanhol, *A Estrela de Sevilha*, de Lope de Vega, escrita após 1614, enfocando o conflito de Sancho Ortiz, dividido entre servir ao rei dom Sancho, matando a Busto Tabera, irmão de Estrela, ou obedecer aos ditames do seu coração, que não quer ferir a seu futuro cunhado e melhor amigo:

> Mas sou cavalheiro,
> E não hei de fazer o que quero,
> Senão o que devo fazer[11].

Contudo, no parecer de Benjamin, contrastando com a idéia do sentimento de lealdade dos vassalos para com o senhor, expresso nas peças de *bunraku*, *kabuki* e no teatro espanhol da Idade de Ouro, no drama barroco a traição é o elemento caracterizador do cortesão, posto que a lealdade só existe para com o mundo das coisas: coroa, púrpura e cetro, adereços cênicos do drama de destino. "Sua deslealdade para com os homens corresponde a uma lealdade, impregnada de devoção contemplativa, para com esses objetos."[12] Um problema de intersubjetividade.

O conflito *giri* x *ninjô* dos teatros *bunraku* e *kabuki* encontra seu correspondente ocidental nos conflitos decorrentes do paradoxo barroco. Contrastando com o Renascimento, que se carac-

---

11. Félix Lope de Vega, *A Estrela de Sevilha*, em *El Teatro Español*, tomo II, p. 410.
12. Walter Benjamin, *op. cit.*, p. 178.

teriza pela claridade racional, temos a dupla face da época barroca: a coexistência de elementos mecânicos e racionais, próprios do enorme progresso dos meios técnicos e dos conhecimentos científicos, com o desenvolvimento do maquinismo na Inglaterra, os princípios da prensa hidráulica de Pascal, a invenção do barômetro por Torricelli, lado a lado, desde o fim do século XVI, com a crença em elementos extra-racionais, magia e alquimia, devido a uma verdadeira epidemia de bruxaria na Europa, principalmente na Inglaterra, França e Itália. Embora, para Cassirer, a magia seja a primeira fase da ciência moderna, dominadora da natureza.

Esse amálgama paradóxico do racional com o irracional vai dominar todo o pensamento barroco, manifestando-se através de formas marcantemente dicotômicas e uma tendência à multipolaridade, que expressam a contradição interior do homem barroco. Face ao mundo instável, o homem barroco tende a romper com as normas clássicas e a subverter os valores tidos como normais, resultando na desagregação do seu espírito, que se torna mais sensível, num estado de conflito, dividido entre os extremos contrastes de razão e fé, fanatismo e tolerância religiosa e, como nos teatros *bunraku* e *kabuki*, deveres sociais e paixão. Tensões dinâmicas, com as antíteses entre autoritarismo (repressões monárquica e religiosa) e liberdade individual, ascetismo e erotismo, que encontram expressão principalmente na Espanha, devido ao temperamento nacional, preciosismo e vulgaridade, ceticismo frente ao mundo e crença nos milagres, riso e pranto, amor e morte, céu e terra, carne e espírito, que parecem coexistir no homem barroco.

Calderón, por exemplo, na sua juventude cultiva as comédias de costumes e de capa e espada; e, na maturidade, o drama religioso e o teatro histórico-fantástico-mitológico, onde melhor se revelam as suas tendências barrocas, através de antíteses ou paradoxos.

No barroco de Calderón, encontra-se um poderoso dinamismo, uma retorsão conceptual e metafórica; uma mobilidade na mesma ação e personagem, uma violência; um *equilíbrio instável*, análogo ao das formas inacabadas, abertas, da arte coetânea; um *contraste* entre as personagens, entre as ações opostas e as atitudes destas, que na forma exterior coincide com as antíteses ou paradoxos, e que tem por equivalente o claro-escuro na pintura, com o que literalmente coincidem determinadas descrições e efeitos cênicos de luz e sombras; [...] tendência da hipérbole ao desmesurado[13].

13. Valbuena y Prat, citado em *El Siglo de Oro del Teatro Español II – El Ciclo de Calderón*, de F. C. Sáinz de Robles, p. 19.

No Japão, embora o conflito *guiri* x *ninjô* já se fizesse sentir durante todo o decorrer de sua história, somente no período Edo, época do opressivo feudalismo absoluto, defrontando-se com a emergente classe mercantil, é que vai se manifestar mais claramente, com as tragédias político-sociais resultantes do conflito e os *shinju* ("tragédias amorosas, com duplo suicídio"), imediatamente incorporados e encenados pelos teatros *bunraku* e *kabuki*. Do mesmo modo, na Europa, embora os paradoxos já existissem em outras épocas, só agora, no Barroco, encontram plena sistematização, com os acentuados contrastes culminando na contradição entre ser e parecer.

7.2.4. Ostentação

Enquanto o Renascimento procurava o equilíbrio, o bom senso e a discrição, enfim, o meio-termo, sendo, portanto, uma arte de convergência, economia e razão, o Barroco, ao contrário, sendo movido pela paixão, tem horror à moderação, manifestando-se sobretudo através dos extremos, do exagero.

Segundo a famosa fórmula de Jean Rousset, na arquitetura barroca, a decoração rebuscada, sugerindo formas em contínuo movimento, passa a ter vida própria, tornando-se independente, dominante, como que subordinando a estrutura à sua existência e transformando-a num seu mero suporte. Assim como no edifício barroco imperam a decoração luxuosa e a profusão de efeitos exteriores, que levam a uma arquitetura de teatro, com a ênfase na função de parecer, o homem barroco, contemporâneo das guerras de religião e perdida a confiança no mundo renascentista, reage, numa atitude de defesa e apaziguamento de sua sensação de insegurança, afirmando-se através de signos de ostentação. As virtudes exteriores, meramente de aparência, de decoração, tornam-se vitoriosas. A ilusão/aparência toma o lugar da realidade, como nas pinturas em *trompe l'oeil*, nos magníficos vestuários da época barroca e do *kabuki*, nos balés, mascaradas e pastorais. "Adereço, vestuário, peruca, papel, disfarce, eles parecem transpor os jogos da arquitetura barroca, arquitetura de decoração, cuja estrutura tem por função sustentar a fachada."[14]

O que vale também no plano da política, para a renovação do prestígio da monarquia absoluta e, no plano religioso, para os ideais da Contra-Reforma, uma vez que essas instituições

---

14. Jean Rousset, *op. cit.*, p. 50.

também se manifestaram através de obras grandiosas, expressando os seus poderes através do luxo e magnificência de seus palácios e igrejas, jardins, ritos solenes, ornamentos litúrgicos, pompas fúnebres, bem como o esplendor de suas festas profanas e religiosas.

> O interesse apaixonado pela pompa, nas "ações principais e de Estado", era em parte uma tentativa de evadir-se dos limites de uma piedosa domesticidade, e em parte, resultava da tendência pela qual a meditação se sentia atraída pela gravidade. Nela a meditação reconhece seu próprio ritmo. A afinidade entre o luto e a ostentação, tão magnificamente comprovada pela linguagem do barroco, tem aqui uma de suas raízes[15].

Assim como o Barroco europeu, os teatros *bunraku* e *kabuki* surgem no século XVII como manifestações urbanas, mas enquanto os edifícios luxuosos, a opulência dos banquetes e as cerimônias imponentes confirmam sociologicamente o Barroco europeu como um movimento de ostentação de cima para baixo, visando impor a ideologia das classes dominantes, a exuberância vislumbrada nos mundos do *bunraku* e *kabuki*, através de seu vestuário extravagante e cenários grandiosos, deve ser entendida como oriunda de manifestações teatrais originadas no seio das massas e a que a classe dos samurais também se sentia atraída a assistir. Logo, um movimento de baixo para cima. O mesmo espírito e esplendor do carnaval do Rio, a grande festa popular do nosso país, do qual as camadas sociais mais favorecidas, tanto nacionais como estrangeiras, também se sentem motivadas a participar.

Ainda dentro do jogo do ser *x* parecer, a ostentação está, segundo Rousset, relacionada à arte de dissimulação, ao jogo de máscaras, o não deixar transparecer o que se passa no seu íntimo. "De um modo geral, a dissimulação se define como uma arte de fazer ver o mundo diferente do que ele é; com efeito, ela é 'um esforço para *não ver as coisas como elas são*, simulando o que não é, dissimulando o que é."[16] Como Yuranosuke, em *Kanadehon Chûshingura* (*A Vingança dos 47 Vassalos Leais*), que adota a máscara do beberrão devasso, assíduo freqüentador de bordéis, levando sua arte de dissimulação à perfeição, chegando a enganar até mesmo seus familiares e amigos mais íntimos, não deixando transparecer em momento algum as razões de seu procedimento,

---

15. Walter Benjamin, *op. cit.*, p. 163.
16. Jean Rousset, *op. cit.*, p. 221.

até conseguir perpetrar a vingança pela honra e morte de seu amo Hangan Enya, matando o vilão Morono.

7.2.5. Crueldade e Morte

No Renascimento, a morte era vista como serenidade e repouso, surgindo apenas como contraponto para a exaltação da vida, do prazer de viver. O Barroco europeu, ao contrário, nascido na época das sangrentas guerras de religião e posterior à corrente irracionalista do fim do século XVI, com o seu gosto pelo ocultismo e cabalismo, onde as massas assistiam às freqüentes cenas de execução pública dos feiticeiros e hereges ou aos martírios dos santos e ascetas, vai estar marcado por uma concepção pessimista e melancólica do mundo e obcecado pela morte.

<small>Um miniaturista da Idade Média nos teria mostrado doces figuras cheias de serenidade e não teria evocado o seu martírio senão por alguns atributos; Callot, fiel ao espírito de seu tempo, representa santos queimados, torturados, jorrando sangue: Santa Ágata tem os seios arrancados, Santo Eduardo é degolado, Santo Fidélis é flagelado, Santa Dula apunhalada, Santa Dorotéia queimada com o ferro vermelho[17].</small>

Uma imagem da vida onde predominam o terrível, o cruel e o sangrento. Não mais a morte da concepção medieval, uma idéia teológica e sublimada, mas a morte em movimento, a morte como um espetáculo dramático, realista, cruel, mórbido, visando criar um impacto visual, com função persuasiva e funcionar, assim, como condicionamento atemorizador das ideologias política e religiosa vigentes. E que está também diretamente relacionado ao desejo do homem barroco por emoções fortes e sensuais, a atração pelo macabro e a inclinação para o paradoxo, unindo os contrários da morte e do prazer, numa ronda lúgubre de amor e morte, perseguindo sobretudo a juventude e a beleza. O gosto exacerbado pela dor e violência, expresso através de cenas sangrentas, com tormentos infindáveis, culmina na morte terrível, apavorante, que vai se transformar numa constante das obras dos artistas europeus do Seiscentos, concorrendo para a criação de uma estética da crueldade no Barroco.

Na tragédia grega, as cenas cruéis e sangrentas jamais são mostradas ao público. As passagens em que Édipo arranca seus próprios olhos e a rainha se enforca são apresentadas apenas

<small>17. Émile Mâle, citado em *La Littérature de l'Âge Baroque en France*, p. 115.</small>

através das palavras de uma testemunha, que narra os acontecimentos à platéia. Também nas peças renascentistas, a morte geralmente é uma ausência, posto que as cenas sanguinolentas, de suicídio e morte, normalmente não são encenadas no teatro, apenas descritas. Nas peças barrocas, ao contrário, a morte vai se tornar uma presença e materializar-se no palco. A grande importância da imagem visual: a morte como um espetáculo, marcado por uma tradição da visão do horror, espectros, violência e cenas sangrentas.

Assim, se a recusa a exibir cenas sanguinolentas e eróticas no palco, substituindo-as por meros relatos, é característica do teatro clássico ocidental (tragédia grega, teatro renascentista), os teatros *ounraku* e *kabuki*, ao contrário, obedecem, como o teatro barroco, ao princípio da estética da crueldade, ousando apresentar perante o público as cenas sangrentas e eróticas, abundando principalmente em quadros de crueldade e morte, uma peculiaridade básica da arte barroca em geral.

Nas tragédias e tragicomédias barrocas francesas, excetuando-se as pastorais, do fim do século XVI e até cerca de 1630, notamos igualmente a ênfase no lúgubre, com horrores extraordinários, suplícios sanguinolentos, com a visão de cabeças cortadas, entranhas e corações arrancados, corpos dilacerados, bem como um grande número de cadáveres e túmulos.

Um teatro da crueldade, o mais feroz, o mais sangrento, acompanha o canto de ternura e de nostalgia edênica, o jogo de fingimentos e de metamorfoses dos falsos pastores. Esse teatro carregado de verdadeiros cadáveres, de verdadeiras cabeças cortadas, de verdadeiras entranhas arrancadas, se elabora na época do *Pastor Fido* e das pastorais de Montreux; ele se extingue, ou se transforma, depois de 1630. Exemplos: *Os Judeus* de Garnier (1583) e *A Macabéia* de Virey du Gravier (1599)[18].

Virey como Garnier quer exaltar a resistência, a integridade das almas esmagadas pela infelicidade, mas coloca todo o acento dramático na desgraça[19].

Corneille, ele próprio, que nossos manuais consideram o pai da tragédia clássica, não evitou esses ultrajes e essas hipertrofias barrocas. Basta evocar o Alidor da *Praça Real*, sua vontade monstruosa e seu orgulho desmesurado – a Medéia, que ignora os pesares e os arrependimentos do seu modelo senequiano, e que, no seu furor de vingança, pronuncia estas palavras horríveis: "Imolemos com alegria"[20].

18. Jean Rousset, *op. cit.*, p. 81.
19. *Idem*, p. 84.
20. *Idem*, p. 255.

No teatro elisabetano, há freqüentes cenas de crimes, violência, tortura e suicídio, com a utilização de sangue real de carneiro ou bezerro, por não coagular rapidamente; em *Hamlet, Macbeth, Rei Lear* e *Ricardo III*, de Shakespeare, verificam-se vários crimes, cometidos pelos monstros ávidos de poder. Entretanto, ainda assim, as cenas de assassinato, suicídio e crueldade são bem mais abundantes nos teatros *bunraku* e *kabuki*, como, por exemplos, os *harakiri* de Hangan e Kampei em *Kanadehon Chûshingura*; o suicídio de Kinshojo em *Kokusenya Kassen (As Batalhas de Coxinga)*; a série de assassinatos em *Ise Ondo, Kagotsurube* e *Godairiki*; as unhas que se descolam na cena do *kamisuki* ("pentear os cabelos") em *Yotsuya Kaidan (Conto dos Fantasmas de Yotsuya)*. Por sua vez, o teatro *bunraku* apresenta ações violentas com grande eficácia. Em *Kaguekiyo Vitorioso*, pretendendo vingar-se do seu companheiro Kaguekiyo, que esposara a sra. Ono, Akoya denuncia Kaguekiyo a seus adversários, assassina seus dois filhos e, em seguida, opondo-se tanto ao arrependimento da Medéia senequiana quanto ao orgulho desmesurado da Medéia corneilliana, suicida-se, numa atitude de uma autêntica Medéia japonesa.

Dessa maneira, os dramaturgos elisabetanos, barrocos e dos teatros *bunraku* e *kabuki* criam um teatro da crueldade, que perdura durante todo o século XVII e, no Japão, incluindo também os séculos XVIII e parte do XIX, visando deliberadamente provocar nos espectadores a sensação física e visível do horror, emoções extremas, explorando todos os recursos materiais para aumentar o lúgubre.

Todavia, enquanto no Barroco europeu, o teatro da crueldade vai surgir inicialmente como um reflexo das guerras de religião, no Japão, com o longo período de paz assegurado pelo estabelecimento do xogunato Tokugawa, o teatro da crueldade, expresso através do *bunraku* e *kabuki*, vai atender, nos seus primórdios, à avidez do público pelo sensacionalismo teatral e, só bem mais tarde, já na primeira metade do século XIX, manifestar-se como um reflexo da decadência política e moral da sociedade feudal.

Porém, ao adentrar na era Meiji (1867-1912), com o movimento de refinamento dos teatros *bunraku* e *kabuki*, criticam-se as cenas eróticas e grotescas, que, conseqüentemente, se tornam bem mais leves. Também no Ocidente, observa-se um movimento em direção ao Neoclassicismo, com a eliminação das cenas de violação, bigamia, incesto, loucura, bem como os monstros de orgulho ou vingança.

O *Superkabuki* de Ennosuke Ichikawa V, que vive para modernizar o *kabuki* e preparar a geração de *kabuki* do século XXI.

Date no Jûyaku (Os Dez Papéis no Drama *A Disputada Sucessão na Família Date*), onde Ennosuke interpreta dez personagens, em rápidas e sucessivas mudanças de vestuário e caráter.

Panfleto do Kabuki-za, para o programa de julho de 1986.

O guerreiro Tadanobu metamorfoseado na raposa mágica (Ennosuke, à esquerda) e Lady Shizuka (Kotaro Nakamura), em *Yoshitsune e as Mil Cerejeiras,*

Em *Toryu Oguri Hangan,* herói do século XV, de fabulosas aventuras.

Cena da famosa dança, que Ennosuke interpretou mais de quinhentas vezes, em *Kurozuka* (*A Anciã-Demônio de Adachigahara*).

SUPER*KABUKI* DE ENNOSUKE ICHIKAWA V
Fotos: Panfletos do Kabuki-za.

Representando dezoito papéis em *A Viagem Solitária pelas 53 Estações de Tokaido.*

As 24 Horas de Chûshingura, uma combinação das peças *Chûshingura* e *Conto dos Fantasmas de Yotsuya.*

A dança vigorosa de Ennosuke (à direita) e seu irmão Danshiro, em *Renjishi (O Leão e sua Cria).*

Ennosuke, o Inovador do Kabuki

Yamato Takeru - O cisne branco como a reencarnação do lendário Takeru (Ennosuke) do país de Yamato, finalmente livre de todas as restrições humanas, voando acima das cabeças dos espectadores, através do *chûnori* (elevação no ar). Estréia no Shimbashi Embujô, fevereiro e março de 1986.

Ryû-Ô (Rei dos Dragões) - Primeira produção conjunta de *kabuki* e a Ópera de Beijing. Ennosuke, à esquerda e o líder do elenco chinês, Li Guang. Shimbashi Embujo, março e abril de 1989.
Fotos: Panfletos do Shimbashi Embujô, em Tokyo.

Símbolo do Espírito do *kabuki:* O Retrato do Mal Através de Belas Cores.
Sadakuro (Tatsunosuke Onoe) ao assassinar o camponês Yoichibei, em *Kanadeohon Chûshingura.*
Foto: Museu do Teatro da Universidade Waseda

Palco

Kabuki Rural na Vila Ooshika, Província de Nagano

Platéia

7.2.5.1. A estética do feio estilizada

Nas cenas de crueldade e morte dos teatros *bunraku* e *kabuki* ocorre um processo de embelezamento e refinamento, que não se verifica nas outras expressões dramáticas. As peças de *kabuki* são mais realistas do que as peças de *nô*, porém, mesmo assim, por obedecerem à estética do feio estilizada, todas as cenas feias ou desagradáveis de *kabuki* são embelezadas. A partir do início do século XVIII, os *koroshiba*, "cenas criminosas sanguinárias", acidentais ou premeditadas, começam a ocorrer com profusão no repertório de *bunraku* e *kabuki*, constituindo-se no ponto alto das peças, especialmente nos *sewamono* ("peças domésticas"), onde são caracterizadas por um grau maior de realismo do que nos *jidaimono* ("peças históricas") e, principalmente, com o surgimento do gênero *kizewamono* do *kabuki*, retratando as camadas mais inferiores da sociedade japonesa.

Entretanto, devido à influência da musicalidade do *joruri* tanto os *sewamono* quanto os *kizewamono* sofrem um processo de estilização, que ignora a racionalidade e naturalidade. Portanto, as violentas cenas de luta, tortura e assassinato são deliberadamente não representacionais. Apresentadas através de uma forma altamente estilizada, com uma vivacidade de movimentos e acompanhamento musical, têm ao fundo um belo cenário, que transportam as cenas da realidade para uma outra dimensão, a artística, de modo a impressionar os espectadores e fazê-los esquecer da crueldade ou imoralidade das cenas. Em *Kumagai Jinya* (*O Acampamento de Kumagai*), o pai que, movido por um sentimento de dever superior, sacrifica o próprio filho; a odiosamente lenta agonia da mulher de um comerciante de óleo, que se retorce no meio de tonéis derrubados, num misto de sangue e óleo, em *Onna Abura Goroshi no Jigoku* (*O Inferno do Assassinato de uma Mulher no Óleo*), conseguindo, mesmo assim, sugerir uma beleza estilizada, quando, por exemplo, ela tenta fugir e a faixa de cintura se desfaz, sendo segurada na extremidade por Yohei, o frio assassino; a morte de um massagista, em *Tsuta Momiji Utsunoya Tôgue*; o crime passional em *Kagotsurube Sato no Eizame* (*A Espada Kagotsurube Vinga Seu Proprietário*), onde o camponês Jirozaemon, com o rosto cheio de furúnculos, mata com uma espada a bela cortesã, que o humilhara frente a seus companheiros, ao decidir romper a relação; e ainda inúmeros crimes devido a erros de julgamento ou identidades trocadas. O público fica duplamente horrorizado em *Kasane*, uma vez que a vítima é assassinada por seu amante Yoemon, através de uma lenta tortura, em forma de balé com acompanhamento musical, e depois reaparece como fantasma para atormentar seu algoz em vida.

Quando Nakazo Nakamura I interpretou o papel de Sadakuro, que assassina o camponês Yoichibei, no quinto ato de *Chûshingura*, ele vestiu um quimono preto com uma faixa de cintura branca e empunhou uma espada de punho vermelho. Este vestuário tornou-se o símbolo do espírito do *kabuki*, que retrata mesmo o mal com cores extraordinariamente belas[21].

A mais famosa cena criminosa do *kabuki* ocorre na peça *Natsu Matsuri Naniwa Kagami* (*Conto do Festival de Verão em Osaka*), escrita por Koizumo Takeda e Senryu Namiki para o ator Nizaemon Kataoka I. Num momento de desespero, após receber uma série de insultos do seu sogro Giheiji, que o provoca e o chama de parricida, não mais suportando conviver com suas chantagens, ganância e mesquinharia extremas, Danshichi Kurobei acaba matando-o. De acordo com os padrões normais, o assassinato é uma transgressão limite, um ato cruelmente grotesco, porém, na encenação desta peça, retrata-se o mal através de uma beleza estatuária impressiva. Os cabelos em desalinho, o corpo tatuado, coberto de suor e sujo de lama, Danshichi saca a sua espada e, pedindo perdão por esse crime inevitável, ataca repetidamente a vítima a seus pés, através de uma magnífica seqüência de poses *mie*, em contraponto com os sons alegres da música do festival, que se escoa além da cerca. Rompe-se a barreira moralidade/imoralidade de uma cena criminosa e Danshichi faz justiça com suas próprias mãos.

Mas a moral das estórias de assassinato nos teatros *bunraku* e *kabuki* é que a virtude sempre triunfa no Japão do período Tokugawa, posto que o criminoso sempre é levado a julgamento no final da peça.

7.2.6. O Grande Teatro do Mundo

O jogo do ser x parecer, a arte da aparência, a ostentação, a dissimulação, o jogo de máscaras, onde o rosto vai gradativamente se ajustando à máscara, o travestimento e o sósia dão vazão ao ser que se quer múltiplo, manifestando, assim, o instinto visceral do homem barroco pelos jogos teatrais e constituindo temas que vão obsedar e fascinar os dramaturgos da época, tanto em suas

---

21. Yasuji Toita, *op. cit.*, p. 81.

comédias quanto em suas tragédias, de Shakespeare a Lope de Vega, Rotrou, Corneille e Calderón. Dessa maneira, o teatro é a manifestação cultural que melhor e mais profundamente expressa a época barroca: o teatro espanhol da Idade de Ouro, com os três colossos, Lope de Vega, Calderón e Molina; os balés, as tragicomédias e os dramas históricos de Rotrou e Corneille; a ópera italiana; os teatros de Vondel e Gryphius; o teatro elisabetano e Shakespeare.

A metáfora da vida como teatro/ficção e do homem como ator é de origem clássico-medieval e desenvolve-se como a idéia-chave do Barroco. Bem como o seu inverso, o teatro barroco como a imagem verdadeira da vida. Exatamente como nos teatros *bunraku* e *kabuki*, uma vez que, de acordo com o princípio estético de Monzaemon Chikamatsu, um de seus mais importantes dramaturgos, "a arte situa-se na estreita margem entre realidade e ficção". O teatro revelando uma imagem mais fantasiosa e mais exagerada da vida, porém, ao mesmo tempo, mais profunda e verdadeira. De maneira global, especialmente do ponto de vista da organização do palco, os teatros *bunraku, kabuki* e barroco se assemelham: o teatro como um microcosmos do mundo humano, um micromundo (*ukiyô*), onde se encenam cenas de esplendor. Se o mundo é um palco, por sua vez, o palco é um mundo. Idéia cara a Quevedo: "Não se esqueça, é comédia a nossa vida, e teatro de farsa o mundo todo"; a Shakespeare de *Como Gostais*, onde há um verso que diz: "O mundo todo é um palco"; em *Macbeth*: "A vida é uma sombra ambulante: um pobre ator, que gesticula em cena uma hora ou duas, depois não se ouve mais; um conto cheio de ruído e fúria, dito por um louco, significando nada"; e em *A Tempestade*: "A substância de que somos feitos é igual à dos sonhos, e entre um sono e outro decorre a nossa curta vida"; a Calderón de *A Vida É Sonho*, onde o príncipe Segismundo declara na sua fala final: "Que é a vida? Um frenesi. Que é a vida? Uma ilusão, uma sombra, uma ficção, e o maior bem é pequeno, que toda a vida é sonho, e os sonhos sonhos são"*; e *O Grande Teatro do Mundo*, com o tema do livre-arbítrio, onde, tendo a terra como cenário, Deus atua como diretor e os homens como atores, meros títeres nas mãos do grande cria-

---

* *Macbeth* – tradução de Manuel Bandeira; *A Tempestade* – tradução de Esther Mesquita; *A Vida É Sonho* – tradução de Renata Pallottini. Acervo de "Peças de Teatro" da Biblioteca da Escola de Comunicações e Artes da Universidade de São Paulo.

dor, pois, comparadas à grandiosidade divina, as ações humanas parecem simples vaidades. A confusão entre teatro e vida, posto que os homens interpretam no palco exatamente as mesmas funções que exercem em vida.

Assim, o homem barroco, diante da realidade do claro-escuro, fugitiva e instável, conclui que "a vida é um sonho" e "o mundo é um teatro", fórmulas que englobam os pensamentos de Shakespeare em *Sonho de uma Noite de Verão* e de Calderón em *A Vida É Sonho* e *O Grande Teatro do Mundo*, peças de dois dos maiores expoentes do Barroco. Nessas obras de Calderón constata-se o predomínio da exposição de uma doutrina: o imenso palco da vida, o grande teatro do mundo, onde se dramatizam todos os acontecimentos da existência humana, o desdobramento do real e a fuga através do sonho. O postulado barroco do mundo como ilusão ou sonho também se faz presente no teatro francês, na tragicomédia de Corneille, *A Ilusão Cômica*.

7.2.7. Festa

O Barroco não se limita a um estilo artístico, mas pressupõe um certo modo de vida social, marcado pelas festas de grande esplendor, uma época saturada de imponentes cerimônias civis ou religiosas. Como o Concílio de Trento pregava o culto da Eucaristia, da Virgem e dos Santos, bem como a prática de peregrinações, havia, no decorrer do ano, uma profusão de festas religiosas que duravam vários dias, celebrando os patronos, as semanas santas, as canonizações, as procissões de *Corpus Christi*, com as artes plásticas também colaborando na construção de altares, túmulos, arcos do triunfo e fontes artificiais nas cidades barrocas. No Brasil, de acordo com Affonso Ávila[22] e Lourival Gomes Machado[23], as festas religiosas mais importantes foram marcadas por grandes procissões como a do *Triunfo Eucarístico*, realizada em Minas, em 1733, e o *Áureo Trono*, na primeira metade do século XVIII, com carros triunfais ou alegóricos, ainda hoje usados nos carnavais de rua.

Cada acontecimento na corte também era ocasião para uma comemoração em grande estilo. Se o mundo é um teatro, por sua vez, tendia-se a transformar a vida em um drama encenado num palco barroco: o nascimento de um herdeiro real, o aniversário

---

22. Affonso Ávila, *O Lúdico e as Projeções do Mundo Barroco*, cap. II.
23. Lourival Gomes Machado, *Barroco Mineiro*.

ou a coroação de um rei, o casamento de um aristocrata, as pompas fúnebres de uma alta personalidade, as entradas reais, convenções políticas e tratados de paz. Tais cerimônias duravam dias, contando com cenários elaborados: arcos do triunfo, baldaquinos, tribunas, catafalcos, terminando com fogos de artifício, sinfonias de cor e luz.

No dizer de Claude-Gilbert Dubois[24], a festa é uma manifestação espontânea ou deliberada, celebrando a existência e as razões de existir de uma comunidade, exigindo, portanto, a participação do público; em suma, uma manifestação de massa e de classe. Todavia, quando a festa se transforma em espetáculo ou ritual litúrgico, dividido, como no teatro tradicional europeu, entre atores e espectadores, ativos x passivos, ela se perverte, com seus promotores encontrando-se no grau maior de perversão.

No Barroco europeu verifica-se o predomínio da festa transformada numa exibição de poder do Absolutismo político e religioso. Em algumas festas promovidas pela aristocracia, havia a ocorrência de fogos de artifício, torneios e cavalgadas, a que o povo também era convidado a participar. Porém, era especialmente nas festas populares religiosas, como as canonizações, procissões e peregrinações, bem como nas profanas, as festas da colheita e das vindimas, ou paródicas com um espírito burlesco, como o carnaval, na segunda metade do inverno, que se recuperava um pouco do espírito genuíno da festa enquanto manifestação de massa. Mas no *kabuki*, desde as suas origens até hoje, mantém-se no nível do *matsuri* ("festival"), principalmente nos teatros das vilas rurais, como em Ooshika, na província de Nagano, com palco e platéia engalanados com lanternas vermelhas e onde o público come e bebe durante todo o espetáculo, participando ruidosamente da apresentação, fazendo comentários sobre a atuação dos comediantes, aplaudindo ou atirando os *haná*, "moedas e dinheiro em notas" enrolados em papel. E mesmo para os citadinos aficionados de *kabuki*, ir assistir a uma peça equivale a ir a uma festa, uma vez que, devido à longa duração do espetáculo, levam seus lanches, que comem durante o transcorrer das cenas e gritam os *kakegoe* ("palavras de elogio").

Contudo, enquanto na Europa o sentimento de *horror vacui* vai constituir-se no elemento motor do movimento barroco, posto que leva tanto os arquitetos a encherem as paredes dos edifícios com uma profusão de decorações, como os nobres das cortes

---

24. Claude-Gilbert Dubois, *op. cit.*, p. 163.

européias, entediados com o lazer de suas vidas ociosas, a uma verdadeira caça ao prazer, engendrando as estrondosas festas, como as de Versalhes, imitadas por vários príncipes e imperadores, as galas imperiais, os balés e a ópera, por outro lado, no Japão, segundo Fujio Nagano[25], o sentimento de *horror vacui* enquanto tal não existe no *kabuki* da era Guenroku (1688-1735). O *kabuki* teria se originado, assim como muitas artes populares, simplesmente num impulso para o prazer. Mas o que o torna peculiar no mundo do teatro, na expressão de Shoyo Tsubouchi, é a "total ou insaciável caça ao prazer, o prazer pelo próprio prazer". Um teatro popular, que procura intoxicar o público de prazer, através de vestuário magnífico, sucessão de cenários deslumbrantes, grande número de peripécias no palco e bufonaria.

> É certamente magnífico de se assistir, mas o que ele representa é comumente frívolo, inconsistente e artificial. Uma parte dele é tão inocente ou sem sentido quanto uma estória juvenil, enquanto, em outra parte, o realismo é enfatizado em alguns pontos triviais, embora seja superficial, confuso, sensual e quase sempre cruel, licencioso ou vulgar. Analisando sob essa luz, o *kabuki* deveria propriamente ser denominado uma ilusão – um sonho não para uma pessoa sóbria com julgamento sólido, mas para um bêbado inebriado no vinho barato de uma festa de contemplação das flores, não na bebida branda preparada por um eremita divino[26].

A sensação de jogo. O desperdício. O prazer.

7.2.8. Jogo

Johan Huizinga, em *Homo Ludens*, ensaio clássico de antropologia cultural, já apontava a propensão do homem para o jogo, tanto nas sociedades primitivas como civilizadas. E o homem barroco, segundo Affonso Ávila[27], foi um exímio jogador, apresentando, como em nenhuma outra época, "um impulso para o jogo e uma vertigem para o pacto lúdico", disposto a romper com a ordem séria e a rotina da vida, através da invenção e fantasia criadoras, sendo, portanto, governado por um princípio semelhante ao impulso de insaciável caça ao prazer do *kabuki*.

Se, no Japão do século XVII, os atores de *kabuki* rebelam-se contra a opressão do regime feudalista do xogunato Tokugawa,

---

25. Fujio Nagano, "Guenroku Kabuki to Barokku Gueki" ("O Kabuki da Era Guenroku e o Teatro Barroco"), p. 59.
26. Shoyo Tsubouchi, "A Thorough Investigation of the Kabuki Drama", pp. 143-144.
27. Affonso Ávila, *op. cit.*, p. 26.

criando um teatro exuberante, o mesmo fenômeno ocorre na Europa, posto que, em face do mundo de opressões sufocantes da monarquia absoluta e da Igreja, o artista barroco rebela-se e afirma-se através de sua criação artística, igualmente exuberante e entendida como jogo, mas que, entretanto, não é um instrumento de alienação.

A exclamação infalível que suscita toda capela de Churriguera ou do Aleijadinho, toda estrofe de Góngora ou de Lezama, todo ato barroco, quer pertença à pintura ou à confeitaria: "Quanto trabalho!", implica um mal dissimulado adjetivo: Quanto trabalho perdido!, quanto jogo e desperdício, quanto esforço sem funcionalidade. É o superego do *Homo faber*, o ser-para-o-trabalho o que aqui se anuncia impugnando o deleite, a voluptuosidade do ouro, o fausto, o desbordamento, o prazer. Jogo, perda, desperdício e prazer: isto é, erotismo enquanto atividade que é sempre puramente lúdica, que não é mais que uma paródia da função de reprodução, uma transgressão do útil, do diálogo "natural" dos corpos[28].

7.2.9. Obra Aberta

O clássico caracteriza-se pela permanência das formas, perfeitas e acabadas e pela recusa aos pontos de vista do espectador. O Barroco, ao contrário, por sua própria natureza, em constante movimento, multiforme, é rebelde à definição e ao acabamento. E o homem barroco, instável, múltiplo, rebelando-se contra o império do Absolutismo político e religioso que o sufoca, parece antes estar a representar um papel do que a viver realmente a sua vida. Por sua vez, a sua obra também vai ser rebelde ao acabamento, uma vez que toda conclusão repugna à sua natureza, apresentando-se assim, sob uma forma indeterminada, com uma multiplicidade de centros e contornos imprecisos: uma obra inacabada, inquieta, instigante, em movimento; e que reclama a participação do espectador, convidando-o a participar do jogo, do diálogo com o artista; uma obra aberta, na acepção de Umberto Eco, antecipada por Haroldo de Campos, com características que também vão refletir no teatro barroco e permear toda a arte moderna.

Portanto, o artista barroco vai utilizar em sua obra a técnica do inacabado na forma, a recusa à conclusão, seja na música, com a fuga, que é uma estrutura aberta; seja na arquitetura, através da

---

28. Severo Sarduy, *Escrito sobre um Corpo*, p. 78.

transformação do quadrado em oblongo, do círculo em oval, dos ângulos em sinuosas, com a distribuição arbitrária dos ornamentos, fachadas inarticuladas, o jogo do claro-escuro, enfim, uma construção com tendência ao amorfo, que sugere o movimento contínuo; seja na pintura de Velásquez ou nas anamorfoses, com as alternâncias de focos, pinturas com porções que permanecem veladas, estimulando a imaginação e convidando o espectador a completá-las, permitindo, assim, uma leitura múltipla.

Tanto as peças do teatro barroco quanto as dos teatros *bunraku* e *kabuki* caracterizam-se pela sua composição descentrada, com uma multiplicidade de personagens, intrigas e peripécias, o herói em constante metamorfose, constituindo-se, portanto, em obras abertas, uma vez que apresentam vários centros, exigindo a participação dos espectadores, que são obrigados a adotar uma multiplicidade de pontos de vista. Aliás, no teatro tradicional japonês em geral não há um fim, um universo fechado. As peças de *kyôguen* (interlúdios cômicos) terminam invariavelmente com o senhor feudal ludibriado, perseguindo o criado astuto e bradando repetidamente: *"Yarumaizo, yarumaizo..."* ("Não vou deixar as coisas neste pé, não vou deixar as coisas neste pé..."), sugerindo o prosseguimento da peça. Já no *kabuki*, uma de suas características é que suas peças são infindáveis. *Sakura Hime Azuma Bunshô* (*A Princesa Sakura de Edo*) termina com os dizeres: "Adentra-se a noite primaveril, não mais prosseguiremos. Por hoje é só", o que implica que a peça ainda terá continuidade. Ao nível do texto, muitas peças de *kabuki*, especialmente as de Mokuami Kawatake, não são totalmente escritas com seus diálogos expressando tudo, pois comportam inúmeros *aná* (literalmente "buracos"), espaços que devem ser concretizados pelo ator através de sua interpretação. E, ao nível da encenação, as peças de *bunraku* e *kabuki* contam, até hoje, com a participação espontânea do público, os seus aficionados fãs, sendo mesmo inconcebível assistir a um espetáculo de *bunraku* ou *kabuki* sem se ouvir um único *kakegoe* ("palavras de elogio"). Por sua vez, no Ocidente:

> Enquanto a tragédia termina com uma decisão, por mais incerta que seja, ressoa na essência do drama barroco e na essência de sua morte um apelo tal como o formulado pelos mártires. Com justiça, a linguagem dos dramas barrocos pré-shakespearianos foi caracterizada como "um sangrento diálogo judiciário". Podemos levar mais longe a analogia jurídica, e no sentido da literatura forense medieval falar do processo movido pela criatura, cuja acusação contra a morte, ou contra quaisquer outros réus, só é considerada em parte, e no fim do drama arquivada. A retomada do processo está implícita no drama barroco, e muitas vezes essa latência se atualiza. Isto é verdade, naturalmente, apenas em sua

versão mais rica, a do drama espanhol. Na *Vida Es Sueño*, a repetição da situação principal ocupa o centro da peça. Sempre de novo, os dramas do século XVII tratam dos mesmos objetos, e os tratam de tal modo que eles possam e mesmo devam ser repetidos. Esse fato passou despercebido, devido os habituais preconceitos teóricos[29].

7.3. *MISEBA* ("CENAS PARA ATRAIR O PÚBLICO") DO *BUNRAKU* E *KABUKI*

7.3.1. Estética de Estilização e Formalização

Somente a partir da restauração Meiji, em 1867, ao incorporar-se o realismo ocidental, que surge como novidade, exatamente porque até então esse conceito não existia no Japão, vai-se colocar às avessas o conceito de estética japonesa em geral, com as introduções, na pintura, da perspectiva fugada com ponto de vista único, sombras e moldura, bem como a pintura a óleo e, no teatro, do palco delimitado pela quarta parede.

Todavia, nos teatros *bunraku* e *kabuki*, originados no século XVII e desenvolvidos durante o período Edo (1603-1867), portanto, anterior à restauração Meiji, os palcos não são delimitados pela quarta parede e suas encenações comportam vários centros de interesse, que proporcionam vários pontos de vista ao espectador. Por obedecerem ao princípio de estilização extrema, aos níveis sonoro, visual e de atuação, o *bunraku* e o *kabuki* procuram proporcionar prazer e criar, no conjunto, uma beleza formalizada, estando, desse modo, em flagrante contraste com o realismo representacional, tanto do teatro tradicional ocidental quanto do drama moderno japonês (*shingueki*), influenciado pelo ocidental.

Essa estética de estilização dos teatros *bunraku* e *kabuki* aproxima-se do conceito sarduiano do Barroco como um processo de artificialização, à medida que Sarduy apresenta uma visão diversa da de D'Ors, para quem, no Barroco, o criador imitaria os procedimentos da natureza, tendendo a transformar a coluna em árvore, como nas obras de Bernini e Churriguera, em oposição ao Classicismo, onde o criador imita as formas do espírito, uma vez que a árvore, forma da natureza, tende a tornar-se coluna, figura de geometria. "O festim barroco nos parece, ao contrário, com sua repetição de volutas, de arabescos e máscaras, de chapéus confeitados e reluzentes sedas, a apoteose do artifício,

---

29. Walter Benjamin, *op. cit.*, p. 160.

a ironia e a irrisão da natureza, a melhor expressão desse processo que J. Rousset (*La Littérature de l'Âge Baroque en France*) reconhece na literatura de toda 'idade': a artificialização."[30]

Logo, se o teatro realista ocidental e o drama moderno japonês (*shingueki*) são artes de reprodução da vida real no palco, os teatros *bunraku* e principalmente o *kabuki*, com seus cenários, acessórios de palco, vestuário e atuação, maiores do que a vida, são exatamente como o teatro barroco, artes da vida!

7.3.2. Miseba dos Jidaimono ("Dramas Históricos")

A estética de estilização e formalização dos teatros *bunraku* e *kabuki* estende-se à regra dos *miseba* ("cenas para atrair o público"), bastante arrojados e que ocorrem recorrentemente nas suas peças. Nos *jidaimono*, os *miseba* compreendem o *harakiri* ("suicídio cortando-se o abdômen"), *migawari* ("substituição"), *kubi jikken* ("inspeção da cabeça") e *katakiuchi* ("vingança"). Todos eles gravitam em torno do sentimento crucial da honra, um tema barroco e, na realidade, o grande tema das peças históricas de *bunraku* e *kabuki*.

Em algumas peças *kabuki* derivadas do *bunraku*, a ocorrência do *migawari*, "substituição" e sacrifício, nos momentos de perigo, do vassalo ou seu filho, pelo senhor ou filho do senhor, devido a semelhanças de idade e físico, correspondendo, até certo ponto, ao disfarce e travestimento no teatro barroco. Nas peças *kabuki* adaptadas do *kyôguen* ("interlúdios cômicos"), como *Migawari Zazen* (*Um Substituto para a Meditação*), o *migawari* termina em pancadaria aplicada pela esposa traída sobre o marido infiel, no entanto, o *migawari* das peças históricas de *kabuki*, por estar associado ao sacrifício, culmina inevitavelmente na morte, constituindo-se, assim, num elemento da tragédia. Já o travestimento no teatro barroco não implica necessariamente a morte, podendo ocorrer tanto na comédia como na tragédia. O disfarce é uma característica constante da tragicomédia francesa, como nas peças *Celimène* e *A Bela Alfreda*, de Jean Rotrou. Esta última, de 1634, inspirada nas novelas espanholas, é atravancada de uma multiplicidade de personagens, lutas, travestimentos e bruscas reviravoltas de situação. A bela Alfreda, disfarçada de cavaleiro, sai à procura de Rodolfo, que a seduzira e que, apaixonado por Isabela, partira para a Inglaterra a fim de esposá-la. Seguem-se cenas de

30. Severo Sarduy, *Escrito sobre um Corpo*, p. 59.

reconhecimento em terras estranhas. Rodolfo é capturado pelos piratas liderados por Amintas, pai de Alfreda, que reconhece sua filha quando esta salva o seu amante; e, na Inglaterra, Alfreda e seu irmão Acaste libertam Isabela e seu pai Eurylas dos raptores. Por fim, culminam nas cenas amorosas, com Acaste se declarando a Isabela e Alfreda perdoando Rodolfo, que a esposa. O travestimento se faz presente nas comédias barrocas em geral, às vezes, com as mulheres vestidas de homens e recebendo ardentes declarações de amor, como na *Décima Segunda Noite*, de Shakespeare.

O *migawari* é seguido pelo *kubi jikken*, cena de identificação da cabeça decepada, trazida ao palco num barril de madeira e que invariavelmente transcorre no clímax da peça, como em *Terakoya* (*Escola Privada*) e *Moritsuna Jinya* (*O Acampamento de Moritsuna*), com os irmãos Takatsuna e Moritsuna lutando em grupos opostos. Uma exacerbação dos sentimentos de sacrifício e estoicismo, posto que freqüentemente a vítima é, na realidade, um ente querido das pessoas presentes ou mesmo do identificador, em substituição ao infante ou senhor.

Por tratar-se de um tema barroco de expressão universal, a questão da honra encontra-se em profusão não apenas nas comédias de capa e espada e tragédias do teatro espanhol da Idade de Ouro, bem como no teatro francês baseado no espanhol, mas também nos teatros *bunraku* e *kabuki*. Conseqüentemente, dentre as peças de Corneille, o fundador da tragédia francesa de base espanhola, embora modificando-a e desenvolvendo-a consideravelmente, não por acaso *O Cid*, o drama de honra por excelência, foi adaptado para o *kabuki*, com o título de *Kamakura Bukan* (*O Oficial Militar de Kamakura*).

O tema da honra leva inevitavelmente ao tema barroco da vingança, que é amplamente recorrente nos teatros elisabetanos, espanhol e francês do início do século XVII. O desejo furibundo de vingança, devido a um crime, desonra ou sadismo, com a sua execução engendrando, por sua vez, outra vingança. Mortes atrozes e grande derramamento de sangue, um crime chamando outro crime, numa engrenagem sem fim.

A vingança de um mouro, que um dramaturgo francês anônimo tirou das novelas de Bandello, é menos furiosa e apavorante do que a dos irmãos da duquesa de Amalfi? Um escravo mouro, que seu amo espanhol bateu, prende numa torre a mulher e os filhos deste. Ele estupra a mulher e, diante do espanhol que está ao pé da torre, joga no fosso um dos filhos. Ele aceita com gosto poupar os outros, se o amo cortar o nariz; quando o espanhol se mutila, ele precipita sucessivamente os outros dois filhos e, após havê-la apunhalado, a mulher. Enfim, ele se suicida! O teatro francês da época pode-nos oferecer dez, vinte outros casos de vinganças horríveis[31].

Conhece-se o suntuoso e sangrento buquê de grandes vinganças elisabetanas, oriundas da *Tragédia Espanhola*, de Kyd, esta peça festejada por toda uma geração: o maravilhoso *Demônio Branco*, de Webster, "tempestade plena de prodígios e horror", o horroroso *Tito Andrônico* com suas mãos cortadas, sua bacia de sangue sustentada entre os cotos, sua língua arrancada, seu jantar onde uma mãe come suas crianças numa torta, a *Tragédia de Hoffmann* [*Uma Vingança por um Pai*] de Chettle, a *Tragédia do Vingador* de Tourner etc. O Mouro Cruel ou o *Tiestes* de Monléon. [...] Trata-se lá de uma corrente européia[32].

Poderíamos objetar, não apenas ao teatro europeu, mas também ao teatro tradicional japonês, uma vez que várias peças de *bunraku* e *kabuki* são baseadas no tema da vingança (*katakiuchi*). Entretanto, por atender ao código de honra específico de obediência à ética feudal, pelo qual o samurai dá a vida pelo seu senhor, devido a sensação de vergonha e responsabilidade diante de um procedimento, o *katakiuchi* nas peças históricas de *bunraku* e *kabuki* leva inexoravelmente ao *seppuku*, popularmente conhecido como *harakiri* no Ocidente e que consiste no ritual de suicídio do samurai, através do método doloroso de se cortar o abdômen com uma espada. Numa mesma peça, há maneiras e atmosferas diferentes de se realizar o *harakiri*. Por exemplo: no ato IV de *Kanadehon Chûshingura* (*A Vingança dos 47 Vassalos Leais*), no interior do castelo, Hangan Enya segue escrupulosamente os detalhes da etiqueta do *harakiri*, sentando-se à maneira tradicional japonesa, sobre a esteira de palha revestida de tecido branco, com um traje cerimonial igualmente branco, a cor do luto no Japão e, após o *harakiri*, o choque do contraste entre o sangue vermelho e o quimono branco; enquanto, no ato VI, na casa de um camponês, o *rônin* ("guerreiro sem amo") Kampei Hayano, crente de que assassinara por acidente o seu sogro no escuro, quando na realidade atingira a um javali, comete igualmente o *harakiri*, sentando-se simplesmente de pernas cruzadas sobre a humilde esteira e envergando o mesmo traje que estivera usando antes.

Herdeiro desse legado feudal de honra do samurai, o tecnologicamente ultramoderno Japão contemporâneo permanece, ainda hoje, devido à importância demasiada que se dá à opinião

---

31. Raymond Lebèque, "La Tragédie", em *Revue du XVIIe Siècle*, p. 254.
32. Jean Rousset, *op. cit.*, p. 84.

alheia, como um dos países com maior índice de suicídio no mundo, embora já totalmente desvinculado da prática do *harakiri*. Em *Chinsetsu Yumihari Zuki* (*Lua Crescente: As Aventuras de Tametomo*), *kabuki* experimental de autoria e direção de Yukio Mishima, encenado pela primeira vez em 1969 e reencenado em 1987, ocorrem várias cenas de *harakiri*, como que prenunciando o próprio *harakiri* de Mishima e de seu companheiro Morita, um ano depois, que vieram a surpreender e chocar a comunidade japonesa, com a volta da prática desse ritual feudal em pleno século XX, por um escritor no auge de sua consagração.

Atualmente, nas peças shakespearianas, os suicídios de Romeu e Julieta, o estrangulamento de Desdêmona e subseqüente suicídio de Otelo, são apresentados no palco, totalmente à vista do público. Mas originalmente eram encenados bem no fundo do palco e, posteriormente, ocultos por uma cortina. Porém, nos teatros *bunraku* e *kabuki*, o *harakiri* sempre foi e continua sendo executado em cena, tornando-se ainda mais espetacular e dramático, ao concentrar toda a atenção do público sobre esse ritual de exacerbação do sentimento de honra, lealdade e sacrifício japonês.

Benjamin coloca o tema da honra como soberano no governante, onde a condição de criatura, de animal, pode às vezes irromper com uma força inesperada:

> Segundo Hegel, a honra é "a quintessência da vulnerabilidade". "A autonomia pessoal pela qual se bate a honra não se manifesta como a bravura de quem luta pela comunidade, pela reputação de uma ordem comunitária justa, pela integridade ética no círculo da vida privada – ela se bate apenas, ao contrário, pelo reconhecimento dos outros e pela inviolabilidade do indivíduo singular." Essa inviolabilidade abstrata, contudo, é somente a rigorosa inviolabilidade da pessoa física, e a integridade da carne e do sangue, na qual mesmo as exigências mais irrelevantes do código de honra encontram sua origem. Por isso a honra pode ser afetada tanto pela conduta vergonhosa de um parente como pela ofensa que atinge nosso próprio corpo[33].

Em *O Melhor Alcaide, o Rei*, 1635, peça de Lope de Vega baseada na *Crônica Geral*, o nobre dom Tello, impressionado com a rara formosura da camponesa Elvira, ordena que seu casamento com Sancho seja adiado para o dia seguinte. Em seguida, rapta-a e a desonra, desrespeitando a carta do rei Alfonso VII, de Castela, que demandara o retorno da vítima a seu noivo. O rei decide ele próprio interceder, indo até o povoado de León, na Galiza, mas não se identificando até defrontar-se com o próprio dom

---

33. Walter Benjamin, *op. cit.*, p. 109.

Migawari (substituição): O senhor feudal Ukyo (Takao Kataoka) em *Migawari Zazen* (*Um Substituto para a Meditação*), peça de *kabuki* adaptada do *kyôguen*.
Foto: Panfleto do Teatro Nacional do Japão

Kubi Jikken (inspeção da cabeça): Cena de identificação da cabeça decepada. Takao Kataoka como Moritsuna, em *Moritsuna Jinya* (*O Acampamento de Moritsuna*).
Foto: Programa do Kabuki-za

O *harakiri* do *rônin* Kampei Hayano, interpretado por Ebizô, o atual Danjuro Ichikawa XII, ladeado pelos atores Hanshiro Iwai, à direita, e Unosuke Ichikawa, à esquerda.

Os *harakiri* em *Kanadeon Chûshingura* (*A Vingança dos 47 Vassalos Leais*)
Fotos: Museu do Teatro da Universidade Waseda

Hangan Enya (Kikugoro Onoe VII) comete o *seppuku*, sendo observado por Yuranosuke (Kichiemon Nakamura).

Yusuriba (cena de extorsão).

Kikunosuke Benten Kozo (o formoso Kikugoro Onoe VII) disfarçado de uma jovem dama, em *Shiranami Gonin Otoko* (*A Estória dos Cinco Ladrões Notáveis*), para extorquir dinheiro do proprietário de uma loja de tecidos.

Fotos: Panfletos do Teatro Nacional do Japão e Kabuki-za

Travestido como uma bela dama
A revelação de sua identidade: um ladrão disfarçado.

Utaemon Nakamura VI em *Akoya no Kotozeme* (Tortura de Akoya, através da sua interpretação do *Koto*), um ato da peça *Dannoura Kabuto Gunki*.

Foto: Museu do Teatro da Universidade Waseda

Kotozeme (Tortura através do instrumento musical *Koto*)

Uma combinação de *yukizeme* (Tortura através da neve), *kotozeme* (Tortura aos acordes do *Koto*) e inflingindo-se estacas pontiagudas por todo o corpo, em *Chinsetsu Yumihari Zuki* (*Lua Crescente: As Aventuras de Tametomo*), de Yukio Mishima.

Os *koroshiba* (cenas de assassinato), com uso de espada

Danshichi (Kanzaburo Nakamura XVII) mata o seu sogro Giheiji, em *Natsu Matsuri Naniwa Kagami (Conto do Festival de Verão em Osaka)*

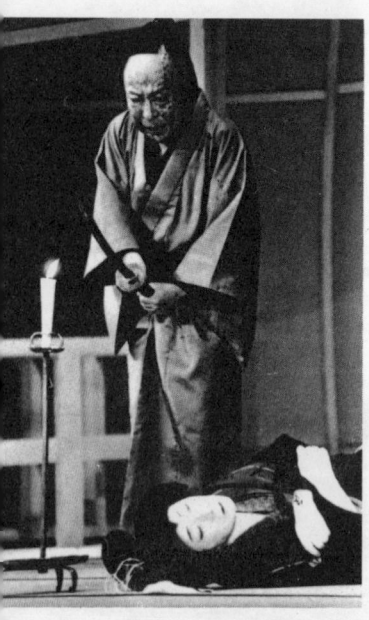

O camponês Jirozaemon (Kanzaburo) assassina a bela cortesã (Utaemon Nakamura VI), no crime passional em *Kagotsurube Sato no Eizame (A Espada Kagotsurube Vinga seu Proprietário)*

O *onnagata* Tanosuke Sawamura e o galã Takao Kataoka, em *Omna Abura Goroshi no Jigoku (O Inferno do Assassinato de uma Mulher no Óleo)*

Fotos: Museu do Teatro da Universidade Wasada

Tello. Já Calderón, em *O Alcaide de Zalamea*, aborda o tema da honra sob um novo enfoque, discutindo-o tanto num ambiente camponês quanto num ambiente aristocrático. O velho lavrador Pedro Crespo vinga o ultraje à honra de sua filha Isabel, matando o capitão e, mais tarde, é nomeado alcaide de Zalamea. Por sua vez, a tragédia passional *Médico da Sua Honra*, de Calderón, assemelha-se a *Otelo* de Shakespeare.

O sentimento de lealdade ao senhor leva os samurais a despenderem até mesmo vários anos à procura do assassino, a fim de perpetrar a vingança. A mais famosa das peças de vingança do teatro tradicional japonês é *Kanadehon Chûshingura* (*A Vingança dos 47 Vassalos Leais*), originalmente escrita para o *bunraku* e, hoje, encenada anualmente como um dos mais populares dramas de *kabuki*. A história dos 47 vassalos que, durante um ano, se disfarçam em várias ocupações e espiam o interior da residência do velho vilão Morono, que, devido à sua afronta, levara Hangan Enya a cometer o *harakiri*. Planejam e aguardam uma oportunidade para vingar a morte de seu amo Hangan, assassinando Morono.

Chûshingura encontra seu similar ocidental em *Fuenteovejuna*, de Lope de Vega, peça escrita entre 1605-1617 e publicada em 1618-1619, com base no argumento histórico *A Crônica*, de Rades y Andrade, sobre a vingança ocorrida em 1476, onde toda a população de um povoado comporta-se como protagonista coletivo, ao vingar os desmandos do comendador da Ordem de Calatrava, Fernán Gómez, que faz e desfaz de seus subalternos, roubando as fazendas dos lavradores e abusando de suas mulheres e filhas. No final, mesmo sob tormentos, o povo como um todo assume a responsabilidade do saque com grande fúria da casa do comendador, culminando no seu assassinato. Entretanto, o que é peculiar no caso japonês, *Chûshingura*, é que o sentimento de vingança caminha lado a lado com a exacerbação dos sentimentos de honra, lealdade e sacrifício, o que leva o grupo de vassalos, uma vez efetuada a vingança, a cometer, por sua vez, o ritual do *harakiri* coletivo.

Os *jidaimono* ("dramas históricos") tratavam das classes dos nobres, guerreiros e eclesiásticos, de uma época anterior ao período Edo ou Tokugawa, uma vez que o xogunato proibia terminantemente a abordagem direta dos acontecimentos do período Tokugawa que, como no caso de *Chûshingura*, mesmo tendo ocorrido no período Edo, tinha de ser ambientado numa época bem anterior, o período Kamakura. Portanto, pode-se inferir que a exacerbação do sacrifício nas peças históricas de *bunraku* e *kabuki*, através do *migawari*, *kubi jikken* e *harakiri*, que dão a tônica do Barroco japonês, excetuando-se os casos baseados em fatos reais, seja decorrente da imagem enobrecida e fantasiosa do povo a respeito das classes superiores sobre as quais não tinha conhecimento.

7.3.3. Miseba *dos* Sewamono *("Peças Domésticas")*

Em oposição aos *jidaimono* ("dramas históricos"), que tratam das classes superiores, os *sewamono* ("peças domésticas") enfocam o cotidiano das classes populares; conseqüentemente, acabam por incorporar elementos mais mundanos e realistas, transformando-se em verdadeiros jornais teatrais da época. Os *miseba* ("cenas para atrair o público") dos *sewamono* abrangem o *nureba* ("cena erótica"), o *yusuriba* ("cena de extorsão"), o *semeba* ("cena de tortura") e o *koroshiba* ("cena de assassinato"), elementos que refletem a decadência do regime Tokugawa.

Embora existentes há muito tempo, somente a partir da primeira metade do século XIX, com o declínio do xogunato Tokugawa, constata-se a proeminência dos *yusuriba*. Uma personagem má, ao tomar conhecimento de um fato indiscreto na vida de uma outra personagem, chantageia-a, encontrando pretextos subseqüentes para extorquir seu dinheiro. Os *yusuriba* foram magistralmente retratados nos *shiranami-mono* ("peças sobre ladrões"), como em: *Benten Kozô*, nome da personagem principal que, travestida de mulher, tenta extorquir dinheiro de uma renomada loja de tecidos, *Sannin Kichisa* (*Os Três Patifes Chamados Kichisa*) e *Murai Chôan* (*Chôan Murai, um Curandeiro Diabólico*), de Mokuami Kawatake; e *Kirare Yosa* (*Yosaburo do Rosto com Cicatriz*), de Joko Segawa III.

Na Europa, enquanto o Renascimento procurava a serenidade e estabilidade dos sentimentos, no Barroco e notadamente na Contra-Reforma, ao contrário, vamos notar, como no *bunraku*, a conscientização do poder das emoções, e como no *kabuki*, o poder da arte como sedução, daí a procura deliberada de comover os sentidos, de impressionar a sensibilidade através da sensualização dos elementos figurativos, resultando num entusiasmo pela paixão enquanto tal e mesmo pelo drama da luta entre razão e paixão, com a ênfase sobre o erotismo e seus êxtases. Um estado de inquietação, instabilidade e insatisfação. "O Barroco pensa, com seu contemporâneo Descartes, que com freqüência os juízos dos homens se fundam 'sobre algumas paixões pelas quais a vontade se deixou dantes convencer e seduzir' (*Tratado das Paixões da Alma*)."[34]

Esse esquema, pelo qual Scaliger subordina a representação da ação, considerada como meio, à representação dos afetos, considerados como fins do espetáculo dramático, pode até certo ponto servir de critério para a identificação de elementos barrocos, em contraste com estilos literários anteriores. É com efeito característico do século XVII que a representação dos afetos se torna cada vez mais enfática, ao passo que o delineamento da ação se torna cada vez mais inseguro. O ritmo da vida afetiva ganha tal velocidade que as ações serenas e as decisões maduras ficam cada vez mais raras[35].

Uma luxúria do paladar, excessos na comida e na bebida, acompanhados de um violento apetite sexual, contrapondo-se, simultaneamente, por um entusiasmo fanático pela castidade, manifesto pelo círculo de Port-Royal e pelos claustros na Espanha.

E no teatro barroco, face ao desengano do mundo, da efemeridade da vida que é um sonho, o amor conhece o mesmo paroxismo que a vingança e transforma a sensualidade sadia numa sensualidade brutal e lasciva, que, como nos casos do drama barroco alemão, do teatro elisabetano e da tragicomédia francesa, leva ao assassinato, ao estupro ou ao incesto, entremeados por histerismos.

Os dramas barrocos de Lohenstein, nos quais, num delírio didático, as paixões se sucedem numa ronda desenfreada, mostram até que ponto a representação dos afetos predomina sobre a ação, que deveria ser seu fundamento. É o que explica a tenacidade com que o drama barroco do século XVII se fecha num círculo temático estreito[36].

A criação de personagens com amores excessivos, como a Hermante de *A Inocente Infidelidade*, 1637, de Jean Rotrou, condenada ao suplício pelas suas atrocidades passionais; e as personagens de Corneille: Rosina, Horácio e Camila.

A Rosina da *Ilusão Cômica*, essa mulher possuída pela paixão, que Corneille sacrificou, em 1660, em respeito pela decência – o jovem Horácio que, ao pensar que irá lutar contra os pais amados, experimenta uma satisfação orgulho-

---

34. José Antonio Maravall, *op. cit.*, p. 170.
35. Walter Benjamin, *op. cit.*, p. 122.
36. *Idem, ibidem.*

sa –, sua irmã Camila, cujo amor conjugal não é menos arrebatado do que era, em Rosina, a paixão adúltera [...] A noção de Barroco nos ajuda a compreender essas personagens, que estão além da natureza[37].

Exatamente como nos teatros *bunraku* e *kabuki*, que apresentam personagens com paixões exageradas, invejas, ciúmes e desejos de vingança, que ultrapassam a natureza, mas que acabam por apresentar uma imagem mais verdadeira da vida, justamente por criarem um mundo de afeições e sentimentos mais verdadeiro do que a própria realidade.

Os incestos e os estupros não são raros nas peças de Shakespeare, mas ocorrem nas sombras, conseqüentemente, mesmo as cenas eróticas em *Romeu e Julieta* e *Antônio e Cleópatra* são bem mais leves. Já no *kabuki*, diferindo-se dos *iromoyo* ("cenas amorosas" mais brandas), os *nureba* (literalmente "cenas úmidas"), as cenas eróticas onde convencionalmente a mulher toma um papel ativo e o homem, passivo, são bem mais elaboradas e coloridas, expressas através de fascinante música e gestos de dança, sofrendo um processo de estilização e embelezamento, como nas cenas entre a princesa Yaegaki e Katsuyori, em *Honcho Nijûshikô* (*As 24 Expressões de Amor Filial*); a gueixa Otomi e Yosaburo, em *Kirare Yosa* (*Yosaburo do Rosto com Cicatriz*); a bela princesa Taema e o sacerdote, em *Narukami* (*Deus Trovão*).

Entretanto, essa época do Barroco, das aparências mundanas, da ostentação, das paixões desmesuradas e dos grandes desregramentos, é também a do surgimento das grandes vocações místicas e do ascetismo. Em *El Barroco, Arte de la Contrarreforma*, Werner Weisbach vai efetuar um amplo e perspicaz estudo da relação misticismo *x* erotismo, apontando o misticismo que teria ressuscitado na Espanha, pelos grandes místicos Santa Teresa e São João da Cruz, contribuindo decisivamente para o movimento da Contra-Reforma e com características inteiramente idênticas ao do misticismo medieval, com o seu duplo aspecto de ascetismo e erotismo, e que, por sua vez, vai tornar-se uma interpretação típica do Barroco, com o fenômeno da arte religiosa sendo perpassada por um halo sensual. A mística barroca enfatiza a relação dos êxtases do corpo e da alma; processo de mortificação da carne, visando ao impulso amoroso de união da alma com Deus, através do estado de êxtase. A fusão do amor sensual e amor místico, a comunhão do humano e do divino, do terreno e do sobrenatural. O elemento erótico contido na mística encontra

---

37. Raymond Lebèque, *op. cit*, p. 255.

sua mais singular expressão em Santa Teresa, que, em sua autobiografia, analisa e descreve seus transes de prazer, seus êxtases amorosos com Deus, através de um modo espiritual inteiramente individual, não convencional, oriundos de sua experiência pessoal e manifestos através de metáforas fortemente eróticas, encontrando expressão plástica e perpetuação na célebre escultura do êxtase de Santa Teresa, representada teatralmente por Bernini para a capela/alcova da Igreja de Santa Maria della Vittoria, em Roma. A santa aparece como a própria imagem da voluptuosidade, num estado de abandono e desfalecimento totais, contrapondo-se a quietude do rosto à agitação do corpo jovem e belo, envolto pelos panejamentos abundantes e sobressaindo-se a mão esbelta. Já a vida da barroca Santa Maria Madalena encontra uma série de representações nas obras barrocas em forma de pintura e escultura, manifestando o contraste entre uma sensualidade lasciva, animal, e uma expressão de arrependimento, melancolia e resignação.

Contrastando com a dualidade misticismo x erotismo do Barroco europeu, já nos teatros *bunraku* e *kabuki*, a mística e o ascetismo inexistem como tais. Portanto, embora principalmente o *kabuki*, com sua origem no *kabuki* de mulheres ou prostitutas e no *kabuki* de mocinhos, seja perpassado por uma forte dose de sensualidade, só se verifica o erotismo carnal, terreno, pois mesmo o sacerdote, em *Narukami* (*Deus Trovão*), conhece o amor terreno e cai.

Os *semeba* ("cenas de tortura"), desdobramento das cenas de atormentação dos enteados, populares no mundo teatral da era Guenroku (1688-1735), consistem em cenas de tortura, através dos métodos singulares do *hebizeme* ("tortura por meio de cobras"), como na peça *Kaga Sodo* (*Agitação no Clã Kaga*); *yukizeme* ("tortura por meio da neve"), em *Chûjo Hime* (*Princesa Chûjo*); e *kotozeme* ("tortura através do instrumento musical *koto*"). Antigamente, o *kotozeme* era um método de tortura mental onde, como na peça *Akoya no Kotozeme*, os algozes vinham a conhecer os verdadeiros pensamentos da vítima Akoya, ao ouvir a sua interpretação musical. Ou, ainda, em *Chinsetsu Yumihari Zuki* (*Lua Crescente: As Aventuras de Tametomo*), bem ao gosto de Yukio Mishima, uma mistura de torturas por meio da neve e do *koto*. A princesa vermelha Shiranui toca o *koto*, enquanto belas damas infligem alternadamente agulhas de bambu no jovem inimigo, com o sangue jorrando das feridas abertas no corpo desnudo e exposto aos rigores da neve, até sobrevir o golpe culminante no coração. A combinação dos acordes de *koto* e os dilacerantes gritos de dor da vítima, com o sangue vermelho tingindo a neve alva. E uma princesa vermelha às avessas, visto que na obra de Mishima ela comete o assassinato.

Após as eras Bunka-Bunsei (1804-1830), verifica-se um aumento das cenas de tortura, freqüentemente aliadas à aparição de fantasmas. As cenas de martírio, que ocorrem em profusão no Barroco, corresponderiam aos *semeba* do *bunraku* e *kabuki*. Mas, enquanto no *bunraku* e *kabuki*, as cenas de tortura eram impostas a belas e indefesas damas ou homens jovens, no Barroco, ao contrário, geralmente eram infligidas a religiosos, santos e ascetas, magros e envelhecidos.

Na Europa, a reprodução naturalista dos quadros de místicos, mártires espirituais e santos ascetas, especialmente de São Francisco de Assis e outros, como São Maurício, com suas magrezas extremas, corpos flácidos, rostos enrugados, cabelos e barbas revoltos, tem seus principais pintores no profundamente religioso Zurbarán e sobretudo em El Greco. As obras de ambos são marcadas pela resignação e melancolia. No extremo oposto de El Greco, onde predomina o martírio espiritual, Weisbach aponta Ribera como o pintor do ascetismo fanático e sombrio propagado por São Francisco Borja, com tendência à animalidade material, chegando ao terrível na representação, por exemplo, minuciosa da velhice. Já Rubens se colocaria como o antípoda de Ribera, fazendo desmaterializar o fator terrível e predominar o fator estético, embora em seus quadros não desapareçam a brutalidade e crueldade, como no *Martírio de São Livino*, exposto no Museu de Bruxelas.

> Qual a significação das cenas de martírio e crueldade, com que se delicia o Barroco? [...] Eis uma resposta, indireta mas valiosa: "O corpo humano inteiro não pode entrar num ícone simbólico. Mas uma parte do corpo é apropriada para a constituição desse ícone". São palavras contidas na descrição de uma controvérsia sobre as normas da emblemática. O emblemático ortodoxo não podia pensar de outro modo. O corpo humano não podia constituir uma exceção à regra segundo a qual o organismo deveria ser despedaçado, para que em seus fragmentos a significação autêntica, fixa e escritural, se tornasse legível.
>
> Se o martírio prepara dessa forma o corpo dos vivos para sua metamorfose emblemática, não é sem importância o fato de que a dor física como tal esteve sempre presente no espírito dos dramaturgos como motivo de ação. O dualismo não é o único elemento barroco em Descartes; sua teoria das paixões é altamente significativa, como conseqüência da doutrina das influências entre corpo e alma.

> Como o espírito é razão pura e fiel a si mesmo, e somente as influências corporais podem pô-lo em contato com o mundo exterior, a dor física constitui uma base mais imediata para a emergência de afetos fortes que os chamados conflitos trágicos. Se, com a morte, portanto, o espírito se libera, o corpo atinge, nesse momento, a plenitude dos seus direitos. É evidente: a alegorização da *physis* só pode consumar-se em todo o seu vigor no cadáver. Se as personagens do drama barroco morrem, é porque somente assim, como cadáveres, têm acesso à pátria alegórica. Se elas são destruídas, não é para que acedam à imortalidade, mas para que acedam à condição de cadáver[38].

Se na Europa, a própria Igreja considerava inteiramente válidos tais procedimentos de a arte representar cenas dramáticas de martírio, tormento e sofrimento extremos dos mártires, com o martírio e a glória celeste usados para impressionar, servindo, assim, aos objetivos da Contra-Reforma, já no teatro tradicional japonês, os *semeba*, "cenas de tortura" imposta a jovens formosos, todas elas de grande efeito dramático, visavam a criação do horror, captando, desse modo, a simpatia do público de *bunraku* e *kabuki*. O Barroco europeu é marcado por um forte componente de religiosidade, que leva à dualidade misticismo x erotismo e ao martírio religioso, porém, como a religiosidade não é acentuada nos teatros *bunraku* e *kabuki*, o martírio, embora existente nesses teatros, não é de maneira alguma religioso.

Os *semeba* culminavam nos *koroshiba*, "cenas de assassinato" que, na primeira metade do século XIX, num reflexo da decadência do xogunato Tokugawa, tornaram-se cada vez mais tétricas, mas apresentadas no *bunraku* e *kabuki* antes de maneira estilizada do que cruel, com as mulheres mostrando uma beleza sensual e formalizada. A estética do cruel e do grotesco estilizada, que dá à ação de assassinato uma beleza formalizada e torna-a comovedora. *Ise Ondo Koi no Netaba* (*A Dança da Morte em Ise*), *Kagotsurube* (*A Espada Kagotsurube Vinga Seu Proprietário*) e *Godairiki* são peças famosas onde, após o rompimento da relação amorosa, o amante rejeitado, no furor de vingança, comete uma série de crimes com sua espada.

Uma vez que os *miseba* ("cenas para atrair o público"), tanto dos *jidaimono* ("peças históricas") como dos *sewamono* ("peças domésticas"), culminam na morte, constata-se claramente, nos teatros *bunraku* e *kabuki*, a obsessão medieval e barroca com a morte, entretanto, não existe o pensamento católico medieval de "pensar a morte".

---

38. Walter Benjamin, *op. cit.*, p. 240.

8. Uma Operação de Desconstrução?

Na *Gramatologia*, Derrida tenta desconstruir o princípio lógico-discursivo (francês), através da contestação da linearidade, motivo de repressão da diferença, e dá, assim, acesso à pluridimensionalidade. Respeitadas as diferenças culturais, transpondo-se a questão do pensamento desconstrutor ao Oriente, mais precisamente o mundo do teatro tradicional japonês, a reflexão sobre as trajetórias dos teatros *bunraku* e *kabuki* em contraponto com o *nô*, teatro clássico japonês, indicaria que as expressões cênicas nipônicas do século XVII ocasionaram um processo de desconstrução?

Inicialmente, ao nível da história (capítulos 2 e 4). Enquanto o *nô* teve, desde a sua origem, o patrocínio das aristocracias civil e militar, que durou cerca de cinco séculos, permanecendo, até hoje, como uma arte refinada, hierática, com um público pertencente às classes superiores, o *bunraku* e o *kabuki*, ao contrário, são artes populares, que surgiram no período Edo (1603-1867), para atender às necessidades de expressão cultural da nova classe ascendente do ponto de vista econômico, os comerciantes, com gostos totalmente diversos aos dos xoguns e aristocratas.

Desse modo, se, por um lado, a história do teatro *nô* começa com o apoio artístico e financeiro do xogum Yoshimitsu Ashikaga a Kan'Ami e Zeami, os fundadores do *nô*, por outro lado, ambas as histórias do teatro de bonecos japonês e a do teatro *kabuki* estão relacionadas à prostituição. Os *kairaishi*, "manipuladores de bonecos do continente asiático", que influenciaram os nativos operadores de bonecos sagrados, de cujo amálgama surgiram os titereiros de *bunraku*, perambulavam por todo o Japão a exibir sua arte, enquanto suas mulheres se prostituíam. E o *kabuki*, criado por Okuni, logo dá origem ao *"kabuki* de mulheres" ou *"kabuki* de prostitutas", que é seguido pelo *"kabuki* de mocinhos", na realidade, adolescentes prostituídos; ambos extintos por alegação de corrupção de costumes, para finalmente estabelecer-se com o *"kabuki* de homens adultos", base do *kabuki* atual. Uma história pitoresca, marcada pelos movimentos sucessivos de erotismo *x* repressão, cheia de peripécias e reviravoltas, em suma, uma história barroca.

Como o *nô* teve, desde os seus primórdios, o apoio do xogunato Ashikaga, conseqüentemente, os atores de *nô* logo tiveram os seus talentos artísticos reconhecidos. Já no *bunraku*, uma vez que a narração é primordial, o narrador e o instrumentista de *shamisen* sempre tiveram uma posição privilegiada como artistas e seres humanos, todavia, os manipuladores de bonecos do *bunraku* e os atores de *kabuki*, devido às suas origens, foram inicialmente relacionados à prostituição e estigmatizados, durante todo o período Edo, pelo xogunato Tokugawa, como *kawaramono* ("mendigos das margens do rio"), associados aos *eta* ("classe proscrita"), excluídos da condição humana e catalogados como animais.

Enquanto os atores de *nô* gozaram, desde cedo, do convívio e privilégio da vida na corte e nos castelos, os atores de *kabuki*, ao contrário, embora alcançassem fama e riqueza, graças ao talento artístico, eram segregados do resto da sociedade, como os *eta*, sendo obrigados a viver em guetos, nos distritos teatrais e estando proibidos de qualquer manifestação de luxo no seu modo de vida.

Somente com o governo Meiji (1867-1912) ocorre o reconhecimento tardio do *kabuki* como arte dramática e, atualmente, a consagração máxima dos teatros *bunraku* e *kabuki*, uma vez que os seus mais talentosos artistas têm sido agraciados pelo imperador com o título de "Tesouro Nacional Humano" ou, mesmo, com a Ordem do Mérito da Cultura.

Os teatros *bunraku* e *kabuki* são, juntamente com as gravuras *ukiyoê*, os *haikai* e os romances de Saikaku Ihara, o primeiro florescimento de uma cultura genuinamente plebéia, criada pelo povo e tendo como seu grande público e patrono o próprio povo. Cumpre lembrar que os teatros *bunraku* e *kabuki* foram as primeiras manifestações cênicas japonesas a terem suas produções financiadas exclusivamente através do lucro nas entradas. Por conseguinte, de uma perspectiva mais ampla, as histórias dos teatros *bunraku* e *kabuki* são histórias escritas do ponto de vista dos dominados, das prostitutas, dos homossexuais prostituídos, dos *kawaramono* e dos *eta*, que abolem a história escrita pelos dominantes.

No entanto, de uma perspectiva mais restrita, a visão contemporânea do movimento feminista, trata-se de uma história escrita pelos dominados, até certo ponto. Na época em que vigorava uma rígida proibição da presença de mulheres nos palcos japoneses, o *kabuki* é irreverentemente criado por Okuni, cujo êxito dá ensejo à proliferação de inúmeras companhias femininas. Após as sucessivas repressões tanto do "*kabuki* de mulheres" quanto do "*kabuki* de mocinhos", o teatro *kabuki*, que fora arrojadamente iniciado por uma mulher, é ironicamente representado, nas encenações atuais, exclusivamente por atores do sexo masculino. Isto, muito embora haja a exceção do Zenshin-za, uma companhia progressista, dissidente do Kabuki-za, que mistura *onnagata* e atrizes nos seus espetáculos de *kabuki*.

Ao nível do espaço teatral (capítulo 3). Enquanto todas as peças de *nô* e *kyôguen* são sempre apresentadas num palco com estrutura fixa, constituído de tablado principal e *hashigakari* ("passarela"), com um cenário imutável para todas as encenações, as pinturas estilizadas de um enorme pinheiro e bambus, inalteráveis até hoje, os dramas de *bunraku* e *kabuki*, ao contrário, caracterizam-se pela multiplicidade de cenários e áreas de atuação, uma vez que, não apenas cada ato, mas cada cena possui o seu cenário específico.

Uma singularidade do teatro japonês é que cada gênero cria o seu próprio palco. Assim, o de *kabuki*, embora tenha começado como imitação do palco de *nô* e permanecido como tal durante toda a época do "*kabuki* de mulheres", logo principia a manifestar uma série de modificações. Verifica-se gradativamente o desmembramento de sua forma tradicional original, com as introduções do *jôshiki-maku* ("cortina tricolor"), do *hanamichi* ("passarela principal") e do *kari-hanamichi* ("passarela secundária"), que possibilitarão as peças de vários atos e múltiplas áreas de atuação; paralelamente ao grande desenvolvimento da maquinaria de palco, com as inovações do palco giratório, teto giratório e elevadores localizados no tablado e na passarela. Por sua vez, o palco de *bunraku*, como o de *kabuki*, é bastante longo proporcionalmente à sua largura, adota a cortina tricolor e, graças aos espaços delimitados pelas três grades, possui também várias áreas de atuação.

Devido ao recurso do *dôgugaeshi* ("dispositivos para mudanças de cenário") do *bunraku* e da maquinaria de palco do *kabuki*, efetua-se a substituição do teatro sintético, peças com um ou dois atos, área de atuação e cenário únicos do *nô*, pelas obras com vários atos, multiplicidade de focos de atuação/atração e de cenários do *bunraku* e *kabuki*, e a ênfase no movimento, um dos princípios básicos do Barroco.

Como o *nô*, o *kabuki* começa fazendo suas exibições em recintos de santuários e castelos, mas passa, mais tarde, a atuar nas margens áridas do Rio Kamo, morada dos párias e marginais da época. Sob a alegação de que o teatro ocasionaria a corrupção de costumes, dá-se o subseqüente confinamento do *bunraku* e *kabuki* em distritos segregados, longe das áreas centrais das cidades. E que ironia assistirmos atualmente aos espetáculos de *bunraku* e *kabuki* nas áreas mais nobres de Tokyo, pois o Kabuki-za se localiza em Higashi-Guinza, e o Teatro Nacional do Japão situa-se defronte ao fosso que circunda o Palácio Imperial.

Enquanto o *nô* é um ritual onde o palco funciona como um altar e a atitude da platéia é solene e grave como se estivesse num espaço sagrado, as apresentações de *bunraku* e principalmente de *kabuki*, devido às passarelas que adentram no auditório, proporcionam maior proximidade física entre palco/platéia e suscitam a participação ativa do público. A comida e a bebida ingeridas pelos espectadores durante o transcorrer das peças, entremeadas pelos *kakegoe* ("palavras de elogio") e comentários à atuação, transformam tais encenações em verdadeiros espetáculos, festivais populares e espaços lúdicos.

Conseqüentemente, ocorre uma desconstrução do espaço, aos níveis: físico, com o desmembramento do palco de *nô* – a substituição da unidade pela multiplicidade; social, com a integração dos teatros populares ao seio da *pólis*; e religioso, com a transformação do sagrado em profano e lúdico.

Ao nível do texto (capítulo 5). Ao contrário das criações do *nô*, de autoria individual, nas obras de *bunraku* e *kabuki* do período Edo, vigorou durante longo tempo o princípio de autoria coletiva, isto é, cada peça era composta por uma equipe de escritores, o que destruía a idéia de onisciência do dramaturgo solitário no ato de criação. E enquanto as obras de *nô* eram sintéticas, as de *bunraku* e *kabuki*, devido à adoção da cortina tricolor e ao princípio de dramaturgia coletiva, passaram a ser formadas de muitos atos, cada qual regido por um autor diferente, apresentando-se, assim, como uma composição fragmentada, com um enredo freqüentemente ilógico, com a possibilidade de cada fragmento ser encenado como um ato independente.

Mesmo quando, mais tarde, os dramaturgos de *bunraku* e *kabuki* passam a criar suas obras individualmente, constata-se a existência de roteiros repletos de *aná* ("buracos"), vazios, zonas indeterminadas, que deveriam ser concretizados pela figura e interpretação dos atores.

Dessa maneira, as peças de *bunraku* e *kabuki* resultaram, como as gravuras *ukiyoê*, em obras amiúde descentradas, com vários focos de atração e uma multiplicidade de pontos de vista, próprios do caráter do Barroco.

Ao nível da encenação (capítulo 6). Os atores de *nô* podiam envergar os magníficos trajes de brocado nas suas exibições, pois geralmente eram ofertas dos militares e aristocratas a seus artistas preferidos. Em contrapartida, todas as vestes luxuosas dos atores de *kabuki* eram confiscadas, devido ao movimento de repressão do regime Tokugawa em relação a qualquer manifestação de riqueza por parte da plebe.

Na era Guenroku (1688-1735), o povo em geral não tinha a noção de como seria uma verdadeira princesa, conseqüentemente, acabou por criar o tipo "princesa vermelha". E como vigorava a proibição de imitar os trajes dos nobres e samurais contemporâneos, nota-se a criação de um vestuário fantástico nos teatros *bunraku* e *kabuki*. O emprego da indumentária é feito antes como fantasia do que em termos realistas. As roupas volumosas, extravagantes e de colorido vivo do *kabuki* eram confeccionadas com o mesmo espírito do vestuário deslumbrante do carnaval do Rio. A bastante elaborada e, por vezes, grotesca vestimenta do *kabuki*, aliada à igualmente bizarra maquilagem *kumadori*, bastante carregada e estilizada, com tendências expressionistas, destroem o princípio de mera reprodução visual da realidade, ao utilizarem as cores quentes, primárias e puras enquanto expressões dos sentimentos.

Grande parte do sucesso de Okuni junto às massas, na sua criação do *kabuki*, deve-se à substituição da nobre, solene e hierática dança *mai* do teatro *nô* pelos primitivos *nembutsu odori* ("danças de oração"), que, mais tarde, evoluem para as dinâmicas danças *kabuki* (*kabuki odori*), vivas e sensuais. Aliás, como na arte barroca, seduzir o público é o objetivo maior do *kabuki*, desde o seu nascimento com Okuni, seguido do "*kabuki* de mulheres", com suas atraentes dançarinas, o "*kabuki* de mocinhos", com seus formosos adolescentes e os *onnagata* do "*kabuki* de homens adultos".

Um culto à beleza da forma e à atração dos sentidos, manifestos através de seus modos de atuação: *aragoto* ("rude"), um estilo arrojado, de bravura embriagante, que expressa uma masculinidade heróica, com sua fala bombástica e gestos arrogantes; *wagoto* ("suave"), um estilo mais elegante, sensual e um tanto efeminado; *maruhon*, modo de atuação derivado dos bonecos do *bunraku*; e *shosagoto*, estilo de dança. Todos eles modos antinaturalistas de atuação, que destroem o princípio de mera reprodução da realidade, salientando o heróico, o grandioso e a sensualidade, características nitidamente barrocas.

Portanto, o vestuário volumoso e rebuscado, a maquilagem exagerada e a correspondente atuação arrojada, bem como a música estilizada, abolem o princípio de mera imitação da realidade, substituindo-o pelo princípio de estilização extrema. A criação de uma imagem maior do que a vida, exatamente como na estética do Barroco. E em oposição ao teatro realista ocidental e ao drama moderno japonês (*shingueki*), teatros representacionais que em suas essências são mimeses da realidade, o *bunraku* e o *kabuki* são, como o teatro barroco, teatros presentacionais, antimiméticos e anti-realistas.

Os teatros *bunraku* e *kabuki* surgem e desenvolvem-se no século XVII, coincidindo no tempo histórico com o Barroco europeu. O estudo etimológico das palavras *barroco* e *kabuki* (capítulo 1) apresenta o ponto de contato inicial entre ambos, através da noção de "bizarro", o fora das normas, o extravagante e o vistoso, que os leva a serem criticados como "estilo decadente" (Barroco) e "estética do vulgar" (*bunraku/kabuki*).

No século XVII, Ocidente (Europa) e Oriente (China e Japão) compartilhavam o mesmo conceito de cosmologia, graças aos trabalhos dos jesuítas, que aliavam à tarefa de propagação do catolicismo na Ásia, a difusão da ciência e cultura européias. Dá-se, assim, a substituição do universo centrado, ordenado, fechado e estático do Renascimento pelo universo infinito, descentrado, aberto e dinâmico da topologia barroca. E isso vai refletir-se na obra barroca em geral.

Entretanto, devido ao *sakoku* ("política de segregação nacional"), imposto pelo xogunato Tokugawa, que isolou o Japão quase que hermeticamente do resto do mundo, durante cerca de dois séculos e meio, os teatros *bunraku* e *kabuki* e o Barroco/teatro barroco evoluíram em contextos históricos bastante diferentes. Os grandes fatores históricos do século XVII na Europa: a forma política do Estado absoluto, a prática econômica do mercantilismo e as lutas ideológicas em guerras de religião, Reforma e Contra-Reforma, com sua política de expansão religiosa, comercial e cultural além-mar, contrastam com o *sakoku*, que destrói qualquer possibilidade de intercâmbio comercial ou cultural do Japão com o estrangeiro, além da proibição enérgica do catolicismo no país e o período de estagnação política denominado a "época da paz Tokugawa", que vigorou durante todo o período Edo. Assemelhavam-se apenas quanto à emergência da classe burguesa e, de um modo relativo, quanto ao regime do xogunato Tokugawa, que era uma espécie de feudalismo absoluto.

Entretanto, mesmo florescendo em contextos históricos tão diversos, que fazem com que o Barroco seja expressão do Absolutismo (secular e religioso) e da Contra-Reforma, e os teatros *bunraku* e *kabuki*, artes genuinamente populares e nativas, de franca reação ao feudalismo absoluto, mostram, curiosamente, várias e surpreendentes analogias.

Não por acaso Benjamin assinalava nos dramas históricos barrocos a evocação do teatro de fantoches, as afinidades do teatro de bonecos e o drama barroco. "Quer escolha a reflexão sutil, como em sua variedade espanhola, quer o gesto bombástico, como em sua variedade alemã, o drama retém a excentricidade jocosa que caracteriza os heróis do teatro de marionetes."[1] Assim também no Japão dos séculos XVII e XVIII, o *bunraku* vai influenciar o *kabuki*, nos seus modos de atuação *wagoto* ("suave"), mais sutil, e *aragoto* ("rude"), com fala e gestos bombásticos, com os intérpretes de *kabuki* atuando de maneira titubeante e convulsiva nas peças derivadas do teatro de bonecos.

A seguir, através da análise das estruturas dos teatros *bunraku*, *kabuki* e barroco (capítulo 7), verificamos que todas essas manifestações cênicas coincidem quanto: ao abandono da regra das três unidades, ao adotar um livre e múltiplo uso de tempo, espaço e ação; à mistura dos gêneros comédia e tragédia; à apresentação de grande dinamismo no palco, pois são espetáculos

1. Walter Benjamin, *op. cit.*, pp. 147-148.

movimentados, coloridos e mutantes; e, sobretudo, por serem teatros centralizados nas emoções.

Por um lado, a maioria das características do Barroco/teatro barroco pode ser quase que integralmente transposta para os teatros *bunraku* e, principalmente, *kabuki*, como, por exemplo: o movimento, o culto do maravilhoso, o paradoxo, a aparência, a ostentação, a crueldade e morte, o grande teatro do mundo, a festa, o jogo, a obra aberta e, notadamente, a concepção de obra de arte total, ideal do drama barroco.

Por outro lado, o *migawari* ("substituição"), o *katakiuchi* ("vingança"), o *nureba* ("cena erótica"), o *yusuriba* ("cena de extorsão"), o *semeba* ("cena de tortura") e o *koroshiba* ("cena de assassinato"), que constituem os *miseba* ("cenas para atrair o público") do *bunraku* e *kabuki*, encontram seus correspondentes nas obras de Shakespeare, no teatro espanhol da Idade de Ouro e no teatro barroco europeu em geral.

Todos esses fatores, aliados à operação de desconstrução aos níveis da história, do espaço, do texto e da encenação (capítulo 8), apontam os teatros *bunraku* e *kabuki* como manifestações barrocas por excelência, posto que, se no Barroco europeu constatamos o processo de rompimento da linearidade, um trabalho de desconstrução do princípio lógico-discursivo que rege a cultura clássica, um dos princípios fundantes da civilização ocidental, nos teatros *bunraku* e *kabuki* verificamos um trabalho de desconstrução do princípio de contenção/intimismo, que rege a cultura clássica japonesa.

Se apesar do *sakoku* ("política de segregação nacional"), os historiadores de arte europeus, que formularam o conceito de Barroco, tivessem, de alguma forma, tido conhecimento sobre os teatros que germinaram e floresceram no século XVII no Japão e dominaram o mundo teatral nipônico durante todo o período Edo (1603-1867), constatariam seguramente que, guardadas as diferenças culturais que marcam suas alteridades, os teatros *bunraku* e *kabuki*, devido à analogia de seus inúmeros traços barroquistas, seriam igualmente manifestações do Barroco.

Portanto, o Barroco pode ser considerado não mais uma manifestação estritamente ocidental, mas de expressão universal. Um espírito do tempo.

Bibliografia

CULTURA E TEATRO JAPONÊS

ADACHI, Barbara C. *The Voices and Hands of Bunraku*. Tokyo, Mobil Sekiyu Kabushiki Kaisha, 1978.

——————. *Backstage at Bunraku*. New York-Tokyo, Weatherhill, 1985.

AMARAL, Ana Maria de Abreu. *O Teatro de Bonecos em São Paulo*. São Paulo, Tese de Mestrado, Escola de Comunicações e Artes da Universidade de São Paulo, 1983.

——————. *Teatro de Formas Animadas*. "Máscaras, Bonecos, Objetos". São Paulo, Edusp-FAPESP, 1991.

ANDO, Tsuruo. *Bunraku – The Puppet Theater*. Kyoto, Weatherhill-Tankosha, 1970.

ARNOTT, Peter D. *The Theatres of Japan*. New York, MacMillan; Rutland, Vermont, Tokyo, Tuttle, 1969.

ASADA, Masuno. *Dance of Japan*. Tradução de Totaro Suzuki, Yasue Koike e Kiichi Murakami. Tokyo, Komiyama Printing, 1956.

ASHIHARA, Eiryo. *The Japanese Dance*. Tradução de Koyu Matsuura. New York, Arno Press, 1980.

THE AZUMA Kabuki – Dancers and Musicians. New York, Hurok Attractions, 1956.

BANU, Georges; BRINDEAU, Véronique; DE VOS, Patrick; HAYAKAWA, Masami; HERNANDEZ, Brigitte; SUZUKI, Tadashi; TAMBA, Akira & WASSERMAN, Michel. *Le Kabuki*. Paris, "Musical", Revue du Théâtre Musical de Paris, Chatelet nº 5, 1987.

BÉJART, Maurice. *The Kabuki – The Tokyo Ballet*. Tokyo, Shinshokan, 1986.

BOOTH, Alan. *Bando Tamasaburo, Kabuki Femme Fatale*. PHP Profile, setembro de 1981.

Bowers, Faubion. *Japanese Theatre*. Rutland, Vermont, Tokyo, Tuttle, 1982.
Brandon, James. Tradutor de *Kabuki Five Classic Plays*. Cambridge, Harvard University Press, 1975.
Brandon, James R.; Malm, Willian P. & Shively, Donald H. *Studies in Kabuki – Its Acting, Music and Historical Context*. Estados Unidos, Center for Japanese Studies – University of Michigan-University Press of Hawaii, 1978.
Danse Japonaise. Tokyo, Kokusai Bunka Shinkokai (Sociedade para o Desenvolvimento das Relações Culturais Internacionais), à l'Occasion de l'Exposition de la Danse Japonaise aux Archives Internationales de la Danse à Paris, 1939.
Dunn, Charles J. *The Early Japanese Puppet Drama*. London, School of Oriental and African Studies-Luzac, 1966.
Dunn, Charles J. & Torigoe, Bunzo. Tradutores de *The Actors' Analects (Yakusha Rongo)*. Tokyo, University of Tokyo, 1969.
Ernst, Earle. *The Kabuki Theatre*. Honolulu, The University Press of Hawaii, 1974.
Gassner, John. "Oriente e Ocidente", em *Mestres do Teatro I*. Tradução de Alberto Guzik e J. Guinsburg. São Paulo, Perspectiva, 1974.
Gunji, Masakatsu. *Kabuki*. Tradução de John Bester. Tokyo, Palo Alto, Kodansha, 1969.

———. *Buyô: The Classical Dance*. Tradução de Don Kenny. New York, Tokyo, Kyoto, Weatherhill-Tankosha, 1970.
Haar, Francis. *Japanese Theatre in Highlight*. "A Pictorial Commentary". Westport – Connecticut, Greenwood Press, 1971.
Halford, Aubrey S. & Halford, Giovanna M. *The Kabuki Handbook*. Rutland, Vermont, Tokyo, Tuttle, 1956.
Hamamura, Yonezo; Sugawara, Takashi; Kinoshita, Junji & Minami, Hiroshi. *Kabuki*. Tradução de Fumi Takano. Tokyo, Kenkyûsha, 1956.
Hirano, Kiichi. "Introduction to Japanese Puppet Theatre". In *Bulletin on Japanese Culture*. Nº 88. Kokusai Bunka Shinkokai, fevereiro-março de 1968.
Hironaga, Shuzaburo. *Bunraku, Japan's Unique Puppet Theatre*. Tokyo, Tokyo News Service, 1960.
Hoff, Frank. *Song, Dance, Storytelling: Aspects of the Performing Arts in Japan*. East Asia Papers nº 15, Ithaca, Cornell University, 1978.
Hyland, Peter. " 'A Kind of Woman': The Elizabethan Boy-Actor and the Kabuki Onnagata". In *Theatre Research International*. Vol. 12, nº1.
Immoos, Thomas. *Japanese Theatre*. Tradução de Hugh Young. London, Studio Vista, 1977.
Kawachi, Shiro. "Ichikawa Ennosuke: *Kabuki* Inovator". In *Japan Quarterly*. Vol. XXXI, nº 3, Tokyo, Asahi Shimbun, julho-setembro de 1984.
Kawatake, Shiguetoshi. "A Brief History of the Japanese Theater". In *The Theater Arts of Japan – Today's Japan Orient/West*. Tokyo, Cross Continent, vol. 5, nº 12, dezembro de 1960.

———. *Kabuki – Japanese Drama*. Tokyo, The Foreign Affairs Association of Japan, 1958.
Kawatake, Toshio. "Kabuki no Barokkuteki Seikaku" ("O Caráter Barroco do Kabuki"). In *Hikaku Enguekigaku (Estudos sobre Teatro Comparado)*. Tokyo, Nansosha, 1967.

———. "Barokkuteki Engueki no Keimyaku to Kabuki" ("A Corrente de Teatro Barroco e o Kabuki"). In *Zoku Hikaku Enguekigaku (Continuação dos Estudos sobre Teatro Comparado)*. Tokyo, Nansosha, 1974.

———. "Kabukisei aruiwa Sôgôgueijutsusei" ("A Natureza do Kabuki ou a Natureza de Obra de Arte Total") e "Barokku Engueki no Kaika" ("O Florescimento do Teatro Barroco"). In *Engueki Gairon (Considerações Gerais sobre Teatro)*. Tokyo, Editora da Universidade de Tokyo, 1978.

———. *Our Heritage - Kabuki on the World Stage.*"Transcriptions from Radio Japan's Programme Series on Japanese Culture". Tokyo, Radio Japan - NHK, 1983.

———. *Kabuki: Sono Bi to Rekishi (Kabuki: Sua Beleza e História)*. Tokyo, Teatro Nacional, 20 de maio de 1986.

———. "Gaikokujin no Mita Nihongueinô" ("O Teatro Japonês Visto pelos Estrangeiros") e "Hikaku Gueinô Kenkyû no Imi to Hôhô" ("Significado e Processo de Pesquisa sobre Teatro Comparado"). In *Nihon no Koten Gueinô (Artes Tradicionais Japonesas)*. Tokyo, Heibonsha, vol. 10, vários autores, 1971.

———. "Significant Forms of the Performing Arts - Japan". In *Traditional Performing Arts Through the Mass Media in Japan, the Republic of Korea and the Philippines*. Tehran, Asian Cultural Documentation Centre for UNESCO, 1976.

———. *The Traditional Theatre of Japan - Part II: Kabuki & Bunraku*. Tokyo, Japan Foundation, 1981.

KEENE, Donald. Tradutor de *Major Plays of Chikamatsu*. New York, Columbia University, 1962.

———. *Bunraku - The Art of the Japanese Puppet Theatre*. Tokyo, Kodansha, 1965.

KENNY, Don. *On Stage in Japan: Kabuki, Bunraku, Noh, Gagaku*. Tokyo, Shufunotomo, 1974.

KINCAID, Zoë. *Kabuki - The Popular Stage of Japan*. New York, Arno Press, 1977.

KIRKWOOD, Kenneth P. *Renaissance in Japan*. Rutland, Vermont, Tokyo, Tuttle, 1971.

KOKUBU, Tamotsu. *Understanding Japan: Japanese Theater*. International Society for Educational Information, Tokyo, Shobi, 1972.

KURE, B. *The Historical Development of Marionette Theatre in Japan*. New York, Columbia University, 1920.

LEQUEUX, A. *Le Théâtre Japonais*. Paris, Ernest Leroux, 1889.

MACHIDA, Kasho. *Odori (Japanese Dance)*. Tokyo, Board of Tourist Industry, 1938.

MALM, William P. *Japanese Music and Musical Instruments*. Rutland, Tokyo, 1974.

———. *Six Hidden Views of Japanese Music*. Berkeley, University of California Press, 1986.

———. *Nagauta - The Heart of Kabuki Music*. Westport, Greenwood Press, 1976.

MATSUMAE, Norio. "Traditional Society and the Mass Media - Japan". In *Traditional Performing Arts Through the Mass Media in Japan, the Republic of Korea and the Philippines*. Tehran, Asian Cultural Documentation Centre for UNESCO, 1976.

MISHIMA, Yukio. *"Onnagata"*. Conto publicado em *Morte em Pleno Verão*. Tradução de Aulyde Soares Rodrigues. Rio de Janeiro, Rocco, 1986.

MIYAJIMA, Tsunao. *Contribution à l'Étude du Théâtre Japonais de Poupées*. Osaka, Société de Rapprochement Intelectuel Franco-Japonais & Institut Franco-Japonais, 1931.

MIYAKE SHUTARO. *Kabuki Drama*. Tokyo, Japan Travel Bureau, 1948.

———. "Japan's Puppet Theater". In *The Theater Arts of Japan – Today's Japan Orient/West*. Tokyo, Cross Continent, vol. 5, nº 12, dezembro de 1960.

NAGANO, Fujio. "Guenroku Kabuki to Barokku Gueki" ("O Kabuki da Era Guenroku e o Teatro Kabuki"). In *Nihon Engueki Gakkai Kiyô* (*Boletim da Sociedade Literária de Teatro Japonês*). Tokyo, Nihon Engueki Gakkai, vol. 9, 1967.

NAKAGAWA, Takeshi. "Kyokô to Kaitai – Kabuki Guekijô no Tenkai" ("Invenção e Desmembramento – Evolução do Teatro Kabuki"). In *Kenchiku Yôshiki no Rekishi to Hyôguen* (*História e Expressão dos Estilos Arquitetônicos*). Tokyo, Shokokusha, 1987.

OGA, Tokio & MIMURA, Koichi. *Bunraku*. Tradução de Don Kenny. Osaka, Hoikusha, 1984.

OKAMOTO, Yoshitomo. *The Namban Art of Japan*. Tradução de Ronald K. Jones. Tokyo, Weatherhill/Heibonsha, 1972.

OKAWA, Naomi. *Edo Architecture: Katsura and Nikko*. Tradução de Alan Woodhull e Akito Miyamoto. Tokyo, Heibonsha, 1975.

PIGGOTT, Francis. *The Music and Musical Instruments of Japan*. Yokohama, Kelly & Walsh, 1909.

POWEL, Brian. "Communist Kabuki: A Contradiction in Terms?" In *Drama and Society – Themes in Drama 1*. Editado por James Redmond. Cambridge, Cambridge University Press, 1979.

PRONKO, Leonard C. *Teatro: Leste e Oeste – Perspectivas para um Teatro Total*. Tradução de Jacó Guinsburg. São Paulo, Perspectiva, 1986.

———. "Kabuki: A Short Overview of its History". In *Center News*. Tokyo, Japanese Studies Center, Japan Foundation, vol. VI, nº 4, setembro de 1981.

RAZ, Jacob. *Audience and Actors*. Leiden – The Netherlands, E. J. Brill, 1983.

RICHIE, Donald. "The Kabuki in New York". In *The Theater Arts of Japan – Today's Japan Orient/West*. Tokyo, Cross Continent, vol. 5, nº 12, dezembro de 1960.

RICHIE, Donald & WATANABE, Miyoko. Tradutores de *Six Kabuki Plays*. Tokyo, Hokuseido, 1963.

SCOTT, Adolphe Clarence. *The Kabuki Theatre of Japan*. London, George Allen & Unwin, 1955.

———. *The Puppet Theatre of Japan*. Rutland, Vermont, Tokyo, Tuttle, 1980.

SHAVER, Ruth M. *Kabuki Costume*. Rutland, Vermont, Tokyo, Tuttle, 1966.

SHIVELY, Donald H. *The Love Suicide at Amijima*. "A Study of a Japanese Domestic Tragedy by Chikamatsu Monzaemon". Cambridge-Massachusetts, Harvard University Press, 1953.

SUGUIYAMA, Makoto & FUJIMA, Kanjuro. *An Outline History of the Japanese Dance*. Tradução de Shigueyoshi Sakabe. Tokyo, Kokusai Bunka Shinkokai, 1937.

SUZUKI, Tae & GIROUX, Sakae Murakami. *Bunraku: Teatro de Bonecos do Japão*. São Paulo, Perspectiva, 1991.

TAKEDA, Izumo & MIYOSHI, Shoraku; NAMIKI, Senryu. *Chûshingura (The Treasury of Loyal Retainers)*. Tradução de Donald Keene. New York, Columbia University Press, 1971.
──────. *Le Mythe des Quarente-Sept Rônin*. Apresentação e tradução de René Sieffert e Michel Wassermann. Paris, Publications Orientalistes de France, 1981.
──────. *Sugawara and the Secrets of Calligraphy*. Tradução de Stanleigh H. Jones Jr. New York, Columbia University Press, 1985.
TANABE, Hisao. *Japanese Music*. Tradução de Shigueyoshi Sakabe. Tokyo, Kokusai Bunka Shinkokai, 1936.
TATEISHI, Ryuichi. *Classic Dancing in Japan: Outstanding Contemporary Dancers*. Tradução de Hideo Aoki e Tatsuo Shibata. Tokyo, Shobo, 1969.
TOITA, Yasuji. *Kabuki – The Popular Theater*. Tradução de Don Kenny. New York, Tokyo, Kyoto, Weatherhill-Tankosha, 1974.
TOITA, Yasuji & YOSHIDA, Chiaki. *Kabuki*. Osaka, Hoikusha, 1979.
TSUBOUCHI, Shoyo & YAMAMOTO, Jiro. *History and Characteristics of Kabuki – The Japanese Classical Drama*. Tokyo, Yamagata, 1960.
TSUJIMURA, Akira. "Preservation and New Directions". In *Traditional Performing Arts Through the Mass Media in Japan, the Republic of Korea and the Philippines*. Asian Cultural Documentation Centre for UNESCO, 1976.
TSURUYA IV, Namboku. *Les Spectres de Yotsuya*. Tradução de Jeanne Sigée. Paris, L'Asiathéque, 1979.
WATANABE, Shigueo. *Kinsei Nihon Tenmongakushi, (História da Astronomia Japonesa durante o Kinsei)*. Tokyo, Koseisha Koseikaku, 1986.
YAMAMOTO, Jiro; KIKUCHI, Akira & HAYASHI, Kyohei. *Kabuki Jiten (Dicionário de Kabuki")*. Tokyo, Jitsugyô no Nihonsha, 1972.
YOSHIDA, Mitsukuni. *The People's Culture from Kyoto to Edo*. Hiroshima, Mazda Motor Corporation, 1986.

BARROCO

ALEWYN, Richard. *L'Univers du Baroque*. Trad. de Danièle Bohler. Genève, Gonthier, 1964.
ÁVILA, Affonso. *O Lúdico e as Projeções do Mundo Barroco*. São Paulo, Perspectiva, 1980.
BAZIN, Germain. *Baroque and Rococo*. Trad. de Jonathan Griffin. London, Thames and Hudson, 1964.
──────. *Destins du Baroque*. Paris, Hachette, 1968.
BENJAMIN, Walter. *Origem do Drama Barroco Alemão*. Trad. de Sérgio Paulo Rouanet. São Paulo, Brasiliense, 1984.
BOSHI, Caio C. *O Barroco Mineiro: Artes e Trabalho*. São Paulo, Brasiliense, 1988.
BOTTINEAU, Yves. *Baroque Ibérique: Espagne, Portugal, Amerique-Latine*. Fribourg, Office du Livre, 1969.
CAMPOS, Haroldo de. "A Obra de Arte Aberta". *Diário de São Paulo*, 3 de julho de 1955.
──────. "Uma Arquitextura do Barroco". In *A Operação do Texto*. São Paulo, Perspectiva, 1979.
──────. *O Seqüestro do Barroco na Formação da Literatura Brasileira: O Caso Gregório de Matos*. Salvador, Bahia, Fundação Casa de Jorge Amado, 1989.

CATTAUI, Georges. *Baroque et Rococco*. Paris, Arthaud, 1973.

CHAUÍ, Marilena. Anotações do curso de *Filosofia Geral – Século XVII*. Departamento de Filosofia da Universidade de São Paulo, 1978.

CONTI, Flavio. *Como Reconhecer a Arte Barroca*. Trad. de Carmen de Carvalho. São Paulo, Martins Fontes, 1984.

D'ORS, Eugenio. *Du Baroque*. Trad. de Agathe Rouart-Valery. Paris, Gallimard, 1968.

DERRIDA, Jacques. *Gramatologia*. São Paulo, Perspectiva, 1973.

DUBOIS, Claude-Gilbert. *Le Baroque – Profondeurs de l'Apparence*. Paris, Larousse, 1973.

ECO, Umberto. *Obra Aberta*. São Paulo, Perspectiva, 1968.

ETZEL, Eduardo. *O Barroco no Brasil*. São Paulo, Melhoramentos-Editora da Universidade de São Paulo, 1974.

HATZFELD, Helmut. *Estudos sobre o Barroco*. Trad. de Célia Berrettini. São Paulo, Perspectiva, 1988.

HEMPEL, Eberhard. *Baroque Art and Architecture in Central Europe*. London, Penguin Books, 1965.

KELEMEN, Pál. *Baroque and Rococo in Latin America*. New York, Dover, 1967.

KOYRÉ, Alexandre. *Do Mundo Fechado ao Universo Infinito*. Trad. de Donaldson M. Garschagen. Rio de Janeiro, Forense-Universitária, São Paulo, Edusp, 1979.

LEVI, Hannah. *A Propósito de Três Teorias sobre o Barroco*. São Paulo, Faculdade de Arquitetura e Urbanismo da Universidade de São Paulo, s/d.

MACHADO, Lourival Gomes. *Barroco Mineiro*. São Paulo, Perspectiva, 1978.

MARAVALL, José Antonio. *La Cultura del Barroco*. Barcelona, Ariel, 1983.

MELLO, Suzy de. *Barroco*. São Paulo, Brasiliense, 1983.

MOREJÓN, Julio Garcia. *El Barroco – Coordenadas Estético-Literárias*. São Paulo, Instituto de Cultura Hispânica da Universidade de São Paulo, 1968.

SARDUY, Severo. *Barroco*. Trad. do espanhol por Jacques Henric e o autor. Paris, Seuil, 1975.

––––––––. "Por uma Ética do Desperdício". In *Escrito sobre um Corpo*. Trad. de Ligia Chiappini Moraes Leite e Lúcia Teixeira Wisnik. São Paulo, Perspectiva, 1979.

TAPIÉ, Victor-Lucien. *Barroco e Classicismo*. Trad. de Lemos de Azevedo, Lisboa, Editorial Presença, 1974. vols. I e II.

––––––––. *O Barroco*. Trad. de Armando Ribeiro Pinto. São Paulo, Cultrix-Edusp, 1983.

WEISBACH, Werner. *Arte Barroco en Italia, Francia, Alemania y España*. Trad. de Ramón Iglesias. Barcelona, Editorial Labor, 1934.

––––––––. *El Barroco, Arte de la Contrarreforma*. Trad. de Enrique Lafuente Ferrari. Madrid, Editorial Espasa-Calpe, 1948.

WÖLFFLIN, Heinrich. *Renascença e Barroco*. Tradução de Mary Amazonas Leite de Barros e Antônio Steffen. São Paulo, Perspectiva, 1989.

––––––––. *Conceitos Fundamentais da História da Arte*. Tradução de João Azenha Jr. e supervisão de Marion Fleischer. São Paulo, Martins Fontes, 1984.

TEATRO BARROCO

CORNEILLE, Pierre. *L'Illusion Comique*. Paris, Librairie Marcel Didier, 1970.

FRIEDRICH, Carl J. *The Age of the Baroque, 1610-1660*. New York e Evanston, Harper & Row Publishers, 1962.

HARRISON, G. B. *Introducing Shakespeare*. Middlesex, Pelican, 1971.

ITO, Hiroshi. "Jûrokuseikimatsu no Engueki (1580 nen kara 1610 nen made)" ("Teatro do Fim do Século XVI – de 1580 a 1610").

——————. "Jûnanaseikishotô no Engueki (1610 nen kara 1640 nen made)" ("Teatro do Início do século XVII – De 1610 a 1640").

——————. "Corneille to Rotrou" ("Corneille e Rotrou"). In *Furansu Bungaku Kôza – Yonmaki: Engueki (Curso de Literatura Francesa – Volume IV: Teatro)*. Vários autores. Tokyo, Taishûkan, 1982.

MOUSSINAC, Léon. *Le Théâtre des Origines a nos Jours*. Paris, Amiot & Dumont, 1957.

NICOLL, Allardyce. *The Development of the Theatre*. London, George G. Harrap, 1937.

RAYMOND, Marcel. *Baroque & Renaissance Poétique*. Paris, Librairie José Corti, 1955.

REVUE DU XVIIe. Siècle. "Bulletin de la Société d'Étude du XVIIe. Siècle, 1953 – nº 20 (Centre National de la Recherche Scientifique – Paris)". Vários autores. New York, Johnson Reprint Corporation, 1968.

RICHARD, Annie. *L'Illusion Comique de Corneille et le Baroque – Étude d'une Oeuvre dans son Milieu*. Paris, Hatier, 1972.

ROTROU, Jean. "Hercule Mourant" e "La Belle Alphrède". In *Oeuvres de Jean Rotrou – Tomo II*. Genève, Slatkine Reprints, 1967.

——————. *Le Véritable Saint Genest*. Genebra, Librairie Droz, 1972.

ROUSSET, Jean. Seleção e apresentação *Anthologie de la Poésie Baroque Française – Tomo II*.

——————. *La Littérature de l'Âge Baroque en France*. Paris, Librairie José Corti, 1954.

SÁINZ DE ROBLES, Frederico Carlos. *El Teatro Español – Historia y Antología: El Siglo de Oro – Lope de Vega*. Madri, M. Aguilar, 1942. Contém as peças: "Fuente Ovejuna", "El Mejor Alcalde, el Rey" e "La Estrella de Sevilla".

——————. *El Teatro Español – Historia y Antología: El Siglo de Oro – Calderón de la Barca*. Madrid, M. Aguilar, 1943.

VEGA, Lope de. *The New Art of Writing Plays*. Trad. de Willian T. Brewster. New York, Dramatic Museum of Columbia University, 1914.

WICKHAM, Glynne. *A History of the Theatre*. Oxford, Phaidon, 1985.

WOODS, Porter. *Experiencing Theatre*. Englewood Cliffs, New Jersey, Prentice-Hall, 1984.

COLEÇÃO ESTUDOS

1. *Introdução à Cibernética*, W. Ross Ashby.
2. *Mimesis*, Erich Auerbach.
3. *A Criação Científica*, Abraham Moles.
4. *Homo Ludens*, Johan Huizinga.
5. *A Lingüística Estrutural*, Giulio C. Lepschy.
6. *A Estrutura Ausente*, Umberto Eco.
7. *Comportamento*, Donald Broadbent.
8. *Nordeste 1817*, Carlos Guilherme Mota.
9. *Cristãos-Novos na Bahia*, Anita Novinsky.
10. *A Inteligência Humana*, H. J. Butcher.
11. *João Caetano*, Décio de Almeida Prado.
12. *As Grandes Correntes da Mística Judaica*, Gershom G. Scholem.
13. *Vida e Valores do Povo Judeu*, Cecil Roth e outros.
14. *A Lógica da Criação Literária*, Käte Hamburger.
15. *Sociodinâmica da Cultura*, Abraham Moles.
16. *Gramatologia*, Jacques Derrida.
17. *Estampagem e Aprendizagem Inicial*, W. Sluckin.
18. *Estudos Afro-Brasileiros*, Roger Bastide.
19. *Morfologia do Macunaíma*, Haroldo de Campos.
20. *A Economia das Trocas Simbólicas*, Pierre Bourdieu.
21. *A Realidade Figurativa,* Pierre Francastel.
22. *Humberto Mauro, Cataguases, Cinearte*, Paulo Emílio Salles Gomes.
23. *História e Historiografia do Povo Judeu*, Salo W. Baron.
24. *Fernando Pessoa ou o Poetodrama*, José Augusto Seabra.
25. *As Formas do Conteúdo*, Umberto Eco.

26. *Filosofia da Nova Música*, Theodor Adorno.
27. *Por uma Arquitetura*, Le Corbusier.
28. *Percepção e Experiência*, M. D. Vernon.
29. *Filosofia do Estilo*, G. G. Granger.
30. *A Tradição do Novo*, Harold Rosenberg.
31. *Introdução à Gramática Gerativa*, Nicolas Ruwet.
32. *Sociologia da Cultura*, Karl Mannheim.
33. *Tarsila – sua Obra e seu Tempo (2 vols.)*, Aracy Amaral.
34. *O Mito Ariano*, Léon Poliakov.
35. *Lógica do Sentido*, Gilles Delleuze.
36. *Mestres do Teatro I*, John Gassner.
37. *O Regionalismo Gaúcho*, Joseph L. Love.
38. *Sociedade, Mudança e Política*, Hélio Jaguaribe.
39. *Desenvolvimento Político*, Hélio Jaguaribe.
40. *Crises e Alternativas da América Latina*, Hélio Jaguaribe.
41. *De Geração a Geração*, S. N. Eisenstadt.
42. *Política Econômica e Desenvolvimento do Brasil*, Nathanael H. Leff.
43. *Prolegômenos a uma Teoria da Linguagem*, Louis Hjelmslev.
44. *Sentimento e Forma*, Susanne K. Langer.
45. *A Política e o Conhecimento Sociológico*, F. G. Castles.
46. *Semiótica*, Charles S. Peirce.
47. *Ensaios de Sociologia*, Marcel Mauss.
48. *Mestres do Teatro II*, John Gassner.
49. *Uma Poética para Antonio Machado*, Ricardo Gullón.
50. *Burocracia e Sociedade no Brasil Colonial*, Stuart B. Schwartz.
51. *A Visão Existenciadora*, Evaldo Coutinho.
52. *América Latina em sua Literatura*, Unesco.
53. *Os Nuer*, E. E. Evans-Pritchard.
54. *Introdução à Textologia*, Roger Laufer.
55. *O Lugar de Todos os Lugares*, Evaldo Coutinho.
56. *Sociedade Israelense*, S. N. Eisenstadt.
57. *Das Arcadas do Bacharelismo*, Alberto Venancio Filho.
58. *Artaud e o Teatro*, Alain Virmaux.
59. *O Espaço da Arquitetura*, Evaldo Coutinho.
60. *Antropologia Aplicada*, Roger Bastide.
61. *História da Loucura*, Michel Foucault.
62. *Improvisação para o Teatro*, Viola Spolin.
63. *De Cristo aos Judeus da Corte*, Léon Poliakov.
64. *De Maomé aos Marranos*, Léon Poliakov.
65. *De Voltaire a Wagner*, Léon Poliakov.
66. *A Europa Suicida*, Léon Poliakov.
67. *O Urbanismo*, Françoise Choay.
68. *Pedagogia Institucional*, A. Vasquez e F. Oury.
69. *Pessoa e Personagem*, Michel Zeraffa.
70. *O Convívio Alegórico*, Evaldo Coutinho.
71. *O Convênio do Café*, Celso Lafer.
72. *A Linguagem*, Edward Sapir.
73. *Tratado Geral de Semiótica*, Umberto Eco.

74. *Ser e Estar em Nós*, Evaldo Coutinho.
75. *Estrutura da Teoria Psicanalítica*, David Rapaport.
76. *Jogo, Teatro & Pensamento*, Richard Courtney.
77. *Teoria Crítica I*, Max Horkheimer.
78. *A Subordinação ao Nosso Existir*, Evaldo Coutinho.
79. *A Estratégia dos Signos*, Lucrécia D'Aléssio Ferrara.
80. *Teatro: Leste & Oeste*, Leonard C. Pronko.
81. *Freud: a Trama dos Conceitos*, Renato Mezan.
82. *Vanguarda e Cosmopolitismo*, Jorge Schwartz.
83. *O Livro dIsso*, Georg Groddeck.
84. *A Testemunha Participante*, Evaldo Coutinho.
85. *Como se faz uma Tese*, Umberto Eco.
86. *Uma Atriz: Cacilda Becker*, Nanci Fernandes e Maria Thereza Vargas (org.).
87. *Jesus e Israel*, Jules Isaac.
88. *A Regra e o Modelo*, Françoise Choay.
89. *Lector in Fabula*, Umberto Eco.
90. *TBC: Crônica de um Sonho*, Alberto Guzik.
91. *Os Processos Criativos de Robert Wilson*, Luiz Roberto Galizia.
92. *Poética em Ação*, Roman Jakobson.
93. *Tradução Intersemiótica*, Julio Plaza.
94. *Futurismo: uma Poética da Modernidade*, Annateresa Fabris.
95. *Melanie Klein I*, Jean-Michel Petot.
96. *Melanie Klein II*, Jean-Michel Petot.
97. *A Artisticidade do Ser*, Evaldo Coutinho.
98. *Nelson Rodrigues: Drama e Encenações*, Sábato Magaldi.
99. *O Homem e seu Isso*, Georg Groddeck.
100. *José de Alencar e o Teatro*, João Roberto Faria.
101. *Fernando de Azevedo: Educação e Transformação*, Maria Luiza Penna.
102. *Dilthey: um Conceito de Vida e uma Pedagogia*, Mª Nazaré de Camargo Pacheco Amaral.
103. *Sobre o Trabalho do Ator*, Mauro Meiches e Silvia Fernandes.
104. *Zumbi, Tiradentes*, Cláudia de Arruda Campos.
105. *Um Outro Mundo: a Infância*, Marie-José Chombart de Lauwe.
106. *Tempo e Religião*, Walter I. Rehfeld.
107. *Arthur Azevedo: a Palavra e o Riso*, Antonio Martins.
108. *Arte, Privilégio e Distinção*, José Carlos Durand.
109. *A Imagem Inconsciente do Corpo*, Françoise Dolto.
110. *Acoplagem no Espaço*, Oswaldino Marques.
111. *O Texto no Teatro*, Sábato Magaldi.
112. *Portinari, Pintor Social*, Annateresa Fabris.
113. *Teatro da Militância*, Silvana Garcia.
114. *A Religião de Israel*, Yehezkel Kaufmann.
115. *Que é Literatura Comparada?*, Brunel, Pichois, Rousseau.
116. *A Revolução Psicanalítica*, Marthe Robert.
117. *Brecht: um Jogo de Aprendizagem*, Ingrid Dormien Koudela.
118. *Arquitetura Pós-Industrial*, Raffaele Raja.

119. *O Ator no Século XX*, Odette Aslan.
120. *Estudos Psicanalíticos sobre Psicossamática*, Georg Groddeck.
121. *O Signo de Três*, Umberto Eco e Thomas A. Sebeok.
122. *Zeami: Cena e Pensamento Nô*, Sakae M. Giroux.
123. *Cidades do Amanhã*, Peter Hall.
124. *A Causalidade Diabólica I*, Léon Poliakov.
125. *A Causalidade Diabólica II*, Léon Poliakov.
126. *A Imagem no Ensino da Arte*, Ana Mae Barbosa.
127. *Um Teatro da Mulher*, Elza Cunha de Vincenzo.
128. *Fala Gestual*, Ana Cláudia de Oliveira.
129. *O Livro de São Cipriano: Uma Legenda de Massas*, Jerusa Pires Ferreira.
130. *Kósmos Noetós*, Ivo Assad Ibri.
131. *Concerto Barroco às Óperas do Judeu*, Francisco Maciel Silveira.
132. *Sérgio Milliet, Crítico de Arte*, Lisbeth Rebollo Gonçalves.
133. *Os Teatros Bunraku e Kabuki: Uma Visada Barroca*, Darci Kusano.
134. *O Ídiche e seu Significado*, Benjamin Harshav.
135. *O Limite da Interpretação*, Umberto Eco.

Impresso na
**press grafic
editora e gráfica ltda.**
Rua Barra do Tibagi, 444 - Bom Retiro
Cep 01128 - Telefone: 221-8317